A la mémoire d'Alexandre Luya, mon père.

AVANT-PROPOS

« La seule façon d'avancer dans la compréhension, c'est de se mettre au niveau où l'on est soi-même en cause, où la recherche conteste le chercheur : le vrai psychiatre est fou par vocation ; sa folie est son meilleur outil pour pénétrer la folie des autres », écrit Sartre dans L'Idiot de la famille[1]. *Faisons la part du romantisme et de la littérature dans la formulation de Sartre ; il reste que cette phrase met l'accent sur la peine intime que rencontre toute recherche, même modeste, si elle est de l'ordre de l'interprétation.*

C'est pourquoi nous ne savons comment dire notre reconnaissance à M. Jean Mesnard qui a accepté de diriger notre thèse. Sans la confiance, l'estime et les encouragements qu'il nous a témoignés, nous aurions été plusieurs fois tentée d'abandonner. Nous lui devons d'avoir pu entreprendre et achever cette étude, mais nous avons aussi bénéficié de sa lecture attentive et de ses conseils à chaque étape de notre travail.

Nous dirons également notre gratitude au docteur Denise Becker, à qui nous devons les quelques lumières sur notre propre « folie » qui nous ont permis de comprendre un peu celle d'un autre.

1. Tome II, p. 1204.

LISTE DES ABREVIATIONS

B. *Baudelaire*, collection Les Essais, Gallimard, 1954.

C.L. *Les Chemins de la liberté*, Gallimard, tome I, 1964 ; tome II, 1967 ; tome III, 1964.

C.R.D. *Critique de la raison dialectique*, Bibliothèque des Idées, Gallimard, 1964.

E.N. *L'Etre et le Néant*, Bibliothèque des Idées, Gallimard, 1943.

I. *L'Imaginaire*, Bibliothèque des Idées, Gallimard, 1964.

I.F. *L'Idiot de la famille*, Bibliothèque des Idées, Gallimard, tomes I et II, 1971 ; tome III, 1972.

MR. *Le Mur*, Gallimard, 1961.

MT. *Les Mots*, Gallimard, 1964.

N. *La Nausée*, Gallimard, 1964.

S., I *Situations, I*, Gallimard, 1951.

S., II *Situations, II*, Gallimard, 1948.

S., IV *Situations, IV*, Gallimard, 1964.

S., IX *Situations, IX*, Gallimard, 1972.

S., X *Situations, X*, Gallimard, 1976.

S.G. *Saint Genet, comédien et martyr*, Gallimard, 1952.

T.E. *La Transcendance de l'Ego*, Vrin, 1965.

INTRODUCTION

Les écrits biographiques de Sartre sont, aujourd'hui encore, généralement méconnus. La parution en 1971 et en 1972 des trois premiers tomes de *L'Idiot de la famille* et l'ampleur de ce travail sur Flaubert font cependant que l'on ne peut plus considérer comme secondaire cet aspect de l'œuvre. On sait aussi que Sartre, presque aveugle, a interrompu son activité créatrice sur une biographie inachevée[1]. On peut désormais mesurer l'importance de la préoccupation biographique dans l'ensemble de l'œuvre. Si le biographe s'émancipe tardivement (seul *L'Idiot de la famille* est un livre, l'étude sur Baudelaire est une préface aux *Ecrits intimes* du poète, *Saint Genet comédien et martyr* se présente comme le premier tome des *Œuvres complètes* de Jean Genet), le souci biographique, lui, est constant. Il apparaît dès *La Nausée* : l'impossibilité d'écrire une vie du marquis de Rollebon jette Roquentin dans une angoisse qui métamorphosera sa propre vie. *L'Enfance d'un chef* semble être le modèle et la caricature des biographies à venir : on y voit à la fois comment se fait un homme et comment cet homme tente de s'expliquer sa propre genèse. Dans *L'Etre et le Néant*, la section qui traite de la « psychanalyse existentielle » annonce une vie de Flaubert et une vie de Dostoïevski[2], et la psychanalyse dont la méthode est esquissée donne l'impression d'être avant tout destinée à produire des *Vies des Hommes Illustres*. Dès lors, le chantier biographique est ouvert. Les vies, achevées ou en instance, vont proliférer. *Baudelaire*, entrepris en 1944, paraît en 1946[3]. En 1948, Sartre commence une étude sur Mallarmé : elle aura quatre cents pages et se perdra. En 1949, il travaille à *Saint Genet*. L'année suivante, il ébauche un ouvrage sur l'Italie dont il détachera plus tard l'étude sur le Tintoret. En 1952, il poursuit la rédaction du

1. « Autoportrait à soixante-dix ans », S., X, p. 133 à 226.
2. E.N., p. 663.
3. Ces indications et celles qui suivent sont tirées du livre, si précieux pour le chercheur, de Michel Contat et Michel Rybalka : *Les Ecrits de Sartre*, Gallimard, 1970.

Mallarmé et publie *Saint Genet comédien et martyr*. En 1953, il projette d'écrire sa propre vie. En 1956, Sartre et Roger Garaudy décident de mettre à l'épreuve leur approche respective de l'homme, en écrivant l'un et l'autre un livre sur Flaubert. En 1957, Sartre continue son travail sur le Tintoret, commence le *Flaubert*. En 1961, il écrit une seconde version du *Tintoret*. En 1963, il termine et publie *Les Mots*. Les deux premiers tomes de *L'Idiot de la famille* paraissent en 1971, le troisième en 1972.

D'un bout à l'autre de l'œuvre, la part de l'écriture biographique n'a cessé de croître, au point d'inquiéter les plus fidèles lecteurs de Sartre. Un journaliste de *New Left* exprime assez brutalement une question que beaucoup se posent : « Vous avez déjà écrit une étude sur Baudelaire [...]. Puis un gros livre sur Genet, puis un essai sur le Tintoret, puis une autobiographie, *Les Mots*. Venant après tout cela, quelle sera la nouveauté méthodologique du livre sur Flaubert ? Pourquoi vous êtes-vous fixé une fois de plus pour objectif l'explication d'une vie ? »[4]. Avec plus de ménagement, Michel Contat et Michel Rybalka inversent la question : « Est-ce parce que cette totalisation est possible pour le XIXe siècle et qu'elle ne l'est pas pour notre époque que vous n'avez pas entrepris sur vous-même le travail d'élucidation que vous opérez sur Flaubert ? »[5]. On n'échappe pas à l'impression que pour les uns comme pour les autres, *L'Idiot de la famille* est, d'une certaine façon, « de trop ». Quel besoin avait Sartre, s'étant dit dans *Les Mots*, de se redire sous le couvert de Flaubert ? Comment se fait-il qu'ayant voulu « montrer un homme »[6], il ne nous ait de nouveau présenté qu'un forçat de l'écriture, après quatre autres forçats, Baudelaire, Genet, Mallarmé et lui-même ? Pourquoi a-t-il produit, si l'on compte l'étude sur le Tintoret, six biographies de travailleurs de l'imaginaire qui offrent entre elles, nous le verrons, tant de parenté ? Il semble que Sartre soit amené à répéter quasi-obsessionnellement la question : comment devient-on « une machine à faire des livres »[7] ou à peindre des tableaux, et qu'il ne puisse se satisfaire de la réponse qu'il y donne, puisque chaque livre en fait naître un autre. On éprouve le sentiment qu'il y a là quelque chose de compulsif et l'on est tenté, pour essayer de comprendre, de se servir de la méthode psychanalytique.

L'idée, implicite ou explicite, que l'œuvre de Sartre ressortit à la psychanalyse, n'est pas nouvelle. Ainsi, bien avant la prolifération de l'écriture biographique, Claude-Edmonde Magny avait dit, à propos de *La Nausée*, sa réticence à l'égard de « tout ce qui,

4. S., IX, p. 113.
5. S., X, p. 103.
6. S., X, p. 93.
7. MT., p. 137.

chez Sartre, semble relever avant tout de la psychanalyse »[8] et elle ajoutait en note : « Par exemple son abus d'épithètes comme " mou ", " gluant ", " visqueux ", de même que l'excès d'obscénité ». « On aurait préféré, poursuivait-elle, que *La Nausée* fût un livre plus « sec », plus abstrait, qu'elle éveillât en nous des rénonances émotionnelles moins mêlées [...]. Par son caractère trop physiologique, la métaphore de la Nausée met l'accent sur le côté *subjectif* de l'expérience décrite, et ainsi lui fait perdre une partie de son universalité : nous finissons par ne plus voir que les particularités biographiques qui ont conduit Antoine à cette expérience, nous nous désolidarisons dc lui, et *La Nausée* tend à nous apparaître plus comme le journal d'un schizophrène que comme une révélation authentique sur le monde »[9].

Plus accueillant envers l'idiosyncrasie sartrienne, Gaëtan Picon écrivait, quelques années après : « Ce qui fait la grandeur de Sartre, c'est [...] qu'il a un univers à nous révéler. Non pas l'univers, mais *son* univers : un univers qu'il traduit comme d'autres par la fiction à l'aide d'un certain nombre d'obsessions inoubliables »[10]. Le « ressentiment érotique »[11] lui paraissait dominer l'œuvre romanesque et se trahir jusque dans l'œuvre philosophique. « La hantise de la souillure corporelle, l'horreur de ces humeurs visqueuses où la vie prend naissance ont trouvé une voix d'une puissance inaccoutumée.

On se gardera bien, poursuivait-il, de voir ici, avec une certaine critique, une volonté de scandale ou de complaisance dans le sordide [...]. Si Sartre est lié à cet univers, c'est par la hantise »[12]. Pour Gaëtan Picon, c'est là que se nouait « le drame de l'œuvre », Sartre ne parvenant pas *« à faire vivre la liberté dans son univers romanesque comme il la vit dans sa pensée »*[13].

Gaëtan Picon soulignait l'opposition entre la vision de Sartre et son idéologie : « au fond de lui-même, écrivait-il, Sartre continue sans doute à voir le monde comme il le voyait au temps de *La Nausée*. Le marxisme n'est pas sa vérité ; mais il est son *devoir*. Ce n'est pas ce qu'il croit, mais ce qu'il veut croire, parce qu'il pense qu'il le doit »[14] ; et il concluait : « Ainsi, c'est bien des mains de la morale que la création artistique reçoit son coup de grâce. On ne peut que souhaiter son sursaut et sa rébellion »[15].

---

8. *Les sandales d'Empédocle*, Editions de la Baconnière, Boudry (Suisse), 1945, réédité sous le titre : *Essai sur les limites de la littérature*, Petite Bibliothèque Payot, 1968, p. 151.
9. *Ibid.*, p. 151.
10. *Panorama de la nouvelle littérature française*, Gallimard, 1960, p. 109.
11. *Ibid.*, p. 111.
12. *Ibid.*, p. 111.
13. *Ibid.*, p. 112.
14. *Ibid.*, p. 114.
15. *Ibid.*, p. 114.

En 1967, Suzanne Lilar reprenait ce débat sur l'horreur de la chair chez Sartre, accusant ce dernier d'avoir « manqué sa catharsis [...] pour avoir substitué à la rigueur mais aussi à la sérénité de la pensée séparatrice les approximations et les partialités de la séparation systématique [...] D'où ces évasions métaphysiques dans un intellectualisme coupé du sensible, d'où une récurrente tentation d'angélisme, mais aussi un recours fréquent à l'abjection comme tremplin »[16] ; « Tel est le sort, concluait-elle, de l'amour puritain, écartelé entre la pratique d'une sexualité honteuse et le rêve d'une chasteté impossible »[17].

Chacun de ces critiques manifestait à sa manière qu'il était sensible à un aspect de l'œuvre de Sartre qui semble appeler l'explication psychanalytique (on l'appelait alors volontiers dans la presse, comme on appelle le commissaire, pour qu'il fasse cesser le scandale), mais tous les trois opéraient un tri : Claude-Edmonde Magny et Suzanne Lilar invitaient à la purification de l'érotisme au nom de la philosophie ou d'une érotique sacralisée, Gaëtan Picon, au contraire, souhaitait que l'exigence morale ne vînt pas censurer les obsessions sous-jacentes à la création littéraire. On mesure mieux aujourd'hui ce qu'avait d'illusoire cette idée d'un choix possible entre les différents aspects des écrits de Sartre et ce qui semble appeler la psychanalyse, c'est moins le « louche » ou le « visqueux » dont on a tant parlé, que cette tension de l'œuvre, cette tyrannie que l'intellectuel et l'écrivain exercent mutuellement l'un sur l'autre, au point que le premier ne cesse de vouloir tuer le second mais passe son temps à le ressusciter, qu'il s'appelle Baudelaire, Genet, Sartre ou Flaubert.

A mesure que la production littéraire de Sartre devenait une énorme machine à analyser des « homme[s] imaginaire[s] »[18], on pouvait évaluer la distance qui sépare la méthode freudienne de la psychanalyse existentielle et à quel point l'élaboration de celle-ci semble une défense contre celle-là. D'autre part, le caractère interminable du *Flaubert* suggérait que l'auto-analyse de Sartre était impuissante à alléger sa névrose d'écrivain, à changer, comme il avait cru pouvoir le faire, sa relation avec l'écriture[19]. Dès lors, il nous a semblé intéressant de chercher les raisons de cet échec en essayant de faire apparaître le conflit psychique inhérent à cette relation. Précisons tout de suite que, dans une perspective freudienne sur laquelle nous reviendrons, il n'y a pas là un conflit psychique partiel. La névrose que Sartre appelle névrose de l'écrivain est celle de l'homme. C'est le même conflit fondamental qui s'ex-

---

16. *A propos de Sartre et de l'amour*, Grasset, 1967, p. 48.
17. *Ibid.*, p. 51.
18. I.F., tome I, p. 715.
19. « Jean-Paul Sartre s'explique sur *Les Mots* », entretien avec Jacqueline Piatier, *Le Monde*, 18 avril 1964.

prime dans la relation à autrui. Sartre ne dit-il pas : « l'appétit d'écrire enveloppe un refus de vivre »[20], montrant bien ainsi la corrélation de l'un à l'autre ? Ceci posé, il nous faut examiner deux objections que nous nous sommes faites et que l'on ne manquera sans doute pas de reprendre : la première est d'ordre méthodologique, la seconde d'ordre déontologique.

Commençons par la question de méthode : le premier présupposé que rencontre ce genre d'étude, c'est que toute œuvre et toute action exprime le psychisme de son auteur. Dès lors, pourquoi nous limiter à Sartre biographe ? Le conflit psychique est, en effet, aussi présent dans les relations de Sartre avec le parti communiste que dans l'exaltation du groupe en fusion ou de la fraternité-terreur, aussi parlant dans l'opposition de l'amour « nécessaire »[21] — sa relation avec Simone de Beauvoir — et des multiples amours « contingentes »[22] que dans l'insistance de son théâtre sur les conflits de pouvoirs. Mais il faut résister au vertige de la totalité : il y aurait quelque démesure à prétendre étudier sérieusement, à l'heure actuelle, la vie et l'œuvre de Sartre. D'autre part, si l'étude du plus grand nombre d'œuvres possible établit plus solidement l'interprétation par les confirmations qu'elle apporte, le conflit psychique peut être tout entier présent dans un fragment de rêve ou dans un symptôme, tel l'étrange besoin qu'avoue Sartre d'avoir constamment sur lui d'énormes sommes d'argent[23]. Le détail est souvent aussi révélateur que l'ensemble. Il y a sans doute également des œuvres où l'inconscient s'exprime moins : on a plus de chances de voir affleurer les fantasmes en étudiant *Intimité* qu'en analysant les notions de série ou de rareté dans la *Critique de la raison dialectique*, même si l'on pense que l'élaboration d'un système philosophique ne répond pas seulement aux exigences de la pensée consciente.

Nous avons donc choisi d'étudier le massif biographique, estimant que Sartre s'y exprime tout entier. Le caractère répétitif, presque compulsionnel, de cette activité biographique montre que les conflits qui la sous-tendent sont encore agissants. Interrompue par la cécité, elle reparaît sous forme orale. Irrépressible, un Sartre par lui-même se dit au magnétophone[24]. La veine romanesque, au contraire, est épuisée depuis longtemps, le cycle théâtral tari. Reste cet objet fascinant, « une vie », et l'étonnement sans cesse renouvelé : « Comment puis-je être moi ? ». Pour une étude de type psychanalytique, biographies et autobiographie sont certainement

20. MT., p. 159.
21. Simone de Beauvoir, *La Force de l'âge*, Gallimard, 1960, p. 27.
22. *Ibid.*, p. 27.
23. S., X, p. 201.
24. Voir *Sartre*, film réalisé par Alexandre Astruc et Michel Contat et projeté à Paris en octobre 1976. Le texte a paru chez Gallimard en 1977.

le matériau le plus riche. On y retrouve le romancier avec ses personnages, l'homme de théâtre avec ses mythes ; il s'y ajoute un analyste dont les relations orageuses avec la psychanalyse freudienne offrent une ample matière à l'interprétation.

La seconde objection peut se formuler ainsi : même si l'on juge possible d'éclairer autrement que Sartre ne le fait ses conflits névrotiques, l'entreprise est indiscrète et moralement condamnable, tant que l'auteur est vivant. A cela nous répondrons que la victime est consentante. Lorsque Michel Contat et Michel Rybalka lui posent la question : « N'appréhendez-vous pas un peu que quelqu'un n'entreprenne sur vous le travail d'élucidation que vous tentez sur Flaubert ? », Sartre affirme : « Au contraire, j'en serais content. Comme tout écrivain, je me cache. Mais je suis aussi un homme public et les gens peuvent penser sur moi ce qu'ils ont envie de penser, même si c'est sévère. Tous les écrivains ne sont pas aussi sereins à cet égard. Tenez, Genet, lorsqu'il a eu entre les mains mon manuscrit sur lui, sa première réaction a été de vouloir le jeter au feu »[25]. Nous nous estimions quitte de l'objection déontologique mais le geste de Genet évoqué par Sartre la fait renaître sous une autre forme. Le risque n'est plus seulement d'être indiscret mais, plus gravement, nuisible. Notre travail, Sartre vivant, s'apparente à ce que les psychanalystes appellent une analyse « sauvage »[26]. Celle-ci consiste à interpréter hors de la cure, donc hors du « transfert », ou bien dans la cure, mais intempestivement, alors que la relation transférentielle n'est pas encore bien assurée. Elle a pour effet d'accroître les conflits et d'augmenter l'angoisse. Ce serait nous faire beaucoup d'honneur que de nous supposer ce pouvoir. Il faudrait d'abord que Sartre prenne connaissance de nos hypothèses. Or il reconnaît[27] — et comme on le comprend ! — qu'il n'a pas lu le dixième de ce qui a été écrit sur lui. Il faudrait aussi qu'il ne soit pas prémuni depuis longtemps contre de telles analyses. Nous examinerons à loisir, au cours de notre étude, la forteresse que Sartre a bâtie pour se défendre. Retenons simplement ici quelques propos de son dernier entretien pour mesurer à quel point — et nous nous en réjouissons ! — il est hors de notre atteinte. Sartre a sur lui-même le monopole de l'interprétation : « N'avez-vous jamais été tenté de faire une psychanalyse ? », interroge Michel Contat, « Si, répond Sartre, mais pas du tout pour tirer au clair des choses que je n'aurais pas comprises moi-même »[28]. Un peu plus loin, nous lisons cette phrase qui volatilise l'analyste en faisant de lui le Dieu du Jugement Dernier : « pour

25. S., X, p. 105.
26. S. Freud, « A propos de la psychanalyse dite « sauvage », *La technique psychanalytique*, P.U.F., 1972, p. 35 à 42.
27. S., X, p. 188.
28. S., X, p. 146.

savoir ce que je suis vraiment, ce que je suis et ce que je vaux, il faudrait un psychanalyste parfait qui n'existe pas »[29]. Sartre serait sans doute assez étonné d'apprendre qu'un des effets de l'analyse est qu'elle rend supportable l'ignorance de soi et qu'elle ôte tout sens à la question « Qu'est-ce que je vaux ? ».

« Assez souvent, poursuit-il, des universitaires britanniques ou américains, qui préparent une thèse sur tel ou tel aspect de mon œuvre, ont des questions à me poser [...]. Il y a tant d'interprétations possibles dans le peu de choses que dit un écrivain. Alors, autant profiter de ce qu'il est encore vivant... — A l'inverse, reprend Michel Contat, est-il arrivé que des commentateurs aient éclairé pour vous certains aspects de votre œuvre ? — Non. Je n'ai jamais rien appris d'un de mes commentateurs »[30]. Le système de rejet est en place depuis bien longtemps. Rappelons cette phrase de *Qu'est-ce que la littérature ?* à propos des critiques, ces « gardiens de cimetière »[31] : « Si nous sommes un peu versés dans la psychanalyse, notre plaisir est parfait : nous expliquerons *Le Contrat social* par le complexe d'Œdipe et *L'Esprit des Lois* par le complexe d'infériorité ; c'est-à-dire que nous jouirons pleinement de la supériorité reconnue que les chiens vivants ont sur les lions morts »[32]. Le vieux lion n'est heureusement pas encore mort, mais il va paraître dans la Bibliothèque de la Pléiade : c'est anticiper la vie posthume rêvée par l'enfant des *Mots*. Pour nous, sachant bien que les risques d'une analyse sauvage sont inexistants dans ce cas particulier, nous acceptons pleinement et en toute humilité notre rôle de chien, car il nous semble faire partie, comme toute activité critique, de la vie des œuvres. Nous n'avons pas la prétention de changer l'homme, ce qui est le but de la cure, et Sartre n'en a que faire, mais nous avons cherché à lire l'œuvre autrement qu'on ne l'a fait jusqu'ici[33]. En effet, nous n'avons pas cru bon de nous enfermer, et en cela notre démarche est « sartrienne », dans l'alternative où s'emprisonne la critique actuelle : faire une problématique de l'œuvre ou une problématique de l'auteur, cette dernière étant fortement dévalorisée. Notre analyse porte sur l'homme à travers l'œuvre et nous pensons que l'œuvre peut en être éclairée. Il y a certainement dans notre démarche irrespect et indiscré-

---

29. S., X, p. 160.
30. S., X, p. 187-188.
31. S., II, p. 77.
32. S., II, p. 80.
33. La rédaction de notre thèse de doctorat, *Biographies et autobiographie sartriennes, essai de critique psychanalytique,* était presque terminée lorsqu'a paru en novembre 1976, chez Christian Bourgois, le livre de François George, *Sur Sartre.* Cet essai qui se veut « anti-psychanalytique », parce qu'il n'a « pas cherché à réduire Sartre à du connu, à des schémas dont il serait devenu [...] une belle illustration » (p. 12), nous paraît néanmoins inspiré par la psychanalyse. Ses intuitions rejoignent parfois nos résultats. La discussion de cet ouvrage figure en appendice (p. 681 à 693) dans notre thèse dactylographiée dont le présent travail est une version abrégée.

tion, mais ils sont liés à l'utilisation de la méthode psychanalytique hors de la relation thérapeutique. Il nous faut, semble-t-il, accepter ce reproche ou renoncer à cet outil. Charles Mauron a souvent affirmé que sa « psychocritique » restait la servante de la critique littéraire et qu'il laissait au psychanalyste la névrose de l'écrivain. Cette frontière nous paraît bien mouvante et il n'est pas sûr qu'il ait pu s'empêcher de la franchir : étudiant l'incompréhensible effacement de Jean Valjean devant le bonheur de Marius et de Cosette ou le cheminement de l'or « impur quand le mauvais moi le convoite, [...] purifié quand le bon moi l'épargne puis s'en dépossède »[34], il change notre lecture des *Misérables*, mais il éclaire aussi, *nolens volens*, la personnalité de Hugo.

Avant de définir notre méthode, nous voudrions justifier l'ordre que nous avons suivi et la liberté que nous avons prise d'écarter de notre étude des textes autobiographiques, alors que nous y faisons entrer un roman et une longue nouvelle. Nous aurions souhaité garder l'ordre chronologique et aborder successivement *Baudelaire*, *Saint Genet, comédien et martyr*, « le Séquestré de Venise », *Les Mots*, *L'Idiot de la famille*, pour respecter le mouvement qui porte l'écrivain d'une œuvre à l'autre. Mais ayant eu le propos de retrouver Sartre à travers ses biographies de créateurs, il nous a paru nécessaire de commencer par sa propre vie, c'est-à-dire par *Les Mots*, puis de revenir sur son premier récit d'enfance. Certes, Lucien Fleurier, le héros de *L'Enfance d'un chef*, n'est pas Sartre ; nous verrons cependant s'établir des correspondances frappantes entre l'autobiographie et la nouvelle. Les premiers résultats, obtenus par la confrontation des deux enfances sartriennes, nous ont semblé devoir s'enrichir considérablement grâce à l'analyse d'un texte qui, apparemment, ne correspond en rien au titre de notre travail. Il n'est à la lettre ni biographique ni autobiographique. Il ne s'agit pas non plus de la genèse d'un homme ou de la totalisation d'une vie, et pourtant on est, avec *La Nausée*, dans le vif du sujet : pas plus que pour *L'Enfance d'un chef*, nous n'avons en effet pour *La Nausée* de « pacte autobiographique »[35], mais le « *J'étais* Roquentin »[36] des *Mots* est autre chose qu'un simple « pacte fantasmatique »[37] qui inviterait le lecteur à relire le roman pour y chercher des confidences. Sartre a dit quel choc avait été pour lui le refus par l'éditeur d'un livre où il s'était « mis tout entier » : « c'était moi-même qu'on refusait »[38]. Autre raison de figurer dans notre étude, le centre du livre est l'abandon d'une bio-

---

34. « Les personnages de Victor Hugo, étude psychocritique », *Œuvres complètes de Victor Hugo*, Club français du livre, 1967, tome second, p. XXXI.
35. Philippe Lejeune, *Le pacte autobiographique*, Seuil, 1975.
36. MT., p. 210.
37. Philippe Lejeune, *op. cit.*, p. 42.
38. Cité par Michel Contat et Michel Rybalka, *Magazine littéraire*, n° 103-104, 1975, p. 21 et 22.

graphie, son aboutissement, la décision d'écrire, c'est-à-dire la naissance d'une « machine à faire des livres »[39]. D'autre part, si *La Nausée* n'est en aucune façon un récit d'enfance, nous verrons à quel point la voix du grand-père et celle de la mère y sont présentes. On y retrouve l'image du père mort et jusqu'aux scènes qui ont marqué l'enfance de Sartre. Le journal de Roquentin est bien autre chose qu'un fragment autobiographique déguisé, il relate, comme les autres « vies » de Sartre, la sienne comprise, la naissance d'un travailleur de l'imaginaire.

Notre première partie comprendra donc l'étude des œuvres que nous avons définies comme autobiographiques. Elle nous permettra d'interpréter, dans le reste de notre travail, les relations qui se nouent entre Sartre et les objets de ses biographies. Pour l'étude des biographies, nous retrouverons, cela va de soi, l'ordre chronologique. Nous inclurons dans cette suite biographique un texte passionné, « Des rats et des hommes »[40], qui sert de préface à l'autobiographie d'André Gorz, *Le Traître*[41]. Ecrit entre les deux rédactions des *Mots*, alors que Sartre commence *L'Idiot de la famille*, c'est une méditation fiévreuse sur l'auto-analyse, indispensable à notre propos. A l'inverse, nous n'étudierons pas pour eux-mêmes deux beaux textes, pourtant expressément biographiques et autobiographiques, les portraits de Nizan et de Merleau-Ponty, recueillis dans *Situations, IV*. Du point de vue autobiographique, ce sont des fragments qui ont trait à la vie de Sartre adulte : l'Ecole Normale, l'entreprise des *Temps Modernes*. Ce qui intéresse notre sujet, c'est la genèse de l'homme et l'interprétation globale qu'en donne Sartre. Ce point de vue global et génétique est en revanche présent dans l'aspect biographique de ces textes. Il s'agit bien pour Sartre de comprendre comment Nizan et Merleau-Ponty se sont faits, mais il nous montre le destin d'un militant et d'un philophe, non des martyrs de l'imaginaire.

Tenter une lecture psychanalytique d'une œuvre littéraire n'est pas, pour nous, lui appliquer une grille de concepts préfabriqués, mais suppose d'abord que l'on a été amené, par un cheminement personnel, à faire siens un certain nombre de postulats sur le fonctionnement de l'appareil psychique, sur la genèse de l'homme et sur celle de ses œuvres. Il ne saurait être question d'exposer la doctrine freudienne. Au cours de notre travail, nous indiquerons, chaque fois que cela paraîtra nécessaire, les textes de Freud qui corroborent nos analyses. Nous rappellerons ici, cependant, quelques principes fondamentaux qui ont animé notre recherche, en nous aidant des formulations de J. Laplanche et J.-B. Pontalis dans

39. MT., p. 137.
40. S., IV, p. 38 à 81.
41. Paru aux Editions du Seuil en 1958.

leur *Vocabulaire de la psychanalyse* [42] : « La psychanalyse, écrivent-ils, considère le conflit comme constitutif de l'être humain et ceci dans diverses perspectives : conflit entre le désir et la défense, conflit entre les différents systèmes ou instances, conflits entre les pulsions, conflit œdipien enfin où non seulement se confrontent des désirs contraires, mais où ceux-ci s'affrontent à l'interdit »[43]. Pour la psychanalyse, le complexe d'Œdipe joue un « rôle fondamental dans la structuration de la personnalité et dans l'orientation du désir humain »[44]. « Maîtriser »[45] ce complexe implique que l'on a surmonté l'angoisse de castration et reconnu l'interdit de l'inceste. Toute névrose suppose des difficultés dans l'affrontement de l'Œdipe, donc dans l'accès au stade phallique d'organisation de la libido, difficultés qui entraînent des régressions aux stades antérieurs, anal et oral.

Nous venons, en indiquant en quelques lignes les axes généraux de notre travail, d'utiliser sans les définir, un ensemble de concepts élaborés par les psychanalystes à partir de leur pratique. Leur sens se précisera au fur et à mesure que nous aurons à les employer dans des analyses concrètes.

Si l'on pense que les conflits qui structurent la personnalité sont à l'œuvre dans les productions de l'imaginaire, rêve ou création littéraire[46], il reste à préciser comment on peut essayer de voir affleurer le champ de forces inconscient lorsqu'on ne dispose pas des associations libres du sujet, sur lesquelles s'appuie l'interprétation dans la cure. Ce qui en tiendra lieu sera d'abord, cela va de soi, une patiente écoute de l'œuvre, allant jusqu'à une sorte d'imprégnation qui rende sensibles les résonances d'un texte à l'autre, les retours de certaines images, de certaines phrases, de certaines questions. Mais l'aspect statistique, la fréquence de tel ou tel motif à travers une œuvre, ne sauraient être déterminants dans une étude qui n'est pas une recherche thématique. Autrement dit, un élément peut être unique et se révéler parfaitement significatif.

Etre familier de l'œuvre ne suffit donc pas, il faut aussi s'être familiarisé avec les modes d'expression de l'inconscient, dont Freud a montré « le travail »[47] dans le rêve. Ces mécanismes, très

---

42. P.U.F., deuxième édition revue, 1968.
43. P. 90.
44. J. Laplanche et J.-B. Pontalis, *Vocabulaire de la psychanalyse*, p. 80.
45. Voir S. Freud, *Trois essais sur la théorie de la sexualité*, Gallimard, 1962, collection « Idées », p. 187, note 82 : « Tout être humain se voit imposer la tâche de maîtriser le complexe d'Œdipe ».
46. *Cf.* S. Freud, « La création littéraire et le rêve éveillé », *Essais de psychanalyse appliquée*, Gallimard, 1973, collection « Idées », p. 69 à 81.
47. *L'Interprétation des rêves*, P.U.F., 1967, chap. VI. Nous emprunterons, pour plus de clarté, les définitions qui suivent des mécanismes du « processus primaire » (*op. cit.* chap. VII, p. 511 à 517) au *Vocabulaire de la psychanalyse*, mais il va de soi que rien ne saurait remplacer la lecture du livre de Freud, si on veut les voir concrètement à l'œuvre.

différents de ceux de la pensée consciente, sont repérables dans l'œuvre d'imagination parce que celle-ci, comme le rêve, est accomplissement de désir[48]. Rappelons-les brièvement : le *déplacement* fait qu'une représentation « peut se voir attribuer toute la valeur psychique, la signification, l'intensité originellement attribuées à une autre »[49] ; ainsi l'image honnie d'Enée portant Anchise, dans *Les Mots*, nous renverra à une autre scène. La *condensation* rassemble en une seule représentation « toutes les significations portées par les chaînes associatives qui viennent s'y croiser »[50]. C'est le cas, nous le verrons, du mot « manier » dans toutes les œuvres de Sartre que nous étudierons. La *surdétermination* désigne le fait qu'une production de l'imaginaire « renvoie à des éléments inconscients multiples, qui peuvent s'organiser en des séquences significatives différentes, dont chacune, à un certain niveau d'interprétation, possède sa cohérence propre »[51]. Ainsi le personnage de M. de Rollebon nous apparaîtra, dans *La Nausée*, à la fois comme « objet partiel »[52] et comme personne totale. En Caroline Flaubert nous reconnaîtrons bien des traits de la mère de Sartre, mais aussi Grisélidis et le fantasme de la mère phallique. Enfin, dernière caractéristique du processus primaire et qui se trouve éminemment dans le rêve : les pensées du rêve « subissent une sélection et une transformation qui les rendent à même d'être représentées en images, surtout visuelles »[53]. C'est ce que Freud appelle la « *prise en considération de la figurabilité* »[54]. Pour voir apparaître l'inconscient, il faut donc souvent perdre les habitudes de la pensée consciente, pratiquer une écoute un peu traîtresse, glissante, ne pas croire sur parole mais prendre au mot, réaliser les métaphores, ou mettre en figure les concepts ; nous verrons ainsi que l'affirmation apparemment toute intellectuelle des *Mots* : « je n'ai pas de Sur-moi »[55], cache un des fantasmes les plus virulents de Sartre. Il est bien évident que nous ne posons pas là une affirmation gratuite. L'intuition demande à être vérifiée : elle l'est, par le contexte immédiat — les images du passage (le père à cheval sur son fils), le ton d'agressivité — et par l'appel aux autres textes où une scène semblable déclenche une émotion intense.

Aux modes particuliers d'expression de l'inconscient — condensation, déplacement, surdétermination, mise en images — s'ajoutent les moyens de défense employés par le moi pour se protéger

---

48. S. Freud, *L'Interprétation des rêves*, chap. VII, p. 467 à 487.
49. J. Laplanche et J.-B. Pontalis, *Vocabulaire de la psychanalyse*, p. 342.
50. *Ibid.*, p. 342.
51. *Ibid.*, p. 467.
52. S. Freud, *Trois essais sur la théorie de la sexualité*, Gallimard, 1962, p. 94 à 107. C'est l'objet des pulsions partielles, orale, anale, phallique, (seins, fèces, pénis).
53. J. Laplanche et J.-B. Pontalis, *Vocabulaire de la psychanalyse*, p. 159.
54. *L'Interprétation des rêves*, chap. VI, p. 291 à 300.
55. MT., p. 11.

des représentations désagréables parce que le désir y rencontre l'interdit. Nous verrons agir le *renversement dans le contraire*[56] (renversement du masochisme en sadisme — comme, par exemple, lorsque Sartre affirme que ce qui lui plaisait dans l'histoire de Grisélidis, c'était que la victime y martyrisait ses bourreaux —, renversement de l'amour en haine, dans l'affect qui accompagne la représentation d'Enée portant Anchise), la *dénégation*[57] — « procédé par lequel le sujet, tout en formulant un de ses désirs, pensées, sentiments jusqu'ici refoulé, continue à s'en défendre en niant qu'il lui appartienne »[58] (c'est ce que l'on trouve sous l'affirmation « je n'ai pas de Sur-moi »[59] : nous y verrons le refus de reconnaître pour sien un fantasme qui peut s'exprimer par la phrase « J'ai quelqu'un sur moi ») —, la *projection*[60] — « opération par laquelle le sujet expulse de soi et localise dans l'autre, personne ou chose, des qualités, des sentiments, des désirs, voire des « objets », qu'il méconnaît ou refuse en lui »[61] (ainsi un certain « sac d'excréments » sera expulsé pour être projeté tour à tour sur le saint, le « Garçon », l'« Homme », le couple).

Sensibilisée aux modes d'expression de l'inconscient et aux déformations qu'imposent les mécanismes de défense, nous pourrons essayer d'entrevoir la façon dont la personnalité inconsciente est structurée. Mais ici, nous rencontrons une autre difficulté : il n'y a pas de niveau d'écoute spécifique de l'inconscient, ses effets sont partout. Le conflit psychique, les « rejetons »[62] du refoulé peuvent se manifester aussi bien dans une élaboration théorique que dans un récit, dans le mouvement d'ensemble d'une œuvre que dans ses détails, dans une phrase que dans un mot : ainsi, nous reconnaîtrons un fantasme et une défense contre lui dans la théorie qui fait remonter la « passivité » de Flaubert au « maniement » du nourrisson par sa mère. Les milliers de pages de *L'Idiot de la famille* sont la réalisation du désir forcené de posséder « l'arme absolue » en matière de critique, d'être « outillé » ; mais chaque chapitre, dissertation ou mise en scène, dit à sa

---

56. S. Freud, « Pulsions et destin des pulsions », *Métapsychologie*, Gallimard, 1968, collection « Idées », p. 25.
57. S. Freud, « La négation », *Revue française de psychanalyse*, 1934, 7, n° 2, p. 174 à 177.
58. J. Laplanche et J.-B. Pontalis, *Vocabulaire de la psychanalyse*, p. 112.
59. MT., p. 11.
60. Voir là-dessus, plus particulièrement, S. Freud, *La naissance de la psychanalyse*, P.U.F., 1973, p. 98 à 102 et 135 à 136 ; « Remarques psychanalytiques sur l'autobiographie d'un cas de paranoïa », (le Président Schreber), *Cinq psychanalyses*, P.U.F., 1967, p. 311 et 315 ; « Sur quelques mécanismes névrotiques dans la jalousie, la paranoïa et l'homosexualité », *Névrose, psychose et perversion*, P.U.F., 1973, p. 273 ; « L'inconscient », *Métapsychologie*, Gallimard, 1968, collection « Idées », p. 94 ; « Au-delà du principe de plaisir », *Essais de psychanalyse*, Petite Bibliothèque Payot, 1970, p. 36.
61. J. Laplanche et J.-B. Pontalis, *Vocabulaire de la psychanalyse*, p. 344.
62. S. Freud, « Le refoulement », *Métapsychologie*, Gallimard, 1968, collection « Idées », p. 54.

manière la même hantise d'être démuni où peuvent se lire les signes du complexe de castration. De la même façon, *La Nausée*, dans son ensemble, peut être considérée comme une « kénose » suspecte et la partie entre en symbolisation avec le tout dans la scène où le jardin « se vide » par un grand trou. Un seul mot, « tatoués »[63], dans l'autobiographie, indique une scène où le sujet se complaît. Des pages entières, dans le *Flaubert*, expriment un désir peu différent, à travers le scénario de la « Chute » ou de la Passion.

Il nous faudra donc interroger les multiples aspects de chaque œuvre sans en privilégier aucun, car chacun d'eux est significatif : au niveau de ce qui est raconté, nous prêterons attention à la configuration familiale que dessine chaque biographie, sans oublier que la façon dont elle est décrite peut effacer des dissymétries apparentes : ainsi Jean-Paul et Gustave ont chacun leur Moïse, bien que l'un soit orphelin et l'autre non. Nous aurons soin, en effet, de ne jamais séparer les faits rapportés des mots qui les disent. C'est ainsi que nous pourrons apercevoir, transposées mais reconnaissables, dès les premières œuvres de Sartre, dans *La Nausée* et dans *L'Enfance d'un chef*, deux scènes inoubliables de l'enfance de Sartre. Ce n'est évidemment pas l'anecdote qui nous retiendra, ni le plaisir naïf de découvrir rétrospectivement que la fiction était donc vraie, mais le fait que les scènes rapportées sont d'intenses blessures d'amour-propre. Cela pourra nous conduire à contester la façon dont Sartre expédie, en trois lignes, dans son propre cas, le problème du narcissisme. Nous poserons aussi la question : qui parle ?, c'est-à-dire non pas : qui est le narrateur ?, mais : quelle voix emprunte-t-il ? Reconnaissant tour à tour la voix de la mère, celle du grand-père, celle des grands morts, Pascal ou Bossuet, nous serons amenée à nous interroger sur l'instabilité des identifications sartriennes et sur leurs luttes intestines.

Attentive aux faits et aux mots, aux voix et au ton, nous écouterons aussi le discours théorique, ses reconstructions comme ses lacunes. Il importe à notre propos de voir comment Sartre biaise avec les concepts fondamentaux de la psychanalyse, l'Œdipe ou la castration, et prend au contraire comme schémas d'explication des notions secondaires comme la passivité. Inversement, la cécité au symptôme peut être considérée comme un symptôme : ainsi Sartre a l'air de trouver naturelle chez Flaubert la dérision de son propre sexe. Nous accorderons bien évidemment aussi une grande attention aux figures mythiques qui hantent les biographies, Grisélidis, Strogoff, Pardaillan, la Sainte de Genet, le saint Julien de Flaubert et bien d'autres qui reviennent d'œuvre en œuvre, Moïse, Enée, le Christ, saint Sébastien et qui s'imposent d'autant plus

63. MT., p. 137.

qu'elles ne sont revendiquées par personne. Elles doivent leur pouvoir de fascination aux fantasmes dans lesquels elles sont prises.

L'étude des fantasmes sera au centre de notre travail. « L'élaboration secondaire »[64] leur donne l'apparence des productions du système conscient. Ils sont organisés, cohérents ; Freud les compare à « ces hommes de sang mêlé qui en gros ressemblent à des blancs, mais dont la couleur d'origine se trahit par quelque indice frappant et qui demeurent de ce fait exclus de la société et ne jouissent d'aucun des privilèges réservés aux blancs »[65]. Nous verrons quels indices, généralement une certaine incongruité de ton ou de vocabulaire, font apparaître le fantasme sous un récit, une argumentation, parfois même une simple phrase. *Le Vocabulaire de la psychanalyse* définit ainsi le fantasme : « scénario imaginaire où le sujet est présent et qui figure, de façon plus ou moins déformée par les processus défensifs, l'accomplissement d'un désir et, en dernier ressort, d'un désir inconscient »[66]. Ces mises en scène sont « susceptibles d'être dramatisées sous une forme le plus souvent visuelle [...]. Ce n'est pas un objet qui est représenté, comme visé par le sujet, mais une séquence dont le sujet fait lui-même partie et dans laquelle les permutations de rôles, d'attribution, sont possibles »[67]. L'exemple le plus éclairant en est l'analyse faite par Freud du fantasme « Un enfant est battu »[68] où l'auteur montre les états successifs de la phase : le père bat l'enfant, je suis battu par le père, un enfant est battu. Comme ces mises en scène du désir se heurtent à l'interdit, les procédés défensifs que nous avons déjà définis y sont constamment à l'œuvre : renversement dans le contraire, dénégation, projection. Nous voyons ces trois derniers procédés opérer dans le fantasme « Un enfant est battu » : ce n'est pas moi que le père bat, c'est l'autre. Ce qui dans le dernier état, anonyme, de la phrase est nié, projeté, et renversé dans le contraire (sadisme), c'est le caractère masochiste du désir et le fait qu'il s'adresse au père. Nous retrouverons, tout au long des textes étudiés, les multiples transformations d'un indicible « Je suis porté par le Père », Enée porte Anchise, Genet porte son « Zar », je ne porte personne, Flaubert est porté par son père, saint Julien est emporté par Notre Seigneur... et nous essaierons de comprendre comment s'y opposent des désirs contraires.

---

64. « Remaniement du rêve destiné à le présenter sous la forme d'un scénario relativement cohérent et compréhensible », J. Laplanche et J.-B. Pontalis, *Vocabulaire de la psychanalyse,* P.U.F., 1968, p. 132. *Cf.* S. Freud, l'*Interprétation des rêves,* P.U.F., 1967, p. 416 à 432.
65. Cité par J. Laplanche et J.-B. Pontalis, *Vocabulaire de la psychanalyse,* p. 155.
66. P. 152.
67. *Ibid.,* p. 156.
68. *Névrose, psychose et perversion,* P.U.F., 1973, p. 219 à 243.

Enfin nous nous intéresserons aux nombreuses métaphores qui parlent le langage du corps et qui rappellent un temps archaïque où sucer, mordre, avaler, rejeter, uriner, etc. pouvaient avoir, pour l'enfant, valeur de langage dans la relation avec ses premiers objets[69]. Certaines d'entre elles nous renverront à la pulsion orale, d'autres à la pulsion anale, etc., mais il ne s'agira évidemment pas pour nous d'établir un catalogue thématique. Le point de vue de la psychanalyse est dynamique. L'insistance sur l'oralité ou l'analité peut être le signe d'une régression de la libido, d'une fixation à un certain stade, par impossibilité d'affronter le stade suivant. Nous retrouvons alors les conflits cardinaux, l'Œdipe, la castration.

Avant d'aborder notre sujet, c'est-à-dire quelles structures de la personnalité de Sartre la comparaison des textes biographiques et autobiographiques fait apparaître, nous consacrerons un chapitre préliminaire aux relations que Sartre a entretenues, tout au long de sa vie, avec la psychanalyse. A première vue, la question peut sembler marginale : peu importe, pourrait-on nous objecter, ce que Sartre pense de la psychanalyse, l'important est ce qu'il fait en écrivant ses biographies. Mais on s'aperçoit bien vite que ce qu'il pense est inséparable de ce qu'il ressent et que ce qu'il fait comprend aussi la manière dont il se sert de l'outil psychanalytique. Emotion et déformation nous ramènent à notre sujet. Il nous a paru plus éclairant pour notre propos de grouper nos remarques sur ce point avant de commencer, plutôt que de les disperser de chapitre en chapitre.

69. Voir entre autres textes S. Freud, « L'Homme aux loups », *Cinq psychanalyses*, P.U.F., 1967, p. 386, note 1.

PREMIÈRE PARTIE

SARTRE PAR LUI-MEME

Chapitre premier

SARTRE ET LA PSYCHANALYSE

« Il faudra un jour écrire l'histoire du rapport ambigu, fait d'une attirance et d'une réticence *également* profondes, que Sartre entretient depuis trente ans avec la psychanalyse », notait J.-B. Pontalis en 1969[1]. Cette tâche pourrait constituer à elle seule un sujet de recherche ; nous nous contenterons dans les limites de ce chapitre, de poser quelques jalons[2].

A l'intérieur de cette longue histoire, nous voyons se dessiner trois périodes : la première est celle de l'ignorance tranquille ou superbe, depuis l'essai sur *La Transcendance de l'Ego* jusqu'à *L'Imaginaire. La Nausée,* commencée dès 1931, manifeste, fort heureusement[3], une totale indifférence à l'analyse. Cette période est marquée par un « passage à l'acte »[4] particulièrement agressif, *L'Enfance d'un chef.* La seconde période se caractérise par une première tentative d'annexion de la psychanalyse, dans *L'Etre et le Néant* ; les psychanalyses existentielles de Baudelaire et de Genet en sont le fruit. La troisième période voit se renouveler l'essai d'annexion, non plus à l'existentialisme mais au marxisme, avec la *Critique de la raison dialectique. L'Idiot de la famille* en est

---

1. Voir « Réponse à Sartre », *Les Temps Modernes,* n° 274, avril 1969, repris dans *Situations,* IX, p. 360.
2. On trouvera dans *Le Mur de Jean-Paul Sartre, techniques et contexte d'une provocation,* collection « thèmes et textes », Larousse, 1972, de Geneviève Idt, quelques pages sur ce sujet (p. 185 à 189) et un chapitre intitulé « Sartre et Freud » (p. 6 à 27) dans *Genèse et critique d'une autobiographie, Les Mots de Jean-Paul Sartre,* Minard, Archives des Lettres modernes, n° 144, avril 1973, de A. James Arnold et Jean-Pierre Piriou. Nous reprenons ici la question plus complètement et d'un point de vue sensiblement différent. Sur l'usage que font de la psychanalyse, A. J. Arnold et J.-P. Piriou, voir *infra,* 1re partie chap. II, p. 80, note 97.
3. Si Sartre avait alors accordé un quelconque crédit à la psychanalyse, il ne se serait sans doute pas livré aussi simplement.
4. Nous donnons à cette expression non le sens restreint qu'elle a en clinique psychiatrique, mais celui que J. Laplanche et J.-B. Pontalis attribuent à l'« *acting out* » avec son « caractère impulsif, [. . .] en rupture avec [. . .] le comportement habituel du [sujet] », *Vocabulaire de la psychanalyse,* P.U.F., 1968, p. 7.

l'illustration majeure. Elle se signale par un second « passage à l'acte », tout aussi agressif que le premier, la publication dans *Les Temps Modernes*, en 1969, du *Dialogue psychanalytique*.

L'ignorance tranquille

Rédigé en 1934, *La Transcendance de l'Ego* est le premier essai philosophique de Sartre. Pour Simone de Beauvoir, Sartre fondait dans ce texte « une de ses croyances les plus anciennes et les plus têtues : il y a une autonomie de la conscience irréfléchie ; le rapport au moi qui, selon La Rochefoucauld et la tradition psychologique française, pervertirait nos mouvements les plus spontanés, n'apparaît qu'en certaines circonstances particulières »[5]. Freud n'est pas nommé, le débat sur l'inconscient s'engage avec La Rochefoucauld. On peut mesurer la candeur de Sartre, en ce temps-là, à l'exemple qu'il donne de la conscience « [s'effrayant] de sa propre spontanéité »[6] :

> « Une jeune mariée avait la terreur, quand son mari la laissait seule, de se mettre à la fenêtre et d'interpeller les passants à la façon des prostituées. Rien dans son éducation, dans son passé, ni dans son caractère ne peut servir d'explication à une crainte semblable. Il nous paraît simplement qu'une circonstance sans importance (lecture, conversation, etc.) avait déterminé chez elle ce qu'on pourrait appeler un vertige de la possibilité »[7].

Sylvie Le Bon[8] précise en note :

> « aujourd'hui [Sartre] a totalement reconsidéré les problèmes que posent névroses et psychoses, et il ne les expliquerait certainement pas de façon aussi simpliste qu'en 1934. Il estime en particulier enfantine son ancienne interprétation de l'attitude névrosée de " la jeune mariée " soignée par Janet [...] il abandonnerait ici la notion d'explication pour celle de *compréhension dialectique* qui doit nécessairement s'opérer à partir de ce passé, cette éducation, ce caractère »[9].

Pour Sylvie Le Bon, l'exemple de la jeune mariée et ce que Sartre « dit de l'inconscient en général dans l'*Essai sur l'Ego* permet de mesurer la distance qui le sépare actuellement de ses positions de 1934, en ce qui concerne la psychanalyse. Il faut, conclut-elle, souligner l'importance de ce changement »[10]. Ce qui nous frappe, au contraire, c'est la permanence des réactions de

---

5. *La Force de l'âge*, Gallimard, 1960, p. 189.
6. T.E., p. 80.
7. T.E., p. 80-81.
8. Qui a présenté et annoté l'essai, réédité en 1965 par la Librairie philosophique Vrin.
9. T.E., p. 80-81, note 74.
10. T.E., p. 80, note 74.

Sartre et la mise en place, avant même que l'œuvre de Freud ne soit abordée, d'un dispositif de défense contre l'inconscient. On le trouve aussi bien dans *L'Etre et le Néant* que dans les dernières interviews. Il s'agit toujours de fabriquer des apories dans lesquelles on enfermera la psychanalyse. En voici un exemple tiré de *La Transcendance de l'Ego* :

> « ce premier moment du désir — à supposer qu'il n'ait pas complètement échappé aux théoriciens de l'amour-propre — n'est pas considéré par eux comme un moment complet et autonome. Ils ont imaginé derrière lui un autre état qui demeure dans la pénombre : par exemple je secours Pierre pour faire cesser l'état désagréable où m'a mis la vue de ses souffrances. Mais cet état désagréable ne peut être connu comme tel et on ne peut tenter de le supprimer qu'à la suite d'un acte de réflexion. [...] Ainsi donc, sans même s'en rendre compte, les théoriciens de l'amour-propre supposent que le réfléchi est premier, originel et dissimulé dans l'inconscient. Il est à peine besoin de faire ressortir l'absurdité d'une telle hypothèse »[11].

Le procédé est le même dans *L'Etre et le Néant* à propos de la censure : si elle censure, c'est qu'elle sait ; si elle sait, c'est qu'elle est consciente ; si elle est consciente et ne veut pas le savoir, c'est qu'elle est de mauvaise foi[12].

On comprend mieux la nécessité protectrice de ces arguties lorsqu'on s'attache aux images que répète l'essai sur *La Transcendance de l'Ego* : la conscience spontanée est transparence, rien n'en doit ternir la limpidité : tout y est « clair et lucide »[13], elle est « toute légèreté, toute translucidité »[14] ; le *je* ne peut y trouver place, il serait « comme un caillou au fond de l'eau »[15], pire, comme un « habitant »[16] : « ce Je superflu est nuisible. S'il existait, il arracherait la conscience à elle-même, il la diviserait, il se glisserait dans chaque conscience comme une lame opaque »[17]. « Si donc on introduit cette opacité dans la conscience, on détruit par là-même la définition si féconde que nous donnions tout à l'heure, on la fige, on l'obscurcit, ce n'est plus une spontanéité, elle porte même en elle comme un germe d'opacité »[18] ; « ce Je opaque est élevé du même coup au rang d'absolu. [...] La conscience s'est alourdie, elle a perdu ce caractère qui faisait d'elle l'existant absolu *à force d'inexistence*. Elle est lourde et *pondérable* »[19]. Nos analyses ulté-

11. T.E., p. 40-41.
12. Cf. E.N., p. 91-92.
13. T.E., p. 24.
14. T.E., p. 25.
15. T.E., p. 35.
16. T.E., p. 13 et 25.
17. T.E., p. 23.
18. T.E., p. 25.
19. T.E., p. 26.

rieures nous permettront de comprendre quelle contrainte névrotique exige une telle représentation de la psyché. La répulsion qui s'attache à l'idée de s'épaissir, de s'alourdir, d'être habité, apparaîtra peu à peu et on verra la transparence se muer finalement en prison de verre[20].

A ces affirmations de Sartre : « la conscience irréfléchie doit être considérée comme autonome. C'est une totalité qui n'a nullement besoin d'être complétée et nous devons reconnaître sans plus que la qualité du désir irréfléchi est de se transcender en saisissant sur l'objet la qualité de désirable »[21], Sylvie Le Bon ajoute en note : « Cette conception de la priorité ontologique de l'irréfléchi sur le réfléchi reste centrale dans ses ouvrages ultérieurs, [...] parce qu'elle constitue le seul moyen radical d'éliminer tout idéalisme »[22]. Elle nous paraît surtout le seul moyen radical d'éliminer a priori l'autre face de cette spontanéité ; elle permet de s'aveugler sur ce qui, dans l'intentionnalité, est fuite des « ténèbres » de l'inconscient[23]. « Tout se passe, écrit Sartre, comme si nous vivions dans un monde où les objets, outre leurs qualités de chaleur, d'odeur, de forme, etc., avaient celles de repoussant, d'attirant, de charmant, d'utile, etc., etc. et comme si ces qualités étaient des forces qui exerçaient sur nous certaines actions »[24]. Véritable tour de passe-passe qui projette au dehors ce qu'on ne peut tolérer en soi. Rien ne vient ternir l'innocence de la conscience s'élançant dans le monde ; la réflexion, opération seconde, devient une sorte de bouc émissaire, tandis que la conscience irréfléchie qui naît perpétuellement de rien, est lavée de tout péché. C'est « la réflexion [qui] " empoisonne " le désir »[25]. « Avant d'être " empoisonnés " mes désirs ont été purs ; c'est le point de vue que j'ai pris sur eux qui les a empoisonnés »[26]. On voit que, dès l'origine, le rejet de l'inconscient s'accompagne d'une bien suspecte obsession de pureté.

Si l'hypothèse de l'inconscient n'avait été qu'absurde, il suffisait à Sartre d'approfondir sa propre recherche sans se soucier des recherches voisines. Mais il semble que Sartre ne puisse ignorer la psychanalyse ou coexister pacifiquement avec elle. Dans *L'Enfance d'un chef*, il abandonne la relative sérénité du philosophe et passe à l'attaque. Laissons de côté, pour le moment, les pages dans lesquelles Sartre reconstitue une enfance en tenant

---

20. Voir *infra*, 2e partie, chap. III, p. 291.
21. T.E., p. 41.
22. T.E., p. 41, note 43.
23. Qu'on relise, de ce point de vue, les quelques pages intitulées : « Une idée fondamentale de la phénoménologie de Husserl : l'intentionnalité », (S., I., p. 31 à 35). Elles respirent l'allégresse d'avoir échappé au-dedans et de « s'éclater vers » (p. 32).
24. T.E., p. 41-42.
25. T.E., p. 42.
26. T.E., p. 43.

compte implicitement des découvertes psychanalytiques. Nous posons plus loin[27] la question de savoir s'il y a là illustration des thèses de Freud, pastiche ou parodie d'un « cas », auto-analyse involontaire. Quoi qu'il en soit, le « à la manière de », indiscutable, implique des sentiments mêlés : rivalité, admiration, jalousie, bref « haine amoureuse »[28]. On ne s'attachera ici qu'aux références explicites à la psychanalyse dans *L'Enfance d'un chef* et l'on remarquera d'emblée qu'elles sont toutes affectées d'un signe négatif : l'évocation du complexe d'Œdipe est caricaturale : « Berliac lui demanda s'il connaissait la psychanalyse ; sa voix était sérieuse et il regardait Lucien avec gravité. " J'ai désiré ma mère jusqu'à l'âge de quinze ans ", lui confia-t-il. Lucien se sentit mal à l'aise ; il avait peur de rougir et puis il se rappelait les verrues de madame Berliac et ne comprenait pas bien qu'on pût la désirer »[29]. La première conséquence de l'initiation de Lucien à la psychanalyse, c'est, avec la peur d'embrasser sa mère, la reprise des « pratiques solitaires »[30] : « il fallait que chacun suivît sa pente, les livres de Freud étaient remplis par les histoires de malheureux jeunes gens qui avaient eu des poussées de névrose pour avoir rompu trop brusquement avec leurs habitudes »[31]. La doctrine psychanalytique apparaît comme un tranquillisant : Lucien « s'était jeté avec avidité sur la psychanalyse parce qu'il avait compris que c'était ce qui lui convenait et à présent il se sentait raffermi, il n'avait plus besoin de se faire du mauvais sang et d'être toujours à chercher dans sa conscience les manifestations palpables de son caractère. Le véritable Lucien était profondément enfoui dans l'inconscient ; il fallait rêver à lui sans jamais le voir, comme à un cher absent[32]. [...] il imaginait avec une certaine fierté le monde obscur, cruel et violent qui grouillait sous les vapeurs de sa conscience »[33]. La psychanalyse alimente le narcissisme, Lucien commence à se trouver « intéressant »[34], il se traite « avec précaution, pour ne pas violenter l'âme somptueuse et sinistre qu'il s'était découverte. [...] nul plus que lui [...] n'était sensible à la beauté pathétique du complexe d'Œdipe »[35]. L'interprétation psychanalytique permet aussi d'agresser l'autre en le classant : Lucien souhaite partager

---

27. *Infra*, 1re partie, chap. III, p. 108-109.
28. Comme le dit Geneviève Idt dans sa remarquable étude des nouvelles du *Mur*. (*Le Mur de Jean-Paul Sartre, techniques et contexte d'une provocation*, Larousse, 1972, collection « thèmes et textes », p. 185). Sur le rôle de la psychanalyse dans *L'Enfance d'un chef*, nos points de vue diffèrent sensiblement (voir *infra*, 1re partie, chap. III, p. 119).
29. MR., p. 178.
30. MR., p. 180.
31. MR., p. 180.
32. *Cf.* MT., p. 130 : « l'absent qui m'avait donné le jour ». Sur le danger que représente ce cher absent pour qui occupe sa place, voir *infra*, 1re partie, chap. II, p. 94.
33. MR., p. 179.
34. MR., p. 179.
35. MR., p. 180.

avec Berliac les frais de leurs sorties : « Berliac le regarda avec profondeur et lui dit : “Je m'en doutais : tu es un anal” et il lui expliqua le rapport freudien : fèces = or et la théorie freudienne de l'avarice. “Je voudrais savoir une chose, dit-il ; jusqu'à quel âge ta mère t'a-t-elle essuyé ?” Ils faillirent se brouiller »[36].

Certes, on pourrait nous objecter que l'usage qui est fait de la psychanalyse dans la nouvelle est parfaitement conforme au caractère des personnages et que rien ne nous permet de passer de ceux-ci à l'auteur. En effet, quoi de plus naturel chez des adolescents inquiets que cette manie interprétative, quoi de plus tentant que le diagnostic « sauvage » pour un apprenti freudien ? Les bourdes prêtées à Lucien sont, elles aussi, parfaitement vraisemblables : « C'est la pente fatale, songeait-il, j'ai commencé par le complexe d'Œdipe, après ça je suis devenu sadico-anal et maintenant c'est le bouquet, je suis pédéraste ; où est-ce que je vais m'arrêter ? »[37]. On verra cependant à quel point Sartre est présent dans la nouvelle et on reviendra sur les relations complexes qu'il entretient avec son personnage (ainsi, il n'est pas sans intérêt de noter que Lucien suppose résolu son complexe d'Œdipe comme Sartre celui de Flaubert, alors que la fixation au stade anal signifie le contraire). Il y a, en Lucien, du cousin Jacques de Simone de Beauvoir[38], ce « jeune homme de bonne famille », qui « fut bien fou, quand il convenait de l'être, [...] puis, à la mort de son père, reprit sagement l'usine familiale et le droit chemin »[39], mais aussi bien des traits qui annoncent l'enfant des *Mots*. Sartre n'aime pas Lucien, mais il ne s'aime pas non plus. Il peut avoir prêté à un personnage antipathique ses griefs contre la psychanalyse. Ainsi on retrouve, attribuées à Lucien, les critiques les plus communément faites à l'analyse : elle coûte cher : « Je partirai sans argent, à pied s'il le faut [pour aller consulter Freud à Vienne], je lui dirai : je n'ai pas le sou mais je suis un cas »[40] ; elle est faite pour de riches oisifs, « comme toutes ces Viennoises désœuvrées qui se faisaient psychanalyser par Freud »[41] ; elle ramène tout à la sexualité : « combien il préférait, aux bêtes immondes et lubriques de Freud, l'inconscient plein d'odeurs agrestes dont Barrès lui faisait cadeau »[42].

De toutes façons, même si l'on voulait s'en tenir au seul niveau de la cohérence romanesque et ne point prêter à l'auteur ce qui appartient au personnage, il resterait que la psychanalyse est fort malmenée dans la nouvelle, puisque personne ne la pré-

36. MR., p. 182.
37. MR., p. 200.
38. *Mémoires d'une jeune fille rangée*, Gallimard, 1958, p. 197 et suivantes.
39. S. II, p. 212.
40. MR., p. 203.
41. MR., p. 220.
42. MR., p. 221.

sente sous un jour favorable. Or Sartre connaît bien la règle qu'il énonce lui-même dans *L'Idiot de la famille* : « lorsqu'il n'est qu'*un* Noir dans un roman et que ce Noir commet un crime, l'auteur nous donne à entendre que *tous* les Noirs sont des criminels en puissance ; lorsqu'on n'y trouve qu'*un* Juif et que celui-ci fait preuve de traîtrise et de ladrerie, l'auteur est un antisémite militant qui condamne *tous* les juifs et nous invite à partager ses opinions »[43]. Lorsque, dans une longue nouvelle, la seule rencontre avec la psychanalyse se fait par l'intermédiaire d'un couple formé d'un maître et d'un disciple, Bergère[44] et Berliac, finalement assez repoussants, il n'est pas sûr que le romancier souhaite vraiment cette rencontre ou puisse la vouloir.

Les œuvres théoriques qui paraissent après *L'Enfance d'un chef*, présentent le même type de défense contre la psychanalyse que l'essai sur *La Transcendance de l'Ego* : la psychanalyse est prise au piège d'une exigence formelle de rationalité et l'inconscient ramené au conscient. Dans l'*Esquisse d'une théorie des émotions*[45] Sartre écrit :

> « C'est la contradiction profonde de toute psychanalyse que de présenter *à la fois* un lien de causalité et un lien de compréhension entre les phénomènes qu'elle étudie. Ces deux types de liaison sont incompatibles. [...] mieux vaudrait franchement reconnaître que tout ce qui se passe dans la conscience ne peut recevoir son explication que de la conscience elle-même »[46].

Dans *L'Imaginaire*[47], Sartre centre son étude sur la différence entre la conscience perceptive qui pose son objet comme existant et la conscience imageante qui le pose comme irréel ; la psychanalyse est ignorée ; les quelques allusions qu'on y trouve sont fort peu amènes. A la page 93, elle est réduite à un fourre-tout hétéroclite : « Le transfert, la condensation, la dérivation, la sublimation : autant de trucs d'une psychologie associationniste ». Ailleurs, à propos de la rêverie éveillée d'une jeune fille, étudiée par Blanche Reverchon-Jouve et Pierre-Jean Jouve[48], Sartre note : « on ne peut que regretter que la psychanalyse [...] ait écrasé [ce cas] sous son interprétation massive, prétentieuse et absurde »[49]. Le chapitre sur le rêve a pour but de montrer que Descartes se trompe dans la première Méditation : « Le rêve, ce n'est point la fiction prise pour la réalité, c'est l'odyssée d'une conscience vouée, par

---

43. I.F., tome I, p. 528.
44. Ce surréaliste « très versé dans la psychanalyse » (MR., p. 181) et qui séduit Lucien.
45. Hermann, collection « Actualités scientifiques et industrielles, n° 838, 1939. Nouveau tirage, octobre 1965.
46. E.T., p. 35.
47. Gallimard, « Bibliothèque des Idées », 1940.
48. Voir « Moments d'une psychanalyse », Nouvelle Revue Française, mars 1933, p. 355 à 385.
49. I., p. 191, suite de la note 2, p. 190.

elle-même et en dépit d'elle-même, à ne constituer qu'un monde irréel »[50]. Freud est cité, une fois[51], pour écarter purement et simplement l'idée du refoulement : si une conscience imageante s'exprime par images, c'est qu'elle n'est pas une conscience perceptive[52]. Sartre rapporte sans s'émouvoir quelques rêves troublants : telle jeune fille rêve d'un esclave rendu malade de la lèpre par sa maîtresse et qui doit pour guérir chercher du pus auprès d'une femme qui l'aime ; ce qui l'intéresse là, c'est qu'il y a des rêves qui se produisent sans que le rêveur y figure[53]. Sartre se voit, en rêve, enfermé dans une chambre forte et poursuivi par un faux-monnayeur qui commence à « faire fondre le blindage avec un chalumeau oxhydrique »[54] ; l'interprétation ne le tente pas : cet exemple illustre le fait « qu'un rêve ne serait en aucune façon représentable dans le monde de la perception »[55]. Tout aussi frappante par son refus d'interpréter et par son déplacement de l'intérêt sur les mécanismes intellectuels, cette confidence : « je rêve souvent qu'on va me guillotiner, et le rêve s'arrête au moment même où j'ai le cou pris dans la lunette. Ce n'est pas ici la peur qui motive le réveil — car, si paradoxal que cela puisse paraître, ce rêve ne se présente pas toujours sous la forme d'un cauchemar — mais plutôt l'impossibilité d'imaginer un *après*. La conscience hésite, cette hésitation motive une réflexion, et c'est le réveil »[56].

Première tentative d'annexion

On pourrait donc penser, en mettant à part *L'Enfance d'un chef*, que jusqu'au début de la guerre, Sartre approfondit sa recherche personnelle sans s'inquiéter du développement de la psychanalyse. En réalité, il en va tout autrement : l'article sur *L'Expérience intérieure* de Georges Bataille paru en 1943 dans *Les Cahiers du Sud*, se termine par ces lignes : « la critique littéraire trouve ici ses limites. Le reste est l'affaire de la psychanalyse. Qu'on ne se récrie pas : je ne pense pas ici aux méthodes grossières et suspectes de Freud, d'Adler ou de Jung ; il est d'autres psychanalyses »[57]. La même année, dans *L'Etre et le Néant*, Sartre livre au public sa propre conception de l'analyse et définit le principe, le but et la méthode de cette discipline nouvelle, en

---

50. I., p. 226.
51. I., p. 217.
52. Rappelons que, pour Freud, si le rêve est figuratif ce n'est pas d'abord pour déguiser, mais parce que dans le sommeil nous régressons et retrouvons un langage préverbal.
53. I., p. 214 ; « il y a des rêves sans Moi » écrit Sartre (p. 214). On mesure la distance de Freud à Sartre. Pour le premier, que je figure ou non dans le rêve, c'est mon désir qui s'y accomplit.
54. I., p. 223.
55. I., p. 223.
56. I., p. 225.
57. « Un nouveau mystique », S., I, p. 187-188.

soulignant les ressemblances et les différences entre « les deux psychanalyses »[58]. Mais il y a si loin de la psychanalyse existentielle à la psychanalyse dite par Sartre « empirique »[59], que l'emploi du mot même de psychanalyse pour définir la méthode sartrienne, paraît abusif et d'une naïveté superbe.

> « Le *principe* de cette psychanalyse [existentielle], est que l'homme est une totalité et non une collection ; qu'en conséquence, il s'exprime tout entier dans la plus insignifiante et la plus superficielle de ses conduites [...]
>
> Le *but* de la psychanalyse est de *déchiffrer* les comportements empiriques de l'homme, c'est-à-dire de mettre en pleine lumière les révélations que chacun d'eux contient et de les fixer conceptuellement »[60].

Déjà les deux psychanalyses diffèrent sensiblement, même si rien, dans ce qui vient d'être cité, n'est, à la lettre, en contradiction avec les découvertes de Freud. Mais le fait que le mot d'inconscient n'y figure pas, rend, en fait, l'énoncé inacceptable d'un point de vue psychanalytique. Une autre ambiguïté apparaît dans la définition du but de la psychanalyse existentielle : celle-ci est, en effet, exclusivement présentée comme une méthode d'investigation intellectuelle. Or, la psychanalyse freudienne est aussi une méthode de traitement et sa théorie s'appuie d'abord sur l'expérience clinique. Sartre, dans ces pages qui tracent une sorte de programme pour une psychanalyse à naître fait plusieurs fois allusion à la cure, mais sans comprendre, semble-t-il, ce qui s'y passe, tant il est soucieux de saisir intellectuellement les phénomènes et seulement ainsi. Cela nous vaut une évocation surprenante du déroulement de la cure : quand la psychanalyse empirique approche du choix fondamental,

> « les résistances du sujet s'effondrent tout à coup et il *reconnaît* soudain l'image de lui qu'on lui présente, comme s'il se voyait dans une glace. Ce témoignage involontaire du sujet est précieux pour le psychanalyste : il y voit le signe qu'il a touché son but ; il peut passer des investigations proprement dites à la cure. Mais rien dans ses principes ni dans ses postulats initiaux ne lui permet de comprendre ni d'utiliser ce témoignage »[61].
>
> « Pourtant l'illumination du sujet est un fait. Il y a bien là une intuition qui s'accompagne d'évidence. [...] il touche, il voit ce qu'il est. Cela n'est vraiment compréhensible que si le sujet n'a jamais cessé d'être conscient de ses tendances profondes. [...] En ce cas, [...] l'interprétation psychanalytique ne

58. E.N., p. 659.
59. E.N., p. 657.
60. E.N., p. 656.
61. E.N., p. 661.

lui fait pas *prendre conscience* de ce qu'il est : elle lui en fait *prendre connaissance.* C'est donc à la psychanalyse existentielle qu'il revient de revendiquer comme décisoire l'intuition finale du sujet »[62].

Autrement dit, le psychanalyste empirique fait le travail et le psychanalyste existentiel corrige son vocabulaire. La cure ne débute qu'après que des investigations purement intellectuelles, semble-t-il, ont produit une illumination assez étonnante. Sartre méconnaît l'essentiel, qui est affectif : le transfert mobilise le désir inconscient, ses effets émotionnels permettent l'interprétation et le patient prend peu à peu conscience qu'il revit des expériences infantiles. Aussi, quand Sartre écrit, avec une certaine condescendance, que la méthode de la psychanalyse « vaut mieux que ses principes », il n'est pas sûr qu'il ait compris ce qui fait l'originalité de cette méthode : « L'une comme l'autre, nos deux psychanalyses, affirme-t-il, n'estiment pas que le sujet soit en position privilégiée pour procéder à ces enquêtes sur lui-même. Elles se veulent, l'une et l'autre, une méthode strictement objective, traitant comme des documents les données de la réflexion aussi bien que les témoignages d'autrui. Sans doute le sujet *peut* effectuer sur lui-même une enquête psychanalytique. Mais il faudra qu'il renonce d'un coup à tout le bénéfice de sa position particulière et qu'il s'interroge exactement comme s'il était autrui »[63]. Les deux psychanalyses sont ici étroitement associées, mais le malentendu est profond. Sartre semble ignorer les réserves faites par les psychanalystes au sujet de l'auto-analyse. Freud lui-même écrivait à Wilhelm Fliess : « Mon auto-analyse reste toujours en plan. J'en ai maintenant compris la raison. C'est parce que je ne puis m'analyser moi-même qu'en me servant de connaissances objectivement acquises (comme pour un étranger). Une vraie auto-analyse est réellement impossible, sans quoi il n'y aurait plus de maladie »[64]. Au terme de son étude sur ce sujet, Didier Anzieu écrit :

> « L'auto-analyse de Freud a été un dialogue constant avec Fliess auquel le liaient une grande connivence fantasmatique et une homosexualité latente et sur lequel il a vécu une sorte de " transfert " œdipien et ambivalentiel. Il n'y a pas d'auto-analyse sérieuse si elle n'est parlée à quelqu'un : c'est là quelque chose qui, au terme de cette étude de Freud, nous apparaît capital. Quand Fliess ne joue plus ce rôle d' " unique public ", c'est Minna, la belle-sœur de Freud, qui devient son interlocuteur privilégié. En même temps l'auto-analyse était

62. E.N., p. 662.
63. E.N., p. 658.
64. *La naissance de la psychanalyse,* P.U.F., 1956, 3e édition revue et corrigée, 1973, p. 207-208.

pour Freud un dialogue constant avec ses patients, écoute de la résonance produite en lui par leur transfert c'est-à-dire par leurs désirs pour lui, saisie des mouvements contre-transférentiels à leur égard, c'est-à-dire de ses désirs pour eux »[65].

Il y a là, on le voit, tout un travail en profondeur, qui se fait avec l'aide d'autrui, et semble avoir peu de rapport avec ce que vise Sartre :

> « si le projet fondamental est pleinement *vécu* par le sujet, écrit-il, et, comme tel, totalement conscient, cela ne signifie nullement qu'il doive être du même coup *connu* par lui, tout au contraire. [...] Il ne s'agit point d'une énigme indevinée, comme le croient les freudiens : tout est là, lumineux, la réflexion jouit de tout, saisit tout. Mais ce " mystère en pleine lumière "[66] vient plutôt de ce que cette jouissance est privée des moyens qui permettent ordinairement l'*analyse* et la *conceptualisation*. [...] La réflexion, ne pouvant servir de base à la psychanalyse existentielle lui fournira donc simplement des matériaux bruts sur lesquels le psychanalyste devra prendre l'attitude objective. Ainsi seulement pourra-t-il *connaître* ce qu'il *comprend déjà*. Il résulte de là que les complexes extirpés des profondeurs inconscientes, comme les projets décelés par la psychanalyse existentielle seront appréhendés *du point de vue d'autrui*. [...] Ce qui échappe pour toujours à ces méthodes d'investigation, c'est le projet tel qu'il est pour soi, le complexe dans son être propre. Ce projet-pour-soi ne peut être que *joui* [...] Mais l'objet des psychanalyses n'en a pas moins la *réalité d'un être* ; sa connaissance par le sujet peut, en outre, contribuer à *éclairer* la réflexion et celle-ci peut devenir alors une jouissance qui sera quasi-savoir.
>
> Là s'arrêtent les ressemblances entre les deux psychanalyses »[67].

Est-il utile de préciser que pour la psychanalyse freudienne, elles s'arrêtent bien avant ? Quel luxe narcissique que ce projet de connaître dont le but ultime est de permettre à la réflexion, au « pour-soi », de jouir de son « pour-autrui » ! Le sujet qui entreprend une analyse, souhaite changer sa relation à soi et à l'autre, ce qui est différent ; et s'il vient quérir un savoir sur soi, il apprend peu à peu à reconnaître autre chose dans ce désir.

Voyons maintenant les différences reconnues par Sartre : les deux psychanalyses s'opposent sur le dernier stade de leur re-

---

65. *L'auto-analyse de Freud et la découverte de la psychanalyse,* P.U.F., 1959, nouvelle édition : 1975, tome II, p. 732.
66. Cette formule heureuse empruntée à Barrès (c'est le titre de son dernier ouvrage), revient souvent sous la plume de Sartre. Elle rend bien compte de la résistance du « vécu » (voir *infra,* dans ce chapitre, p. 48) à l'intellection.
67. E.N., p. 658-659

cherche : « nous n'atteindrons pas comme but ultime de la recherche et fondement de tous les comportements un terme abstrait et général, la libido par exemple, qui serait différenciée et concrétisée en complexes puis en conduites de détail sous l'action des faits extérieurs et de l'histoire du sujet, mais au contraire un choix qui reste unique et qui est dès l'origine la concrétion absolue ; les conduites de détail peuvent exprimer ou *particulariser* ce choix, mais elles ne sauraient le concrétiser plus qu'il ne l'est déjà »[68]. Cette concrétion absolue c'est le rêve d'être Dieu, c'est-à-dire d'être un « En-soi pour-soi ». Nous reviendrons tout au long de notre travail sur ce vain désir de l'impossible. Notons simplement l'étrange usage du mot « concrétion », image d'une pétrification totale[69], pour désigner le caractère concret du projet originel.

« Le fait que le terme ultime de cette enquête existentielle doit être un *choix*, poursuit Sartre, différencie mieux encore la psychanalyse dont nous esquissons la méthode et les traits principaux : elle renonce par là-même à supposer une action mécanique du milieu sur le sujet considéré »[70]. Il est évident que c'est là le cœur du problème pour une philosophie de la liberté. Sartre semble ignorer, à cette époque, que Freud a toujours maintenu l'expression « choix de la névrose »[71]. Dans *L'Idiot de la famille*, au contraire, il écrira : « Quand les psychiatres [...] emploient les mots de *choix* et *d'option*, ils ne prétendent pas nous renvoyer à une liberté métaphysique : ils veulent plutôt marquer qu'il s'agit d'une métamorphose totale du sujet ; [...] les interprétations déterministes sont écartées : la névrose est une adaptation intentionnelle de la personne entière à tout son passé, à son présent, aux figures visibles de son avenir »[72]. Mais il ajoute : « il faut une pensée dialectique pour en saisir la nécessité »[73], comme il fallait, trente ans auparavant, une pensée existentielle pour comprendre « l'illumination du sujet » dans la cure psychanalytique. Finalement, dans *L'Idiot de la famille*, le choix de la névrose coïncide avec la liberté : « la maladie de Gustave exprime dans sa plénitude ce qu'il faut bien appeler sa liberté : ce que cela veut dire, nous ne pourrons l'entendre qu'à la fin de cet ouvrage, après avoir relu

---

68. E.N., p. 659-660.
69. Sur sa connotation phallique, voir la citation de *Saint Genet*, dans ce même chapitre, *infra*, p. 46.
70. E.N., p. 660.
71. « La disposition à la névrose obsessionnelle », dans *Névrose, psychose, et perversion*, P.U.F., 1973, p. 189. A ce propos, J. Laplanche et J.-B. Pontalis remarquent : « il n'est pas indifférent que, dans une conception qui se réclame d'un déterminisme absolu, apparaisse ce terme qui suggère qu'un acte du sujet est nécessaire pour que les différents facteurs historiques et constitutionnels mis en évidence par la psychanalyse prennent leur sens et leur valeur motivante », *Vocabulaire de la psychanalyse*, P.U.F., 1968, p. 63.
72. I.F., tome I, p. 176.
73. I.F., tome I, p. 176.

Madame Bovary »[74]. La publication de ce que Sartre a pu rédiger du quatrième tome qu'il prévoyait pour achever son étude sur Flaubert, permettra peut-être un jour d'apprécier ce qui semble, pour le moment, un peu miraculeusement pré- ou post-établi.

Si on laisse le parallèle entre les deux psychanalyses pour relire l'ensemble du chapitre intitulé « La Psychanalyse existentielle », on est surtout frappé par l'importance de la préoccupation biographique. Le texte débute par un éreintement de l'étude de Paul Bourget sur Flaubert dans ses *Essais de Psychologie contemporaine*[75] et se termine par ces lignes intrépides : « Les conduites étudiées par cette psychanalyse ne seront pas seulement les rêves, les actes manqués, les obsessions et les névroses, mais aussi et surtout les pensées de la veille, les actes réussis et adaptés, le style, etc. Cette psychanalyse n'a pas encore trouvé son Freud [...]. Nous espérons pouvoir tenter d'en donner ailleurs deux exemples, à propos de Flaubert et de Dostoïevsky. Mais il nous importe peu, ici, qu'elle existe : l'important pour nous c'est qu'elle soit possible »[76]. Sartre dit avoir renoncé à écrire sa morale, quand il s'est aperçu qu'il élaborait « une éthique d'écrivain pour des écrivains »[77]. Il ne semble pas avoir pris conscience du fait qu'il posait les principes d'une psychanalyse réservée aux écrivains et *post mortem*.

Dans les deux sections suivantes, qui terminent *L'Etre et le Néant*, Sartre donne quelques exemples de psychanalyse existentielle. Il fait des emprunts de détails à la psychanalyse pour constituer des complexes partiels : « On voit, écrit-il, les courants sexuels et alimentaires qui se fondent et s'interpénètrent, pour constituer le complexe d'Actéon et le complexe de Jonas, on voit les racines digestives et sensuelles qui se réunissent pour donner naissance au désir de connaître »[78]. De proche en proche, le connaître sera assimilé à l'avoir et l'avoir à l'être. Cette étrange réduction de l'être à l'avoir pourrait être interprétée en termes psychanalytiques, mais ce n'est pas ici notre propos. Nous soulignerons simplement la distance qu'il y a entre la prolifération des complexes qui donnent un nom à des descriptions psychologiques et la réserve de Freud qui limite l'usage du terme à une « structure fondamentale des relations interpersonnelles et [à] la façon dont la personne y trouve sa place et se l'approprie »[79], c'est-à-dire au complexe d'Œdipe et au complexe de castration, qui, « même

74. I.F., tome II, p. 2136.
75. Voir E.N., p. 644.
76. E.N., p. 663.
77. S., IX, p. 33.
78. E.N., p. 668.
79. J. Laplanche et J.-B. Pontalis, *Vocabulaire de la psychanalyse*, P.U.F., 1968, p. 73.

si son thème peut être relativement isolé, s'inscrit tout entier dans la dialectique du complexe d'Œdipe »[80].

Le dernier chapitre de *L'Etre et le Néant*, « De la qualité comme révélatrice de l'Etre », s'éloigne tout autant que le précédent de la psychanalyse freudienne. « Il s'agit tout simplement, écrit Sartre, de tenter une psychanalyse des *choses* »[81]. Le précurseur est maintenant Bachelard : Sartre fait l'éloge de *La Psychanalyse du feu* et de *L'Eau et les rêves*, « qui fourmille d'aperçus ingénieux et profonds »[82]. Il y voit « une collection précieuse de matériaux qui devraient être utilisés, à présent, par une psychanalyse consciente de ses principes »[83]. Une psychanalyse consciente de ses principes, c'est une psychanalyse subordonnée à l'ontologie sartrienne :

> « Nous avons vu, écrit-il, que la réalité humaine, bien avant de pouvoir être décrite comme *libido* ou volonté de puissance, est *choix d'être*, soit directement, soit par appropriation du monde. Et nous avons vu que — lorsque le choix se porte sur l'appropriation — chaque chose est choisie en dernière analyse, non pour son potentiel sexuel, mais par suite de la manière dont elle *rend* l'être, de la façon dont l'être affleure à sa surface. Une psychanalyse des *choses* et de leur *matière* doit donc se préoccuper avant tout d'établir la façon dont chaque chose est le symbole *objectif* de l'être[84] ».

Les exemples donnés, qui ont tant contribué à la notoriété douteuse de Sartre au lendemain de la guerre, convaincront difficilement du fait que l'ontologie puisse « apprendre à la psychanalyse [...] l'origine *vraie* des significations des choses et leur relation *vraie* à la réalité-humaine »[85]. Désireux de ne rien projeter sur les choses, Sartre les érotise immédiatement, voyant dans l'innocence du miel une ventouse qui l'aspire[86], le « raplatissement des seins un peu mûrs d'une femme qui s'étend sur le dos »[87], « une activité molle, baveuse et féminine d'aspiration »[88], de « succion »[89], et dans le trou, « avant toute spécification sexuelle, [...] une attente obscène, un appel de chair »[90]. La psychanalyse des choses esquissée à la fin de *L'Etre et le Néant* n'a pas eu de suites dans l'œuvre de Sartre. On sait au contraire à quels développements était promise la psychanalyse biographique.

---

80. *Ibid.*, p. 74.
81. E.N., p. 690.
82. E.N., p. 694.
83. E.N., p. 694.
84. E.N., p. 693.
85. E.N., p. 694.
86. E.N., p. 697.
87. E.N., p. 699.
88. E.N., p. 700.
89. E.N., p. 701.
90. E.N., p. 706.

L'étude sur Baudelaire, écrite en 1944, est le premier exercice de psychanalyse existentielle. Sartre en reconnaît les insuffisances[91] ; notre propos n'est pas de les souligner mais de repérer l'écart entre la méthode suivie par Sartre et la psychanalyse. Au temps du *Baudelaire*, les distances sont encore très grandes. Sartre parle avec méfiance des « obscures chimies que les psychanalystes relèguent dans l'inconscient »[92]. Les concepts qu'il utilise sont étrangers à l'analyse. Ainsi, là où cette dernière voit le résultat d'une histoire personnelle, Sartre fait intervenir « un schéma a priori de la sensibilité baudelairienne, qui fonctionne longtemps à vide et qui a su, par la suite, se choisir les réalisations concrètes »[93], par exemple lorsque le poète « près du démon ardent [rêve] à l'ange frigide »[94]. Dans cette dissociation, Freud lisait les effets du complexe d'Œdipe[95]. Toujours aussi éloignée de la psychanalyse « empirique », la psychanalyse existentielle met au jour le projet originel de Baudelaire, projet impardonnable et impossible, véritable péché contre l'ontologie sartrienne : avoir choisi « *d'exister* pour lui-même comme il *était* pour les autres »[96]. Les tendances perverses, sadisme, masochisme, fétichisme, dont la psychanalyse montre la genèse, sont contraintes d'exprimer un projet qui plane au-dessus d'elles dans son abstraction, ce qui ne va pas sans bric-à-brac (telle attitude renvoie à l'orgueil, telle autre au « platonisme pathologique »[97]) et sans contorsions verbales, comme ce passage sur le froid baudelairien : « Par un mouvement fort naturel, Baudelaire projette sur l'*Autre* cette frigidité où il baigne »[98]. « Pour réaliser ses désirs, il fallait qu'il [...] mît artificiellement [les femmes] en état de froideur. Il choisira d'aimer Marie Daubrun parce qu'elle aime un autre homme. Ainsi, cette femme ardente se mettra, au moins dans ses rapports avec lui, sur le pied de l'indifférence la plus glacée »[99]. Le triangle œdipien crève les yeux (« Il choisira d'aimer Marie Daubrun parce qu'elle aime un autre homme », — c'est ce que Freud appelle « la condition du *tiers lésé*[100] —), mais Sartre ne le voit pas, ne veut ou ne peut pas le voir. « On a eu beau jeu de lui attribuer un complexe d'Œdipe mal liquidé, écrit-il. Mais il importe peu qu'il désirât ou non sa mère ; je dirai plutôt qu'il a refusé de liquider le complexe

---

91. *Cf.* S., IX, p. 113, où Sartre juge son étude « très insuffisante, extrêmement mauvaise, même ».
92. B., p. 92.
93. B., p. 140-141.
94. B., p. 140.
95. Voir « Sur le plus général des rabaissements de la vie amoureuse », dans *La vie sexuelle*, P.U.F., 1973, p. 59.
96. B., p. 222.
97. B., p. 142.
98. B., p. 137.
99. B., p. 138.
100. Voir « Un type particulier de choix d'objet chez l'homme » dans *La vie sexuelle*, P.U.F., 1973, p. 48.

théologique qui assimile les parents à des divinités »[101]. C'est justement cela, le complexe d'Œdipe non résolu, et la fuite dans le vocabulaire théologique signale une résistance qui ira en s'amplifiant du *Saint Genet* au *Flaubert*. Du reste, chassez l'Œdipe, il revient au galop : quelques pages plus loin, Sartre écrit : « [Baudelaire] l'a certainement aimée comme une femme plus encore que comme une mère »[102].

Cet aspect positif du complexe d'Œdipe, Sartre est finalement assez prêt à l'admettre ; le danger, pour lui, n'est pas là. Sa réaction la plus vive à la psychanalyse, dans le *Baudelaire*, la voici : « Du général Aupick, on a soutenu sans rire que Baudelaire était amoureux. Il n'y a même pas lieu de réfuter de semblables sottises »[103]. Il s'agit sans doute du psychanalyste René Laforgue et de son livre sur *L'Echec de Baudelaire*[104]. Ce « on », qui ne mérite pas d'être nommé, a pourtant fait mouche et le choc d'une interprétation jugée saugrenue a été assez fort pour susciter une conversation savoureuse, au troisième tome des *Chemins de la liberté*, entre Daniel et Philippe. Plusieurs critiques[105] ont rapproché Philippe de Baudelaire, mais il est surtout un cimetière de grands hommes et, en cela, il ressemble à l'enfant des *Mots*[106]. Dans la scène que nous allons citer, il s'agit, comme dans *L'Enfance d'un chef* avec Bergère et Berliac, d'un couple formé d'un homosexuel d'âge mûr et d'un adolescent, et c'est la seule fois[107], dans les trois tomes, qu'il est question de psychanalyse. Il semble donc que Sartre voit d'abord l'analyste comme celui qui vous accuse d'homosexualité et qu'il s'empresse de retourner l'accusation en faisant des personnages qui sont censés jouer le rôle de l'analyste, des homosexuels :

> « — Tu n'as pas l'air de l'aimer beaucoup, dit Daniel.
> — Je le déteste, dit Philippe.

---

101. B., p. 63.
102. B., p. 69.
103. B., p. 68.
104. Paru chez Denoël et Steele, Paris, 1931.
105. Michel Contat et Michel Rybalka, dans *Les Ecrits de Sartre*, Gallimard, 1970, p. 143 et avant eux Georges Blin dans « J.-P. Sartre et Baudelaire », *Fontaine*, avril-mai 1947, repris dans : *Le Sadisme de Baudelaire*, Corti, 1948, p. 103 et Claude-Edmonde Magny dans « Existentialisme et littérature », Poésie 46, n° 29, repris dans *Littérature et critique*, Payot, 1971, p. 95.
106. Philippe est hanté par Rimbaud et Lautréamont comme le petit Jean-Paul l'était par Jean-Jacques ou Jean-Sébastien.
107. Exception faite d'une allusion au complexe d'Œdipe qui se passe de commentaire : « A onze heures quarante-cinq, François Hannequin, pharmacien de première classe à Saint-Flour, 1 m 70, nez droit, front moyen, strabisme léger, barbe en collier, forte odeur de la bouche et des poils du sexe, entérite chronique jusqu'à sept ans, complexe d'Œdipe liquidé aux environs de la treizième année, baccalauréat à dix-sept ans, masturbation jusqu'au service militaire à raison de deux ou trois pollutions par semaine, lecteur du *Temps* et du *Matin* (par abonnement), époux sans enfants de Dieulafoy, Espérance, catholique pratiquant à raison de deux ou trois communions par trimestre... » (C.L., tome II, p. 96).

Il rosit et regarda Daniel fixement.
— J'ai le complexe d'Œdipe, dit-il. Le cas-type.
— C'est de ta mère que tu es amoureux ? demanda Daniel avec incrédulité.
Philippe ne répondit pas : il avait un air important et fatal. Daniel se pencha en avant :
— Ça ne serait pas plutôt de ton beau-père ? demanda-t-il avec douceur. [...]
— Vous en avez de bonnes ! dit-il. [...]
— En tout cas, ce qu'il y a de certain, c'est qu'il te possède. Tu marches à quatre pattes, le général te monte, il te fait caracoler comme une jument. Tu n'es jamais toi-même : tantôt tu penses comme lui et tantôt contre lui. Le pacifisme, Dieu sait que tu t'en fous, tu n'y aurais même pas songé si ton beau-père n'avait été soldat.
Il se leva et prit Philippe par les épaules.
— Veux-tu que je te délivre ?
Philippe se dégagea, repris par la méfiance :
— Comment le pourriez-vous ?
— Je t'ai dit, j'ai beaucoup de choses à t'apprendre.
— Vous êtes psychanalyste ?
— Quelque chose comme ça »[108].

Le truquage ici, comme dans *Baudelaire* et dans *L'Enfance d'un chef,* consiste à obtenir un effet de comique en traduisant dans le langage de la sensibilité actuelle et consciente du personnage (être amoureux, etc.) des structures archaïques inconscientes dont l'expression au niveau du vécu est généralement moins transparente. Cependant, c'est dans ce texte hérissé de défenses, qu'apparaît, singulier mélange de bonne et de mauvaise foi, de ruse et d'aveu, l'un des éléments majeurs de la fantasmatique sartrienne : le père à cheval sur son fils[109].

Dans *Saint Genet comédien et martyr,* Sartre pense avoir affiné sa méthode en introduisant le marxisme et un plus grand souci que dans le *Baudelaire,* du vécu corporel. S'est-il pour autant rapproché de la psychanalyse ? Nous ne le croyons pas. Dès le début du livre, il déclare : « le malheur et la conversion de Genet ne s'expliquent que par une *tension* entre des groupes et des systèmes éthiques incompatibles »[110]. Genet intériorise la sentence des paysans à qui on l'a confié et le numéro qu'il est pour l'assistance publique. « Il reproduit donc en lui-même le conflit séculaire de la ville et des campagnes »[111]. L'homosexualité de Genet découle de la « crise originelle »[112] (ses parents adoptifs l'ont surpris en

108. C.L., tome III, p. 131-132.
109. Voir *infra,* 1re partie, chap. II, p. 70-71.
110. S.G., p. 57.
111. S.G., p. 58.
112. S.G., p. 57.

train de voler) et de la décision qui a suivi, rebond de l'orgueil : vous m'appelez le voleur, eh bien ! je le serai !

> « Genet, sexuellement, est d'abord un enfant violé. Ce premier viol, ce fut le regard de l'autre, qui l'a surpris, pénétré, transformé pour toujours en objet. Qu'on m'entende : je ne dis pas que sa crise originelle *ressemble* à un viol, je dis qu'elle en *est* un. Les événements qui nous frappent se déroulent en même temps à tous les niveaux de notre vie mentale et, à chaque niveau, s'expriment dans un langage différent. Un viol véritable peut devenir dans notre conscience morale une condamnation inique et pourtant inéluctable et, inversement, une condamnation peut être ressentie comme un viol. L'une comme l'autre transforment le coupable en objet et si celui-ci ressent son objectivation dans son cœur comme une honte, il la ressent dans son sexe comme un coït subi. [...] Pareillement Genet : surpris à voler *par derrière*, c'est son dos qui s'épanouit quand il vole, c'est avec son dos qu'il attend les regards et la catastrophe. Quoi d'étonnant, après cela, s'il se sent davantage objet par ses reins et sa croupe et s'il leur porte une sorte de culte sexuel ? »[113]

Nous nous garderons d'ironiser sur ce test projectif où se lisent bien des hantises sartriennes, être objet, être jugé, être vu par derrière. Il est possible que dans un texte comme celui-ci, Sartre s'estime assez près de la psychanalyse et, en effet, un analyste pourrait dire : « Les événements qui nous frappent se déroulent en même temps à tous les niveaux de notre vie mentale ». Mais d'un point de vue psychanalytique, pour qu'un viol soit ressenti comme une condamnation ou une condamnation comme un coït anal, il faut que les structures inconscientes s'y prêtent.

Comme dans le *Baudelaire* donc, la méthode reste celle de la psychanalyse existentielle. Le projet originel de Genet, c'est toujours l'impossible synthèse de l'En-soi et du Pour-soi, vécue jusque dans le sexe : « il est l'instrument et le lieu ; ça l'enivre. Vide, sa conscience était encore de trop [...]. A présent on la met en perce : [...] la verge dressée de l'aimé c'est une soudaine concrétion de l'Etre pur. Empalé par l'Etre ! Un autre, en poursuivant son seul plaisir, opère pour le compte de Genet l'identification de Genet avec soi-même ; écrasée, comprimée, perforée, la conscience meurt pour que l'En-soi naisse »[114]. Ce texte étonnant d'érotisme métaphysique rappelle les dernières lignes de *L'Etre et le Néant* : « Ainsi la passion de l'homme est-elle inverse de celle du Christ, car l'homme se perd en tant qu'homme pour que Dieu naisse »[115].

113. S.G., p. 81-82.
114. S.G., p. 108.
115. E.N., p. 708.

Sartre superpose ses fantasmes à ceux de Genet et se contente d'interpréter au sens musical du terme.

Même glissement d'images dans un texte comme celui-ci :

> « Dans cette musculature, Genet lit son destin : un horrible destin de docilité ; aussitôt le désir le soumet. Mais qu'est-ce que son désir sinon le vertige ? Et qu'est-ce que le vertige sinon une chute ressentie par avance et mimée dans sa chair : la chute au cœur de l'Autre, le long de cette falaise qui se dresse contre le ciel. Le mouvement est relatif : cette verge s'élève de toute la vitesse de la chute de Genet [...]. Ainsi cet univers de donjons, de minarets, de campaniles, ce hérissement phallique de la nature, c'est la vision d'un homme en train de choir et qui voit monter au-dessus de lui de hautes murailles jusqu'à lui cacher le ciel. La sexualité de Genet, c'est le dynamisme de la chute. [...] Bachelard parlerait à son propos du « complexe d'Icare ». [...] En ce sens l'acte sexuel proprement dit figure la cérémonie religieuse, qui permet de ramasser en un instant l'infini de la soumission quotidienne. [...] L'acte sexuel est la fête de la soumission, c'est aussi le renouvellement rituel du contrat féodal par quoi le vassal se fait l'homme-lige de son seigneur »[116].

Sartre n'analyse pas, il exprime dans sa propre langue et nous entraîne dans son tourniquet métaphorique : la sexualité peut se traduire en termes de dynamique, celle-ci en termes de mythologie tautologique, celle-ci en termes de religion, cette dernière en termes de féodalité et ainsi de suite. Inutile de dire que cette translation perpétuelle peut faire le plaisir du lecteur (et c'est sans doute elle qui est littérature), mais Sartre, dans *Saint Genet*, a des visées méthodologiques, il essaie déjà d'affiner l'instrument qui lui servira à appréhender Flaubert. Nous retrouverons[117], dans *L'Idiot de la famille*, la chute vertigineuse aux pieds du frère aîné et la fête de la soumission. Il n'est pas sûr que le prodigieux commentaire qui les accompagne soit autre chose qu'une variation fantasmatique.

Autre écart entre la psychanalyse existentielle et la psychanalyse « empirique » : Sartre, dans *Saint Genet* comme dans *Baudelaire*, ne sort pas de l'univers du jugement : réprobation de Baudelaire, célébration de Genet, condamnation du « choix » de la folie : « cet enfant est trop droit, trop réel, trop « volontaire » pour s'accommoder d'évasions imaginaires : il n'acceptera ni de déplacer la culpabilité sur d'autres objets, ni de compenser le conflit originel par des idées de grandeur ni de s'enfuir dans un univers rêvé : la folie ne paie pas »[118].

---

116. S.G., p. 106-107.
117. Voir *infra*, 3e partie, chap. III, p. 392.
118. S.G., p. 50.

Sur l'inconscient, au contraire, les positions tendraient à se rapprocher. Certes, Sartre nie toujours, théoriquement, son existence, mais certaines images donnent l'impression que ses effets sont ressentis : « d'où viennent-elles, ces rêveries tenaces et parasitaires qui [...] empêchent [Genet] d'accomplir sur lui-même ce qu'il a nommé « un travail quotidien long et décevant » ? Il pressent un mystère en pleine lumière, il se sent la victime d'une mystification indéfinissable »[119]. On entrevoit aussi ce qui rend nécessaire la méconnaissance de l'inconscient : « l'*être* que Genet croit avoir reçu des grandes personnes [...] c'est une *personne* au sens latin de *persona* [...] un masque et un rôle dont les conduites et les répliques sont déjà fixées — c'est l'Autre, enfin, un « zar », qui le possède, un inconscient qui, comme celui des psychanalystes, propose, impose, ruse et déjoue les précautions qu'on prend contre lui »[120]. Ou encore : « Jusqu'ici la Nature maligne de Genet n'était guère plus qu'une opacité, un amas confus de fatalité ; elle se situait derrière la conscience de Genet comme une image naïve de l'inconscient »[121]. L'inconscient cache un « zar »[122] qui possède par derrière. Nous verrons plus loin[123] la violence de la réaction sartrienne à cette image.

Ce sont ces représentations sous-jacentes qui expliquent sans doute qu'il n'y ait pas, dans *Saint Genet*, de référence à l'Œdipe ou à une fixation pré-œdipienne, alors que les figures paternelles sont innombrables dans l'œuvre : les « Macs », les « flics », les « Justes », etc. L'histoire d'Œdipe et de Laïos, à laquelle pourtant il est fait allusion, sert simplement à illustrer la mauvaise foi des morales de l'Etre avec leur croyance au destin qui dispense d'inventer sa vie : « Il ne faudrait pas croire que le Destin prenne uniquement la forme de l'Ananké qui pèse sur Œdipe et sur Laïos. [...] tous les membres conscients des classes aristocratiques sont des Laïos et des Œdipe. [...] On nous a conté récemment comment les fils de marchands de vin, à Bordeaux, tentaient de se soustraire par la débauche et la littérature à leur destinée de marchands de vin : vainement [...] le fils vendra du vin comme le père et paiera comme lui ses vendangeurs au-dessous du tarif syndical »[124]. Il n'est pas indifférent que cette mention d'Œdipe qui ne s'imposait pas, s'insère dans un passage plein d'agressivité à l'égard de la famille bourgeoise : l'identification œdipienne pour Sartre ne

---

119. S.G., p. 317.
120. S.G., p. 65.
121. S.G., p. 143.
122. Ce génie éthiopien, que nous retrouverons tout au long de l'œuvre, vient de *L'Afrique fantôme* de Michel Leiris, Gallimard, 1934.
123. *Infra*, 1re partie, chap. II, p. 70-71.
124. S.G., p. 94.

peut que reproduire le père *dans* le fils[125], ce qui nous renvoie au « zar ».

D'une manière plus générale, de *Baudelaire* à *Saint Genet*, l'attitude globale de Sartre vis-à-vis de la psychanalyse n'a pas changé :

> « Une interprétation exclusivement psychanalytique de [l']attitude [de Genet] passerait à côté de la question : certes, la sollicitude intelligente des honnêtes gens s'est appliquée à doter cet enfant de tous les complexes ; rancune, sentiment d'infériorité, surcompensation[126] : Genet a tout connu. Mais on ne comprendra rien à son cas si l'on ne veut pas admettre qu'il a entrepris, avec une intelligence et une vigueur exceptionnelles, de faire sa propre psychanalyse ; il serait absurde de l'expliquer par des impulsions alors que c'est contre elles qu'il veut retrouver son autonomie. Sans aucun doute à l'origine de sa décision, il y a ce que je nommerai une situation psychanalytique[127] ; et il est vrai que Genet fait le Mal parce que les hommes et les circonstances le poussent à le faire. Mais si ce n'était que cela, il serait une des innombrables victimes de notre abjecte société, il ne serait pas Jean Genet. Jean Genet, c'est un voleur qui a voulu *changer ses motifs de voler* et qui, par là, a dépassé sa situation originelle. Son effort inouï pour retrouver une liberté dans le Mal mérite donc d'être expliqué par son objet et non par une *vis a tergo* à laquelle, justement, il échappe »[128].

Il y aurait beaucoup à dire sur cette vision de la psychanalyse, comme une force qui pousse « par derrière », en opposition avec cette « fuite en avant » qu'est le projet. Sartre semble ignorer que l'analyse entend rendre compte aussi bien des « impulsions » du sujet que de son travail contre elles. Vers la fin du livre, il écrit à propos de l'œuvre de Genet : « Dix ans de littérature [...] valent une cure de psychanalyse »[129]. La relation profonde avec l'analyse semble être celle de la compétition.

Deuxième tentative d'annexion

Questions de méthode, qui paraît en 1957 dans *Les Temps Modernes* et qui sera repris en 1960 dans la *Critique de la raison dialectique*, semble inaugurer d'autres rapports entre Sartre et la psychanalyse. Ce qui, à première vue, caractérise cette nouvelle problématique, c'est sa modestie : l'existentialisme se résorbera dans le marxisme dès que celui-ci sera redevenu vivant, mais l'hu-

---

125. Sur cette question de l'identification pré- ou post-œdipienne et sur les erreurs de Sartre à ce sujet, voir *infra*, 1re partie, chap. III, p. 115 et 3e partie, chap. II, p. 349.
126. Ce bric-à-brac n'a rien de spécifiquement « psychanalytique ».
127. Du point de vue psychanalytique, justement, l'expression n'a aucun sens.
128. S.G., p. 151-152.
129. S.G., p. 501.

milité de cet auto-effacement est immédiatement compensée par une ambition nouvelle : le marxisme doit intégrer la psychanalyse, non pas la psychanalyse « existentielle », défunte semble-t-il, mais la psychanalyse dite « empirique » dans *L'Etre et le Néant*. L'ennui est que cette opération élimine l'essentiel :

> « La psychanalyse n'a pas de principes [...] c'est tout juste si elle s'accompagne — chez Jung et dans certains ouvrages de Freud — d'une mythologie parfaitement inoffensive. En fait, c'est une méthode qui se préoccupe avant tout d'établir la manière dont l'enfant vit ses relations familiales à l'intérieur d'une société donnée. [...] son objet dépend lui-même de la structure de telle famille particulière et celle-ci n'est qu'une certaine singularisation de la structure familiale propre à telle classe [...].
>
> Les marxistes d'aujourd'hui n'ont souci que des adultes : on croirait à les lire que nous naissons à l'âge où nous gagnons notre premier salaire ; ils ont oublié leur propre enfance et tout se passe, à les lire, comme si les hommes éprouvaient leur aliénation et leur réification *dans leur propre travail d'abord*, alors que chacun la vit *d'abord*, comme enfant, *dans le travail de ses parents* »[130].

On comprend, en effet, que « le marxisme n'[ait] rien à craindre de ces méthodes nouvelles »[131], que « la médiation analytique ne change rien »[132], que « la psychanalyse, conçue comme médiation, ne [fasse] intervenir aucun principe nouveau d'explication »[133]. Comme l'écrit Serge Doubrovsky, Sartre nous offre une « psychanalyse dépsychanalysée »[134]. Il se borne à faire apparaître plus tôt l'explication par la classe. Si Flaubert « se caractérise par une " fixation " sur le père »[135], c'est qu'il appartient à une famille « de type semi-domestique »[136] où les enfants ne sont pas « délivrés de la *patria potestas* »[137]. « Aussi comprendra-t-on facilement que le lien du petit Gustave à sa mère n'ait jamais été déterminant : elle n'était qu'un reflet du terrible docteur »[138]. Baudelaire, au contraire, se fixera pour toute sa vie sur sa mère. Et cette différence s'explique par la différence des milieux : la bourgeoisie de Flaubert est fruste, neuve [...]. La famille de Baudelaire bourgeoise, citadine depuis beaucoup plus longtemps, se considère un peu comme appartenant à la noblesse de robe [...]. Quelque temps,

---

130. C.R.D., p. 47.
131. C.R.D., p. 49.
132. C.R.D., p. 49, note 2.
133. C.R.D., p. 49, note 2.
134. « Jean-Paul Sartre et le mythe de la Raison Dialectique » dans *La Nouvelle Revue Française*, novembre 1962, n° 107, p. 883.
135. C.R.D., p. 48.
136. C.R.D., p. 47.
137. C.R.D., p. 48.
138. C.R.D., p. 47.

entre deux maîtres, la mère est apparue toute seule, dans l'éclat de son autonomie ; et, plus tard, Aupick avait beau faire le « dur », Mme Aupick, sotte et assez vaine, mais charmante et favorisée par l'époque, n'a jamais cessé d'exister *par elle-même* »[139].

Sartre nie le désir, mais il l'exprime, qu'il le veuille ou non, travesti en besoin. Aussi ne sommes-nous pas totalement d'accord avec ce que dit Serge Doubrovsky des textes que nous venons de citer : « En guise de sujet, écrit-il, doué de l'épaisseur vraie de l'existence, le spectre exsangue de l'« homo œconomicus » revient hanter ces pages navrantes »[140]. Certes, la rationalisation[141] théorique de Sartre ramène tout au besoin : la « fixation » de l'enfant dépend du travail de son père. Mais qu'est-ce à dire sinon que, pour Sartre, l'enfant va vers celui qui a le pouvoir dans le couple, vers le père, s'il est le vrai « dur », vers la mère si elle domine le faux « dur » ? Et que révèle cette étrange théorie, sinon que celui qui l'élabore est, avant tout, séduit par la puissance ? Freud, au contraire, écrit : « L'enfant se met au-dessus des différences sociales qui, pour lui, ne signifient pas encore grand-chose, et il classe des personnes de condition inférieure dans la série des parents quand ces personnes l'aiment comme l'aiment ses parents »[142]. Et Baudelaire :

« La servante au grand cœur dont vous étiez jalouse, »...

On voit donc que l'entreprise de « récupérer la psychanalyse comme discipline annexe à l'étude socio-économique »[143] trahit l'inconscient qu'elle voulait justement censurer.

La préface écrite pour *Le Traître* d'André Gorz un an après la parution de *Questions de méthode* dans *Les Temps Modernes*, n'a heureusement pas le caractère « navrant » des pages que nous venons d'analyser. C'est que Sartre réagit personnellement à l'entreprise autobiographique d'un de ses proches. Nous retrouvons le sujet, l'*homo œconomicus* s'efface. Le souci de fabriquer une grille universellement applicable disparaît. « Pourquoi, d'ailleurs, écrit Sartre, [Gorz] se ferait-il interroger par les méthodes des autres, pourquoi se livrerait-il à la flicaille psychiatrique ou marxiste ? C'est à lui qu'il revient, au contraire, de mettre ces procédés d'enquête en question dans la question qu'il se pose à

---

139. C.R.D., p. 48.
140. « Jean-Paul Sartre et le mythe de la Raison Dialectique », dans *La Nouvelle Revue Française*, novembre 1961, n° 107, p. 884.
141. « Procédé par lequel le sujet cherche à donner une explication cohérente du point de vue logique, [...] à une attitude, une action, une idée, un sentiment, etc., dont les motifs véritables ne sont pas aperçus », J. Laplanche et J.-B. Pontalis, *Vocabulaire de la psychanalyse*, P.U.F., 1968, p. 387.
142. « L'homme aux loups » dans *Cinq psychanalyses*, P.U.F., 1967, p. 400.
143. Cité par Michel Contat et Michel Rybalka, *Les Écrits de Sartre*, Gallimard, 1970, p. 303, et tiré d'une intervention à un colloque organisé par la Société européenne de Culture à Venise en mars 1956.

lui-même. Cet Œdipe fait porter son investigation sur son propre passé et sur la validité de ses souvenirs, sur les droits de l'expérience et sur les limites de la raison, sur la légitimité, enfin, des dons prophétiques que s'attribuent nos Tirésias »[144] ; « lorsqu'il tente d'interpréter sa vie par la dialectique marxiste, par la psychanalyse sans jamais y parvenir *tout à fait*, son échec nous concerne, nous saurons tenter l'épreuve et nous connaissons d'avance le résultat »[145]. Gorz « demande à son propre objet, c'est-à-dire à soi, de lui forger sa méthode »[146], il prouve « que l'invention totalisante était possible et nécessaire »[147]. Soit. Mais le plus curieux est que Sartre ne mette pas en question la façon dont Gorz utilise la psychanalyse, qu'il ne se demande pas un instant si l'application qui en est faite ne la dénature pas totalement :

> « se rappelle-t-il ses premières années, l'éloignement que sa mère [...] avait su lui inspirer pour le Juif qu'elle avait épousé, [...] le dressage sévère auquel il a été soumis dès qu'il a su parler ? Qu'il se demande donc s'il n'a pas été victime d'une mère abusive, castratrice, et s'il ne faut pas dater de cette époque obscure [...] l'apparition des «complexes » qui le coupent, aujourd'hui, du monde. [...]
>
> A quoi il répond que son éducation lui a en effet donné des complexes [...]. Mais il ne parvient pas à comprendre comment ces fameux « complexes » se perpétuent : il était apathique à huit ans, il l'est aujourd'hui ; *est-ce la même apathie ?* S'est-elle conservée par une persévérance inerte de l'être ? [...] Admettra-t-il au contraire qu'il a nourri, câliné ses complexes [...] ? Il serait responsable de tout, c'est lui, au jour le jour, qui se ferait indifférent.
>
> Il ne peut conclure si vite : aucune de ces interprétations n'est pleinement satisfaisante, aucune n'est tout à fait claire à ses yeux ; traître une fois de plus comme l'enfant d'Andersen qui voit le roi tout nu, il fait l'inventaire de notre héritage philosophique, trouve les coffres vides et le dit ingénument »[148].

Au contraire de ce qui est décrit ici, quelqu'un qui commence une psychanalyse, décide de changer *avec l'aide d'un autre,* apprend à reconnaître une forme de résistance dans son désir que tout soit toujours intellectuellement *tout à fait clair*, parvient à laisser affleurer ses émotions au lieu d'être bloqué par la terreur d'en être submergé, et arrive à se délivrer du stérile « c'est la faute à... ». Dès que Sartre évoque la psychanalyse, deux réflexes jouent, semble-t-il : une défense de type intellectuel : Sartre examinateur interroge la psychanalyse comme si elle était un système qui dût

144. S., IV, p. 74-75.
145. S., IV, p. 78.
146. S., IV, p. 78.
147. S., IV, p. 79.
148. S., IV, p. 73-74.

avoir réponse à tout (« comment ces fameux " complexes " se perpétuent » ? Est-ce « par une persévérance inerte de l'être ? ») et la renvoie dans les coffres de l'histoire des idées ; d'un autre côté se met en branle un « J'accuse... » interminablement ressassé, qui peut être, nous le verrons[149], le rejeton projeté sur autrui d'un sentiment inconscient de culpabilité. Ici, l'accusé est à la fois la mère de Gorz et Gorz lui-même : il est responsable de tout, ce qui lui évite de se sentir responsable de quelque chose de particulier.

En 1958, John Huston demande à Sartre un scénario sur la vie de Freud. Sartre lui remet, en 1959, « un manuscrit de près de huit cents pages »[150]. Finalement Sartre retire son nom du générique ; le film sort en 1962 sous le titre : « Freud, the secret passion ». « Sartre admirait Freud, dira Huston, mais le diminuait un peu »[151]. Et Sartre : « Déjà il y avait dans ce projet quelque chose d'assez comique, c'est qu'on me demandait d'écrire sur Freud, [...] à moi qui avais passé ma vie à dire que l'inconscient n'existait pas. D'ailleurs au début, Huston ne voulait pas que je parle de l'inconscient. Et en définitive, c'est encore sur cette question qu'on s'est séparés. Ce que le travail sur ce film m'a surtout rapporté, c'est une meilleure connaissance de Freud »[152]. Le plus comique n'est-il pas ce désaveu d'une « passion secrète » : lorsque Michel Contat pose à Sartre la question : « Y a-t-il des travaux que vous ayez faits d'abord pour gagner de l'argent ? », celui-ci répond : « J'en vois un en tout cas, c'est le scénario sur Freud »[153].

Dans *Les Mots,* les allusions à la psychanalyse se font beaucoup plus discrètes que dans les œuvres précédentes. Les raisons en sont d'abord esthétiques. Pour parler de lui, Sartre a choisi d'écrire un livre classique et non un monstre comme *Saint Genet* ou *L'Idiot de la famille.* Malgré un effort pour se saisir en vérité, Sartre cède à la tentation du récit, « c'est un conteur d'histoires comme tous les grands écrivains »[154]. Dès la première ligne, le charme opère : « En Alsace, aux environs de 1850, un instituteur accablé d'enfants consentit à se faire épicier ». Nous n'irons pas jusqu'à penser que Sartre a choisi de se raconter « *pour ne pas se connaître* »[155], comme il le dit de Flaubert écrivant les *Mémoires d'un fou,* mais il est sûr que la première phrase, dans sa structure, ses oppositions, son rythme, l'usage du passé simple, engage

---

149. *Infra,* 2e partie, chap. IV, p. 303.
150. Michel Contat, Michel Rybalka, *Les Ecrits de Sartre,* Gallimard, 1970, p. 493.
151. *Ibid.,* p. 493.
152. S., X, p. 205.
153. S., X, p. 205.
154. Pour lui appliquer ce qu'il dit de Genet (S.G., p. 439).
155. I.F., tome II, p. 1523.

le livre sur la voie de la séduction par la soumission aux grands modèles[156].

Cependant, entre la première et la seconde rédaction des *Mots* (1954, 1963)[157], Sartre a relu Freud. Il n'a plus l'innocence de situer le point de départ d'une névrose dans une « fêlure » de la sixième année ou dans une « crise originelle » de la dixième. Dans *Les Mots,* comme dans *L'Idiot de la famille,* il se préoccupe de l'existence symbolique de l'enfant à naître, de l'image que s'en font ses parents. Mais finalement, sur les difficultés propres à l'enfant, sur son malaise, il semble que la psychanalyse n'ait rien à dire. On la salue au passage. Du point de vue psychanalytique, tout va très bien, cet enfant est « sain comme l'œil »[158], témoin ces lignes sur la toute petite enfance : « Malade, sevré par force à neuf mois, la fièvre et l'abrutissement m'empêchèrent de sentir le dernier coup de ciseaux qui tranche les liens de la mère et de l'enfant ; je plongeai dans un monde confus, peuplé d'hallucinations simples et de frustes idoles »[159]. Sartre conjugue « il n'y a pas de problème » et « je l'ai échappé belle », comme chaque fois qu'il s'agit de psychanalyse. Sur l'âge auquel il est resté orphelin, il écrit : « Ce n'est pas tout de mourir : il faut mourir à temps. Plus tard je me fusse senti coupable [...]. Moi, j'étais ravi »[160]. En dépit de ses efforts, la psychanalyse reste pour lui un savoir superficiel[161] et plaqué, comme le montre la phrase : « je plongeai dans un monde confus peuplé d'hallucinations simples », qui unit assez « littérairement » Rimbaud et Mélanie Klein. A propos de la mort de son père, il note : « Fut-ce un mal ou un bien ? Je ne sais ; mais je souscris volontiers au verdict d'un éminent psychanalyste : je n'ai pas de Sur-moi »[162]. Ce Sur-moi, on le verra, fait image et recouvre la hantise d'être chevauché ; contentons-nous d'admirer, pour l'instant, l'empressement déférent et le portrait de l'analyste en procureur. Sartre poursuit : « En vérité, la prompte retraite de mon père m'avait gratifié d'un « Œdipe » fort incomplet : pas de Sur-moi, d'accord, mais point d'agressivité non plus »[163]. Là encore, le savoir aide à ne pas comprendre. C'est Sartre qui fait un

156. Les premières pages sont une variation brillante et bouffonne sur les trois ordres de Pascal. Nous reviendrons sur la place du pastiche dans l'œuvre de Sartre, notamment *infra,* 2e partie, chap. III, p. 272-274.
157. Sur cette question, voir les précisions apportées par Michel Contat et Michel Rybalka, *Les Ecrits de Sartre,* Gallimard, 1970, p. 385.
158. Pour employer une des expressions favorites de Sartre, MT., p. 172., I.F., tome II, p. 1203, etc.
159. MT., p. 9.
160. MT., p. 11. Nous revenons sur ces textes pour les interpréter au chapitre suivant : sur le sevrage, voir la note 8, de la page 67 et sur la mort du père, la page 94.
161. Ainsi, Sartre semble ignorer l'existence pour Freud d'un sentiment inconscient de culpabilité, voir J. Laplanche et J.-B. Pontalis, *Vocabulaire de la psychanalyse,* P.U.F., 1968, p. 440-441.
162. MT., p. 11.
163. MT., p. 17.

usage « mécanique » des notions psychanalytiques : on a donc un Œdipe, un demi-Œdipe ou point d'Œdipe du tout : c'est la contingence qui décide. Quelques lignes plus loin, le problème réel est posé, mais à l'aveuglette : « jamais le caprice d'un autre ne s'était prétendu ma loi »[164]. Caprice, l'interdit de l'inceste ?

Comme dans *Baudelaire* ou dans *Saint Genet*, la rationalisation prévaut ; en voici un exemple : « L'enchaînement paraît clair : féminisé par la tendresse maternelle, affadi par l'absence du rude Moïse qui m'avait engendré, infatué par l'adoration de mon grand-père, j'étais un pur objet, voué par excellence au masochisme si seulement j'avais pu croire à la comédie familiale. Mais non ; elle ne m'agitait qu'en surface et le fond restait froid, injustifié ; le système m'horrifia, je pris en haine les pâmoisons heureuses, l'abandon, ce corps trop caressé, trop bouchonné, je me trouvai en m'opposant, je me jetai dans l'orgueil et le sadisme, autrement dit dans la générosité »[165]. La structure pré-œdipienne est lisible[166] : identification féminine, soumission homosexuelle à la figure paternelle, ici le grand-père (c'est lui, le rude Moïse et non l'absent), mais Sartre édulcore sadisme et masochisme, leur ôte toute connotation sexuelle, les disjoint prudemment et retourne à ses schémas habituels, mi-métaphysiques, mi-psychologiques : l'objet, l'orgueil. A moins qu'il ne pratique l'alibi sociologique : se demandant pour quoi il peuplait ses rêveries de jeunes filles à sauver pour les rendre à leur père et de brigands passés au fil de l'épée, il écrit :

> « On s'étonnera de rencontrer ces rêves de risque-tout chez un grimaud promis à la cléricature [...]. Battue, la France fourmillait de héros imaginaires [...] dans mon cœur sans haine, les forces collectives se transformèrent : je les employais à alimenter mon héroïsme individuel. N'importe ; je suis marqué ; si j'ai commis, dans un siècle de fer, la folle bévue de prendre la vie pour une épopée, c'est que je suis un petit-fils de la défaite. Matérialiste convaincu, mon idéalisme épique compensera jusqu'à ma mort un affront que je n'ai pas subi, une honte dont je n'ai pas souffert, la perte de deux provinces qui nous sont revenues depuis longtemps »[167].

Curieux texte où les dénégations accumulées éveillent le soupçon et poussent aux devinettes : qu'est-ce qu'on a subi sans l'avoir subi ? Qu'est-ce qu'on a perdu sans l'avoir perdu ?

L'Idiot de la famille répond au désir sartrien, exprimé depuis *Questions de méthode*, d'expliquer un homme totalement et d'unir, pour ce faire, marxisme et psychanalyse. Il y a beaucoup de socio-

---

164. MT., p. 17.
165. MT., p. 91-92.
166. Nous examinerons plus longuement cette question, *infra*, 1re partie, chap. II, p. 79 et 88-89.
167. MT., p. 95-96.

logie dans ce livre, mais fort peu de psychanalyse à proprement parler, sinon dans le vocabulaire : transfert, travail du deuil, régression, identification, sur-moi, castration, fétichisme, phallus, reviennent fréquemment. Mais la tâche de l'enfant n'est pas de maîtriser la relation triangulaire, ce qui le constitue n'est pas son rapport au désir et à la loi : « La tâche de la jeune victime était d'intérioriser dans le déplaisir les contradictions de ce produit transitoire et mal équilibré : un groupe semi-domestique fondé et dominé par un mutant dont l'enfance avait été paysanne et qui avait sauté d'un coup dans la couche supérieure des classes moyennes avec le titre de « capacité », conservant en lui ce mélange détonnant : des traditions rurales et une idéologie bourgeoise »[168].

Le ressort de cette vie, comme de toute vie selon Sartre, c'est la personnalisation, qui se déroule en spirale[169], repassant toujours par les mêmes points, mais un peu au-dessus. L'action de cette vertu personnalisante paraît au moins aussi mystérieuse que les avatars de la libido. Au reste, les vieux outils des précédentes biographies sont toujours en place : objet constitué pour le masochisme, orgueil de rebond pour le sadisme. Le byzantinisme de l'argumentation à propos du sado-masochisme[170] est signe d'une difficulté sur laquelle nous reviendrons[171]. Et pourtant Sartre se moque de la « cuisine » analytique de Flaubert. Commentant une note des *Souvenirs,* il écrit : « on croirait qu'il s'agit de faire un " quatre-quarts " : un quart de beurre, trois-quarts d'orgueil »[172]. Certes, le dosage est plus subtil dans *L'Idiot de la famille* ; la recette du quatre-quarts évoque plutôt la méthode du *Baudelaire,* la salade russe, celle du *Flaubert,* lorsque Sartre se demande « quels facteurs l'affectent *au départ* d'une irréalité qu'il se condamne à produire dans la mesure même où il la subit », et qu'il répond : « J'en vois trois, correspondant chacun à un moment de la temporalisation mais dont les effets se feront sentir à tous les niveaux de la spirale totalisante : la relation à la mère (l'action, le langage, la sexualité), la relation au père (le regard de l'autre), la relation à la sœur (apparition de la geste) »[173]. La distance à la psychanalyse est si grande qu'on se demande comment Sartre peut prétendre l'intégrer en l'ignorant si candidement. La relation triangulaire est soigneusement démantelée. La sexualité ne regarde que la mère, surtout pas le père et encore moins la sœur. Des réalités fondamentales : le langage, la sexualité, sont mises

168. I.F., tome I, p. 331.
169. Image fréquente dans l'œuvre et que nous commentons *infra,* 3e partie, chap. III, p. 371.
170. Voir I.F., tome I, p. 849 et suivantes.
171. *Infra,* 3e partie, chap. I, p. 335 et 339.
172. I.F., tome II, p. 1540.
173. I.F., tome I, p. 665.

au même niveau que des conduites dérivées : la geste, qui implique elle-même, évidemment, le sexe et la parole. Ailleurs, la belle totalité de la méthode est abandonnée : la mère a droit à une explication par l'Œdipe (c'est l'admirable roman du chapitre III où l'on voit Caroline perdre Dieu par amour pour son mari), le père à une explication par l'époque[174].

Plus grave est le continuel glissement de sens de concepts freudiens fondamentaux. Nous ne retiendrons ici que deux exemples : la « scène primitive »[175], le complexe d'Œdipe. La « scène primitive », dans *L'Idiot de la famille*, n'évoque jamais une relation triangulaire, mais une relation duelle, tantôt avec la mère lorsque le bébé se sent « pétri par de belles mains insensibles »[176], tantôt avec le père lors du « désastre obscur », de la « disgrâce »[177], quand le petit garçon a commencé à déplaire. La véritable « scène originaire » est présente, bien sûr, mais innommée ; les termes qui l'évoquent veulent rendre le vécu de l'enfant Flaubert, ils disent aussi autre chose : « Deux créatures humaines — dont l'une changée en bête de proie — font la bête à deux dos, se roulent ensemble dans la boue et le sang : le produit de cette monstruosité, qui tient de l'assassinat, porte en lui, comme sa nature profonde, cette nuit où un savant vénérable, changé en singe, a violé son esclave »[178] ; « *rien*, dans l'austère maintien de Caroline Flaubert, ne pouvait trahir la vertueuse bacchante qui se déchaînait la nuit, toute porte close, entre les mains du Géniteur. [...] Le grief essentiel de Gustave contre ses parents ne porte pas sur le hasard de sa naissance. Certes, il le sent, ce hasard, c'est la facticité, c'est le goût singulier du Vécu en tant que celui-ci dans son originalité irréductible mais « indisable » exprime la violence incontrôlée d'une copulation : abandon des époux aux sales cuisines de la nature »[179].

L'Œdipe, lui, a aussi peu de chance que dans les biographies précédentes. Flaubert est bien Œdipe, une fois, au sens noble d'enquêteur sur son propre drame : « Ainsi cherchant Gustave, cet Œdipe s'arrange toujours pour ne rencontrer en lui que l'homme »[180]. Une autre allusion à l'histoire d'Œdipe illustre, comme

174. Même dichotomie dans le traitement « analytique », quelques années auparavant, de Nizan et de Merleau-Ponty, le premier intériorisant le « conflit muet d'une vieille bourgeoise enfantine et d'un ouvrier renégat », (S., IV, p. 155), le second, inconsolable de la mort de sa mère, Œdipe retournant « à sa méditation première, à la chance qui l'avait fait si malchanceux » (S., IV, p. 264).

175. « Scène de rapport sexuel entre les parents, observée ou supposée d'après certains indices et fantasmée par l'enfant ». J. Laplanche et J.-B. Pontalis, *Vocabulaire de la psychanalyse*, P.U.F., 1968, p. 432.

176. I.F., tome I, p. 846.

177. I.F., tome I, p. 281.

178. I.F., tome I, p. 213.

179. I.F., tome I, p. 214.

180. I.F., tome II, p. 1536.

dans *Saint Genet,* la mécanique du destin. Mais, dans *Saint Genet,* Laïos n'était qu'un marchand de vin. Le texte de *L'Idiot de la famille* marque une progression dans l'insulte : « Œdipe, quand il s'est battu contre Laïos, n'a fait que donner libre cours à sa colère : il ignorait sa lignée et jusqu'au nom du vieil emmerdeur [« Et puis mon grand-père se plaît à emmerder ses fils »[181]...] qui coinçait son char contre le roc. L'eût-il su et fût-il resté à Thèbes, le parricide à commettre eût autrement conditionné sa libre spontanéité mais, de toute manière, le résultat eût été le même. « *C'est le Destin* »[182]. Le complexe d'Œdipe, lui, est supposé résolu : or ce que Sartre décrit, c'est justement l'impossibilité pour Flaubert enfant d'affronter la situation œdipienne : « certes, Gustave a, comme on dit « fait son Œdipe » : nous en reparlerons quand nous étudierons sa sexualité. Mais la structure de cette famille semi-domestique aussi bien que le caractère de Mme Flaubert s'opposaient au classique rapport trinitaire qui se trouve, aujourd'hui, à la base de toutes nos sensibilités. En fait Caroline, faute d'aimer ou, peut-être, d'extérioriser son amour, avait laissé son cadet comme un poisson sur le sable, [...] quand Achille-Cléophas s'intéressa à lui, l'enfant se jeta sur cette raison d'être ; [...] il était né pour adorer son père ; celui-ci l'avait fait pour refléter cette gloire dont il rayonnait à la façon, dont Dieu, paraît-il, nous a créés »[183]. « Mais si Flaubert s'est fixé sur ce lien féodal, [...] c'est par un ressentiment profond contre son père, l'homme qui ne s'est jamais laissé tout à fait adorer ; c'est que le bon Seigneur a figé son vassal dans la revendication permanente de la vassalité par une frustration qui remonte aux premières années »[184]. Le vocabulaire de la féodalité[185] traduit pour nous la soumission homosexuelle au père. Ce qui sous-tend le raisonnement, c'est le refrain « c'est la faute à... », à la structure sociale, au bon seigneur qui « fige » son vassal. Qu'il est difficile, décidément, de « faire » soi-même son Œdipe !

Avec la famille conjugale, au contraire, quelle galerie d'Œdipe ! Là, au moins, on a un conflit familial à intérioriser (« Gustave n'a pas eu le moindre conflit *familial* à intérioriser[186] », puisque dans la famille domestique la femme est totalement soumise au mari !), la mère prend une importance nouvelle, « Henri Beyle adore la sienne »[187] et Hugo et Baudelaire et Alfred Le Poittevin, ce « jeune Œdipe [qui] se fait inutile pour s'identifier à l'être

181. MT., p. 20.
182. I.F., tome I, p. 390.
183. I.F., tome I, p. 334.
184. I.F., tome I, p. 337.
185. Dans un article remarquable sur *L'Idiot de la famille,* Claude Mouchard analyse l'extension dangereuse de ce concept, voir « Un roman vrai ? », *Critique,* n° 295, décembre 1971, p. 1046.
186. I.F., tome I, p. 503.
187. I.F., tome I, p. 70.

d'une trop belle Jocaste »[188]. « Ce n'est pas impunément, je l'ai dit, qu'on est le fils de la *belle* Mme Le Poittevin : on risque d'y gagner un sur-complexe d'Œdipe (au sens où l'on parle de sur-exploitation du colonisé) »[189]. L'Œdipe est une maladie contagieuse, jamais un affrontement : le petit garçon *est* sa mère, il ne la dispute pas à un rival ; son opposition au père est fonction de l'autonomie ou de la soumission maternelle. Sartre s'empresse d'ailleurs de revenir à l'explication sociologique comme chaque fois qu'il craint d'avoir fait la part trop belle à la psychanalyse : Alfred « a choisi sa mère contre son père comme le marque son énergique refus de faire fructifier l'entreprise familiale. En hériter, oui ; y travailler, non. [...] Il peut, lui, échapper à la dictature du profit et demeurer totalement improductif [...]. Ce qui est réel, chez lui, c'est le choix œdipien [...]. Mais [cette option] n'a fait qu'actualiser, en la personne d'un jeune Œdipe, les *possibilités de classe* que le travail des pères a ménagées aux fils »[190] ; bref : « l'attitude doucement suicidaire d'Alfred, avant d'être reprise par une intention fondamentale, est pré-esquissée par sa situation objective »[191]. Que seule la situation de classe d'Alfred lui permette de se suicider de cette façon-là, c'est l'évidence même, mais il est non moins évident, d'un point de vue psychanalytique, que la fixation à la mère n'a pas besoin pour exister, de la famille conjugale, et qu'un jeune Œdipe qui s'identifie à sa mère, comme Alfred Le Poittevin, diffère profondément de celui qui désire sa mère, comme Henri Beyle.

Finalement, ce qui fait obstacle chez Sartre à la compréhension des schèmes psychanalytiques, c'est sa propre structure inconsciente. Il semble d'ailleurs difficile d'utiliser sereinement la psychanalyse lorsqu'on perçoit Freud comme un personnage si menaçant : dans *L'Idiot de la famille,* Sartre cite ces lignes de *Madame Bovary* à propos du docteur Larivière (auquel Flaubert a donné bien des traits de son propre père) : « Son regard... désarticulait le mensonge à travers les allégations et les pudeurs », et poursuit : « Une version antérieure ajoutait : “ et laissait tomber les tronçons à vos pieds ”. On croirait qu'il s'agit de Freud »[192]. Freud est l'homme qui tronçonne ! (le grand-père des *Mots,* habile à « tronçonner les morts »[193], « [découpe] en tranches »[194] les grands écrivains pour en faire des morceaux choisis). Et comment ne pas penser que Sartre songe à Freud en maints passages du portrait sans cesse repris et retouché du terrible docteur Flaubert,

188. I.F., tome I, p. 1064.
189. I.F., tome I, p. 1024.
190. I.F., tome I, p. 1022.
191. I.F., tome I, p. 1023.
192. I.F., tome I, p. 459.
193. MT., p. 53.
194. MT., p. 51-52.

avec son « regard chirurgical »[195], surtout lorsqu'il use pour le désigner du mot « analyste ». Bien sûr, il s'agit du chercheur qui professe le « mécanisme »[196] en usage dans la science de son temps, mais on a l'impression que des fantasmes propres à Sartre sont sous-jacents à des phrases comme celles-ci : « manger, pour lui, c'est entretenir sa charogne, [...] il maudit à la fois son père comme créateur (de morts ensorcelés) et comme analyste : c'est une seule et même chose que le mouvement du scalpel et le processus de décomposition naturelle : le *pater familias* n'aurait-il pas créé Gustave pour observer, vivant, son pourrissement et, mort, pour le disséquer tout à l'aise ? »[197]. Ou encore : « Il disait à son Géniteur : à quoi te sert ta réputation, tu es charogne ; il se dit à présent : la gloire même ne sauve pas, après ma mort, je serai la proie des charognards »[198]. « La psychologie, pour Gustave, est une mortisection qui nous découvre l'état cadavérique de l'âme »[199]. Même hantise, quatre cents pages plus loin : « le voici tout nu, à la renverse, prisonnier de ces pages barbouillées, sans défense, qu'on peut interpréter comme on veut, sur lesquelles peut tomber un froid regard chirurgical »[200]. A propos du docteur Larivière : « On a envie de dire à ce prince de Science : " Bien taillé : à présent il faut recoudre ". Mais le bon docteur ne recoud jamais »[201]. Ou encore : « Gustave est effleuré parfois par un soupçon : et si l'analyse, elle aussi, n'était qu'une farce ? En ce cas l'écrasante intelligence du père pourrait ne représenter qu'une forme irrémédiable de la Bêtise. [...] On rirait bien si l'on pouvait désarticuler les vérités les mieux établies pour en jeter les tronçons aux pieds des savants, [...] mais la voie royale de la synthèse progressive lui est interdite »[202]. Heureusement, au siècle suivant, quelqu'un se chargera de recoudre...

Notre entreprise dans ce chapitre, rendre compte des dispositions de Sartre à l'égard de la psychanalyse en nous abstenant d'interpréter[203], semble décidément bien difficile. Aussi nous contenterons-nous de remarquer, en terminant, que l'on retrouve, chez Sartre, dans les années « soixante-dix », la même manière d'être, profondément ambivalente, que dans les années « trente » : d'une part, une position théorique condescendante, qui s'affirme à travers de multiples interviews, d'autre part, une réaction viscérale

195. I.F., tome I, p. 898.
196. I.F., tome I, p. 472, mais nous savons que Sartre reproche aussi à la psychanalyse de faire usage d'une causalité « mécaniste » (cf. *infra*, dans ce chapitre, p. 61).
197. I.F., tome I, p. 475-476.
198. I.F., tome I, p. 479.
199. I.F., tome I, p. 489.
200. I.F., tome I, p. 898.
201. I.F., tome I, p. 490.
202. I.F., tome I, p. 494-495.
203. Car nous ne pourrions le faire, valablement, qu'au terme de notre étude.

d'une extrême violence qui laisse sceptique sur le détachement affiché. Nous retiendrons, pour illustrer l'une et l'autre attitudes, deux textes parus à quelques mois d'intervalle : un entretien accordé à la revue *New Left* et les pages qui justifient la publication dans *Les Temps Modernes* du « Dialogue psychanalytique ».

> « Il est incontestable, confie Sartre au journaliste de *New Left*, que j'ai éprouvé, dans ma jeunesse, une profonde répugnance pour la psychanalyse, qui doit être expliquée, de même que mon ignorance aveugle de la lutte des classes. C'est parce que j'étais un petit bourgeois que je refusais la lutte des classes ; on pourrait dire que c'est parce que j'étais français que je refusais Freud. [...] Quand on vient de passer son bachot, à dix-sept ans, après avoir reçu un enseignement fondé sur le « *Je pense, donc je suis* » de Descartes, et qu'on ouvre la *Psychopathologie de la vie quotidienne,* où l'on trouve la célèbre histoire de Signorelli, avec les substitutions, déplacements et combinaisons qui impliquent que Freud pensait simultanément à un patient qui s'était suicidé, à certaines coutumes turques et à bien d'autres choses encore... on a le souffle coupé »[204].

L'impression reçue est forte, mais le système de défense mis en place sous le nom de tradition cartésienne, fonctionne encore trente ans après ; il n'a pas changé depuis l'*Esquisse d'une théorie des émotions* où Sartre reprochait à Freud de mêler causalité et finalité :

> « Je suis entièrement d'accord sur les *faits* du déguisement et de la répression, en tant que faits. Mais les *mots* de « répression », « censure », « pulsion » — qui expriment à un moment une sorte de finalisme et, le moment suivant, une sorte de mécanisme —, je les rejette.
>
> Prenons l'exemple de la « condensation » [...]. On peut y voir simplement un phénomène d'association, [...] de l'atomisme psychologique classique. Mais on peut aussi interpréter ce terme comme exprimant une finalité : la condensation se produit parce que la fusion des deux images répond à un désir, à un besoin. Cette sorte d'ambiguïté se retrouve partout chez Freud. Il en résulte une étrange représentation de l'inconscient à la fois comme [...] système de causalités, et comme mystérieuse finalité : il y a des « ruses » de l'inconscient comme il y a des « ruses » de l'Histoire. [...]
>
> Je reprocherai donc à la théorie psychanalytique d'être une pensée syncrétique et non dialectique »[205].

Bref, Sartre a beau avoir eu le souffle coupé par l'histoire de Signorelli, qui montre admirablement le pourquoi et le comment

---

204. S., IX, p. 104.
205. S., IX, p. 105-106.

de la condensation, il persiste à enfermer Freud dans une contradiction purement formelle et qui disparaît, si l'on veut bien distinguer différents niveaux dans le travail du processus primaire. Mais c'est justement le fonctionnement même de ce dernier, avec ses mécanismes archaïques de condensation, de déplacement, de renversement dans le contraire, qui répugne profondément à Sartre : l'inconscient ne se plie pas au désir de maîtrise absolue qui sous-tend le vœu que tout soit toujours parfaitement clair :

> « Les résultats de ce syncrétisme, on les voit, par exemple, dans l'utilisation que font les psychanalystes du complexe d'Œdipe : ils s'arrangent pour y trouver n'importe quoi, aussi bien la fixation à la mère, l'amour de la mère, que la haine de la mère — selon Mélanie Klein. [...] Un phénomène peut avoir telle signification, mais son contraire peut aussi signifier la même chose. La théorie psychanalytique est donc une pensée « molle ». Elle ne s'appuie pas sur une logique dialectique. C'est que cette logique, me diront les psychanalystes, n'existe pas dans la réalité. Je n'en suis pas si sûr »[206].

Notons que Sartre, ici, régresse par rapport à sa propre compréhension des faits inconscients. N'a-t-il pas écrit dans *Saint Genet :* « Il arrive souvent [...] que nos désirs primaires les plus constamment reniés, donnent leur consistance et leur chair aux volontés qui les contredisent le plus, et les actes importants de notre vie ont ainsi une double détermination et sont susceptibles de deux interprétations contraires »[207]. Il reste que de cette « langue fondamentale »[208] qui parle dans le rêve, le délire ou le symptôme, personne n'est le traducteur infaillible. C'est cette insécurité, semble-t-il, que Sartre ne supporte pas, lui qui a besoin d'une pensée « dure ». Et comment lui répondre que, dans la cure, la marge d'erreur diminue, à cause des réactions du patient à l'interprétation, quand il ne peut, nous le verrons, imaginer, sans perdre son sang-froid, la position du patient sur le divan ?

Après avoir condamné le « scepticisme affectif »[209] des psychanalystes, c'est-à-dire « la conviction de tant d'entre eux que la relation qui unit deux personnes n'est rien de plus qu'une " référence " à une relation originelle ayant valeur d'absolu »[210], Sartre conclut ainsi sur ses relations avec la psychanalyse : « Il y a donc une différence essentielle entre ma relation à Marx et ma relation à Freud. La découverte de la lutte des classes a été pour moi une *vraie* découverte [...]. En revanche, je ne crois pas à l'inconscient

206. S., IX, p. 106-107.
207. S.G., p. 111.
208. Selon l'expression du Président Schreber, *Cinq psychanalyses*, P.U.F., 1967, p. 274.
209. S., IX, p. 107.
210. S., IX, p. 107.

tel que la psychanalyse nous le présente »[211]. Là-dessus, il se lance dans une description du vécu, qui frôle *de facto* la reconnaissance de l'inconscient :

> « [Flaubert] a écrit un jour cette phrase remarquable : « *Vous êtes sans aucun doute comme moi, vous avez tous les mêmes profondeurs terribles et ennuyeuses* ». Quelle meilleure description pourrait-on donner de l'univers psychanalytique, dans lequel on ne cesse de faire des découvertes terrifiantes qui débouchent toutes, ennuyeusement, sur la même chose ? [...].
>
> Pour moi, ces expériences définissent la relation de Flaubert avec ce qu'on appelle ordinairement l'inconscient et que j'appellerais plutôt une absence totale de connaissance doublée d'une réelle compréhension »[212].
>
> « L'introduction de la notion de vécu représente un effort pour conserver cette " présence à soi " qui me paraît indispensable à l'existence de tout fait psychique, présence en même temps si opaque, si aveugle à elle-même qu'elle est aussi " absence de soi " »[213].

Le philosophe refuse donc toujours l'idée d'inconscient mais l'écrivain l'évoque admirablement, parfois, comme en témoignent ces images de *L'Idiot de la famille* : « Gustave doit agir [...] à l'insu de lui-même ; la consistance de l'intention vient de son obscurité : poisson abyssal, elle éclaterait si l'on devait la produire à l'air libre, à la clarté du jour »[214], ou encore : « [...] quelque intention plus obscure et sans doute prélogique qu'il nous faut pêcher dans ses abysses en souhaitant que le changement de pression ne la fasse pas exploser sous nos yeux »[215]. L'inconscient est nié, mais sa présence est profondément ressentie[216]. Cela explique sans doute que Sartre puisse dire, à quelques mois d'intervalle, « que la psychanalyse n'est pas vraiment fondamentale mais que, correctement et rationnellement associée au marxisme, elle peut être utile »[217] et réagir passionnément à un incident survenu au cours d'une psychanalyse.

C'est ce qui se produit lorsqu'un certain A. envoie aux *Temps Modernes* l'enregistrement d'une conversation où il essaie de faire parler son psychanalyste, alors que ce dernier s'y refuse tant qu'un magnétophone est en marche. Sartre publie l'enregistrement contre l'avis de B. Pingaud et de J.-B. Pontalis, qui disent les raisons de

---

211. S., IX, p. 108.
212. S., IX, p. 110-111.
213. S., IX, p. 112.
214. I.F., tome II, p. 1667.
215. I.F., tome II, p. 2057.
216. Aussi Gilbert Cohen se demande-t-il si, dans *L'Idiot de la famille*, Sartre n'est pas en « complète contradiction » avec sa première philosophie, celle de l'*Être et le Néant* ; voir « De Roquentin à Flaubert », *Revue de Métaphysique et de Morale*, n° 1, janvier-mars 1976, p. 140.
217. S., IX, p. 113.

leur opposition dans le même numéro de la revue[218]. Nous comprendrons mieux la réaction jubilante de Sartre au coup de force d'A. lorsque nous aurons étudié, sur de nombreux textes, ses relations complexes aux figures paternelles. Contentons-nous de souligner ici que ce que Sartre projette sur la situation analytique lui en interdit l'accès : dichotomie du sujet (l'analyste) et de l'objet (le malade), comme si la décision d'entrer en analyse n'émanait pas, justement, d'un sujet ; dichotomie de l'agent et du patient, « prostré »[219], « déculotté »[220], comme si l'analysé n'était pas aussi un analysant, prenant part à un travail qui se fait avec l'analyste, et comme si ce dernier n'était pas, à sa manière, un patient subissant à son tour les contrecoups de la relation analytique. Celle-ci est présentée comme un lien de « féodalité »[221], lui-même subrepticement perverti, si l'on considère les images : l'analyste est un potentat à la « parole de pierre »[222], en faveur duquel on abdique[223], qui vous « jauge »[224] et qui exige une « dépendance absolue »[225]. Ce qui fascine Sartre, c'est qu'A. ait pu « renverser » la situation (le terme est répété trois fois[226] en quelques pages) ; il s'agit d'inverser une relation de pouvoir. En filigrane apparaît une scène d'interrogatoire et, à la limite, de torture : tout ce que dit le docteur X. « peut être retenu contre [lui] »[227] ; finalement, il se tire d'affaire « sans désastre : il n'a pas parlé »[228]. La panique que provoque chez Sartre le cadre même de la relation analytique (le psychanalyste dans son fauteuil, le patient allongé, le dos tourné et livré à la « société anonyme des pulsions »[229]), est sensible dans l'apologie vertueuse et exaltée du « face-à-face »[230]. Nous laisserons, pour finir, la parole à J.-B. Pontalis :

> « conclure [comme le fait Sartre] de ce fragment tragi-comique que le temps est venu pour les analysés de suivre le mot d'ordre lu à Censier " Analysés, levez-vous ! " — à moins qu'ils n'émigrent en Italie — et, pour les psychanalystes, d'annoncer à leurs patients la bonne nouvelle : " On vous a châtrés ", en les regardant dans leurs yeux de sujets, cela me paraît une réponse un peu précipitée. Y souscrire serait en

---

218. *Les Temps Modernes*, n° 274, avril 1969. L'ensemble de ces textes forme la troisième partie de *Situations*, IX, de la page 329 à la page 364. Celui de Sartre s'intitule, comme un écho des « cas » désormais classiques, « l'Homme au magnétophone ».
219. S., IX, p. 333.
220. S., IX, p. 333.
221. S., IX, p. 333.
222. S., IX, p. 333.
223. *Cf.* p. 334 : « l'abdication hebdomadaire ou bihebdomadaire de l'analysé en faveur de l'analyste ».
224. S., IX, p. 332.
225. S., IX, p. 332.
226. S., IX, p. 331, 333, 334.
227. S., IX, p. 335.
228. S., IX, p. 329.
229. S., IX, p. 334.
230. S., IX, p. 332.

tout cas, à mon sens, avouer qu'on méconnaît *tout* de la psychanalyse. Comment, par exemple, peut-on à la fois saluer l'" immense acquis " de celle-ci et récuser la relation analytique dans son *principe* même ? N'est-ce pas, ici, comme ailleurs, la praxis qui rend possible l'émergence de l'objet théorique ? »[231].

Ni « faux ami de la psychanalyse », ni « compagnon de route critique »[232], Sartre semble voué, par ses propres conflits, à la méconnaissance.

231. S., IX, p. 359-360.
232. *Cf.* ce que dit Sartre au début de « l'Homme au magnétophone » : « Je ne suis pas un « faux ami » de la psychanalyse mais un compagnon de route critique et je n'ai nulle envie — et nul moyen, d'ailleurs — de la ridiculiser » (S., IX, p. 329).

Chapitre II

L'ENFANT DES MOTS

Nous ne saurions, dans ce chapitre centré sur l'autobiographie de Sartre, aborder l'ensemble des questions qu'implique le mode de lecture que nous avons choisi. Telle scène importante, telle remarque incidente, telle lacune, ne recevront pleinement leur sens, du point de vue qui est le nôtre, que par la comparaison avec les autres textes biographiques et autobiographiques. Nous nous contenterons donc, pour commencer, de réfléchir sur l'image aseptisée que Sartre donne de ses relations avec les figures parentales et sur le caractère passionnel de ses rapports avec les livres.

Les figures parentales

Alors que le grand-père Schweitzer a droit à l'ironie et au sarcasme, la tendresse et la compassion dominent lorsque Sartre, dans *Les Mots*, parle de sa mère. Au moment où il rédige son autobiographie, son grand-père est mort depuis longtemps ; sa mère, madame Mancy, vit avec lui (« C'est mon troisième mariage »[1], plaisantait-elle) et Simone de Beauvoir dit combien elle fut émue du portrait que Sartre avait fait d'elle dans *Les Mots*[2]. L'agressivité qui sous-tend le rapport à la mère dans *L'Enfance d'un chef* est ici estompée. Pourtant le schéma est le même : la mère des *Mots*, celle de *L'Enfance d'un chef*, celle de *L'Idiot de la famille* sont toutes trois actives, prévenantes, diligentes, protectrices : elles fabriquent des fleurs en pot[3], des objets « maniables »[4], des enfants passifs, sans agressivité ni désir à force d'avoir vu leur besoins devancés et comblés[5]. Mais Sartre a beau s'évertuer à gommer

---

1. Simone de Beauvoir, *Tout compte fait*, Gallimard, 1972, p. 105.
2. *Ibid.*, p. 107.
3. Voir MT., p. 72.
4. Nous étudierons *infra*, p. 85, la charge fantasmatique de ce mot.
5. La confusion du désir et du besoin, constante chez Sartre, masque (et révèle) la méconnaissance du désir : la faim calmée, le désir de têter peut être inassouvi ; Sartre paraît, d'autre part, ignorer que l'activité de la mère éveille celle de l'enfant. La « constitution passive » attribuée à l'attitude de la mère,

les conflits dans *Les Mots*, ils sont lisibles à travers l'insistance des adultes et la résistance déguisée de l'enfant : « Je mange en public comme un roi : si je mange *bien*, on me félicite ; ma grand-mère elle-même s'écrie : « Qu'il est sage d'avoir faim ! »[6]. Dans *L'Enfance d'un chef*, c'est la cérémonie du « pot » qui est publique. *Les Mots* indiquent seulement : « respirant, digérant, déféquant avec nonchalance, je vivais parce que j'avais commencé de vivre. De mon corps, ce compagnon gavé, j'ignorais la violence et les sauvages réclamations : il se faisait connaître par une série de malaises douillets, très sollicités par les grandes personnes »[7].

Glissant sur les conflits du stade oral[8] et du stade anal, Sartre croit sans doute décrire un aspect classique de l'Œdipe quand il évoque en ces termes ses relations avec sa mère : « Dans ma chambre, on a mis un lit de jeune fille. La jeune fille dort seule et s'éveille chastement ; je dors encore quand elle court prendre son " tub " à la salle de bains ; elle revient entièrement vêtue : comment serais-je né d'elle ? Elle me raconte ses malheurs et je l'écoute avec compassion : plus tard je l'épouserai pour la protéger »[9]. Ou encore :

> « Horace, j'étais obligé de me faire violence pour ne pas cracher sur la gravure qui le montrait casqué, l'épée nue, courant après la pauvre Camille. Karl fredonnait parfois :
>
> On n'peut pas êt' plus proch' parents
> Que frère et sœur assurément...
>
> Ça me troublait : si l'on m'eût donné, par chance, une sœur, m'eût-elle été plus proche qu'Anne-Marie ? Que Karlémami ? Alors c'eût été mon amante. Amante n'était encore qu'un mot ténébreux que je rencontrais souvent dans les tragédies de Corneille. Des amants s'embrassent et se promettent de dormir dans le même lit (étrange coutume : pourquoi pas dans des lits jumeaux comme nous faisions, ma mère et moi ?). Je ne savais rien de plus mais sous la surface lumineuse de l'idée, je pressentais une masse velue. Frère, en tout cas, j'eusse été

---

dans le *Flaubert* comme dans *Les Mots*, nous semble une rationalisation qui permet à Sartre d'éluder les difficultés de sa relation à la figure paternelle (cf. *infra*, 3e partie, chap. I, p. 322 et, dans ce chapitre, p. 78).

6. MT., p. 22.
7. MT., p. 71.
8. Evoquant son sevrage (MT., p. 9), Sartre manifeste à la fois son ignorance (vers huit mois l'enfant commence à reconnaître sa mère, une mise en nourrice à neuf mois peut avoir des conséquences graves) et son angoisse dans la façon qu'il a de la nier : « Moi, je profitais de la situation : à l'époque, les mères nourrissaient elles-mêmes et longtemps ; sans la chance de cette double agonie, j'eusse été exposé aux difficultés d'un sevrage tardif. Malade, sevré par force à neuf mois [. . .] » ; en même temps, il dit, en aveugle, la vérité sur sa relation fondamentale avec la mère : « la fièvre et l'abrutissement m'empêchèrent de sentir le dernier coup de ciseaux qui tranche les liens de la mère et de l'enfant ». La séparation d'avec la mère ne s'est pas faite. Ce coup de ciseaux n'a jamais été donné. Ce que Françoise Dolto appelle la « castration humanisante » (*Le cas Dominique*, Seuil, 1971, p. 247) ou « structurante » (*ibid.*, p. 248) n'a pas eu lieu.
9. MT., p. 13.

incestueux [mais il ajoute en note : « l'inceste me plaisait s'il restait platonique »]. J'y rêvais. Dérivation ? Camouflage de sentiments interdits ? C'est bien possible. J'avais une sœur aînée, ma mère, et je souhaitais une sœur cadette. Aujourd'hui encore — 1963 — c'est bien le seul lien de parenté qui m'émeuve. J'ai commis la grave erreur de chercher souvent parmi les femmes cette sœur qui n'avait pas eu lieu : débouté, condamné aux dépens. N'empêche que je ressuscite, en écrivant ces lignes, la colère qui me prit contre le meurtrier de Camille ; elle est si fraîche et si vivante que je me demande si le crime d'Horace n'est pas une des sources de mon antimilitarisme : les militaires tuent leurs sœurs »[10].

Textes curieux où Sartre semble faire une concession à la psychanalyse sans voir que ce qu'il écrit est justement l'évitement de l'Œdipe. Car « l'enfant ne peut dépasser l'Œdipe et accéder à l'identification paternelle que s'il a traversé la crise de castration, c'est-à-dire que s'il s'est vu refuser l'usage de son pénis comme instrument de son désir pour la mère »[11]. Pour cela, il faut reconnaître que les sexes diffèrent[12] (mais je ne peux ni ne veux le savoir : « elle revient entièrement vêtue »), reconnaître aussi qu'elle *n'a pas* quelque chose que *j'ai*, (mais je ne veux pas le savoir non plus, car si je l'ai je risque de le perdre : je suis « l'indéfini en chair et en os »[13], j'ai « le sexe des anges, indéterminé, mais féminin sur les bords »[14]. Horace, lui, a une épée. L'angoisse est si forte qu'elle affleure encore aujourd'hui chez le vieil homme, sous le masque de la colère. Deux amants dans le même lit, quelle

---

10. MT., p. 41-42.
11. J. Laplanche et J.-B. Pontalis, *Vocabulaire de la psychanalyse*, P.U.F., 1968, p. 78.
12. Notre hypothèse de la méconnaissance, fondée sur l'analyse des textes, s'est trouvée confirmée par Sartre lui-même dans un de ses derniers entretiens : « Je me rendais compte que les femmes étaient probablement différentes physiologiquement mais, à dix ans, j'avais beau imaginer leurs corps, je n'imaginais rien d'autre que ce que j'étais moi-même. C'est plus tard, vers onze, douze, treize ans, que j'ai commencé à me représenter leurs particularités, et je n'ai vraiment été au courant que vers quinze ou seize ans » (*Nouvel Observateur*, Lundi 31 janvier 1977, p. 76). Le scénario bouffon des *Faux Nez*, paru dans *La Revue du Cinéma* (nouvelle série, n° 6, printemps 1947, p. 3-27) repose tout entier sur le fantasme infantile de l'unicité des sexes où l'on peut voir une défense contre l'angoisse de castration. Un jeune prince se croit un monstre parce qu'il a un tout petit nez alors que son père, ses sujets et ses sujettes, en ont un gros. Il ne peut souffrir la vue des femmes jusqu'à ce qu'il rencontre une princesse étrangère pourvue comme lui d'un tout petit nez. Ils s'aimeront d'« un amour unique et secret. L'amour de deux infirmes » (p. 24). « On est pareils [...] On est frère et sœur. On est deux orphelins », dit le prince à la princesse (p. 24). « Comédie divertissante dans laquelle n'apparaît aucun des thèmes sartriens », écrivent malencontreusement M. Contat et M. Rybalka (*Les Ecrits de Sartre*, Gallimard, 1970, p. 163). Que peut-on imaginer de plus sartrien que cette rêverie « sur deux enfants perdus et discrètement incestueux » (MT., p. 42) ? Quant à cet « amour unique et secret, l'amour de deux infirmes », on le trouve dans l'épisode des allongés de Berck, un des sommets de l'œuvre de Sartre (voir là-dessus *infra*, dans ce chapitre, p. 86, note 180).
13. MT., p. 29.
14. MT., p. 84.

incongruité : que pouvaient-ils bien faire ? Quand l'enfant dans ses fantasmes s'aventure jusque-là, il a tôt fait de battre en retraite : « Je protège une jeune comtesse contre le propre frère du Roi. Quelle boucherie ! Mais ma mère a tourné la page ; l'allegro fait place à un tendre adagio ; j'achève le carnage en vitesse, je souris à ma protégée [...]. Quand on aime, que fait-on ? Je lui prenais le bras, je la promenais dans une prairie : cela ne pouvait suffire. Convoqués en hâte, les truands et les reîtres me tiraient d'embarras : [...] j'en tuais quatre-vingt-dix, les dix autres enlevaient la comtesse »[15]. Le voici sur un toit en flammes portant une femme évanouie dans ses bras. « A cet instant je prononçais les mots fatidiques : " La suite au prochain numéro " — " Qu'est-ce que tu dis ? " demandait ma mère. Je répondais prudemment : " Je me laisse en suspens " »[16]. Mais l'histoire se termine toujours de la même façon : on rend la jeune fille à son père, on ne la dispute jamais à un rival.

Tout comme la différence des sexes, la scène primitive est niée : « comment serais-je né d'elle ? » Cet enfant n'est le fils de personne. Il sera plus tard le fils de ses œuvres. En attendant c'est un don du ciel, mieux, une création *ex nihilo* ; « de pauvres gens se désolaient de n'avoir pas d'enfants ; attendri, je me suis tiré du néant dans un emportement d'altruisme et j'ai revêtu le déguisement de l'enfance pour leur donner l'illusion d'avoir un fils »[17]. Le refus persistant de la scène originaire nous vaut aussi, au début du livre, une savoureuse généalogie en forme de charge, au double sens d'assaut et de caricature ; chez les Schweitzer, c'est la femme qui se refuse au mari, chez les Sartre c'est l'inverse ; mais des deux côtés, les enfants sont faits « par surprise »[18], en « silence »[19], ou « au galop »[20].

Lorsque Sartre aborde sa relation avec son père, il applique aussi mécaniquement le schéma œdipien : à père mort, Œdipe incomplet. Bienheureuse « retraite » paternelle qui lui livre la mère sans combat. Mais à défaut de père, l'instance interdictrice peut être représentée par d'autres. Sartre le sait, même s'il écrit : « jamais le caprice d'un autre ne s'était prétendu ma loi »[21], affirmation démentie par un passage comme celui-ci : « Pourquoi lui ai-je prêté l'oreille ce jour-là au moment qu'elle [la voix du grand-père] mentait le plus délibérément ? » (Le grand-père feint d'admettre la vocation d'écrivain de son petit-fils pour mieux l'orienter vers le professorat). « Par quel malentendu lui ai-je fait dire

15. MT., p. 104-105.
16. MT., p. 94.
17. MT., p. 21.
18. MT., p. 6.
19. MT., p. 8.
20. MT., p. 8.
21. MT., p. 17.

le contraire de ce qu'elle prétendait m'apprendre ? C'est qu'elle avait changé : asséchée, durcie, je la pris pour celle de l'absent qui m'avait donné le jour. Charles avait deux visages : quand il jouait au grand-père, je le tenais pour un bouffon de mon espèce et ne le respectais pas. Mais s'il parlait à M. Simonnot, à ses fils, s'il se faisait servir par ses femmes à table, en désignant du doigt, sans un mot, l'huilier ou la corbeille de pain, j'admirais son autorité. [...] pour la première fois j'eus affaire au patriarche ; il semblait morose et d'autant plus vénérable qu'il avait oublié de m'adorer. C'était Moïse dictant la loi nouvelle. Ma loi »[22].

Il y a donc deux voix du grand-père, comme il y a deux voix du père dans *L'Enfance d'un chef* : « Lucien voulut savoir comment papa parlait aux ouvriers quand il était à l'usine et papa lui montra comment il fallait s'y prendre et sa voix était toute changée »[23]. La « vraie » voix pour l'enfant, c'est la grosse voix, celle du « rude Moïse »[24], du « patriarche », de « Jéhovah »[25]. Cette voix-là est menaçante : « Brutus tue son fils et c'est ce que fait aussi Mateo Falcone. Cette pratique paraissait donc assez commune. Autour de moi, pourtant, personne n'y avait recouru. A Meudon, mon grand-père s'était brouillé avec mon oncle Emile et je les avais entendus crier dans le jardin : il ne semblait pas, cependant, qu'il eût songé à l'abattre. Comment jugeait-il les pères infanticides ? Moi, je m'abstenais : mes jours n'étaient pas en danger puisque j'étais orphelin »[26]. La dénégation n'est pas convaincante. On lit à la page 11 des *Mots* : « Il n'y a pas de bon père, c'est la règle ; qu'on ne tienne pas grief aux hommes mais au lien de paternité qui est pourri. Faire des enfants, rien de mieux ; en *avoir*, quelle iniquité ! Eût-il vécu, mon père se fût couché sur moi de tout son long et m'eût écrasé. Par chance, il est mort en bas âge ; au milieu des Enées qui portent sur le dos leurs Anchises, je passe d'une rive à l'autre, seul et détestant ces géniteurs invisibles à cheval sur leurs fils pour toute la vie ; j'ai laissé derrière moi un jeune mort qui n'eut pas le temps d'être mon père et qui pourrait être, aujourd'hui, mon fils. Fut-ce un mal ou un bien ? Je ne sais ; mais je souscris volontiers au verdict d'un éminent psychanalyste : je n'ai pas de Sur-moi ».

Texte étrange, riche de toutes ses confusions : d'où vient cette agressivité pour les « géniteurs invisibles », alors qu'on n'a pas eu à souffrir de son père ? Comment ne pas sentir que le Sur-moi, ici, n'est plus un mot abstrait mais qu'il devient figuratif ? Il est *ce qui est sur moi*, comme le fardeau d'Enée. Dès 1943, à propos

---

22. MT., p. 130-131.
23. MR., p. 160.
24. MT., p. 91.
25. MT., p. 14.
26. MT., p. 40-41.

d'Oreste, Sartre écrivait : « Je l'ai montré en proie à la liberté, comme Œdipe est en proie à son destin. Il se débat sous cette *poigne* de fer, mais il faudra bien qu'il tue, pour finir et *qu'il charge son meurtre sur ses épaules et qu'il passe sur l'autre rive* »[27]. Puis, en 1952, dans *Saint Genet* :

> « A ceux qui sont bien de chez soi, aux justes, aux honorables, cette identification [de Genet à l'un de ses amants] peut paraître une tentative absurde et vaine. Mais je leur demanderai d'abord s'ils sont bien sûrs d'être eux-mêmes. Cette paix qui règne en eux, sais-je s'ils ne l'ont pas obtenue en faisant leur soumission à un protecteur étranger qui règne à leur place ? Celui que j'entends une fois prononcer ces mots : « Nous, médecins... », je sais qu'il est en esclavage. Ce *nous médecins* est son moi, créature parasitaire qui lui suce le sang. Et ne fût-il que lui-même, il y a mille façons d'être livré à soi comme aux bêtes, de nourrir avec sa propre chair une idole invisible et insatiable. Car il n'est permis à personne de dire ces simples mots : je suis moi. Les meilleurs, les plus libres, peuvent dire : j'existe. [...] Pour les autres, [...] s'ils ne visent pas à changer de peau, c'est que la *poigne*[28] qui les gouverne ne leur en laisse pas le loisir, c'est surtout que la société a reconnu depuis longtemps et consacré cette symbiose en accordant au couple formé par le malade et son *parasite*[29] la gloire ou simplement l'honorabilité ; c'est un enfer légitime. Pour moi, je m'écarte d'eux si je puis ; je n'aime pas les âmes habitées. Mais les enfants de Caïn, qui sont les *chevaux*[30] d'un zar que la société réprouve, je comprends qu'ils aspirent à changer de maître »[31].

On retrouve ici ce « parasite sacré »[32], le père, et la même hantise d'être chevauché. Remettons à plus tard[33] la discussion sur l'identification conçue comme soumission à une idole, à un vampire, à un cavalier. Il semble bien que ce qui court sous ces images soit un fantasme homosexuel à la fois caressé et violemment repoussé, de possession anale. Nous demanderons au lecteur quelque patience. Notre hypothèse d'une fixation pré-œdipienne (orale et anale surtout) de la libido chez Sartre enfant, liée à l'impossibilité d'affronter l'Œdipe et au complexe de castration, ne pourra être étayée que progressivement. Ainsi l'analité, discrète dans *Les Mots*, volontairement déplaisante dans *L'Enfance d'un chef*, triomphe dans *Saint Genet*. Mais il faut bien commencer, et d'abord par ce que Sartre dit de lui-même. Il est vrai qu'il censure moins les biographies, où il se livre indirectement, que son auto-

---

27. Prière d'insérer des *Mouches*, Gallimard, 1943, cité par M. Contat et M. Rybalka, *Les Ecrits de Sartre*, p. 88, souligné par nous.
28. 29. 30. Souligné par nous.
31. S.G., p. 85.
32. MT., p. 13.
33. *Infra*, 2e partie, chap. IV, p. 303 et 3e partie, chap. II, p. 349.

biographie. Sartre se surveille, son écriture n'a jamais été plus classique, académique même. Paradoxe des *Mots* : ce livre, écrit pour dénoncer la soumission de l'enfant aux adultes et notamment au grand-père, est un modèle de soumission au patriarche-professeur[34]. Aussi ne nous interdirons-nous pas, de temps à autre, un va-et-vient pour saisir, sans trop attendre, l'impact de certaines images.

Le passeur, celui qui porte pour traverser l'eau, est une de ces figures auxquelles l'imaginaire sartrien est assujetti. On la trouve dans *l'Engrenage*[35], où elle inspire une scène entière, elle soutient le bonheur d'écrire dans le commentaire de *La légende de saint Julien l'Hospitalier*. Saint Julien est éminemment le passeur parce qu'il est passeur passé, cavale et cavalier. C'est le propre des productions de l'inconscient que de pouvoir être exprimées par leur contraire. Dans ce fantasme, *être chevauché* est l'élément dangereux de la représentation, celui qui attire le refoulé. Il est neutralisé par *La légende* : le poids du voyageur « écrase » la barque et non le passeur. Dans la cahute de Julien l'image s'inverse : c'est Julien qui « s'étale » sur le lépreux. Sartre commente : « il s'étend de tout son long sur le lit vivant de la lèpre, il *pèse* sur l'organisme délabré du voyageur, on dirait qu'il s'y enfonce »[36]. Ce que cette pénétration pourrait éveiller de sentiments interdits est masqué par la qualité du moribond, un Christ en majesté à qui l'on ne peut que se soumettre, par l'horreur (et l'attirance secrète) de la pourriture (« Il y a chez Julien comme un vertige hystérique devant la corruption d'un corps vivant »[37]). Au contraire chevaucher, être porté, est la face rassurante du fantasme. La ten-

---

34. Que de fausses fenêtres pour la symétrie devons-nous, dans ce livre, à la manie dissertante : elle produit, entre autres méfaits, un art de la transition qui s'apparente au raccord et permet d'escamoter les vraies questions sous les antithèses factices : l'opposition nature-culture évite de répondre sérieusement à « Suis-je donc un Narcisse ? » (MT., p. 29). L'antithèse liberté-servitude fait, absurdement, de la contingence (la mort du père) la liberté même (MT., p. 12). L'opposition de l'âme et du corps permet d'attribuer au seul héritier le goût du pouvoir et de camoufler ce dernier sous une appellation discutable : « avoir une âme » (MT., p. 71).

35. Comme Poulou, qui ne se décide pas à choisir entre Cervantès et Pardaillan, Hélène, l'héroïne de la pièce, aime à la fois Jean, l'homme d'action, et Lucien, l'écrivain. Lorsque Jean la prend dans ses bras pour lui faire traverser un torrent, le scénariste écrit : « L'attrait qu'a pour elle cet homme dur et fort s'est mué en une répulsion de vierge pour un mâle.
— Lâchez-moi ! Lâchez-moi !
Jean la regarde avec un visage ironique et dur.
— Vous lâcher ? J'ai de l'eau au-dessus des genoux.
Hélène commence à se débattre. [...] Lucien, qui est arrivé sur l'autre rive, les regarde en riant.
— Tiens-la bien ! crie-t-il. Tiens-la bien ! J'arrive.
Il rentre dans l'eau, mais Jean, sans lâcher Hélène qui se débat toujours, presse le pas et gagne l'autre rive. Il pose Hélène par terre. Elle s'éloigne de quelques pas et dit sèchement :
— J'ai horreur qu'on me porte », *L'Engrenage*, Nagel, 1962, p. 111-112.

36. I.F., tome II, p. 2114.

37. I.F., tome II, p. 2114.

dresse s'y exprime, le désir se cache. L'enfant grimpe sur les genoux du grand-père, à demi scandalisé de l'entendre chanter : « A cheval sur mon bidet ; quand il trotte il fait des pets »[38], ou bien il court à sa rencontre : « il m'enlevait de terre, me portait aux nues »[39]. De même, Gustave enfant est emporté dans la carriole du docteur Flaubert en tournée, pris dans les bras de son père qui le montre à la duchesse de Berry : « le bon Seigneur [...] l'enlève, le porte, passif, vers le Ciel et le petit garçon a la joie de sentir cette force virile pénétrer son corps engourdi »[40]. Saint Julien est emporté dans le ciel par Notre-Seigneur Jésus[41], mais cette fois, c'est le fils qui s'est « couché de tout son long » sur le père (le Christ de *La légende*, avec sa « majesté de roi » et son regard de feu est bien une figure paternelle) et l'a « écrasé »[42]. Les sentiments de Sartre à l'égard du christianisme, doivent, nous le verrons[43], leur ambivalence à ces représentations archaïques. Pour revenir au fantasme du passeur dans *Les Mots*, notons qu'on retrouve, à plusieurs reprises, dans un contexte à la fois semblable et différent (il s'agit de l'enfant mimant au son du piano ses scénarios favoris), les expressions « chevauchant et chevauché », « cavale et cavalier »[44]. Comme elles ne sont pas, dans ce cas, directement liées à la scène fantasmatique de la possession par le père, elles disent le plaisir de l'enfant et celui de l'écrivain. On y perçoit cependant un écho lointain du « cantique de Moïse »[45] et Moïse, dans le livre, c'est Charles Schweitzer.

Peut-être sommes-nous mieux à même de comprendre, maintenant, pourquoi le lien de paternité est « pourri ». La pourriture, c'est l'analité non dépassée. Un des schèmes fondamentaux de la sensibilité sartrienne se trouve ainsi éclairé, c'est le couple lourd-léger : horreur du lourd, de ce qui « leste » (« Un père m'eût lesté de quelques obstinations durables »[46]), mais aussi et en même temps, lamento de la légèreté : « faute d'un Dieu », « faute d'un père », « sans âme », « sans poids », reviennent constamment dans *Les Mots*. Oreste, Hugo, Franz, sont des « ludions »[47] jaloux et

---

38. MT., p. 44.
39. MT., p. 17.
40. I.F., tome I, p. 601.
41. « . . . Notre-Seigneur Jésus qui l'emportait dans le ciel » sert de titre au dernier chapitre du tome II, I.F., p. 2106.
42. Que le verbe écraser se teinte facilement d'érotisme chez Sartre, nous en avons la preuve dans *L'Enfance d'un chef* lors de la scène à l'hôtel, entre Bergère et Lucien (« A l'instant il se sentit écrasé par un poids énorme » p. 198) et dans *L'Idiot de la famille* lorsque Sartre écrit, à propos de Madame Flaubert : « elle avait porté cet ange écrasant, elle s'était pâmée [. . .] » (I.F., tome I, p. 89).
43. *Infra*, 3e partie, chap. IV, p. 402-403.
44. MT., p. 103-104.
45. Exode, 15, 1-21.
46. MT., p. 70.
47. MT., p. 48.

fascinés par ces hommes aux « semelles de plomb »[48], Egisthe, Hoederer, le Père qu'ils voudraient écraser faute d'être écrasés par eux. Goetz est un ballon fou qui se leste et se déleste au gré de ses humeurs. Mathieu passe son temps à jeter des sacs de sable par dessus bord (Marcelle, Ivich, Daniel, amour, amitié, travail), mais envie Brunet, cet Enée qui porte sur ses épaules le poids du Parti.

Nous aurons à revenir plusieurs fois sur les éléments qui ont pu favoriser une régression et une fixation à la phase anale. Ils sont loin d'être tous apparents dans *Les Mots.* L'angoisse de castration y est pourtant présente. Sartre ne la décrit pas comme telle[49], mais elle est lisible sous la terreur de la mort dont il dit : « ce fut une authentique névrose »[50]. Il distingue bien, d'ailleurs, cette terreur spécifique de ses sentiments devant la mort réelle : « Les enterrements ne m'inquiétaient pas ni les tombes »[51]. A la mort de sa grand-mère, Sartre suit le corbillard jusqu'au cimetière sans émotion : « la métamorphose de cette vieillarde en dalle funéraire ne me déplaisait pas ; il y avait transsubstantiation, accession à l'être, tout se passait en somme comme si *je*[52] m'étais transformé, pompeusement, en M. Simonnot. Par cette raison, j'ai toujours aimé, j'aime encore les cimetières italiens : la pierre y est tourmentée, c'est tout un homme baroque, un médaillon s'y incruste, encadrant une photo qui rappelle le défunt dans son premier état »[53]. Glissement significatif : « comme si *je* m'étais transformé... » L'enfant est à la fois vieille dame, pierre tombale et Simonnot. Nous reviendrons sur ce goût pour la transformation de l'homme en monument, qui s'apparente au fantasme de l'homme-livre et de l'homme-colonne[54], et sur ce tic de plume « tout un homme »[55] ; il nous suffit de noter, pour le moment, que cette mort-là est rassurante ; la mort terrifiante, la voici : « A cinq ans, elle me guettait ; le soir, elle rôdait sur le balcon, collait son mufle au carreau, je la voyais mais je n'osais rien dire. Quai Voltaire, une fois nous la rencontrâmes, c'était une vieille dame grande et folle, vêtue de noir, elle marmonna sur mon passage : « Cet enfant, je le mettrai dans ma poche ». Une autre fois, elle prit la forme d'une excavation »[56]. Et plus loin : « Quand j'avais sept ans, [...] je la rencontrais partout [...]. Qu'est-ce que c'était ? Une

---

48. MT., p. 47.
49. Sartre n'emploie d'ailleurs pas une seule fois le mot castration dans son autobiographie. L'emprunt au vocabulaire psychanalytique se borne à trois termes : Œdipe, sur-moi, névrose.
50. MT., p. 78.
51. MT., p. 77.
52. Souligné par nous.
53. MT., p. 77.
54. Voir *infra,* 3e partie, chap. II, p. 368.
55. Voir *infra,* dans ce chapitre, p. 85.
56. MT., p. 76.

personne et une menace. La personne était folle ; quant à la menace, voici : des bouches d'ombre pouvaient s'ouvrir partout, en plein jour, sous le plus radieux soleil et me happer. Il y avait un envers horrible des choses, quand on perdait la raison, on le voyait, mourir c'était pousser la folie à l'extrême et s'y engloutir »[57].

Là-dessus, Sartre s'interroge et rationalise : « Je me sentais de trop, donc il fallait disparaître »[58]. Mais à la page précédente, il nous a donné les vraies raisons qui se moquent de la raison : « A cette époque, j'avais rendez-vous toutes les nuits avec elle dans mon lit. C'était un rite : il fallait que je me couche sur le côté gauche, le nez vers la ruelle ; j'attendais, tout tremblant, et elle m'apparaissait, squelette très conformiste, avec une faux ; j'avais alors la permission de me retourner sur le côté droit, elle s'en allait, je pouvais dormir tranquille »[59]. Or nous savons que les rituels du coucher, par leur mécanisme quasi-obsessionnel, exorcisent l'angoisse liée à la masturbation. Il n'y a aucune allusion à la masturbation dans *Les Mots,* mais nous verrons quelle place elle tient dans *L'Enfance d'un chef* et dans les biographies de Genet et de Flaubert. N'oublions pas, cependant, la présence répétée de la folie, du fou ou de la folle, dans ce qui effraie l'enfant, et que la folie est souvent une menace liée à la répression de la masturbation : l'histoire racontée dans *le Matin* et dont Sartre se rappelle encore le titre : « Du vent dans les arbres »[60], montre une jeune femme mourant de frayeur pour avoir sans doute aperçu le visage grimaçant d'un fou. L'enfant rejette le journal, en proie à une émotion intense. Dès lors, il aura peur des arbres (où peuvent nicher les fous), comme il aura peur de l'eau d'où sortent les pinces des crabes[61]. Les images de la mère archaïque, au ventre dangereux, reparaissent dans les lectures qui le terrifient : *La Vénus d'Isle* dont l'étreinte brise les os[62], la femme de *L'Ivrogne*[63] qui enferme son mari dans une boîte noire, ressemblant ainsi à la vieille folle rencontrée sur les quais et qui marmonne : « Cet enfant, je le mettrai dans ma poche ». Avec la ballade du *Roi des Aulnes*[64], que l'enfant ne peut entendre chanter par sa mère sans se boucher les oreilles, c'est la figure paternelle qui est mena-

---

57. MT., p. 78.
58. MT., p. 78. Nous verrons, en approfondissant notre analyse, *infra,* p. 93, que la peur de la mort n'est pas liée au fait contingent de la mort du père, mais à la satisfaction que cet accident apporte au vœu de mort inconscient, qui s'exprime de façon apparemment anodine, dans : « Par chance, il est mort en bas âge » (p. 11) ou « Moi, j'étais ravi » (p. 11).
59. MT., p. 76-77.
60. MT., p. 124.
61. Voir MT, p. 125, la description d'« une gravure à faire dresser les cheveux ».
62. MT., p. 77.
63. Il s'agit de la fable de La Fontaine, MT., p. 77.
64. MT., p. 77.

çante, le roi terrible qui désire et qui tue, malgré le père avec qui l'on chevauche, qui porte et qui protège.

L'angoisse de castration est sous-jacente au rêve de la petite fille au bassin qu'il nous faut citer tout entier, avec le commentaire dont Sartre l'accompagne :

> « Mon épée brisée [par le grand-père qui lui présente l'écriture comme une laborieuse annexe du professorat], rejeté dans la roture, je fis souvent, la nuit, ce rêve anxieux : j'étais au Luxembourg, près du bassin, face au Sénat ; il fallait protéger contre un danger inconnu une petite fille blonde qui ressemblait à Vévé, morte un an plus tôt. La petite, calme et confiante, levait vers moi ses yeux graves ; souvent, elle tenait un cerceau. C'était moi qui avais peur : je craignais de l'abandonner à des forces invisibles. Combien je l'aimais pourtant, de quel amour désolé ! Je l'aime toujours ; je l'ai cherchée, perdue, retrouvée, tenue dans mes bras, reperdue : c'est l'Epopée. A huit ans, au moment de me résigner, j'eus un violent sursaut ; pour sauver cette petite morte, je me lançai dans une opération simple et démente qui dévia le cours de ma vie : je refilai à l'écrivain les pouvoirs sacrés du héros »[65].

Il est difficile de ne pas voir, dans cette petite fille blonde, une image du rêveur lui-même. Au chapitre précédent, Sartre écrivait : « je saluais, à travers la grille, Lucette Moreau, ma voisine, qui avait mon âge, mes boucles blondes et ma jeune féminité »[66]. Et plus loin : « j'écrivais des madrigaux pour Vévé, une petite fille blonde qui ne quittait pas sa chaise longue et qui devait mourir quelques années plus tard. La petite fille s'en foutait : c'était un ange »[67]. N'oublions pas : « j'aurais le sexe des anges, indéterminé mais féminin sur les bords »[68], le « C'est *réellement* un ange ! »[69] des invités du grand-père à la fête de l'Institut devant le petit garçon déguisé et, combien d'années après ! cette extraordinaire persistance de l'adverbe : « Madame Bovary est très réellement un ange »[70]. (Il s'agit du texte savoureux où Sartre commente les divagations du fiacre. Ayant écrit : « elle se veut femme et libre contre la chiennerie qu'elle sent que son corps lui imposera »[71], il éprouve le besoin d'ajouter une note au mot chiennerie : « Je dis ce que pense Flaubert et ce qu'il fait penser à Emma ; non ce que je pense ». Sartre s'applique à ne pas faire

---

65. MT., p. 138-139.
66. MT., p. 46.
67. MT., p. 116.
68. MT., p. 84.
69. MT., p. 28.
70. I.F., tome II, p. 1277.
71. I.F., tome II, p. 1276.

l'ange[72]...) Revenons à l'expression « sexe indéterminé » ; que traduit-elle, sinon le refus ou l'impossibilité de s'accommoder de la différence des sexes ? Ce qui caractérise la petite fille ne peut pas être l'absence de pénis, car un petit garçon qui est aussi la petite fille de sa maman court alors un grand danger. « C'est un garçon, disait-il à ma mère, tu vas en faire une fille ; je ne veux pas que mon petit-fils devienne une poule mouillée ! » Anne-Marie tenait bon ; elle eût aimé, je pense, que je fusse une fille pour de vrai »[73]. Le danger vient de l'eau (de la mère), comme sur la gravure terrifiante de l'almanach Hachette : « une longue pince rugueuse sortait de l'eau, accrochait un ivrogne, l'entraînait au fond du bassin »[74]. Le commentaire de Sartre ruse avec l'inconscient par le biais de la rhétorique, mais en vain ; l'allégorie nous ramène au contenu du rêve : la petite fille Epopée est une image de l'écrivain, ce mâle indécis avec son « apparente féminité »[75]. (En fait, Sartre ne dépasse pas l'opposition avoir le phallus — être châtré, l'épée brisée — la plume épée ; il n'accède pas au couple d'opposés masculin-féminin[76].) Le texte est plein d'échos : sous l'image de la petite fille blonde, Anne-Marie est présente, lisible à travers les réminiscences littéraires : « Combien je l'aimais pourtant, de quel amour désolé... ». « Ariane, ma sœur, de quel amour blessée... ». « Pour la longue Ariane qui revint à Meudon... »[77]. Sauver cette petite fille, cette mère-sœur si semblable à soi, abandonnée, elle aussi, par le père, c'est la *tenir dans ses bras,* c'est en faire un livre : « Aujourd'hui encore, ce vice mineur me reste, la familiarité. Je les traite en Labadens, ces illustres défunts ; sur Baudelaire, sur Flaubert je m'exprime sans détours et quand on m'en blâme, j'ai toujours envie de répondre : « Ne vous mêlez pas de nos affaires. Ils m'ont appartenu, vos génies, je les ai *tenus dans mes mains, aimés à la passion*[78], en toute irrévérence. Vais-je prendre des gants avec eux ? »[79] Sauver la petite fille menacée de mort, c'est devenir un illustre défunt, effacer la blessure narcissique en remplaçant l'épée brisée par le livre fétiche.

Nous analyserons plus loin[80] la possession par le livre ou la possession du livre comme le phallus vécu sur le mode anal ;

---

72. Dans *Le Cheval de Troie* de Nizan, le personnage qui a « d'évidentes ressemblances » (Simone de Beauvoir, *La Force de l'âge,* Gallimard 1960, p. 244) avec Sartre, s'appelle Lange.
73. MT., p. 83-84.
74. MT., p. 125.
75. MT., p. 140.
76. Sur cette question du « primat du phallus », voir Freud, « L'organisation génitale infantile » (1923), dans *La vie sexuelle,* P.U.F., 1969, p. 113 à 116. Nous revenons sur ce point, à propos de Sartre, *infra,* 2e partie, chap. II, p. 252, chap. IV, p. 298 et 3e partie, chap. I, p. 342.
77. MT., p. 9.
78. Souligné par nous.
79. MT., p. 54.
80. *Infra,* dans ce chapitre, p. 84-87.

arrêtons-nous un instant à l'identification maternelle. « L'enchaînement paraît clair : *fé*minisé par la tendresse maternelle, af*fa*di par l'absence du rude Moïse qui m'avait engendré, in*fa*tué[81] par l'adoration de mon grand-père.[...] »[82]. La rationalisation égare l'enquêteur[83] (Sartre le sent : « l'enchaînement *paraît* clair »), mais la lettre, ici l'allitération, restitue le sens. « Fade » est l'adjectif qui revient le plus fréquemment dans *Les Mots* pour qualifier l'enfance de Sartre. Ne pouvant accéder pleinement au couple phallique-castré[84], l'enfant en reste au coupe d'opposés qui caractérise la phase anale : activité-passivité. En apparence, il est gentil comme une petite fille, il joue à être sage, surtout à la messe où le refoulé l'assaille sous forme de tentations exquises : se lever « en criant « badaboum ! »[85], grimper « à la colonne pour faire pipi dans le bénitier » [86], tentations de se rebeller contre la morale des sphincters imposée par la mère. Mais la soumission l'emporte et le refus de la différence : « Un baiser sans moustache, disait-on alors, c'est comme un œuf sans sel ; j'ajoute : et comme le Bien sans Mal, comme ma vie entre 1905 et 1914. Si l'on ne se définit qu'en s'opposant, j'étais l'indéfini en chair et en os »[87].

L'identification « féminine », liée à l'horreur et à la négation du sexe, éclate à la page 182 : un homme aborde sa mère dans la rue : « nous ne fîmes plus, Anne-Marie et moi, *qu'une seule jeune fille*[88] effarouchée qui bondit en arrière »[89]. L'émotion affleure encore chez le quinquagénaire : « j'ai oublié des milliers de visages, mais cette face de saindoux, je me la rappelle encore ; j'ignorais tout de la chair [...] mais [...], d'une certaine manière, tout m'était dévoilé. Ce désir, je l'avais ressenti à travers Anne-Marie ; à travers elle, j'appris à flairer le mâle, à le craindre, à le détester »[90]. De ce désir-là, il faut défendre sa mère et soi-même : « je trottinais d'un air dur, la main dans la main de ma mère, et j'étais sûr de la protéger »[91]. La tendresse domine et le lyrisme du souvenir : « Aujourd'hui encore, je ne puis voir sans plaisir un enfant trop sérieux parler gravement, tendrement à sa mère enfant ; j'aime ces douces amitiés sauvages qui naissent loin des

81. Souligné par nous.
82. MT., p. 91.
83. Nous serons amenée à contester ces trois propositions : sur le désir de la mère, voir, dans ce chapitre, *infra*, p. 90, sur l'interprétation de la mort du père, p. 94, sur l'ambivalence de la relation au grand-père, p. 93 et au chapitre suivant, p. 116. On notera à quel point le sujet paraît étranger à l'action de forces qui s'exercent sur lui « mécaniquement », semble-t-il.
84. Il faudrait, pour cela, oser imaginer la différence, même sous la forme archaïque du « en avoir ou pas » et donc affronter l'angoisse de castration.
85. MT., p. 18.
86. MT., p. 18.
87. MT., p. 29.
88. Souligné par nous.
89. MT., p. 182.
90. MT., p. 182.
91. MT., p. 183.

hommes et contre eux. Je regarde longuement ces couples puérils et puis je me rappelle que je suis un homme et je détourne la tête »[92]. Un autre texte témoigne, dans *Les Mots*, de « ces douces amitiés sauvages qui naissent loin des hommes et contre eux ». Le désir inconscient s'y fait jour et l'identification à la mère révèle son caractère sado-masochiste : « J'écoutais distraitement le récit trop connu ; je n'avais d'yeux que pour Anne-Marie, cette jeune fille de tous mes matins ; je n'avais d'oreilles que pour sa voix troublée par la servitude ; je me plaisais à ses phrases inachevées, à ses mots toujours en retard [...]. Tout le temps qu'elle parlait nous étions seuls et clandestins, loin des hommes, des dieux et des prêtres, deux biches au bois, avec ces autres biches, les Fées »[93].

Texte amoureux où l'érotisme est contenu dans cette « voix troublée par la servitude » et dans le glissement de l'épithète qui permet d'attribuer à la mère le trouble que l'enfant ressent lorsqu'il s'identifie à cette esclave soumise au père. Nous rejoignons là un des fantasmes majeurs de l'enfant : l'identification à Grisélidis. « J'avais lu vingt fois, dans la passion, l'histoire de Grisélidis ; pourtant je n'aimais pas souffrir et mes premiers désirs furent cruels : le défenseur de tant de princesses ne se gênait pas pour fesser en esprit sa petite voisine de palier. Ce qui me plaisait dans ce récit peu recommandable, c'était le sadisme de la victime et cette inflexible vertu qui finit par jeter à genoux le mari bourreau. C'est cela que je voulais pour moi : agenouiller les magistrats de force, les contraindre à me révérer pour les punir de leurs préventions. Mais je remettais chaque jour l'acquittement au lendemain ; héros toujours futur, je languissais de désir pour une consécration que je repoussais sans cesse »[94]. Sartre frôle ici la reconnaissance de son désir (pulsion anale, plaisir sado-masochiste de subir et de faire subir[95], mais ruse avec elle en pratiquant une disjonction défensive : « pourtant [...] mes premiers désirs furent cruels ». Or quand il fesse en esprit Lucette Moreau, il est *à la fois* le « Prince capricieux » du conte de Perrault et Lucette-Grisélidis. Sartre ne réintroduit le couple sadisme-masochisme qu'après l'avoir dépouillé de sa charge pulsionnelle (« ce qui me plaisait, c'était le sadisme de la victime »), quitte à démentir cette affirmation quelques lignes plus loin : « je languissais de désir pour une consécration *que je repoussais sans cesse* »[96]. La rationalisation déplace la jouissance : le désir n'est pas dans la « consécration » toujours

92. MT., p. 183.
93. MT., p. 34.
94. MT., p. 106.
95. Sur le lien de l'analité et du sado-masochisme, voir *infra*, 3e partie, chap. I, p. 339, note 202.
96. Souligné par nous.

remise à plus tard, il est de subir et de faire subir en s'identifiant tantôt à l'épouse malmenée, tantôt au seigneur cruel[97].

C'est la même relation amoureuse avec une figure paternelle sadique que nous retrouvons chez Michel Strogoff, martyr, « aveugle, couvert de plaies »[98]. L'enfant pleure de joie sur cette « vie exemplaire »[99], mais n'aime pas Michel, qu'il juge « trop sage »[100]. L'histoire de Grisélidis masque mieux le fantasme originaire, on peut se méconnaître sous les traits de la jeune épouse martyrisée. La soumission de Strogoff est plus gênante pour le narcissisme, aussi l'enfant balance-t-il souvent entre ce dernier et Pardaillan le superbe, qui « [soufflette] les rois méchants »[101]. Mais très vite, la dépendance lui manque, il redevient Grisélidis.

Une structure caractérielle anale se dessine : l'enfant prend plaisir à bouder[102] « délicieusement »[103] comme Grisélidis humiliée, mais sûre de son triomphe ; il s'ennuie, écrase des mouches et devient mouche écrasée[104]. Ses rapports avec les enfants de son âge sont difficiles. Il ne supporte pas l'école primaire.

Vivre la période œdipienne, c'est prendre le risque de comparer, de rivaliser, de se mesurer à quelqu'un d'autre ; en sortir, c'est renoncer à la toute puissance narcissique, s'accepter sexué, limité, échapper au vertige du tout ou rien : « je me retranchais du monde par crainte des mauvaises rencontres et des *comparaisons* »[105], écrit Sartre. « J'étais le premier, *l'incomparable*[106] dans

---

97. A.-J. Arnold et J.-P. Piriou (*Genèse et critique d'une autobiographie, Les Mots* de Jean-Paul Sartre, Minard, Archives des Lettres Modernes, n° 144, avril 1973), voient dans la figure de Grisélidis le mythe personnel de Sartre. Leur lecture, qui se veut psychanalytique (tout en manifestant une grande méfiance envers la « psychanalyse positiviste » (p. 53) et en l'intégrant d'un simple mouvement de plume, comme si cela allait de soi, à la méthode progressive-régressive de Sartre (p. 24, 25, 26 et 60) souligne l'identification à la mère, mais sans voir que ce qui se dessine ainsi est une configuration œdipienne inversée. Ils lisent bien dans le Prince cruel du conte une image paternelle, mais évacuent la jouissance perverse inhérente au lien « féodal » chez Sartre. Glissant, aussi rhétoriquement que ce dernier, de la servitude de la mère à la liberté du fils (p. 49), ils assimilent, arbitrairement à notre avis, liberté et masochisme (p. 60). Vidé de son contenu propre, le mythe de Grisélidis, devenu « dialectique » (p. 53), perd toute attache avec la soumission érotique et se mue en clé universelle de l'œuvre de Sartre. Ainsi, « Roquentin [...] figure Grisélidis qui [...] se vengera de tous les pères, de la bourgeoisie de Bouville tout entière » (p. 54). Voilà l'humble bergère un peu rapidement changée en héros œdipien positif.
98. MT., p. 108.
99. MT., p. 107.
100. MT., p. 107.
101. MT., p. 109.
102. « Je m'enlisais dans une bouderie imaginaire », MT., p. 109. Sur le lien entre l'analité et la bouderie, voir *infra*, 1re partie, chap. III, p. 109.
103. Sur les délices de la bouderie, *cf.* MT., p. 146 : « quelles délices de redevenir Grisélidis » et les paroles prêtées par Sartre à Madame Flaubert : « j'ai boudé et puis j'ai reconnu délicieusement mes torts » (I.F., tome I, p. 85), que nous commentons *infra*, 3e partie, chap. I, p. 318.
104. MT., p. 206.
105. MT., p. 145, souligné par nous.
106. Souligné par nous.

mon île aérienne ; je tombai au dernier rang quand on me soumit aux règles communes »[107]. Le grand-père a tôt fait de le soustraire aux affres de la compétition en lui donnant des maîtres particuliers. Au lycée, l'alarme se renouvelle : « Soumis à des comparaisons perpétuelles, mes supériorités rêvées s'évanouirent : il se trouvait toujours quelqu'un pour répondre mieux ou plus vite que moi. J'étais trop aimé pour me remettre en question : j'admirais de bon cœur mes camarades et je ne les enviais pas : j'aurais mon tour. A cinquante ans. Bref, je me perdais sans souffrir ; saisi d'un affolement sec, je remettais avec zèle des copies exécrables »[108]. L'« affolement sec » dément un peu le « sans souffrir ». Il est vrai que le système de défense névrotique est en place, anesthésiant. L'enfant ignore la jalousie, n'entre pas dans le *cursus honorum,* (le sien sera posthume) ; pourtant, il n'a d'yeux que pour les prix d'excellence[109]. Si Sartre reste, dans *Les Mots,* relativement discret sur le chapitre de l'école, *L'Idiot de la famille* porte encore la trace de son ressentiment : ce « collectif »[110] barbare où l'on « fourgue »[111] les enfants, où le « petit féal va se faire bouffer son sang bleu »[112], où « l'élève est en *danger* »[113] dans la copie notée, fabrique deux sortes de monstres, le cancre et le prodige, également victimes. Mais dans *Les Mots,* les conflits liés à l'impossibilité d'affronter l'Œdipe se lisent mieux à travers les pages qui évoquent les longues ruminations sur la carrière d'écrivain, que dans les quelques allusions au tourment de l'écolier.

Une lecture de Zevaco atteint durement l'enfant dans ses fantasmes de toute-puissance narcissique : à Madrid, dans une *posada,* Cervantès et Pardaillan font connaissance : « je faillis jeter le livre : quel manque de tact ! J'étais écrivain-chevalier, on me coupait en deux, chaque moitié devenait tout un homme, rencontrait l'autre et la contestait. Pardaillan n'était pas sot mais n'aurait point écrit Don Quichotte ; Cervantès se battait bien mais il ne fallait pas compter qu'il mît à lui seul vingt reîtres en fuite. Leur amitié, elle-même, soulignait leurs limites »[114]. Cette mauvaise rencontre ranime l'angoisse de castration. L'enfant était parvenu à un compromis. Le choc ressenti montre le caractère

---

107. MT., p. 61.
108. MT., p. 183.
109. Ni envie (ni gratitude) chez Sartre, pour reprendre les termes de Mélanie Klein (*Envie et gratitude,* Gallimard, 1968). Pas d'admiration non plus, chez l'adulte (voir S., X, p. 195), mais Poulou admirait Bénard, ce poussin frileux (p. 187), fils de couturière, cité comme un modèle par toutes les mères. Nous aurions tendance à voir dans cette admiration, une défense contre la jalousie à l'égard de ce « superprix d'excellence » (p. 189) qui, pour sa mère, était « *tout* » (p. 189). Sur la place de la jalousie dans l'œuvre de Sartre, voir *infra,* 1re partie, chap. IV, p. 175, note 422.
110. I.F., tome II, p. 1121.
111. I.F., tome II, p. 1121.
112. I.F., tome II, p. 1121.
113. I.F., tome II, p. 1122.
114. MT., p. 144.

défensif de l'idéal de l'écrivain-chevalier : l'écrivain est un estropié ; comme l'ange, il porte une robe, c'est un clerc ; se prononcer sur son sexe, c'est le limiter et le mettre en danger. Il compense, sur le mode anal, sadique. Bien sûr, il est « rachitique »[115], « catarrheux »[116], « malingre »[117], « gringalet »[118] ; il a les « jambes torses »[119], « la poitrine étroite »[120], une « face de carême »[121] Il est à la merci d'un « fier-à-bras de jardin public »[122], mais il « [affûte] »[123] son talent, possède un « bec d'acier »[124], « [dégaine] »[125] sa « plume acérée »[126] et « [embroche] »[127] les méchants. Très vite cependant, nous retrouvons l'oscillation caractéristique du stade anal : sadisme de l'écrivain-chevalier, masochisme de l'écrivain martyr : « Silvio Pellico : emprisonné à vie. André Chénier : guillotiné. Etienne Dolet : brûlé vif. Byron : mort pour la Grèce »[128]. Les deux aspects se retrouvent en Zola : « avec quel entrain j'aurais joué [son] rôle : houspillé à la sortie du Tribunal, je me retourne sur le marchepied de ma calèche, je casse les reins des plus excités — non, non : je trouve un mot terrible qui les fait reculer. Et, bien entendu, je refuse, *moi,* de fuir en Angleterre ; méconnu, délaissé, quelles délices de redevenir Grisélidis, de battre le pavé de Paris sans me douter une minute que le Panthéon m'attend »[129]. Peu à peu, le scénario héroïque est abandonné : sous la Troisième République, il n'y a plus ni brigands ni tyrans, et, dans la guerre entre nations, la prouesse individuelle ne pèse guère. Un schéma prévaut, celui de l'écrivain méconnu qui souffre et sauve le monde sans que l'ingrat s'en doute, schéma fort satisfaisant du point de vue de l'analité : rien ne se perd, pas de déchet, pas de temps mort, tout sert, le « plein emploi »[130] de soi est réalisé. Cette bosse au front, ce rhume, cette attente vague au Luxembourg, l'écrivain les récupérera. Ce qui est retiré à la prouesse est réinvesti dans l'écriture et dans l'aboutissement éminent de celle-ci, le livre.

---

115. MT., p. 134.
116. MT., p. 134.
117. MT., p. 134.
118. MT., p. 110.
119. MT., p. 141.
120. MT., p. 141.
121. MT., p. 141.
122. MT., p. 134.
123. MT., p. 145.
124. MT., p. 117.
125. MT., p. 147.
126. MT., p. 145.
127. MT., p. 145.
128. MT., p. 145.
129. MT., p. 146.
130. Cette expression parlante est utilisée par Sartre à propos du Tintoret. Sur le plein emploi de soi par « l'homme imaginaire », voir 2e partie, chap. III, p. 275, note 105.

Les livres

Dès la première phrase qui leur est consacrée, le symbole phallique est évident ainsi que le lien à l'analité, par le biais de l'argent : « Je ne savais pas encore lire que, déjà, je les révérais, ces *pierres levées* : droites ou penchées, serrées comme des briques sur les rayons de la bibliothèque ou noblement espacées en allées de *menhirs*, je sentais que la prospérité de notre famille en dépendait » [131]. L'enfant les touche en cachette. Leur valeur, c'est d'appartenir au grand-père. Ceux que la grand-mère emprunte chaque semaine, « couchés »[132] et non dressés, font l'objet d'un « culte mineur »[133], ils sont « colifichets »[134] et « confiserie »[135]. Au contraire, lorsque le grand-père corrige les épreuves du *Deutsches Lesebuch* réédité chaque été et les « [sabre] de traits rouges » en « [jurant] le nom de Dieu »[136] à chaque faute d'impression, l'enfant « [contemple] dans l'extase ces lignes noires striées de sang »[137]. Les livres sont vivants, ils ont une odeur : certains sentent le champignon, d'autres les feuilles mortes ; *L'Enfance des hommes illustres* est un « petit livre bleu de nuit avec des chamarrures d'or un peu noircies dont les feuilles épaisses [sentent] le cadavre »[138]. La vie s'est retirée du monde pour entrer dans la bibliothèque qui est le « ventre »[139] de Karl. Les émotions, les aventures, c'est là qu'on les trouve : on peut crouler sous une avalanche en allant dénicher un ouvrage, on fait d'horribles et de fascinantes rencontres : « les livres ont été mes oiseaux et mes nids, mes bêtes domestiques, mon étable et ma campagne »[140] ; « je les ai tenus dans mes mains, aimés à la passion »[141]. Ici nous glissons du livre au fétiche, à l'homme-livre.

Pour comprendre cette identification et l'émotion qui s'y attache, il nous faut revenir au grand-père. C'est lui qui « manie » le livre qui « [l'ouvre] d'un coup sec "à la bonne page" en le faisant craquer comme un soulier »[142]. C'est lui qui destine Mérimée au Cours Moyen : « au quatrième étage de la bibliothèque, Colomba c'était une fraîche colombe aux cent ailes, glacée, offerte et systématiquement ignorée ; nul regard ne la déflora jamais. Mais, sur le rayon du bas, cette même vierge s'emprisonnait dans

131. MT., p. 29-30, souligné par nous.
132. MT., p. 30.
133. MT., p. 31.
134. MT., p. 30.
135. MT., p. 30.
136. MT., p. 32.
137. MT., p. 32.
138. MT., p. 167. Voir *infra*, dans ce chapitre, p. 87 nos remarques sur le livre cercueil et au chapitre II de la troisième partie, p. 357, sur l'écrivain, ce Lazare qui sent déjà.
139. MT., p. 55.
140. MT., p. 37.
141. MT., p. 54.
142. MT., p. 30.

un sale petit bouquin brun et puant ; [...] il y avait des notes en allemand et un lexique ; j'appris en outre, scandale inégalé depuis le viol de l'Alsace-Lorraine, qu'on l'avait édité à Berlin. Ce livre-là, mon grand-père le mettait deux fois la semaine dans sa serviette, il l'avait couvert de taches, de traits rouges, de brûlures et je le détestais : c'était Mérimée humilié »[143]. Nous retrouvons là l'horreur et la fascination du viol : que la scène sous-jacente soit une défloration anale, l'« humiliation » du « sale petit bouquin brun et puant » l'indique assez. Flaubert, lui, est « un petit entoilé, inodore, piqueté de taches de son »[144]. Si nous nous laissons solliciter par le texte, nous évoquerons un gamin avec des taches de rousseur, mais « entoilé » risque de nous faire dériver jusqu'au « mot vertigineux »[145] dont parle Genet. Corneille, lui, est double : c'est « un gros rougeaud, rugueux, au dos de cuir, qui [sent] la colle »[146]. « Ce personnage incommode et sévère »[147] (comme le vieil écrivain bougon rencontré dans la steppe par la comtesse[148]), « [blesse] les cuisses »[149] quand l'enfant le transporte. « Mais, à peine ouvert »[150], sa féminité secrète apparaît : « il m'offrait ses gravures sombres et douces comme des confidences »[151].

Cette bissexualité du livre, qui connote la castration de l'écrivain (dont nous ne saisirons pleinement la nécessité tactique qu'après l'étude de *La Nausée*[152]), nous paraît fonctionner, à un autre niveau, comme une sorte de leurre. L'existence du « deuxième » sexe, récusée par l'enfant, fait retour chez le narrateur adulte, mais déplacée sur le livre : « Quelquefois je m'approchais pour observer ces boîtes qui se fendaient comme des huîtres et je découvrais la nudité de leurs organes intérieurs, des feuilles blêmes et moisies, légèrement boursouflées, couvertes de veinules noires [...] »[153]. On aurait tort, nous semble-t-il, en se fiant à de telles images, de tenir pour acquis, désormais, l'accession au couple d'opposés masculin-féminin et, partant, le renoncement à la toute-puissance phallique.

Le livre apparaît en effet, avant tout, comme l'équivalent du phallus vécu sur le mode anal[154]. On le flaire, on le palpe, on le

143. MT., p. 52.
144. MT., p. 50.
145. Il s'agit de l'adjectif « envergué » (S.G., p. 277) qui en masque un autre, plus explicite.
146. MT., p. 50.
147. MT., p. 50.
148. MT., p. 159.
149. MT., p. 50.
150. MT., p. 50.
151. MT., p. 50.
152. *Infra*, 1re partie, chap. IV, p. 161, 197.
153. MT., p. 30.
154. Sur cette équivalence, imaginée par le petit enfant, entre le pénis et les fèces voir « L'homme aux loups », *Cinq Psychanalyses*, P.U.F., 1967, p. 389 et le commentaire de Serge Leclaire que nous citons *infra*, 2e partie, chap. III, p. 277-278.

traite en poupée[155], on le berce, on l'embrasse, on le bat. Et la poupée, ce n'est pas seulement le livre « manié »[156] par le grand-père, c'est aussi, à un niveau plus archaïque, l'enfant *tout entier* « manié » par la mère : « Je renais [Sartre en livre], je deviens enfin *tout un homme*, pensant, parlant, chantant, tonitruant [...] »[157]. De même, le monument funéraire devient « *tout un homme* baroque »[158]. L'expression désigne l'homme-auquel-il-ne-manque-rien, la personne totale prise comme objet partiel et que les adultes « tripotent »[159]. L'arrière-plan érotique de cette manipulation, voilé dans *Les Mots*, est patent dans *L'Enfance d'un chef* : « Madame Besse était une grande et forte femme avec une petite moustache. Elle renversait Lucien, elle le chatouillait en disant : « Ma petite poupée ». Lucien était ravi, il riait d'aise et se tortillait sous les chatouilles : il pensait qu'il était une petite poupée, une charmante petite poupée pour grandes personnes et il aurait aimé que madame Besse le déshabille et le lave et le mette au dodo dans un tout petit berceau comme un poupon de caoutchouc »[160]. Le langage de la mère, innocent dans *Les Mots* (encore faut-il le dire vite, car cette douce violence a tôt fait de devenir suspecte) : « Mon petit chéri sera bien mignon, bien raisonnable, il va se laisser mettre des gouttes dans le nez bien gentiment »[161], déclenche dans *L'Idiot de la famille*, le scénario qui conduira à la satisfaction sexuelle : « tiens-toi tranquille, oui, comme ça, il n'y en a plus pour longtemps [...]. On l'a compris, poursuit Sartre, les caresses dont il rêve sont hostiles [...]. La volupté viendra, chez Gustave, quand il se sentira possédé *contre son gré, avec son consentement pâmé* par l'impitoyable *activité* de l'autre. [...] accepter dans l'ivresse des sens, d'être sous-humanisé et réduit au statut de la chose inanimée, reconnaître, pâmé, la supériorité de race du manipulateur, qu'est-ce donc sinon se comporter en masochiste »[162].

Sartre ignore sans doute que « le masochiste met en avant sa castration par la mère pour pouvoir, sous ce camouflage, introjecter analement le phallus du père »[163]. Mais, c'est cette tactique qu'il décrit lorsqu'il analyse le bénéfice que Flaubert tire de sa chute en s'écroulant aux pieds de son frère aîné, dans la fameuse nuit de janvier 1844 : il redevient *maniable*[164]. Son « impotence [de]

---

155. MT., p. 53.
156. MT., p. 30 : « mon grand-père — si maladroit, d'habitude, que ma mère lui boutonnait ses gants — maniait ces objets culturels avec une dextérité d'officiant ».
157. MT., p. 161 ; souligné par nous.
158. MT., p. 77.
159. *Cf.* MR., p. 201.
160. MR., p. 153.
161. MT., p. 14.
162. I.F., tome I, p. 847.
163. André Stéphane, *L'Univers contestationnaire*, Petite Bibliothèque Payot, 1969, p. 285.
164. I.F., tome II, p. 1864.

nourrisson »[165] oblige « ce Moïse terrible et viril [le docteur Flaubert] à devenir *maternel* »[166], à « entrer en jupon dans sa chambre et [à] le manipuler ou le socratiser [au moyen de la seringue] avec une douceur féminine »[167]. « Transformer un géniteur en génitrix »[168], c'est ce que fait Flaubert en tombant « comme une quille »[169], c'est ce que fait Sartre en masquant la plupart du temps la soumission homosexuelle de l'enfant à la figure paternelle sous une « constitution passive », préfabriquée par les « soins maternels ». « La quille décline toute responsabilité »[170], « y compris l'obligation de se laver, de se raser, de déféquer, etc. »[171]. Elle est proche de l'état cadavérique : « le thème du devenir-chose de l'homme a toujours hanté Gustave, écrit Sartre, Marguerite finit sur une table de dissection et l'on fera l'autopsie de Charles Bovary »[172]. Mais le Seigneur des Morts c'est Achille-Cléophas que le petit Flaubert a pu surprendre dans ses travaux de dissection : « le cadavre est chose éminemment *maniable* ; on le déshabille, on le couche sur une table, ou lui ouvre le ventre »[173]. « On me prend, on m'ouvre, on m'étale sur la table, on me lisse du plat de la main et parfois on me fait craquer »[174], écrit Sartre dans le texte superbe et délirant qui évoque sa métamorphose posthume en livre.

Nous sommes mieux à même de saisir maintenant d'où émergent des métaphores d'apparence anodine : « c'était mes *poupées*, ces *hommes-troncs*, j'avais pitié de cette misérable survie *paralysée* qu'on appelait leur immortalité »[175]. Le couple phallique-castré est affirmé dans la même phrase, l'un niant l'autre et inversement : ces estropiés sont des quilles. Le cadavre manié par le père dans sa rigidité est aussi un paralysé. Et Charles, le paralysé de Berck, « fleur en pot »[176] immobilisée par sa gouttière et qui porte le prénom du grand-père (c'est aussi celui de Baudelaire[177], « cette totalité raidie, perverse et insatisfaite »[178]), fait manier sa « petite poupée » par l'infirmière[179]. La mère est « infirmière »[180], dans *Les*

---

165. I.F., tome II, p. 1865.
166. I.F., tome II, p. 1865.
167. I.F., tome II, p. 1865.
168. I.F., tome II, p. 1865-1866.
169. I.F., tome II, p. 1866.
170. I.F., tome II, p. 1867.
171. I.F., tome II, p. 1866.
172. I.F., tome II, p. 1867.
173. I.F., tome II, p. 1867.
174. MT., p. 161.
175. MT., p. 53.
176. C.L., tome II, p. 29.
177. Et l'un des prénoms, cachés, de l'auteur : Jean-Paul, Charles, Aymard Sartre.
178. B., p. 221.
179. C.L., tome II, p. 58-59. Le texte érige l'objet partiel en personne totale : la poupée est l'homme « tout entier » — phallus — manié. Nous trouverons dans les textes de Genet ces mêmes signes d'un culte phallique qui renvoie, au complexe de castration (voir *infra*, 2e partie, chap. II, p. 235 et 259).
180. MT., p. 10. Dans *Le Sursis*, le dédoublement de la figure féminine (l'infir-

Mots. « Elle aimait que je fusse, à huit ans, resté *portatif* et d'un *maniement* aisé : *mon format réduit* passait à ses yeux pour un premier âge prolongé »[181]. Cet « *homunculus* »[182] a « dans le ventre [...] au moins cinq cents [pages] »[183]. N'oublions pas que les livres, s'ils sont pierres levées, sont aussi « boîtes magiques »[184]. « Tournée la dernière page du livre, Michel [Strogoff] s'enfermait tout vif dans son petit cercueil doré sur tranche »[185] ; *L'Enfance des hommes illustres* sent le cadavre. Dans la boîte, dans le ventre, il y a un cadavre qui sent, le phallus paternel, mort et vie[186].

Peut-être pouvons-nous maintenant relire, en lui donnant toute sa profondeur symbolique, le morceau de bravoure paranoïaque qui célèbre, dans *Les Mots*, l'apothéose de l'écrivain :

> « aux environs de 1955, une larve[187] éclaterait, vingt-cinq papillons[188] in-folio s'en échapperaient, battant de toutes leurs pages pour s'aller poser sur un rayon de la Bibliothèque Nationale. Ces papillons ne seraient autres que moi [...]. Mes os sont de cuir et de carton, ma chair parcheminée sent la colle et le champignon [...]. On me prend, on m'ouvre [...]. Je me laisse faire et puis tout à coup je fulgure, j'éblouis, [...] je suis un grand fétiche maniable et terrible [...]. On me lit, je saute aux yeux ; on *me* parle, je suis dans toutes les bouches, [...] parasite de l'humanité, mes bienfaits la rongent[189] et l'obligent sans cesse à ressusciter mon absence »[190].

---

mière d'une part, et de l'autre, la belle jeune femme blonde au manteau de fourrure, malade et souillée), fait apparaître l'impossibilité d'unir tendresse et sensualité. Gaëtan Picon place les pages des *Chemins de la liberté* sur l'exode des allongés parmi « les plus fortes du roman universel » (*Panorama de la Littérature française*, Gallimard, 1960, p. 111). Elles mettent à nu, dans toute sa crudité, l'une des failles majeures de la sensibilité sartrienne : l'amour s'y exprime, comme chez l'enfant de trois ans, par le contrôle des viscères. Il n'est pas indifférent que la scène qui se passe dans le wagon de marchandises se termine ainsi : « Je la protègerai », pensa-t-il avec amour » (p. 208); les mêmes termes manifestent dans *Les Mots* la tendresse du fils pour sa mère (*cf.* p. 13 et p. 183). Le côté infantile du « cèderas-cèderas pas », dévoilé dans *Le Diable et le Bon Dieu* aux heures de tentation, est ici occulté par l'orchestration sur le mode sublime des thèmes de la misère de l'homme, malade, prisonnier, en proie au besoin. Evoquée de façon complaisante dans *L'Enfance d'un chef*, cette incapacité d'accéder à la sexualité génitale, liée à un retour aux conflits de la période anale, s'inscrit plus discrètement dans *Les Mots*.

181. MT., p. 111 ; souligné par nous.
182. Le terme est appliqué par Sartre à Baudelaire, B., p. 224.
183. MT., p. 203.
184. MT., p. 58.
185. MT., p. 107.
186. Voir notre analyse de ce fantasme, *infra*, 3e partie, chap. II, p. 356.
187. L'opposition de la larve et du fétiche connote le couple phallique-castré.
188. Le papillon, c'est aussi la « féminité » de l'écrivain. Rappelons-nous Colomba, « la fraîche colombe aux cent ailes ».
189. Rien de plus fréquent chez Sartre que le vocable « ronger ». Une des sources de l'image est sans doute à situer au niveau de l'érotisme urétral. Nous reviendrons sur ce point à propos de Genet, *infra*, 2e partie, chap. II, p. 238 et du Tintoret, *infra*, 2e partie, chap. III, p. 275.
190. MT., p. 161-162.

Rappelons, ici, le texte de *Saint Genet* que nous avons déjà cité[191] et qui évoquait avec colère et dégoût la possession par le père : « je n'aime pas les âmes habitées », les « chevaux d'un zar » qui ont fait leur « soumission à un protecteur étranger », à un « parasite » qu'il faut nourrir de « sa propre chair », comme « une idole invisible et insatiable ». Le chevauché de *Saint Genet* devient le chevauchant des *Mots.* Cette inversion de l'inverti était déjà vraie d'ailleurs de Genet lui-même : « Son procédé n'a pas varié depuis le temps où, jeune voyou, il se faisait prendre par les Macs pour leur voler leur moi. Il se fait posséder par ses lecteurs ; le voici sur le rayon d'une bibliothèque, on le prend, on l'emporte, on l'ouvre. « Je vais voir, dit l'honnête homme, ce que ce gaillard a dans le ventre. » Mais celui qui croyait prendre est soudain pris »[192].

Cependant ce retournement du « posséder » en « être possédé » est sans fin. Si être lu, c'est posséder, écrire, c'est être possédé. Une page, particulièrement vive, des *Mots,* insiste sur le tourment d'écrire ; là encore il nous faut être attentifs aux métaphores :

> « mes livres sentent la sueur et la peine, j'admets qu'ils puent au nez de nos aristocrates ; je les ai souvent faits contre moi, ce qui veut dire contre tous, dans une contention d'esprit qui a fini par devenir une hypertension de mes artères. On m'a cousu mes commandements sous la peau : si je reste un jour sans écrire, la cicatrice me brûle ; si j'écris trop aisément, elle me brûle aussi. [...]
>
> Seulement voilà : [...] nous sommes tous pareils dans notre métier : tous bagnards, tous tatoués. Et puis le lecteur a compris que je déteste mon enfance et tout ce qui en survit : la voix de mon grand-père, cette voix enregistrée qui m'éveille en sursaut et me jette à ma table, je ne l'écouterais pas si ce n'était la mienne, si je n'avais, entre huit et dix ans, repris à mon compte dans l'arrogance, le mandat soi-disant impératif que j'avais reçu dans l'humilité.[193] »

Ce qui se lit, comme en filigrane, c'est une scène de torture[194]. Un autre texte transparaît, *La Colonie pénitentiaire* de Kafka dont une phrase constitue l'épigraphe d'un chapitre de *Saint Genet* : « Notre sentence n'est pas sévère. On grave simplement à l'aide de la herse le paragraphe violé sur la peau du coupable »[195]. Il s'agit de « tatouer » un « bagnard », à l'aide d'une « machine » à supplice. Immédiatement après le texte des *Mots* que nous avons cité, Sartre introduit cette phrase de Chateaubriand : « Je sais fort

---

191. *Supra,* p. 71.
192. S.G., p. 463.
193. MT., p. 136-137.
194. Nous reviendrons, notamment *infra,* 3e partie, chap. III, p. 377-378 sur cette « question » qui est au centre des *Morts sans sépulture* et des *Séquestrés d'Altona.* La torture de Sartre n'est-elle pas d'érotiser la torture ?
195. S.G., p. 23.

bien que je ne suis qu'une machine à faire des livres »[196]. Dans la machine sartrienne, ce qui grave ou coud le commandement sous la peau, ce n'est pas la herse, mais la voix du grand-père. Ce « travail », au sens étymologique, se fait dans la sueur, la puanteur et laisse de brûlantes cicatrices. L'image du bourreau et de son corps-à-corps avec la victime, n'est pas ici érotisée. Elle l'est ailleurs dans l'œuvre de Sartre, elle l'est subrepticement dans la terrible nouvelle de Kafka, à travers l'apparente douceur du supplice qui doit faire mourir le condamné dans l'extase. La soumission homosexuelle à la figure paternelle se lit dans la dévotion de l'officier à son commandant mort, dans la phrase qu'intériorise le supplicié : « Honore ton supérieur », dans le mouvement qui pousse l'officier à prendre la place du bagnard à l'intérieur de la machine conçue par le commandant. Le fait que Sartre cite *La Colonie pénitentiaire* dans *Saint Genet* montre que cet aspect du texte ne lui a pas échappé.

Un Œdipe incomplet

Les métaphores relatives au livre, à l'écriture, au métier du grand-père, nous ont approchée de ce qui est sans doute un fantasme fondamental de Sartre. Nous avons vu se dessiner un scénario sado-masochiste dont l'interprétation va nous permettre de revenir, pour le nuancer, sur ce que nous avancions à propos de l'« Œdipe incomplet » décrit par Sartre. Ce scénario peut s'énoncer ainsi : une colombe est violée, un bagnard est tatoué ; le sujet qui imagine s'identifie à celui ou à celle qui subit. Cette scène est à la fois reconnue et niée avec véhémence : il y a deux Colomba et l'une d'elle est intacte ; mais la dénégation est elle-même niée, comme dans les ruminations interminables de l'obsessionnel : la blanche colombe est « glacée », mais elle est, aussitôt après, « offerte »[197]. Un « pont associatif »[198], l'adjectif « glacée », permet de passer de la vierge à la mère[199].

Le même effort d'annulation, de disjonction défensive, est à l'œuvre dans la prédilection de Sartre pour l'expression « fief du soleil »[200] : le moi respire, il y a des jouissances sans possession :

196. MT., p. 137.
197. MT., p. 52.
198. S. Freud, « L'homme aux loups », *Cinq Psychanalyses*, P.U.F., 1967, p. 353.
199. « Anne-Marie, glacée de reconnaissance [...] MT., p. 9-10.
200. MT., p. 14-15. Tintoret sera aussi « fief du soleil », voir *infra*, 2e partie, chap. III, p. 282. Sartre a sans doute rencontré la formule en lisant *La société féodale* de Marc Bloch (collection L'Evolution de l'humanité, Albin Michel, 1939) qu'il cite à la page 187 de *Saint Genet*. On peut lire dans l'ouvrage de Marc Bloch, à propos de l'alleu : « On l'a parfois défini : « pleine propriété ». C'était oublier que cette expression s'applique toujours mal au droit médiéval [...]. L'alleu [...] n'est pas forcément vers le bas un droit absolu. Mais il l'est vers le haut. « Fief du soleil » — entendez sans seigneur humain —, diront de lui, joliment, les juristes allemands de la fin du moyen

« Mon grand-père pouvait jouir de moi sans me posséder »[201], comme il y a, apparemment, des possessions sans jouissance[202] : personne ne conteste à l'enfant la « tranquille possession »[203] de sa mère : terreur d'érotiser la soumission, terreur de s'essayer à la séduction. Car il faut bien voir que là où Sartre veut nous faire lire la norme, il nous en montre la perversion. Il croit décrire un Œdipe positif : « l'inceste me plaisait » et résolu : « s'il restait platonique ». La phrase implique tout autre chose : une fixation archaïque à la mère et un refus inconscient de l'interdit de l'inceste. « J'ai longtemps rêvé [écrit Sartre en note comme pour devancer toute interprétation] d'écrire un conte sur deux enfants perdus et discrètement incestueux. On trouverait dans mes écrits des traces de ce fantasme : Oreste et Electre, dans *Les Mouches*, Boris et Ivich dans *Les Chemins de la Liberté*, Frantz et Leni dans *Les Séquestrés d'Altona*. Ce dernier couple est le seul à passer aux actes. Ce qui me séduisait dans ce lien de famille, c'était moins la tentation amoureuse que l'interdiction de faire l'amour : feu et glace, délices et frustration mêlées, l'inceste me plaisait s'il restait platonique »[204]. Mais justement, reportons-nous au texte des *Séquestrés :* « Prétendras-tu que je fais l'amour ? Oh ! sœurette ! Tu es là, je t'étreins, l'espèce couche avec l'espèce — comme elle fait chaque nuit sur cette terre un milliard de fois »[205]. Dans l'espèce « humaine », certaines femmes sont interdites et c'est ce qui permet l'accès aux autres femmes. Celui qui méconnaît l'interdit se condamne au « platonisme pathologique »[206], que la forme en soit l'impuissance, « le plus général des rabaissements de la vie amoureuse »[207] ou l'homosexualité. Cette dernière, nous l'avons vu, prévaut, dans les fantasmes liés à l'écriture. On peut néanmoins, dans *Les Mots*, relever une trace du premier désir incestueux actif avant son renversement dans le contraire : « [rassasier] »[208] les « longues

---

âge. » (p. 264-265). Etre fief du soleil, c'est donc être sans seigneur humain. Nous verrons que ce rejet du père réel renforce l'empire du père imaginaire, dont la stature ne fera que croître avec le développement de l'œuvre.

201. MT., p. 15.
202. L'expression est appliquée par Sartre à la Beauté, dans *Saint Genet* (p. 478). Nous verrons *infra*, 3e partie, chap. II, p. 365-366, que cette Beauté qui tue le désir est une image maternelle.
203. MT., p. 17.
204. MT., p. 42.
205. *Les Séquestrés d'Altona*, Gallimard, 1960, p. 91.
206. B., p. 142.
207. S. Freud, *La vie sexuelle*, P.U.F., 1969, p. 55. La multiplicité des amours « contingentes » qui s'oppose à l'unicité de l'amour « nécessaire », l'opposition de la sensualité et de la tendresse trahissent, dans la vie de Sartre, cette fixation originelle inconsciente. « Ce que je vais dire est déplaisant à entendre, écrit Freud, *op. cit.*, p. 61, et au surplus paradoxal, mais on est pourtant forcé de le dire : pour être, dans la vie amoureuse, vraiment libre et, par là, heureux, il faut avoir surmonté le respect pour la femme et s'être familiarisé avec la représentation de l'inceste avec la mère ou la sœur ». Tout, dans l'œuvre de Sartre, montre qu'il n'a jamais osé se familiariser avec cette représentation. Aussi demeure-t-il à jamais prisonnier de l'image maternelle.
208. MT., p. 142.

dames pensives »[209] du cabinet de lecture, c'est tenter de les assouvir sur le mode le plus archaïque, celui de l'oralité. Que ces liseuses « insatisfaites »[210] soient des figures de la mère, un autre « pont associatif » nous l'indique : elles sont « longues » comme la « longue Ariane qui revint à Meudon »[211] après son deuil.

Avant de clore ce chapitre, nous nous arrêterons à trois formules symptomatiques que l'on retrouve à travers toute l'œuvre de Sartre et dont la permanence ou l'évolution nous retiendront dans les chapitres suivants : il s'agit du *qui perd gagne*, de l'opposition du *comme personne* au *comme tout le monde* et du *de trop*. On peut y lire les difficultés de la relation à autrui caractéristiques de l'évitement œdipien, la hantise de la compétition et le complexe de castration.

La connotation anale du « qui perd gagne » (refus d'accepter la perte, désir de récupération totale) se précisera peu à peu. La figure qui en éclaire le mieux les aspects sado-masochistes est Grisélidis. Le « qui perd gagne » doit son nom à une certaine façon de jouer aux échecs en inversant les règles du jeu. Nous le verrons progressivement, dans *Saint Genet* et dans *L'Idiot de la famille*, se charger de bien suspectes résonances religieuses[212]. Dans *Saint Genet*, Sartre reproche vivement au chrétien le calcul masqué sous la générosité apparente. Et s'il parle dans *Les Mots* du « mythe odieux du Saint qui sauve la populace »[213], la véhémence du ton ne peut s'expliquer que par une identification au Christ longtemps caressée, aujourd'hui reniée. Sartre traque, dans son autobiographie, ce Christ des Belles-Lettres auquel manque l'essentiel : l'amour de ses frères, auquel seul importe son salut narcissique (tirer des larmes à un blondinet du trentième siècle) et qui sauve les autres en les ignorant par le seul fait qu'il se séquestre pour écrire. Mais il a l'honnêteté de reconnaître, à la fin des *Mots*, qu'on ne se délivre pas si facilement d'une structure caractérielle : « on se défait d'une névrose, on ne se guérit pas de soi »[214]. (Le *Flaubert* va plus loin : la névrose, c'est l'homme même). « Je prétends sincèrement n'écrire que pour mon temps mais je m'agace de ma notoriété présente : [...] puisque j'ai perdu mes chances de mourir inconnu, je me flatte quelquefois de vivre méconnu. Grisélidis pas morte »[215]. Peut-être est-il dans la nature du « qui perd

209. MT., p. 142.
210. MT., p. 142.
211. MT., p. 9.
212. Voir *infra*, 2e partie, chap. II, p. 236-237 et 3e partie, chap. III, p. 400-402. Déjà dans le mystère que Sartre écrivit en captivité, la parole évangélique figure sous une forme un peu inhabituelle : « Celui qui veut gagner sa vie la perdra », *Bariona*, dans M. Contat et M. Rybalka, *Les Ecrits de Sartre*, Gallimard, 1970, p. 612.
213. MT., p. 50.
214. MT., p. 211.
215. MT., p. 212.

gagne » de renaître sans cesse ; sans doute l'auto-analyse ne suffit-elle pas à l'exorciser. Au lendemain de la guerre, dans *Qu'est-ce que la littérature ?*, Sartre prétendait déjà n'écrire que pour son temps ; or il mentait, ou se mentait. Terroriste, il interdisait aux autres d'écrire pour la postérité et jouait, lui, sur les deux tableaux : décidé à tordre le cou à Grisélidis (cessons de chercher la gloire à travers la méconnaissance), Sartre ressuscitait Pardaillan (engageons-nous *hic et nunc*). Mais Grisélidis revenait à la vie subrepticement, à travers les exemples donnés : « Quoi de plus engagé, de plus ennuyeux que le propos d'attaquer la Société de Jésus ? Pascal en a fait les Provinciales »[216]. Il ignorait à ce moment-là qu'il fût Pascal. D'où il résulte que si je m'engage totalement dans les conflits de mon temps sans penser aux générations futures, j'aurai peut-être la grâce de... Sartre, à cette époque[217], ressemble aux chrétiens hypocrites décrits dans *Saint Genet* qui font le bien en se masquant qu'ils cherchent leur salut.

L'oscillation du *comme personne* au *comme tout le monde* tire son origine de la difficulté de répondre à la question : « Qui suis-je ? », — un petit garçon, une petite fille, un ange ? Elle a son principe dans le refus de se reconnaître sexué, dans l'impossibilité d'identifications œdipiennes stables. Si bien que ce *n'importe qui* à quoi Sartre pense être parvenu à la fin des *Mots*, cache, sous le rejet de la différence, l'angoisse de castration : « Tout un homme, fait de tous les hommes et qui les vaut tous et que vaut n'importe qui »[218]. Modestie démentie par la répétition ternaire du « tout », par le « tout un homme » (tic sartrien qui représente, nous l'avons vu, l'homme-auquel-il-ne-manque-rien, la partie et le tout, le tout pris pour la partie, la poupée-phallus), par la tonalité maniaque du « je les vaux tous », par l'insistance sur la valeur, le prix, valeur du reste devenue folle, inestimable au sens propre : surtout, évitons les comparaisons ! « Je sais ce que vaux »[219], c'est ainsi que Sartre commente l'expression de sa bouche « gonflée par une hypocrite arrogance »[220] sur une photo d'enfant. La fin des *Mots*, qui se donne pour une guérison, affirme : je ne veux pas savoir ce que je vaux, je vaux tout, je ne vaux rien. Je ne vaux surtout pas quelque chose de particulier, de défini, en quoi je suis, bien sûr, semblable à tout un chacun, mais dans ma différence.

Le *de trop* est rattaché par Sartre dans *Les Mots* à l'absence du père, dont il dit pourtant n'avoir pas souffert. L'explication nous

216. S., II, p. 76.
217. Est-elle révolue ? Qu'est-ce qui exigeait en effet de Sartre que son « adieu à la littérature » (S., X, p. 94) fût écrit « en style » (*ibid.*, p. 93) ? Nulle part il ne justifie ce diktat : « un objet qui se conteste soi-même doit être écrit le mieux possible » (*ibid.*, p. 94).
218. MT., p. 213.
219. MT., p. 19.
220. MT., p. 19.

apparaît plutôt comme une rationalisation a posteriori, faite par l'enfant et par l'adulte, du sentiment d'être de trop qui a sa source dans ses rapports avec son grand-père : sentiment de petit amoureux éconduit qui ne veut pas grandir et subit des rebuffades. Le dépit est sensible lorsque le *de trop* se change en *trop.* « Quand on aime *trop* les enfants et les chiens, on les aime contre les hommes »[221]. Mon grand-père m'aime pour « emmerder ses fils »[222], il me préfère Simonnot. Le *de trop* est l'expression d'une jalousie torturante.

> « C'était fête. [...] Je volais de main en main sans toucher terre [...] quand mon grand-père, du haut de sa gloire, laissa tomber un verdict qui me frappa au cœur : « Il y a quelqu'un qui manque ici : c'est Simonnot. » [...] au centre d'un anneau tumultueux, je vis une colonne : M. Simonnot lui-même, absent en chair et en os. Cette absence prodigieuse le transfigura. Il s'en fallait de beaucoup que l'Institut fût au complet [...]. Seul, M. Simonnot *manquait.* [...] Puisque c'était mon lot, à moi, d'être à chaque instant situé parmi certaines personnes, en un certain lieu de la terre et de m'y savoir superflu, je voulus manquer comme l'eau, comme le pain, comme l'air à tous les autres hommes dans tous les autres lieux »[223].

Le *de trop* est bien corrélatif du manque, mais il ne s'agit pas du manque de père réel. Est *de trop,* celui qui ne parvient pas à manquer comme M. Simonnot, à être cette prestigieuse colonne creuse. Le *de trop* ne dit pas le délaissement, mais la nostalgie de la toute-puissance. Cela apparaît clairement dans le discours que Sartre fait tenir à Flaubert à propos de la mort de son père : « l'un de nous deux était de trop ; si je suis homme aujourd'hui, c'est que j'ai payé ma liberté de sa vie »[224].

Revenons au texte des *Mots* : « La mort de Jean-Baptiste [...] rendit ma mère à ses chaînes et me donna la liberté »[225]. « Brutus tue son fils et c'est ce que fait aussi Mateo Falcone. [...] mes jours n'étaient pas en danger puisque j'étais orphelin »[226]. « Eût-il vécu, mon père se fût couché sur moi de tout son long et m'eût écrasé »[227]. « Il n'y a pas de bon père, c'est la règle »[228]. Il semble bien que Sartre, aveugle à son propre désir, l'ait érigé en loi[229]. Il

221. MT., p. 21.
222. MT., p. 20.
223. MT., p. 73-74.
224. I.F., tome II, p. 1910.
225. MT., p. 11.
226. MT., p. 40-41.
227. MT., p. 11.
228. MT., p. 11.
229. Ainsi, il supprime d'un même mouvement *tous* les pères : « En ce temps-là, nous étions tous plus ou moins orphelins de père [. . .] » (MT., p. 189) ; temps mythique du vœu inconscient que l'histoire paraît un moment exaucer.

ne peut imaginer l'Œdipe, nous y reviendrons[230], autrement que comme la mort *réelle* du père [231] ; il transforme en droit ce fait contingent, si bien que ce qu'il nomme liberté devient le signe même de son aliénation. Lorsque, dans l'inconscient, l'interdit de l'inceste n'est pas accepté, le père est « de trop » ; sa mort est une « chance »[232] dont on est « ravi »[233]. Mais le prix à payer est lourd, parce qu'on occupe la place du mort. Voilà pourquoi on est soi-même « de trop ». Aussi doit-on être « sage comme une image »[234], enchérir sur la soumission au grand-père, se tuer d'avance dans un « suicide à la gribouille »[235] et anticiper la castration de peur de la subir[236]. Celui dont le père est « de trop » a quelque chose en trop.

Que le « de trop » soit un « trop » qui risque de compromettre la « tranquille possession » de la mère, un texte de *L'Idiot de la famille* nous semble le confirmer : « [Madame Flaubert] ne put dissimuler l'ardent désir de faire une fille, de se refaire. Après quoi la sage-femme extirpa d'elle un garçon ; on le lui montra avec des cris et des rires, nu, et, comme nous sommes à la naissance, magnifiquement pourvu. Si mon hypothèse est juste, la jeune mère vit en lui une bête étrange : elle avait trop espéré se reproduire — au sens littéral du mot — pour ne pas ressentir qu'un usurpateur s'était incarné sans visa dans la chair de sa chair »[237].

Nous avons dû, une fois de plus, anticiper et recourir aux biographies, ici au *Flaubert*, ailleurs à *Saint Genet*, pour éclairer un aspect de l'autobiographie. Cependant, une première lecture d'ensemble des *Mots* nous a permis de repérer certaines structures fondamentales de la personnalité de Sartre. Nous pouvons dès maintenant dire de la représentation qu'il a voulu donner de ses relations avec les figures parentales, ce qu'il écrit lui-même de son milieu familial : « c'étaient de faux conflits, résolus d'avance »[238]. Nous avons cherché ailleurs, dans le texte, et surtout dans les métaphores liées aux livres, les conflits réels. Nous allons à présent demander au premier récit d'enfance de Sartre, de confirmer et d'élargir nos hypothèses.

---

230. *Infra*, 3e partie, chap. II, p. 353.
231. Ce que nous décrivons ici nous semble se rapprocher de l'Œdipe de l'obsessionnel évoqué par Didier Anzieu dans son article sur « Le discours de l'obsessionnel dans les romans de Robbe-Grillet », *Les Temps Modernes*, octobre 1965, n° 233, p. 608-637.
232. MT., p. 11.
233. MT., p. 11.
234. Sartre use de cette expression familière à propos de Genet enfant (S.G., p. 13).
235. MT., p. 160.
236. Nous verrons (*infra*, 1re partie, chap. IV), comment *La Nausée* réalise ce « programme névrotique » (l'expression est de Sartre à propos de Flaubert, I.F., tome III, p. 443).
237. I.F., tome I, p. 133.
238. MT., p. 39.

CHAPITRE III

L'ENFANCE D'UN CHEF

Le vécu et l'imaginé

Les Mots, l'avant-propos d'*Aden-Arabie*[1] permettent de lire *L'Enfance d'un chef* autrement qu'on pouvait le faire lors de sa parution, en 1939. La chasse au petit fait biographique n'est pas ce qui nous retiendra. On peut noter, bien sûr, que Berliac emprunte à Nizan ses petits cols ronds et ses pantalons serrés[2], que Nizan connut Freud[3] à travers les surréalistes et que Berliac initie Lucien à la psychanalyse et l'introduit auprès du surréaliste Bergère, que Nizan tenait les femmes à distance et « n'avait de goût que pour les jeunes filles »[4]. « A l'une d'elles qui vint s'offrir presque dans notre " thurne ", écrit Sartre, il répondit : « Madame, nous nous salirions »[5]. Dans *L'Enfance d'un chef*, c'est Lucien, et non Berliac, que dégoûtent les amours ancillaires, qui respecte les sœurs de ses amis et rêve de la jeune fille qui se garde pour lui quelque part en province[6]. Ce qui intéresse notre lecture, ce n'est pas de savoir *qui*, dans la nouvelle, représente qui, sujet de tel goût ou de tel dégoût, mais de comprendre quel conflit est à l'œuvre dans telle forme de dissociation de la vie amoureuse. Autre exemple : Lucien devient camelot du Roi et nous savons que Nizan en eut la tentation : « Communiste, puis valoisien, puis de nouveau communiste, il était facile de le tourner en dérision et je ne m'en privais pas »[7]. Mais Lucien, pas plus que Berliac, n'est une

1. Nouvelle édition, Maspero, Paris, 1960 ; repris dans *Situations*, IV, sous le titre « Paul Nizan ».
2. Voir S., IV, p. 142 et MR., p. 176.
3. Le rapprochement de Freud et de Spinoza est dans les deux textes : MR., p. 204 ; S., IV, p. 153.
4. S., IV, p. 143.
5. S., IV, p. 143.
6. Dans *Le Sursis* le communiste Brunet, rédacteur à *L'Humanité*, se reproche son goût exclusif des bourgeoises et son recul instinctif devant le naturel et la vulgarité de Zézette. Mathieu, lui, est plus divisé : tendresse envers la femme de l'autre, du frère, envers la bourgeoise pudique, désir de la femme facile, négligée.
7. S., IV, p. 147.

caricature de Nizan ; composite, il a maints traits de Sartre enfant. Peu importe à notre propos que le Sartre de 1938 se moque de l'engagement de Nizan, mais la hantise sartrienne de se définir, lisible à travers les incertitudes de son héros, et qui vise évidemment bien autre chose que le politique[8], nous paraît, elle, hautement significative.

Nous ne poserons pas non plus, cela va de soi, le problème de l'homosexualité en termes biographiques. La séduction de Lucien par Bergère, d'un jeune homme qui se cherche par un Narcisse qui le cherche, peut avoir été vécue ou rêvée ou lue ou racontée par un camarade, ou tout cela à la fois, peu importe. Ce qui retient notre attention, au contraire, c'est la place de l'homosexualité dans l'œuvre, la reprise de la scène de séduction, avec des variantes, dans *Les Chemins de la liberté*, l'attirance et le refus de la relation maître-disciple, la fascination des rapports « d'homme à homme » dans le théâtre, l'admiration éperdue et reconnue pour Genet, chez un homme qui dit ignorer le sentiment d'admiration[9]. Du point de vue où nous nous plaçons, l'origine des matériaux (la vie, le rêve, les hantises, les lectures), compte peu, ils sont limaille sur le papier qu'aimante la fantasmatique[10]. C'est aussi pourquoi le fait que la « scène primitive » vécue par Lucien vienne sans doute d'une lecture polémique de Freud, ne saurait lui ôter de son intérêt. On attaque pour se défendre et l'on se défend de ce qui vous atteint. Comme « L'homme aux loups »[11] dans son enfance, Lucien a fait un cauchemar après avoir dormi dans la chambre de ses parents : « Tout au fond de cette nuit sombre et bleue quelque chose s'était passé — quelque chose de blanc »[12]. Dans le texte de Freud, le blanc c'est le linge des parents ; dans *L'Enfance d'un chef*, Lucien voit « papa en bras de chemise »[13]. Mais le cauchemar du patient de Freud recouvre un loup dressé, en mouvement. Celui de Lucien, probablement fabriqué par Sartre pour souligner par dérision le caractère « anal » de son héros, reste cependant significatif par les résonances qu'il entretient avec les autres textes

---

8. Notons que lorsque le mot engagement apparaît pour la première fois dans l'œuvre de Sartre, c'est à propos de l'homosexualité et nanti d'un adverbe qui lui donne, surtout après coup, une grande saveur : « Je ne suis rien [pense Lucien] mais c'est parce que rien ne m'a sali. Berliac, lui, est salement engagé ». MR., p. 206.
9. Voir *supra*, 1re partie, chap. II, p. 81, note 109.
10. Nous empruntons au *Vocabulaire de la psychanalyse*, P.U.F., 1968, p. 155, ce néologisme qui nous a paru traduire très précisément le caractère agissant des fantasmes liés aux conflits non résolus. J. Laplanche et J.-B. Pontalis écrivent : « l'ensemble de la vie du sujet [...] se révèle comme modelé, agencé par ce qu'on pourrait appeler, pour en souligner le caractère structurant, une fantasmatique. Celle-ci n'est pas à concevoir seulement comme une thématique, [...] elle comporte son dynamisme propre, les structures fantasmatiques cherchant à s'exprimer, à trouver une issue vers la conscience et l'action, et attirant constamment à elles un nouveau matériel ».
11. S. Freud, *Cinq psychanalyses*, P.U.F., 1967, p. 342 à 358.
12. MR., p. 149.
13. MR., p. 149.

sartriens : « papa et maman portaient des robes d'anges, Lucien était assis tout nu sur son pot, il jouait du tambour, papa et maman voletaient autour de lui ; c'était un cauchemar »[14]. On aimerait pouvoir appeler ce rêve, rêve de « déplaisance »[15] comme il y a en analyse des rêves de « complaisance ». Il reste que, même si les parents volettent, ils portent des robes d'anges : le sexe est nié[16]. C'est l'enfant qui est nu et retient en lui la précieuse matière, renforçant son pouvoir par le bruit qu'il fait[17]. Rappellerons-nous que la scène observée par le patient de Freud était un coït *a tergo*[18] ?

Qui suis-je ?

Pour qui étudie la fantasmatique d'un écrivain, l'imaginé peut donc être aussi parlant que le vécu. Ce point de méthode précisé, revenons à ce qui nous occupe, c'est-à-dire à la parenté de structure entre *Les Mots* et *L'Enfance d'un chef*. Avec encore plus d'insistance que l'autobiographie, la nouvelle pose la question « Qui suis-je ? ». *Les Mots* vont du « comme personne » au « comme tout le monde ». Mais cette évolution n'est qu'apparente : le « comme personne» masque le complexe de castration et la primauté du phallus. Et le « n'importe qui » n'est au bout du chemin, que lorsqu'on a derrière soi l'œuvre fétiche et qu'on ne peut plus, justement, être « n'importe qui », sauf au sens où Flaubert et Baudelaire sont aussi, bien entendu, « n'importe qui ». Dans *L'Enfance d'un chef*, Lucien est d'abord « l'indéfini en chair et en os »[19] et il est terrifié à l'idée d'être « n'importe qui »[20]. « M. Fleurier revint au mois de mars parce que c'était un chef et le général lui avait dit qu'il serait plus utile à la tête de son usine que dans les tran-

---

14. MR., p. 149.
15. A la fois pastiche et parodie d'un texte clinique désormais classique, il instaure avec Freud un type de relation qui n'est pas loin de la « singerie » prêtée par Sartre à l'enfant des *Mots*.
16. Fabriqué, ce rêve l'est remarquablement : les moyens d'expression du processus primaire y figurent : condensation de signifiés contradictoires (le « vol » des parents (*cf.* S. Freud, *L'Interprétation des rêves*, P.U.F., 1967, p. 338-339) est annulé par leur angélisme, mais leur robe connote le linge), déplacement sur l'enfant de la nudité entrevue, surdétermination, mise en image.
17. Voir *infra*, p. 109, notre commentaire du passage qui montre Lucien « sur le trône ».
18. Et qu'on ne peut dénombrer dans l'œuvre de Sartre les occurrences de l'expression « par-derrière ». La selle par laquelle l'homme aux loups interrompt la sieste de ses parents est interprétée par Freud comme le signe d'une double identification, active, au père, mais surtout passive, à la mère (*Cinq psychanalyses*, p. 383). Notons que c'est « par-derrière » que se situent, dans la nouvelle, les complexes de Lucien (comme Anchise sur Enée) : « quelque chose [. . .] pesait sur son dos comme une besace : c'étaient ses complexes » (MR., p. 203).
19. MT., p. 29.
20. On trouve sans doute là une des raisons (narcissiques) de la terreur que la cure inspire à Sartre. Il ne l'a jamais dite, mais il prête à Lucien ce désir : « se faire psychanalyser par un spécialiste » pour « [devenir] un homme comme les autres » (MR., p. 201).

chées comme n'importe qui »[21]. On n'a pas le droit d'être n'importe qui si l'on est le fils de M. Fleurier. La réponse au « qui suis-je ? » va se transformer au fur et à mesure que la nouvelle avance. — Je ne suis pas un homosexuel. — Je ne suis pas un juif. Lucien, au café, contemple les « métèques » : « il n'était pas une méduse, [...] il n'appartenait pas à cette faune humiliée, il se dit « je suis en plongée »[22]. En plongée, l'enfant des *Mots* faisait de terribles rencontres :

> « l'ombre noyait la salle à manger, [...] l'angoisse renaissait, [...] alors ça venait : un être vertigineux me fascinait, invisible ; pour le voir il fallait le décrire. [...] Ce qui venait alors sous ma plume — pieuvre aux yeux de feu, crustacé de vingt tonnes, araignée géante et qui parlait — c'était moi-même, monstre enfantin, c'était mon ennui de vivre, ma peur de mourir, ma fadeur et ma perversité »[23].

Parfois le *ça* est moins flatteur, il perd ses proportions gigantesques. L'enfant grimace devant la glace : « je ne trouvais en moi qu'une fadeur étonnée. Sous mes yeux, une méduse heurtait la vitre de l'aquarium, fronçait mollement sa collerette, s'effilochait dans les ténèbres »[24]. « En fouillant [...] dans cette intimité de muqueuse [pense Lucien], que pouvait-on découvrir, sinon la tristesse de la chair, l'ignoble mensonge de l'égalité »[25].

On diffère comme on peut : c'est l'antisémitisme qui empêchera Lucien de n'être qu'un « frisson de méduse »[26]. « Dans cette foule molle, Lucien s'enfonçait comme un coin d'acier »[27]. Son antisémitisme « pointait hors de lui comme une lame d'acier »[28]. « La veille encore, c'était un gros insecte ballonné, pareil aux grillons de Férolles ; à présent Lucien se sentait propre et net comme un chronomètre »[29]. L'opposition des « bêtes agonisantes »[30], du grillon écrasé, « petite boulette élastique »[31] sous la semelle, de la « larve blanche et perplexe »[32], à la dureté du métal — dans le café aux métèques, Lucien, assis à côté du « petit Juif », « petit monstre gras et pensif » se sent « insolite et menaçant, une monstrueuse horloge [...] qui rutilait »[33] — cette opposition se retrouve dans *Les Mots* entre la mouche que l'enfant écrase avant de redevenir

21. MR., p. 156.
22. MR., p. 236.
23. MT., p. 126.
24. MT., p. 89.
25. MR., p. 238.
26. MR., p. 237.
27. MR., p. 235.
28. MR., p. 237.
29. MR., p. 235.
30. MR., p. 208.
31. MR., p. 208.
32. MR., p. 208.
33. MR., p. 236.

mouche[34] et la plume « bec d'acier »[35] ou l'expression « bonheur d'acier »[36] appliquée à l'écriture. Elle est particulièrement remarquable dans l'image où Sartre se voit écrivant *La Nausée.* « *J'étais* Roquentin, [...] en même temps j'étais *moi,* l'élu, annaliste des enfers, photomicroscope de verre et d'acier penché sur mes propres sirops protoplasmiques »[37]. Dans les deux cas, il s'agit de poser une prothèse sur de la gelée[38]. Mais la nouvelle, qui se veut texte sur la mauvaise foi, est profondément un texte de mauvaise foi. Car le dernier avatar de la réponse au « qui suis-je ? » se trouve hors texte, c'est le soulagement de l'écrivain : Je ne suis pas Lucien. Du point de vue de la démesure inconsciente, la faute de Lucien n'est pas d'être antisémite, mais d'avoir prématurément choisi d'être quelqu'un, comme le militant communiste des *Chemins de la liberté.* Choisir d'être quelqu'un [39], c'est perdre à tout jamais la possibilité d'être tout[40]. Quand Lucien regarde avec envie ces hommes « faits »[41] que sont les jeunes camelots du Roi, l'écrivain jubile doucement, car il pense à part lui : « fait comme un rat ». A la fin, il leste son héros d'une usine et d'une famille à venir, et rebondit, délivré.

Les deux enfances Sartre

Si nous laissons le mouvement général, pour revenir au détail du texte, nous sommes frappés par la profondeur de son ancrage dans le vécu sartrien. La fête qui inaugure la nouvelle, c'est « la fête annuelle de l'Institut des Langues Vivantes »[42] : « long buffet couvert d'une nappe blanche »[43], orangeade, champagne dans *L'Enfance d'un chef*, orangeade, tisane de champagne dans *Les Mots*[44]

34. MT., p. 206.
35. MT., p. 117.
36. MT., p. 93.
37. MT., p. 210.
38. L'image persiste jusque dans *L'Idiot de la famille* : Gustave se perche « témoin d'acier, au-dessus de sa vie » (tome II, p. 1558). Ses ambitions sont « ordres de fer donnés, rigides, à une amibe poussant en vain, n'importe où, ses protoplasmes indécis », (tome I, p. 572). Même opposition de deux matières, signe d'affinité fantasmatique, dans la phrase de Genet que cite Sartre : « Tous les cambrioleurs comprendront la dignité dont je fus paré quand je tins dans la main la pince-monseigneur, la « plume ». [...] J'avais, depuis toujours, besoin de cette verge d'acier pour me libérer complètement de mes bourbeuses dispositions » (S.G., p. 375).
39. Comme dans *La Nausée,* être « quelqu'un », c'est forcément, pour Sartre, se prendre à son personnage. Ce qui lui permet de se désolidariser assez hypocritement de ces incarnations de l'esprit de sérieux. Mais nous verrons, en progressant dans notre étude, que le véritable épouvantail, pour Sartre, ce n'est pas la vanité de l'important, mais la modestie de celui qui consent à se reconnaître situé, limité, défini par ce qu'il fait.
40. Sur le désir du « Tout », voir *infra,* 1re partie, chap. IV, p. 177 et 3e partie, chap. II, p. 361-362.
41. MR., p. 223.
42. MT., p. 134.
43. MR., p. 148.
44. *Cf.*, MR., p. 148 et MT., p. 28 et 134.

(comme il se doit lorsqu'on passe des industriels aux professeurs). « Je suis adorable dans mon petit costume d'ange ». [...] tout le monde trouvait qu'il était si charmant avec ses ailes de gaze, sa longue robe bleue, ses petits bras nus et ses boucles blondes »[45]. « En robe de mousseline bleue, avec des étoiles dans les cheveux, des ailes, je vais de l'un à l'autre, offrant des mandarines dans une corbeille, on se récrie : « C'est *réellement* un ange ! »[46]. Cette salle des fêtes est aussi un lieu de l'imaginaire sartrien, lié au manque et au fantasme de toute-puissance : dans *L'Enfance d'un chef*, l'angoisse de l'interrogation sur le sexe s'y éveille : « C'est une vraie petite fille [...]. Comment t'appelles-tu ? Jacqueline, Lucienne, Margot ? »[47]. Dans *Les Mots*, elle est le théâtre de la formidable absence d'un être-colonne[48]. L'enfant la fera revenir cent fois dans ses rêveries pour réparer l'outrage de s'être senti de trop. « Une image a résumé longtemps à mes yeux les fastes sinistres de la notoriété : une longue table recouverte d'une nappe blanche portait des carafons d'orangeade et des bouteilles de mousseux, je prenais une coupe, des hommes en habit qui m'entouraient [...] portaient un toast à ma santé, je devinais derrière nous l'immensité [...] d'une salle en location. On voit que je n'attendais plus rien de la vie sinon qu'elle ressuscitât pour moi, sur le tard, la fête annuelle de l'Institut des Langues Vivantes »[49]. Dans *L'Idiot de la famille*, on y attend Dieu : « ils avaient fait leur possible, [...] leur âme était une grande salle d'honneur vide, dont ils avaient déménagé tous les meubles et qui se trouvait parfaitement apte à recevoir un hôte divin : si celui-ci ne répondait pas à l'invitation, c'était vraisemblablement qu'il s'était égaré en route ou qu'il était mort depuis longtemps ou qu'il n'avait jamais été »[50]. Nous reviendrons sur ce vide qui attend d'être rempli par le Tout[51].

De *L'Enfance d'un chef* aux *Mots*, même complaisance familiale, même docilité de l'enfant. Pas l'ombre d'une révolte, sinon dans l'écriture de la nouvelle, qui accentue la soumission jusqu'aux limites du tolérable. On a l'impression que l'adulte a voulu renouveler la cuisante brûlure de l'enfance : « chérubin défraîchi »[52], « actrice vieillissante »[53], il « en remettait »[54] et ne parvenait qu'à

45. MR., p. 147.
46. MT., p. 28.
47. MR., p. 147. Lucienne ou Lucien ? N'oublions pas que Poulou avait un double féminin en Lucette Moreau, sa voisine. Sur les avatars du prénom Lucien, voir *infra*, 1re partie, chap. IV, p. 163, note 325 et 3e partie, chap. I, p. 346 sur sa résurgence inopinée.
48. MT., p. 73-74. Voir *supra*, 1re partie, chap. II, p. 93.
49. MT., p. 134.
50. I.F., tome I, p. 520.
51. 3e partie, chap. III, p. 384-385.
52. MT., p. 89.
53. MT., p. 85.
54. Pour parler comme Boris dans *L'Age de raison*, à propos d'une danseuse « affolée par l'envie de plaire » (C. L., tome I, p. 181-182), et comme Sartre à propos de Flaubert, I.F., tome II, p. 1824.

déplaire. Trente ans après, l'écrivain répète l'expérience, mais pour s'en libérer. Il la maîtrisera en se voulant consciemment déplaisant : « il aurait aimé barboter dans sa petite baignoire et que maman le lavât avec l'éponge en caoutchouc. On lui permit de se coucher dans la chambre de papa et de maman, comme lorsqu'il était bébé ; il rit et fit grincer les ressorts de son petit lit »[55]. C'est le langage de la régression, du bobo[56] et du dodo, de l'enfant gâté, du caprice ; c'est, hors saison, le langage de la mère, de celle qui ne veut pas que le petit garçon grandisse et qui recule le moment de couper ses boucles. Le début de *L'Enfance d'un chef* fait revenir à satiété l'épithète « petit », petit costume, petit bras, petite chérie, petite baignoire, petit lit, petit homme, petit bijou, petite souris, petite poupée, petit berceau. Simone de Beauvoir écrit de madame Mancy : « Elle parlait par courtes phrases brisées, abusant, pour atténuer le sens de ce qu'elle disait, du mot « petit ». Par exemple, dans les salons de thé, elle demandait à la serveuse : « Où sont les petits cabinets ? »[57] L'autobiographie égratigne le grand-père et emprunte sa voix[58] ; elle épargne la mère qui lira son portrait. La fiction emprunte la voix de la mère et témoigne de l'ambivalence des sentiments de l'enfant à son égard. « Maman serrait Lucien contre elle, elle était chaude et parfumée, toute en soie. De temps à autre l'intérieur de l'auto devenait blanc comme de la craie, Lucien clignait des yeux, les violettes que maman portait à son corsage sortaient de l'ombre et Lucien respirait tout à coup leur odeur »[59].

Ces violettes qui sortent de l'ombre, cette craie aveuglante, c'est le bonheur de la fusion avec la mère, bonheur qui ressuscite dans *Les Mots* avec les pages sur le cinéma :

> « des poires violettes luisaient au mur, j'étais pris à la gorge par l'odeur vernie d'un désinfectant. L'odeur et les fruits de cette nuit habitée se confondaient en moi : je mangeais les lampes de secours, je m'emplissais de leur goût acidulé. [...] je regardais l'écran, je découvrais une craie fluorescente, des paysages clignotants, rayés par des averses »[60].
>
> « Nous étions du même âge mental [« Ma mère et moi nous avions le même âge »[61]] : j'avais sept ans et je savais lire, il en avait douze et ne savait pas parler [...]. Je n'ai pas oublié notre enfance commune ; [...] quand une femme,

55. MR., p. 148.
56. « Est-ce que j'ai vraiment bobo ? » (MR., p. 152). Sur l'impossibilité de ressentir commune à Lucien, à Roquentin, à Sartre, à Genet, à Gorz et à Flaubert, voir 1re partie, chap. IV, p. 186-187, 2e partie, chap. II, p. 257-258, chap. IV, p. 294-295, 3e partie, chap. II, p. 372.
57. *Tout compte fait*, Gallimard, 1972, p. 105.
58. Voir *supra*, 1re partie, chap. II, p. 72.
59. MR., p. 148.
60. MT., p. 98.
61. MT., p. 180.

près de moi, vernit ses ongles, [...] quand, dans un train de nuit, je regarde au plafond la veilleuse violette, je retrouve dans mes yeux, dans mes narines, sur ma langue les lumières et les parfums de ces salles disparues »[62].

D'un texte à l'autre les résonances sont multiples : « Lucien était tout le temps dans ses jupes, comme à l'ordinaire et il bavardait avec elle en vrai petit homme »[63]. « Elle m'appelait son chevalier servant, son petit homme ; je lui disais tout. Plus que tout : rentrée [à cette époque Jean-Paul, lycéen, cesse d'écrire autre chose que ses exercices scolaires], l'écriture se fit babil et ressortit par ma bouche [...]. Cela commençait par un bavardage anonyme dans ma tête »[64]. Lucien adolescent trouve dans Barrès un moyen de fuir les « bavardages intarissables de sa conscience »[65]. Dans *Les Mots,* pour échapper plus sûrement à cette oralité envahissante, maternelle[66], le babil se fera écrit : « Je pourrais couler ma babillarde, ma conscience, dans des caractères de bronze, remplacer les bruits de ma vie par des inscriptions ineffaçables, ma chair par un style, les molles spirales du temps par l'éternité »[67]. Dans les deux textes, c'est aussi la mère qui est le véhicule du « pour autrui » : « Ma mère revint outrée d'une visite à Mme Malaquin qui lui avait dit tout net : « André trouve que Poulou fait des embarras »[68]. « Un soir, madame Fleurier dit brusquement à Lucien : “ Tu crois peut-être que Riri t'est reconnaissant de ce que tu fais pour lui ? Eh bien, détrompe-toi, mon petit garçon : il prétend que tu te gobes, c'est ta tante Berthe qui me l'a dit ”. Elle avait pris sa voix musicale et un air bonhomme ; Lucien comprit qu'elle était folle de colère »[69].

Mais c'est seulement dans *L'Enfance d'un chef* que Lucien répète : « j'aime ma maman »[70], pour se masquer la proposition contraire. Cette pensée l'envahit après qu'il a (mal) dormi dans la chambre de ses parents. Reconstitution livresque à notre avis. A l'âge où Lucien est un « petit prétendant »[71] humilié, Poulou dort dans un lit jumeau de celui de sa mère-grande-sœur. L'agressivité qu'il éprouve certainement alors s'adresse à la mère nourricière et anale[72]. Mais ce que censurent à la fois *Les Mots* et *L'Enfance d'un*

---

62. MT., p. 100. Sur les dangers de la fusion avec la mère, voir *infra,* 1re partie, chap. IV, p. 168-170.
63. MR., p. 149.
64. MT., p. 181. Sur le « Ça parle dans ma tête » (MT., p. 181), voir *infra,* 1re partie, chap. IV, p. 164, note 339.
65. MR., p. 221.
66. Voir là-dessus, *infra,* 1re partie, chap. IV, p. 167 et 2e partie, chap. IV, p. 304.
67. MT., p. 160-161.
68. MT., p. 186.
69. MR., p. 169-170.
70. MR., p. 154.
71. MT., p. 205.
72. Nous revenons dans ce chapitre, *infra,* p. 115 sur le caractère postiche de l'Œdipe de Lucien. Notre hypothèse d'une très forte agressivité chez Sartre à l'égard de l'image maternelle orale et anale se trouvera étayée par l'étude

chef c'est la crise que dut traverser l'enfant lors du second mariage de sa mère. Sartre interrompt la description de l'enfant qu'il fut, juste avant cet événement[73]. Il nous laisse sur l'image du petit garçon trottinant auprès de sa mère enfant, racontant en style épique leurs menues aventures à la troisième personne du pluriel[74], tout son pouvoir de séduction ayant reflué dans la parole. Le livre coupe court[75] et se termine sur les traits de caractère de l'adulte qui prolongent et maintiennent, même transformée, la névrose enfantine. Sartre avait projeté de donner une suite aux *Mots* : il ne l'a pas fait ; il n'a peut-être pas pu le faire. Il aurait fallu regarder en face ce qu'il éprouvait pour son beau-père et comment était remis en question le fragile équilibre de la onzième année. Imagine-t-on le bouleversement que peut provoquer le mariage de sa mère chez un enfant qui, à cet âge encore, « [ignore] tout de la chair »[76], a rusé avec l'Œdipe, s'est identifié à sa mère au point de ne faire plus avec elle « qu'une seule jeune fille effarouchée »[77], qui s'est soumis au grand-père adoré dont il convoite analement la puissance. Le voilà, par personne interposée, ravi à la loi de Moïse et violenté. (La fixation anale lui interdit d'envisager autrement la « scène primitive ».) De tout cela, nous ne saurons rien[78], directement.

---

de *La Nausée* (*infra*, 1re partie, chap. IV, p. 167-169 ; 181-182) et de *Saint Genet* (*infra*, 2e partie, chap. II, p. 230-231).

73. Voir à ce sujet l'étude de Philippe Lejeune : « L'ordre du récit dans *Les Mots* de Sartre », dans *Le Pacte autobiographique*, Seuil, 1975, p. 220-221.
74. MT., p. 180-181. C'est, bien avant la lettre, la technique que Sartre analysera chez Dos Passos comme étant le point de vue d'un « chœur » (S., I, p. 20) complaisant : « Essayez [...] de vous raconter [l']entretien [que vous venez d'avoir avec un ami] à la manière de Dos Passos [...]. Vous vous haïrez aussitôt » (S., I, p. 23) ; à quoi répond, dans *Les Mots* : « [...] je déteste mon enfance » (p. 137). Tout cela en dit long sur un idéal du moi persécuteur dont le narcissisme actuel ne supporte pas le narcissisme passé.
75. Après quelques pages sur l'entrée au lycée.
76. MT., p. 182.
77. MT., p. 182.
78. Il est plus que probable que Sartre n'en sait rien non plus. Le mécanisme de défense est en place depuis très longtemps. Le beau-père fut « parfait ». Simone de Beauvoir (*Tout compte fait*, Gallimard, 1972, p. 104) et Sartre (*Sartre*, texte du film réalisé par A. Astruc et M. Contat, Gallimard, 1977, p. 16) retrouvent l'un et l'autre le langage désuet de leur bourgeoisie natale pour qualifier l'attitude de M. Mancy. C'est le même adjectif qui dans *Les Mots* définit celle du grand-père à l'égard de sa fille veuve (p. 9). Le rejet de la castration symbolique se lit dans la façon naïve dont Sartre et Simone de Beauvoir cherchent à atténuer la « faute » de madame Mancy : il n'est pas question qu'elle ait pu être une femme et vouloir trouver en son mari autre chose qu'un père nourricier pour son fils : « Ce mariage [...] était fait par ma mère avec les meilleures intentions du monde : elle ne pouvait plus rester à la charge de mon grand-père » (*Sartre*, p. 17). « Elle crut agir dans l'intérêt de son fils en acceptant d'épouser un ingénieur qui depuis longtemps l'en sollicitait » (*Tout compte fait*, p. 104). La défense de Sartre contre l'événement combine l'isolation et la neutralisation de l'affect : c'était « comme si je n'avais pas voulu avoir de chagrin [...] j'ai conservé de l'affection pour ma mère toute ma vie, mais ce n'était plus la même. Ça s'est fait comme ça. Je n'ai pas du tout considéré — dans ce qu'on pourrait appeler le conscient — il n'y a jamais eu d'ennui direct par rapport aux relations de ma mère avec mon beau-père [...]. Je n'ai jamais imaginé quelque chose de sexuel, ce qui tient à ce qu'ils se tenaient très bien et que par ailleurs ma mère était plutôt une mère qu'une femme. Je n'ai jamais imaginé, mais j'ai rompu quand même. » (*Sartre*, p. 17-18).

M. Contat et M. Rybalka ont recueilli quelques symptômes significatifs :

« Il a une sorte de " brouille intérieure " avec sa mère, établit des rapports de contre-culturation avec sa famille et coupe les ponts avec son passé. Il est alors un élève médiocre, non intégré par ses camarades, et, en troisième, deux ans après le remariage de sa mère, il vole systématiquement à sa famille de l'argent et des livres (qu'il revend) »[79].

Aussi la figure paternelle dans *L'Enfance d'un chef* est-elle à la fois composite et lacunaire. Le « papa qui [boit] une coupe de champagne » et « [soulève] [le petit garçon] de terre en lui disant : " Bonhomme " »[80], c'est Karl. Celui qui a fait naître une phrase comme celle-ci : « Madame Fleurier trouvait Lucien de plus en plus tendre et justement il y eut la guerre cet été-là et papa partit se battre et maman était heureuse, dans son chagrin, que Lucien fût tellement attentionné »[81], c'est l'intrus dont le narrateur se venge en l'expédiant au front et en nous faisant croire, le temps d'une virgule, que sa femme souhaite sa mort. Celui qui, au retour de la promenade, prend Lucien sur ses genoux pour lui expliquer ce que c'est qu'un chef, et dont la voix est « toute changée »[82], c'est une surimpression du grand-père et du beau-père : sur les genoux de Karl, « ces entretiens cent fois recommencés »[83], d'homme à homme, seul à seul (« nous chassions les femmes »[84]) ; la voix changée appartient aussi au grand-père, lorsqu'il prenait la voix du père pour parler du métier d'écrivain. « Lucien voulut savoir [...] »[85] rappelle le zèle du petit-fils (qui écrit les livres et pourquoi ?), de celui que l'on *marque*[86]. La mise en scène, la relation de soumission est la même que dans *Les Mots*, le contenu de la conversation a changé. Plus de cléricature, il s'agit d'être un chef, un polytechnicien. Et Sartre donnera à Lucien la carrière scolaire que son beau-père eût sans doute souhaité pour lui. Lucien entre en classe de préparation « Sciences » et non « Lettres ». Le « prince »[87] pour M. Mancy est polytechnicien ; pour Karl Schweitzer, il est professeur de lettres et normalien. Ainsi s'explique la bizarrerie du passage des *Mots* où Sartre rattache à la mort de son père le fait qu'il n'a jamais su obéir ni commander, qu'il n'est pas un chef « ni n'aspire à le devenir »[88]. Il est de nombreux pères auxquels les problèmes du « chef » sont parfaitement étrangers. Sartre donne

---

79. *Les Ecrits de Sartre*, Gallimard, 1970, p. 22.
80. MR., p. 148.
81. MR., p. 154 et 155.
82. MR., p. 160.
83. MT., p. 135.
84. MT., p. 135.
85. MR., p. 160.
86. MT., p. 44 et 135.
87. MT., p. 129.
88. MT., p. 13.

à la proposition « être ou non un chef » un caractère de généralité qu'elle n'a pas. Il ne semble pas voir qu'elle prend sa source dans son histoire personnelle non au niveau très général d'une absence du père mais au niveau du métier particulier de son beau-père et sans doute du caractère de ce dernier. Ce rejet de l'ingénieur est évidemment préparé par l'attachement pré-œdipien au grand-père et par l'opposition au sein de la famille, des ingénieurs aux professeurs : « comme Platon fit du poète, Karl chassait de sa République l'ingénieur, le marchand et probablement l'officier. Les fabriques lui gâtaient le paysage ; des sciences pures, il ne goûtait que la pureté. A Guérigny, [...] mon oncle Georges nous amenait visiter les fonderies : il faisait chaud, des hommes brutaux et mal vêtus nous bousculaient ; [...] mon grand-père regardait la coulée en sifflant, par politesse, mais son œil restait mort »[89].

L'oncle Georges est polytechnicien. Ses fils devront l'être aussi : « On nous avait fait savoir depuis longtemps que mes cousins Schweitzer, de Guérigny, seraient ingénieurs comme leur père »[90]. L'oncle Emile, lui, devint professeur d'allemand :

> « Il m'intrigue, écrit Sartre : je sais qu'il est resté célibataire mais qu'il imitait son père en tout, bien qu'il ne l'aimât pas. Père et fils finirent par se brouiller ; [...] il adorait sa mère et [...] il garda l'habitude de lui faire, sans prévenir, des visites clandestines [...]. Emile mourut en 1927, fou de solitude : sous son oreiller, on trouva un revolver ; cent paires de chaussettes trouées, vingt paires de souliers éculés dans ses malles »[91].

C'est l'oncle Emile qui offrit à l'enfant une petite machine à écrire[92], c'est lui qui disait à sa sœur : « Ce n'est pas pour toi que je suis ici : c'est pour voir le petit ». Il expliquait alors que j'étais le seul innocent de la famille, le seul qui ne l'eût jamais offensé délibérément, ni condamné sur de faux rapports. Je souriais, gêné par ma puissance et par l'amour que j'avais allumé dans le cœur de cet homme sombre »[93]. D'un bout à l'autre de l'œuvre on retrouve des traces de l'oncle Emile ; au musée de Bouville, Roquentin contemple *La Mort du Célibataire*[94]. Dans *Le Sursis*, le 23 septembre 1938, meurt un homme qui, s'il avait vécu un jour de plus, « découvrait tout à coup que sa vie s'était écrasée entre deux guerres »[95]. Cet homme s'appelle Armand Viguier à la page 54 et *Charles* Viguier à la page 55. « L'infirmière rabattit le couvercle de la malle : vingt-deux paires de souliers, il ne devait pas donner beaucoup de travail aux cordonniers, [...] plus de cent paires de chaussettes

89. MT., p. 44-45.
90. MT., p. 127.
91. MT., p. 6-7.
92. MT., p. 119.
93. MT., p. 68.
94. N., p. 108. Voir *infra*, 1re partie, chap. IV, p. 160.
95. C. L., tome II, p. 55.

trouées au talon et à la place du gros orteil, six costumes fatigués dans l'armoire et c'est sale, chez lui, un vrai taudis de célibataire »[96]. Ce mal aimé[97] hante jusqu'au *Flaubert* : c'est une des tentations de Gustave : « s'il se jette dans la Seine [comme Mathieu eut l'envie de le faire], il sera un jour, pour quelqu'un qui n'est pas encore né, l'oncle idiot et inconnu qui s'est tué par bêtise, tâche unique et légère sur l'honneur du nom »[98].

Quelle que soit la diversité du vécu sous-jacent, et des images masculines qui attirent ou repoussent, la relation à la figure paternelle reste inchangée et la configuration imaginaire persiste au long des années :

> « Il se rappela que sa mère, quand il était petit, lui disait parfois d'un certain ton : " Papa travaille dans son bureau ". Et [...] il marchait dans les couloirs sur la pointe des pieds, comme s'il avait été dans une cathédrale. " A présent, c'est mon tour ", pensa-t-il avec satisfaction. On disait en baissant la voix : " Lucien n'aime pas les Juifs ", et les gens se sentaient paralysés, les membres transpercés d'une nuée de petites fléchettes douloureuses »[99].

Qu'il s'agisse du grand-père ou du beau-père (il s'agit vraisemblablement des deux, le second réveillant les souvenirs du premier : l'un et l'autre étaient autoritaires, entourés de femmes dévouées, sacralisant leur travail), ce qui nous intéresse c'est la soumission de l'enfant. L'érotisation inconsciente de cette relation transparaît dans les mots « paralysés », « les membres transpercés d'une nuée de petites fléchettes douloureuses ». Le masochisme de Grisélidis est proche de celui qu'éveille la contemplation de saint Sébastien. Sartre, évoquant dans *L'Idiot de la famille* le mutisme de Gustave enfant, a cette image : « le corps entier du petit Saint Sébastien est percé de mots dont la hampe vibre encore »[100].

La lecture de *L'Enfance d'un chef* confirme les hypothèses que nous avancions, après la lecture des *Mots*, sur l'imaginaire sartrien : même refus de percevoir la différence sexuelle, sentie comme dangereuse : « il se plaisait avec les grandes personnes parce qu'elles étaient si respectables [...], parce qu'elles ont tellement d'habits sur le corps et si sombres, on ne peut pas imaginer ce qu'il y a dessous »[101]. Lucien pense que sa maman était peut-être « autrefois un petit garçon et qu'on lui avait mis des robes — comme à

---

96. C. L., tome II, p. 53.
97. S'il polarise ainsi la rêverie sartrienne, c'est qu'il est une des images de celui qui meurt par le père : « je soupçonne qu'Émile est mort de lui, indirectement » (MT., p. 14) et nourrit, de ce fait, la conviction que père et fils ne sauraient coexister (voir *supra*, 1re partie, chap. II, p. 93-94).
98. I.F., tome I, p. 406.
99. MR., p. 237-238.
100. I.F., tome I, p. 155.
101. MR., p. 152-153.

Lucien, l'autre soir — et qu'elle avait continué à en porter pour faire semblant d'être une fille. [...] Qu'est-ce qui arriverait si on ôtait la robe de maman et si elle mettait les pantalons de papa ? Peut-être qu'il lui pousserait tout de suite une moustache noire »[102]. La mère, « la plus grasse et la plus grande de toutes ces dames »[103] (Anne-Marie était mince et « longue »), hérite ici de certains traits de Mme Picard. « J'aimais et je méprisais cette vieille femme pâle et grasse, mon meilleur public ; [...] j'ai rêvé qu'elle perdait ses jupes et que je voyais son derrière, ce qui était une façon de rendre hommage à sa spiritualité »[104]. Traduisons : Mme Picard est asexuée, ne la retournons pas ; nous risquerions de percevoir la différence. Le postérieur est plus rassurant. Sartre prête à Lucien qui regarde par les trous de serrure, cette phrase admirable d'obscurité clairvoyante et de condensation : « pour voir comment les autres étaient faits sans le savoir »[105]. On peut donc ignorer son sexe réel. Lucien est peut-être une petite fille « sans le savoir ». L'affolement ou le malaise devant tout ce qui pourrait être une métaphore du sexuel, se retrouve dans les deux textes : « Mon grand-père somnolait, enveloppé dans son plaid ; sous sa moustache broussailleuse, j'apercevais la nudité rose de ses lèvres, c'était insupportable : heureusement ses lunettes glissaient, je me précipitais pour les ramasser. Il s'éveillait, m'enlevait dans ses bras, nous filions notre grande scène d'amour : ce n'était plus ce que j'avais voulu. Qu'avais-je voulu ? »[106]. La fiction rapporte l'observation au personnage de la mère et violente le lecteur par l'agressivité du trait, mais, dans les deux cas, le malaise de l'enfant est noté : « Elle rit en ouvrant la bouche toute grande et Lucien vit sa langue rose au fond de sa gorge : c'était sale, il avait envie de cracher dedans »[107].

L'évitement de l'Œdipe se marque dans l'impossibilité de déplaire, de s'affirmer, dans la régression vers une oralité narcissique. Plus l'enfant grandit, plus le risque de « disgrâce » s'accroît. La nouvelle comme l'autobiographie portent la trace de scènes ineffaçables : dans *Les Mots* celle du « livret de cuir rouge »[108] offert par madame Picard et sur lequel on doit écrire ses goûts ; dans *L'Enfance d'un chef*, ce passage parmi beaucoup d'autres : « Lucien dit à maman : " Tu sais, maman, les arbres, eh bien, ils sont en bois ", en faisant une petite mine étonnée que maman aimait bien. Mais madame Fleurier n'avait pas reçu de lettre au courrier de midi. Elle dit sèchement : " Ne fais pas l'imbécile ". Lucien devint un petit brise-tout »[109]. Plus soumis, l'enfant des *Mots* se contente

102. MR., p. 150.
103. MR., p. 148.
104. MT., p. 87.
105. MR., p. 166.
106. MT., p. 67.
107. MR., p. 150.
108. MT., p. 87.
109. MR., p. 155-156.

d'aller grimacer devant la glace. Les séances de grimaces existent dans la nouvelle, mais elles sont « déplacées » et liées à l'observation de Germaine par le trou de la serrure[110]. L'extraordinaire, c'est la persistance de la blessure chez le vieil homme, au point que lui, qui dit écrire si souvent contre lui-même[111], prend la défense de l'enfant : « Mme Picard me rendit le livre : " Tu sais, mon petit ami, ce n'est intéressant que si l'on est sincère ". Je crus mourir. Mon erreur saute aux yeux : on réclamait l'enfant prodige, j'avais donné l'enfant sublime. Pour mon malheur, ces dames n'avaient personne au front »[112]. Et dans *L'Idiot de la famille*, plus simplement : « faire l'intéressant », disent ces braves cons »[113]. Même dichotomie entre l'enfant sage (l'exemple du petit garçon à l'église est dans les deux textes : « Lucien s'agenouillait sur le prie-Dieu et s'efforçait d'être sage pour que sa maman le félicite à la sortie de la messe »[114]), et le malaise intime : les brouillards, le corps embarrassant, l'ennui, le bâillement à faire rouler des larmes. Même admiration pour les grandes personnes supposées compactes : M. Simonnot qui « dirigeait son regard intérieur sur le massif granitique de ses goûts »[115], M. Bouffardier « si laid et si sérieux »[116], qui est le Simonnot de *L'Enfance d'un chef*. Les symptômes de fixation au stade anal, discrets dans *Les Mots*, sont ici complaisamment étalés.

Un caractère anal

Peu importe, nous l'avons dit à propos du rêve de Lucien[117], que Sartre ait voulu reconstituer, pour s'en moquer, un « caractère anal ». Ce qui compte, c'est l'intérêt éveillé par les descriptions de Freud, le fait que la reconstitution faite par Sartre est parfaitement cohérente et qu'elle entretient toutes sortes d'échos avec d'autres textes sartriens : « Lucien était tombé dans une sorte de somnolence ; il répondait mollement, il avait toujours un doigt dans le nez ou bien il soufflait sur ses doigts et se mettait à les sentir et il fallait le supplier pour qu'il fît sa commission. A présent il allait tout seul au petit endroit ; il fallait simplement qu'il laissât

110. MR., p. 166.
111. MT., p. 136.
112. MT., p. 88.
113. I.F., tome I, p. 899. A propos de cette blessure d'amour-propre, on peut voir comment le texte littéraire « travaille » l'incident vécu : les procédés s'apparentent à ceux du rêve. Dans la scène inventée, la circonstance est renversée dans le contraire : la mère a quelqu'un au front (ce qui eût été la condition du succès dans la réalité) ; le contenu de la phrase malheureuse : « Etre un soldat et venger les morts » (MT., p. 88), fait retour, mais déplacé et lié au persiflage de la différence sexuelle : « Madame Couffin [...] lui demandait ce qu'il ferait plus tard. [...] il répondait qu'il serait un grand général comme Jeanne d'Arc et qu'il reprendrait l'Alsace-Lorraine aux Allemands » (MR., p. 153).
114. MR., p. 158-159 ; *cf.* MT., p. 18.
115. MT., p. 72.
116. MR., p. 152.
117. *Supra*, dans ce chapitre, p. 96.

sa porte entre-bâillée et de temps à autre, maman ou Germaine venaient l'encourager. Il restait des heures entières sur le trône »[118]. Cette rétention est mise en relation, ne serait-ce que par la contiguïté, avec l'une des formes de l'entêtement : « Il boudait souvent [...]. On faisait de la peine à maman, on se sentait tout triste et rancuneux, on devenait un peu sourd avec la bouche cousue et les yeux brumeux, au-dedans il faisait tiède et douillet comme quand on est sous les draps le soir et qu'on sent sa propre odeur[119] ; on était seul au monde. Lucien ne pouvait plus sortir de ses bouderies et quand papa prenait sa voix moqueuse pour lui dire : " Tu fais du boudin ", Lucien se roulait par terre en sanglotant »[120].

Si Sartre avait voulu illustrer les textes de Freud, il n'aurait pu faire mieux, comme l'homme au cacao à qui la théorie freudienne donne le fou-rire, mais qui la confirme indirectement par le matériel qu'il fournit[121]. Dans le langage enfantin, la « commission » désigne à la fois la marchandise que l'on rapporte à sa mère et l'excrément. La langue et la littérature rétablissent ici l'équivalence que le philosophe rejette, comme elles mettent en relation la bouderie et le boudin fécal. Davantage, Lucien, tous orifices bouchés, semble annoncer celui auquel il souhaitera passionnément ressembler[122], ce « Bouddha »[123] de Lemordant avec « sa bouche minuscule, ses grosses joues jaunes et lisses »[124] : « Lucien contemplait souvent avec une pleine satisfaction cette tête volumineuse et pensive, sans cou, plantée de biais dans les épaules : il semblait impossible d'y faire rien entrer, ni par les oreilles, ni par ses petits yeux chinois, roses et vitreux »[125]. Attirant pour Lucien, repoussant pour le narrateur[126], Lemordant est l'une de ces figures du plein[127] qui reposent sur le fantasme archaïque du phallus anal maintenu en soi, source de suffisance et de maîtrise absolue[128].

Revenons à Lucien. Il aime presser le ventre des sauterelles pour en faire sortir une crème jaune[129]. Plus tard, lorsqu'il aide son cousin qui ne comprend rien aux mathématiques, il ne peut « s'empêcher de penser que Riri, à sept ans passés, faisait encore son gros dans sa culotte, et qu'alors il marchait les jambes écartées comme un canard et qu'il regardait sa maman avec des yeux

---

118. MR., p. 156.
119. Plaisir que Lucien partage avec Genet, voir *infra*, 2e partie, chap. II, p. 242.
120. MR., p. 157.
121. Voir S. Freud, « Caractère et érotisme anal », dans *Névrose, psychose et perversion*, P.U.F., 1973, p. 145, note 1.
122. MR., p. 218 et 241.
123. MR., p. 214.
124. MR., p. 214.
125. MR., p. 213.
126. Lemordant est un « adulte de naissance » (MR., p. 213). Sur l'horreur qu'inspire à Sartre l'âge adulte, voir *infra*, 3e partie, chap. II, p. 348, note 12.
127. Voir *infra*, 3e partie, chap. III, p. 382-383.
128. Comme l'indique bien la métaphore populaire du « trône ».
129. MR., p. 156.

candides en disant : " Mais non, maman, j'ai pas fait, je te promets ". Et il avait quelque répugnance à toucher la main de Riri »[130].

A ces traits quasi-obsessionnels, correspond chez l'adolescent une certaine forme d'impuissance sexuelle : il recourt aux fantasmes sadiques : « comme sa peau était restée très fine et très blanche, Lucien aurait aimé [...] voir [tante Berthe] toute nue. Il y pensait le soir dans son lit : ça serait par un jour d'hiver, au bois de Boulogne, on la découvrirait nue dans un taillis, les bras croisés sur sa poitrine, frissonnante avec la chair de poule. Il imaginait qu'un passant myope la touchait du bout de sa canne en disant : « Mais qu'est-ce que c'est que cela ? »[131] On sait le lien du sadisme au masochisme. Cette femme humiliée, c'est aussi lui-même. Il en vient à préférer le fantasme au réel : de la petite bonne bretonne qui le regarde avec de grands yeux, il pense : « C'est comme si je l'avais eue : elle s'est offerte et je n'en ai pas voulu ». Et il considéra désormais qu'il n'était plus vierge »[132]. Mais il dresse entre le sexe féminin et sa propre personne un solide rempart de connaissances anatomiques[133]. Et lorsqu'il quitte le savoir défensif pour le réel, il ne parvient à ses fins qu'en recourant à l'imaginaire : « La petite Maud est malade, qu'elle a donc du malheur, la pauvre petite Maud »[134]. Il est à la fois la mère et la petite poupée malade.

Même recours au fantasme dans sa mésaventure homosexuelle. L'homosexualité est ici au second degré, inconsciente, imaginaire. Au niveau du vécu, il éprouve dégoût, honte, peur, impuissance. Mais affectivement, il est évident que son lien à Bergère est un lien homosexuel[135], pré-œdipien : dépendance narcissique vis-à-vis d'un adulte prestigieux : ne pas décevoir, essayer de lui renvoyer une image fidèle de celui qu'il veut que soit Lucien : « Vous êtes Rimbaud, lui disait-il, [...] quand il est venu à Paris pour voir Verlaine, il avait [...] ce long corps grêle de fillette blonde. » [...] A ces moments-là il lui paraissait qu'il avait connu, très longtemps auparavant, des impressions analogues et une image absurde lui revenait à l'esprit : il se revoyait tout petit, avec une longue robe bleue et des ailes d'ange, distribuant des fleurs dans une vente de charité »[136]. Nous retrouvons le petit garçon incertain, beau comme une fille, d'avant la disgrâce. La fixation au stade anal apparaît

130. MR., p. 169.
131. MR., p. 169.
132. MR., p. 213.
133. MR., p. 168.
134. MR., p. 229-230.
135. Celui dont on respire le parfum, dont on admire le vêtement, dont on détaille le mobilier, dont on subit le charme est du même sexe. Aucune femme, dans la nouvelle, n'est troublante pour le héros ; avec elles, il cherche à se prouver quelque chose.
136. MR., p. 190.

dans la hantise de la propreté, dans « l'envie d'aller aux cabinets »[137] que Lucien n'ose satisfaire, dans la débâcle intestinale qui précède la possession par Bergère. Pour ne pas le décevoir, Lucien en appelle à ses fantasmes : « Il pensa à madame Besse qui lui appuyait sa main sur le ventre en l'appelant " ma petite poupée ", et à Hébrard qui l'appelait " grande asperche " et aux tubs qu'il prenait le matin en s'imaginant que M. Bouffardier allait entrer pour lui donner un lavement et il se dit " je suis sa petite poupée ! " A ce moment, Bergère poussa un cri de triomphe »[138]. Autrement dit, Lucien fuit la possession anale dans un fantasme de possession anale. « Lucien n'était pas de bois et à force d'être tripoté... »[139]. « Tripoter », « manier », activité que les rationalisations sartriennes rapportent à la mère. Mais c'est aussi la figure paternelle maniant le livre fétiche.

Dévalorisation du pénis, analité toute puissante, c'est ce que nous voyons dans la scène où le petit garçon humilié (il n'a pas su « briller » à table), fouette les orties avec « sa petite canne de jonc »[140] (Lucien, camelot du Roi, troquera sa « petite canne de jonc » contre une « grosse canne de jonc »[141]). « Il voyait les orties brisées qui pendaient minablement en jutant blanc, leurs cous blanchâtres et duveteux s'étaient effilochés en se cassant »[142]. Ces orties sont de mauvaises herbes que Lucien regarde « avec défiance ». La mauvaise herbe n'est pas loin de l'« herbe folle »[143], image que Sartre applique aussi bien à lui-même qu'à Genet ou à Flaubert. Près des orties humiliées, « un chien avait fait sa commission [...], ça sentait la plante, la crotte de chien et le vin chaud. [...] il y avait une grosse mouche bleue qui bourdonnait : c'était une mouche à caca, Lucien en avait peur — et une odeur de défendu, puissante, putride et tranquille lui emplissait les narines »[144]. Souveraineté de l'odeur, fragilité des tiges. Même dévalorisation du pénis lorsque Lucien et son cousin Riri comparent leur « pipi » : « celui de Lucien était le plus petit mais Riri trichait : il tirait sur le sien pour l'allonger. « C'est moi qui ai le plus grand, dit Riri. — Oui, mais moi je suis somnambule », dit Lucien tranquillement. Riri ne savait pas ce que c'était qu'un somnambule et Lucien dut le lui expliquer. Quand il eut fini il pensa : « C'est donc vrai que je suis

137. MR., p. 194.
138. MR., p. 198.
139. MR., p. 201.
140. MR., p. 154.
141. MR., p. 229. Pour la petite histoire, rappelons que la canne de jonc est empruntée à Nizan. (S., IV, p. 142).
142. MR., p. 154.
143. MT., p. 209 ; S.G., p. 40 et 240 ; I.F., tome I, p. 156, 157, 232, 236.
144. MR., p. 154. « Et d'autres corrompus, riches et triomphants »... Le parfum baudelairien tourne au relent et la prose à la poésie, avec le rythme ternaire de l'adjectif et les allitérations semblables à celles du vers de Baudelaire. C'est le signe que la jouissance est fixée là.

somnambule » et il eut une terrible envie de pleurer »[145]. Lucien ne se défend pas sur le plan du réel. Il le pourrait pourtant : Riri « triche ». Il préfère battre en retraite et avancer des prestiges imaginaires : Lucien a un double qui compense son inconsistance : « il avait pensé qu'il devait y avoir un vrai Lucien qui marchait, parlait et aimait ses parents pour de vrai pendant la nuit ; seulement, le matin venu, il oubliait tout et il recommençait à faire semblant d'être Lucien »[146]. La soumission de l'enfant est telle que lorsqu'il invente un Lucien « pour de vrai » ce n'est pas un Lucien qui oserait être « non conforme », c'est un Lucien qui n'aurait plus conscience de faire semblant. Le caractère compensatoire de l'activité intellectuelle est ici très visible, en même temps que son échec à masquer totalement ce qui a été perdu : la déception de l'enfant des *Mots*, lorsque son grand-père lui explique en quoi consiste le métier d'écrivain et qu'il se dit à la fois : « ce n'est que ça » et « je suis doué »[147], ressemble à l'envie de pleurer subitement ressentie par Lucien.

Le regard de Dieu

L'absence d'investissement du stade phallique est sans doute renforcée par l'interdit de la masturbation. Dans *Les Mots, volens nolens*, Sartre passe sous silence ce qui est sans doute l'origine première de son « malentendu »[148] avec Dieu le Père. Au contraire, dans *L'Enfance d'un chef*, le Bon Dieu est d'abord celui qui voit tout, qui connaît « ces choses que font les petits garçons »[149] ; aussi Lucien « détestait le bon Dieu : le bon Dieu était plus renseigné sur Lucien que Lucien lui-même. Il savait que Lucien n'aimait pas sa maman ni son papa et qu'il faisait seulement semblant d'être sage et qu'il touchait son pipi le soir dans son lit »[150]. Il y a, dans *Les Mots*, une trace du bon Dieu-qui-voit-tout. Il ne s'agit pas alors de masturbation mais le regard de Dieu sur les mains, l'image de mort et l'émotion du passage, donnent à penser : « Une seule fois, j'eus le sentiment qu'Il existait. J'avais joué avec des allumettes et brûlé un petit tapis ; j'étais en train de maquiller mon forfait quand soudain Dieu me vit, je sentis Son regard à l'intérieur de ma tête et sur mes mains ; je tournoyai dans la salle de bains, horriblement visible, une cible vivante[151]. L'indignation me sauva [...] je murmurai comme mon grand-père : " Sacré nom de Dieu de nom de Dieu de nom de Dieu. " Il ne me regarda plus jamais »[152]. Sartre, lorsqu'il s'analyse dans *Les Mots*, voit l'orphelin en lui très

145. MR., p. 158.
146. MR., p. 157.
147. MT., p. 132.
148. MT., p. 83.
149. MR., p. 152.
150. MR., p. 159.
151. Parfaite image de saint Sébastien, voir *supra*, p. 106.
152. MT., p. 83.

près d'accueillir Dieu à la place du père absent[153]. C'est son milieu, pense-t-il, qui par son scepticisme et sa manière de lui présenter la religion, l'en détourne. Il passe sous silence ce qui nous paraît être la raison première du rejet et qui est d'ordre intime et non d'ordre social ou culturel. L'enfant avait « besoin »[154] de Dieu mais il le redoutait tout autant. Dieu est celui qui châtie. Heureusement, il y a, contre lui, quelque recours, dans la magie :

> « Cela ne durait qu'un instant, bien entendu, c'était comme lorsque Lucien essayait de faire tenir une chaise en équilibre sur deux pieds. Mais si, juste à ce moment-là, on prononçait « Pacota » le bon Dieu était refait : il n'avait vu que du Bien et ce qu'il avait vu se gravait pour toujours dans Sa mémoire. Mais [...] finalement on ne savait jamais si le bon Dieu avait gagné ou perdu. Lucien ne s'occupa plus de Dieu »[155].

Nous retrouverons dans *Saint Genet* la persistance de ces jeux d'enfants. Dieu est celui qui ne peut pas voir le Mal, qui n'y voit que du Bien[156]. Faire le mal, c'est être invisible. Contentons-nous de noter pour le moment que la défense contre le regard castrateur est d'ordre anal : retenir, évacuer, perdre, gagner. Analité aussi des fantasmes masturbatoires : « Quand il mit la main sous sa chemise il pensa que Costil le voyait et qu'il disait : « Regardez donc un peu ce qu'elle fait, la grande asperge ! ». Il s'agita et tourna dans son lit en soufflant : « Grande asperge ! grande asperge ! »[157] jusqu'à ce qu'il ait fait naître sous ses doigts une petite démangeaison acidulée »[158]. La jouissance, ici, vient de l'humiliation, ce qui est une façon de maîtriser son infériorité, réelle ou supposée. Lucien jouit de sa honte et en classe il a la hantise d'être regardé — c'est-à-dire possédé — par derrière : « Avec sa voix, il faisait ce qu'il voulait ; mais la nuque était toujours là, paisible et inexpressive, comme quelqu'un qui se repose et Basset la voyait »[159]. Que cette nuque soit la métaphore d'autre chose, c'est l'évidence même. Ce « quelqu'un qui se repose » et qu'on voit, évoque aussi madame Fleurier à sa toilette, lorsque Lucien la contemple par le trou de la serrure : « Son visage était reposé, presque triste, sûrement elle pensait à autre chose [...]. Mais pen-

---

153. Nous reviendrons sur cette question lorsque nous étudierons *L'Idiot de la famille*, *infra*, 3e partie, chap. III, p. 373-374.
154. MT., p. 83.
155. MR., p. 159.
156. *Infra*, 2e partie, chap. II, p. 240.
157. Comme Sartre le note à propos de Genet, souvent, en passant du réel à l'imaginaire, le romancier « change simplement de signe » (S.G., p. 420) les caractères qu'il donne à son personnage : Roquentin, Lucien, sont grands comme Sartre est petit, si bien que la « grande asperge » peut aussi être l'équivalent de la « petite poupée » maniée par madame Besse. La petite taille est « déplacée » : sur la porte du « petit coin », Lucien lit : « Barataud est une punaise » (MR., p. 162).
158. MR., p. 164.
159. MR., p. 165.

dant ce temps-là, elle *était* cette grosse masse rose, ce corps volumineux qui s'affalait sur la faïence du bidet »[160].

Voyeurisme, exhibitionnisme : il s'agit toujours de contempler la disgrâce d'autrui ou d'exposer la sienne (ou ce que l'on suppose être la sienne) masochistement : « Un jour qu'il était au petit endroit, il entendit des craquements ; c'était Germaine qui frottait [...] le buffet du couloir [...] il ouvrit tout doucement la porte et sortit, la culotte sur les talons, la chemise roulée autour des reins. Il était obligé de faire de petits bonds [...]. Germaine leva sur lui un œil placide : " C'est-il que vous faites la course en sac ? " demanda-t-elle. Il remonta rageusement son pantalon et courut se jeter sur son lit »[161]. Mêmes fantasmes dans le passage suivant mais prêtés à autrui et transformés en souvenir (la transformation en souvenir, donc en événement qui s'est réellement passé, permet le sursaut moralisateur) : « Berliac lui raconta qu'il avait partagé la chambre de sa mère dans un hôtel de Dijon : il s'était levé au petit matin, s'était approché du lit où sa mère dormait encore et avait rabattu doucement les couvertures. " Sa chemise était relevée ", dit-il en ricanant »[162]. Lucien pense à part lui : « C'était bien joli d'avoir des complexes mais il fallait savoir les liquider à temps : comment un homme fait pourrait-il assumer des responsabilités, et prendre un commandement s'il avait gardé une sexualité infantile ? »[163]. Dans *Intimité*, Lulu (dont le nom est la moitié redoublée de Lucien, et qui est hantée par l'horreur d'avoir un dos) rêve de « rabattre les draps »[164] lorsque son mari (impuissant) est étendu nu dans son lit. A l'autre bout de l'œuvre, le même désir reparaît sous la métaphore. Sartre parle des lectures romantiques du jeune Flaubert : « Son ressentiment s'assouvit par ces lectures : elles dénudent les puissants et les riches, arrachent à la bourgeoisie sa couverture : les pères iront nus sous l'œil rigolard des fils »[165]. La mise à nu ne peut que faire « rigoler » ou « ricaner » ; ou bien l'on ne voit rien : il n'y a rien entre les jambes de maman : « Maman frotta une lavette avec un morceau de savon et sa main disparu entre ses jambes »[166] ; ou bien il y a quelque chose de dérisoire. Mieux vaut en revenir aux compensations anales : « le matin, quand il prenait son tub tout seul dans le cabinet de toilette comme un grand, il imaginait que quelqu'un le regardait par le trou de la serrure [...]. Alors [...] il tournait son derrière vers la porte et se mettait à quatre pattes pour qu'il fût bien bombé et

160. MR., p. 166.
161. MR., p. 165.
162. MR., p. 181.
163. MR., p. 181.
164. MR., p. 102.
165. I.F., tome II, p. 1369.
166. MR., p. 166.

bien ridicule ; M. Bouffardier s'approchait à pas de loup pour lui donner un lavement »[167].

Un Œdipe modèle

Tous les traits que nous venons de noter, sont parfaitement cohérents : ils signifient à la fois le complexe de castration, l'homosexualité latente, et la régression anale. Ce qui l'est moins, au niveau du personnage, en tous cas, c'est l'intention visible de Sartre de faire de Lucien un modèle d'Œdipe résolu : « il pensa à l'œuvre de son père ; il était impatient de la continuer et il se demanda si M. Fleurier n'allait pas bientôt mourir »[168]. Si le personnage tient tout de même, d'un point de vue psychanalytique, c'est que Sartre croyant décrire une identification œdipienne au père, décrit en fait une identification pré-œdipienne, marquée par l'ambivalence du stade anal qui s'accorde donc fort bien au reste de la description. Lucien ne « détrône »[169] pas son Moïse : il se figure qu'il l'est. Il n'a pas fait son deuil de la toute-puissance. Le père imaginaire l'habite, il ignore le père symbolique, aussi le père réel le gêne-t-il[170]. « Il ne vit plus qu'un dos, un large dos bossué par les muscles, qui s'éloignait avec une force tranquille, qui se perdait, implacable, dans la brume. [...] Lucien fut envahi par une joie presque intolérable : ce dos puissant et solitaire [171], c'était le *sien* ! »[172]. « Il marchait dans les couloirs sur la pointe des pieds, comme s'il avait été dans une cathédrale. "A présent, c'est mon tour", pensa-t-il avec satisfaction »[173]. « C'est ça un chef », pensa-t-il. Et il vit réapparaître un dos musculeux et bossué et puis, tout de suite après, une cathédrale. Il était dedans, il s'y promenait à pas de loup sous la lumière tamisée qui tombait des vitraux. « Seulement, ce coup-ci, c'est moi la cathédrale ! »[174]. « Je dresserais des cathédrales de paroles sous l'œil bleu du mot ciel »[175].

---

167. MR., p. 165. Nous ne serons pas étonnés que M. Mancy, « après avoir lu le début de *L'Enfance d'un chef*, [ait renvoyé] à Sartre son exemplaire du *Mur* » (Simone de Beauvoir, *Tout compte fait*, Gallimard, 1972, p. 105).
168. MR., p. 240.
169. I.F., tome II, p. 1899, note 1.
170. Nous reprenons ici à notre compte ces oppositions lacaniennes, éclairées pour nous par les *Essais sur le symbolique*, Gallimard, 1974, de Guy Rosolato. Ce dernier oppose le père idéalisé, pré-œdipien, omnipotent, qui dispose arbitrairement de la loi, au père symbolique du conflit œdipien résolu, soumis lui aussi à la loi et à la mort.
171. Les deux adjectifs signalent un Moïse latent. Notons que le prophète a des reins de jaguar : « bossué par les muscles » (p. 236), « musculeux et bossué » (p. 239) ; « ses reins musculeux qu'il bossue », écrivait Leconte de Lisle, que Sartre malmène fort dans le tome III de *L'Idiot de la famille*, voir *infra*, 3e partie, chap. IV, p. 417-418.
172. MR., p. 236.
173. MR., p. 238.
174. MR., p. 239.
175. MT., p. 152.

Contrairement à ce qui est décrit dans *L'Enfance d'un chef*, l'identification au père, après le déclin du complexe d'Œdipe, permet d'accepter en soi des traits de la figure paternelle ; elle n'a pas ce caractère d'imitation massive et totale qui caractérise la soumission pré-œdipienne. La nouvelle souligne que Lucien fera en tous points « comme » son père, il appellera ses ouvriers par leur nom, il les regardera droit dans les yeux, etc.[176].

Exaltée (dans la nouvelle) ou tournée en dérision (dans l'autobiographie), l'image paternelle ne peut être qu'idéalisée : le père ou son substitut est Moïse, parfois même Jéhovah[177]. Le caractère suspect de l'idéalisation apparaît dans la panique que provoque chez l'enfant l'inscription « infâme »[178] : « Le père Barrault est un con »[179] :

> « Il me semblait à la fois qu'un fou cruel raillait ma politesse, mon respect, mon zèle, le plaisir que j'avais chaque matin à ôter ma casquette en disant " Bonjour, Monsieur l'Instituteur " et que j'étais moi-même ce fou, que les vilains mots et les vilaines pensées pullulaient dans mon cœur. Qu'est-ce qui m'empêchait, par exemple, de crier à plein gosier : " Ce vieux sagouin pue comme un cochon. " Je murmurai : " Le père Barrault pue " et tout se mit à tourner : je m'enfuis en pleurant »[180].

Cette déroute montre ce qu'il entre de narcissisme dans l'idéalisation du grand-père : qu'il soit atteint dans son métier par personne interposée, que ce moi idéal ne soit plus soudain l'image de la perfection, et c'est le vertige. Expression du narcissisme, l'idéalisation est aussi défense contre l'agressivité : on mesure ici le prix de la soumission : le moi se dédouble, il y a le petit garçon bien élevé et l'autre, le fou[181].

Peut-être pouvons-nous comprendre, maintenant, la récurrence du thème de la comédie dans les deux enfances. Il nous paraît lié à la soumission, à l'impossibilité d'affronter l'Œdipe[182], à la néces-

---

176. MR., p. 160 ; le détail du regard sera repris dans *Les Séquestrés d'Altona*.
177. MT., p. 14.
178. MT., p. 64.
179. MT., p. 63.
180. MT., p. 64.
181. *Cf.* MT., p. 78 : « Il y avait un envers horrible des choses, quand on perdait la raison, on le voyait ». L'enfant craint, comme la jeune mariée de Janet (voir *supra*, chap. I, p. 30), de céder à un « vertige de la possibilité » ; panique de produire au dehors ce qu'on ne peut supporter en soi, de dire au père Barrault qu'il pue, faute de pouvoir se le dire sans perdre la tête. C'est être incapable de tolérer la moindre agressivité à l'égard de l'image paternelle. On retrouve, dans *L'Enfance d'un chef*, l'inscription traumatisante, « Lucien Fleurié est une grande asperche » (p. 163). Elle est aussi liée à une blessure narcissique, mais d'une autre nature, car le prestige du chef ne saurait être atteint. Pédagogue, le grand-père est plus fragile socialement que l'ingénieur.
182. Notons que Sartre romancier a pu prêter à Lucien presque adulte, l'idée « œdipienne » de succéder à son père ; mais il n'a pu aller jusqu'à imaginer, chez le petit garçon modèle, un « je déteste mon papa ».

sité du « faire semblant », d'où l'impression d'être double dans tous les sens du terme. « Petit-fils modèle »[183], Poulou est un « imposteur »[184], un « faux enfant »[185]. Comme dans la nouvelle, le sentiment de n'être « pas vrai » est projeté sur les adultes : « le pis, c'est que je soupçonnais les adultes de cabotinage »[186]. « Ma vérité, mon caractère et mon nom étaient aux mains des adultes ; j'avais appris à me voir par leurs yeux ; j'étais un enfant, ce monstre qu'ils fabriquent avec leurs regrets »[187]. Dans *L'Enfance d'un chef* une autre explication est suggérée par la chronologie du récit : « il se pouvait que des voleurs, la nuit du tunnel, soient venus prendre papa et maman dans leur lit et qu'ils aient mis ces deux-là à leur place. Ou bien alors c'étaient papa et maman pour de vrai, mais dans la journée ils jouaient un rôle et, la nuit, ils étaient tout différents »[188]. La reconstruction d'une enfance « à la manière » des psychanalystes veut faire entendre qu'il s'agit là d'un ressentiment œdipien normal, suggestion artificielle et qui ne convainc pas. Au contraire, l'insistance des deux textes sur l'impression d'étrangeté a quelque chose de troublant : « il se demandait si c'était bien sa vraie maman »[189]. « Je reprenais connaissance sur les genoux d'une étrangère »[190]. Ces deux phrases nous semblent la transformation d'une formule inconsciente : « je ne suis pas son fils », qui exprimerait l'agressivité, l'ambivalence à l'égard de la mère, mais aussi, à un niveau plus profond, le refus de toute « incarnation », qui mêle étroitement l'expression du désir incestueux à la défense contre ce même désir. « Comment serais-je né d'elle ? »[191] ôte à la mère son caractère interdit, mais exprime en même temps l'horreur et la négation de la scène primitive, de l'existence et l'union des sexes. C'est pourquoi nous prenons au sérieux[192], dans *L'Enfance d'un chef*, un passage comme celui-ci : « Il y avait une petite lumière rouge qui dansait au fond de l'eau et on aurait juré que la main de papa était dans la carafe, énorme et lumineuse, avec de petits poils noirs sur les doigts. Lucien eut soudain l'impression que la carafe aussi jouait à être une carafe »[193]. Cette énorme main captive d'un piège aux formes féminines, c'est le retour, dans le réel, de ce que l'inconscient veut ignorer.

---

183. MT., p. 66.
184. MT., p. 67.
185. MT., p. 67.
186. MT., p. 68.
187. MT., p. 66.
188. MR., p. 151.
189. MR., p. 150.
190. MT., p. 9.
191. MT., p. 13.
192. Nous voulons dire que même si ce passage est « fabriqué » et ne renvoie pas à une expérience enfantine « réelle », il nous paraît cependant significatif, surtout si l'on pense au pouvoir fascinateur de certains objets sur Roquentin et à la présence de cette énorme main d'un bout à l'autre de l'œuvre (voir 2e partie, chap. III, p. 266 et 3e partie, chap. II, p. 370).
193. MR., p. 152.

Si le sentiment que quelque chose ou quelqu'un n'est pas vrai, se retrouve dans les deux textes, la difficulté de donner des noms ne se rencontre apparemment que dans *L'Enfance d'un chef* : « Maman lui demandait souvent en lui montrant des fleurs ou des arbres : " Comment ça s'appelle, ça ? " Mais Lucien secouait la tête et répondait : " Ça, c'est rien du tout, ça n'a pas de nom ". Tout cela ne valait pas la peine qu'on y fît attention »[194]. Si l'on examine comment Lucien est amené à ce refus, on verra qu'il répond à l'impossibilité de poser les questions fondamentales sur l'origine de la vie. Le paragraphe débute par un essai de distinction entre l'animé et l'inanimé : « quand il avait appelé Germaine : arquebuse, Germaine avait pleuré et s'était plainte à maman. Mais quand on disait : marronnier, il n'arrivait rien du tout »[195], et se poursuit par un mot d'esprit qui est une invite de l'enfant à la mère, un appel détourné à l'aider dans son investigation[196] : « Le soir, à dîner, Lucien dit à maman : " Tu sais, maman, les arbres, eh bien, ils sont en bois " en faisant une petite mine étonnée que maman aimait bien. Mais madame Fleurier n'avait pas reçu de lettre au courrier de midi. Elle dit sèchement : " Ne fais pas l'imbécile " »[197].

Sartre superpose ici, à l'échec de l'enquête, une autre expérience désagréable que l'on retrouve dans *Les Mots :* « il leur arrivait de rompre des contrats sacrés : je faisais ma moue la plus adorable, celle dont j'étais le plus sûr et on me disait d'une voix vraie : " Va jouer plus loin, petit, nous causons " »[198]. L'autobiographie ne laisse subsister que la blessure narcissique. Il n'y a pas de place dans *Les Mots* pour le « petit investigateur »[199]. Ses questions sont « déplacées » : « *de quoi* parlent les livres ? Qui les écrit ? Pourquoi ? »[200]. Le puritanisme du milieu, les mœurs du temps et sans doute sa propre structure conflictuelle ne permettent pas à l'enfant de poser d'autres questions, plus directes. Mais les effets de cette auto-censure se font sentir dans l'autobiographie, comme dans la nouvelle : le symptôme prend simplement la forme inverse : Lucien refuse de nommer et Poulou nomme avec empressement. Mais ce qui n'est pas nommé, puis écrit dans les livres, n'existe pas vraiment : le petit Jean-Paul ouvre le grand Larousse :

> « j'y dénichais les vrais oiseaux, j'y faisais la chasse aux vrais papillons posés sur de vraies fleurs. Hommes et bêtes étaient

---

194. MR., p. 156.
195. MR., p. 155.
196. Comme le prouve la suite du passage : « Lucien devint un petit brise-tout. Il cassait tous ses jouets pour voir comment ils étaient faits, [. . .] il fit tomber la tanagra du salon pour savoir si elle était creuse et s'il y avait quelque chose dedans » (p. 156).
197. MR., p. 155-156.
198. MT., p. 68.
199. C'est ainsi que Freud qualifie l'homme aux loups dans son enfance. *Cinq psychanalyses*, P.U.F., 1967, p. 338.
200. MT., p. 44.

là, *en personne* : [...] au Jardin d'Acclimatation, les singes étaient moins singes, au Jardin du Luxembourg, les hommes étaient moins hommes »[201].

C'est le mot qui est la chose, voilà qui rassure : l'innommable n'existe pas. Pour un temps du moins ; on sait que Roquentin le verra reparaître dans un moment de crise sous la forme d'une racine de marronnier[202].

« Des clichés freudiens plaqués sur un roman d'apprentissage » ?

Au point où nous sommes parvenue de notre analyse, on voit que nous nous trouvons à la fois très proche et très éloignée d'un jugement comme celui-ci : « L'histoire de Lucien est une psychanalyse parodique : elle est faite de clichés freudiens plaqués sur un roman d'apprentissage »[203]. C'est sans doute ce que Sartre a voulu faire, ce n'est certainement pas ce qu'il a fait, sinon superficiellement. On peut refuser la grille interprétative que le récit semble en effet imposer, et chercher ailleurs, dans le texte ou dans le rapprochement des textes. On voit alors que, *volens nolens*, le romancier va très loin dans la description d'une structure psychique cohérente qui présente avec ce qu'il fait apparaître de son propre « bâtiment »[204] dans *Les Mots*, des analogies frappantes. Il réussit à cerner non seulement le caractère anal de son héros, dont il se défend justement par la parodie, mais encore des états-limites où se manifeste un sentiment d'irréalité. Les clichés cessent alors de retenir l'attention, on saisit les traces d'un malaise profond.

De la même façon, le roman d'apprentissage cesse vite d'être lisible comme tel, parce qu'il est trop voyant. L'éducation sentimentale de Lucien a, tout comme son « engagement », quelque chose de forcé. En fait, de la petite bonne, à la « jeune fille claire »[205], en passant par l'incident homosexuel et la liaison avec la « petite main », Lucien n'apprend rien, n'évolue pas : toujours aux prises avec les mêmes fantasmes, il est la petite poupée de Bergère comme Maud est la sienne. De la jeune Bretonne, il pense : « Elle est ma chose »[206] et à propos de sa future femme, il ébauche une rêverie dont le sadisme est latent :

« elle essayait parfois d'imaginer son maître futur, cet homme terrible et doux[207] [...]. Lorsqu'elle se dévêtirait le soir, à

201. MT., p. 38-39.
202. Voir *infra*, 1re partie, chap. IV, p. 179.
203. Geneviève Idt, *Le Mur de Jean-Paul Sartre*, Larousse, 1972, p. 199.
204. MT., p. 211.
205. MR., p. 240.
206. MR., p. 212.
207. Nous verrons, dans *L'Idiot de la famille*, la résurgence inattendue de ces deux adjectifs accolés : « terrible et doux » (voir *infra*, 3e partie, chap. II, p. 357).

menus gestes sacrés, ce serait comme un holocauste [...]. Ce qu'elle lui montrerait, elle aurait le devoir de ne le montrer qu'à lui et l'acte d'amour serait pour lui [...] son droit le plus intime : le droit d'être respecté jusque dans sa chair, obéi jusque dans son lit »[208].

Autrement dit, sadique ou masochiste, c'est le fantasme qui soutient et rend possible le passage à l'acte vécu (avec Maud) ou imaginé (avec sa future femme). La « sexualité » de Lucien est aussi « rêveuse »[209] que celle de Gustave. Elle s'épuise presque entièrement en scénarios masturbatoires. Lorsque Lucien fait de Maud sa maîtresse, il la perd :

> « ce qu'il avait désiré de Maud, la veille encore, c'était son visage étroit et fermé, qui avait l'air habillé, sa mince silhouette, son allure de dignité, sa réputation de fille sérieuse, son mépris du sexe masculin, tout ce qui faisait d'elle une personne étrangère, vraiment *une autre*, dure et définitive, toujours hors d'atteinte, avec ses petites pensées propres, ses pudeurs, ses bas de soie, sa robe de crêpe, sa permanente. Et tout ce vernis avait fondu sous son étreinte, il était resté de la chair [...]. Il revit la bête aveugle qui palpitait dans les draps avec des clapotis et des bâillements velus et il pensa : c'était *nous deux*. [...] personne ne lui avait jamais donné cette impression d'écœurante intimité, sauf peut-être Riri, quand Riri montrait son pipi derrière un buisson ou quand il s'était oublié et qu'il restait couché sur le ventre et gigotait, le derrière nu, pendant qu'on faisait sécher son pantalon »[210].

On aura reconnu, dans la jeune fille pudique, une image maternelle[211] et dans l'impossibilité d'unir tendresse et sensualité, le signe de l'attachement œdipien. L'intrication des pulsions partielles sous le primat du génital n'a pas pu se faire[212] ; elles reparais-

---

208. MR., p. 240. *Mutatis mutandis,* Lucien se contente de rêver (le « devoir » conjugal tenant lieu de révolver) ce qu'Erostrate met en acte : Paul Hilbert jouit de la contrainte qu'il exerce sur la prostituée, il la fait se dévêtir et exige qu'elle lui montre ce qu'il ne peut d'ailleurs supporter de voir sans rire. Notons que la vue du sexe féminin et l'idée de l'exécution capitale provoquent dans les nouvelles du *Mur,* la même exclamation incrédule : « Tu te rends compte ? » (« Erostrate », MR., p. 82 ; « Le Mur », MR., p. 30) : il y a décidément des choses impossibles à croire.
209. I.F., tome I, p. 1319.
210. MR., p. 230-231.
211. Maud est mince comme Anne-Marie est « longue » (MT., p. 9). Ce visage qui a l'air habillé, évoque la « jeune fille » « entièrement vêtue » des *Mots* (p. 13). Elle est « étrangère » comme la mère (p. 9). Le mépris du sexe masculin peut se lire dans la frigidité d'Anne-Marie. « A l'exemple de sa mère, ma mère préféra le devoir au plaisir » (p. 8). « Nous ne fîmes plus Anne-Marie et moi qu'une seule jeune fille effarouchée » (p. 182). Et dans *Tout compte fait,* de Simone de Beauvoir : « jamais elle n'avouait un plaisir » (p. 105) ; « j'ai été deux fois mariée et mère et je suis toujours vierge » disait-elle dans ses vieux jours » (p. 104). Il n'est pas jusqu'aux « petites » pensées de Maud qui ne trahissent un tic du langage maternel (voir *supra,* dans ce chapitre, p. 101).
212. Sur cette évolution, voir S. Freud, *Trois essais sur la théorie de la sexualité,* Gallimard, 1962, collection Idées, p. 111-112.

sent une à une désintégrées et maintenues à bonne distance par le dégoût ; dans le texte que nous venons de citer, la pulsion partielle est anale et urétrale (comme le montre le rapprochement avec Riri), ailleurs, elle est orale : Fanny « prenait le menton de Guigard dans sa main et tirait sur les bajoues pour faire saillir la bouche ; quand les lèvres étaient toutes grosses et un peu baveuses, comme des fruits gonflés de jus ou comme des limaces, elle les léchait à petits coups en disant « Baby »[213]. L'objet d'amour a disparu. La sensualité décompose la personne totale. Il reste des objets partiels, méconnaissables, sur lesquels s'exerce une activité maniaque, régressive.

Visiblement, le désir de Lucien n'est pas là, comme il n'est pas de prendre la place du père dans l'usine familiale. Une scène entre toutes, dans la nouvelle, nous semble dire le vrai sur ses aspirations profondes. Maquillée en étape à franchir (il s'agit de dépasser la tentation du suicide : Lucien joue avec le revolver de sa mère), elle nous paraît être la représentation parfaite des vœux du sujet : la relation à l'objet y est inexistante, ou plutôt, l'objet, sous sa forme totale, est Lucien lui-même ; son désir est de voir son nom écrit dans le journal[214]. Ce Narcisse manie un objet partiel, complément de la mère, « un petit bijou, avec un canon doré et une crosse plaquée de nacre »[215], « un petit monstre glacial et têtu qui se [tasse] au creux de la soie rose »[216]. Les identifications, flatteuses, instables, contradictoires, renvoient à l'imaginaire : le Christ (« il entrait en agonie »)[217], Napoléon[218], Goethe et son pouvoir de vie et de mort à travers Werther[219]. La tentation du suicide est retournement contre soi du désir de tuer l'autre, de le faire disparaître : « Lucien [...] songea à écrire un *Traité du Néant* et il imaginait que les gens, en le lisant, se résorberaient les uns après les autres, comme les vampires au chant du coq »[220]. « On ne pouvait pas compter sur un traité de philosophie pour persuader aux gens qu'ils n'existaient pas. Ce qu'il fallait c'était un acte, un acte vraiment désespéré qui dissipât les apparences et montrât en pleine lumière le néant du monde. Une détonation, un jeune corps saignant sur un tapis, quelques mots griffonnés sur une feuille :

---

213. MR., p. 216. Il ne s'agit pas de Lucien, mais l'expérience de Guigard est parallèle à la sienne. D'autre part, c'est le regard de Lucien et, derrière lui, celui de l'auteur, qui choisit d'isoler tel gros plan de façon à provoquer l'écœurement.
214. MR., p. 174.
215. MR., p. 174. Le caractère anal de ce fétiche est patent ; voir S. Freud, *L'Interprétation des rêves*, P.U.F., 1967, p. 346.
216. MR., p. 175.
217. MR., p. 174.
218. MR., p. 174.
219. MR., p. 174.
220. MR., p. 172.

« Je me tue parce que je n'existe pas. Et vous aussi mes frères, vous êtes néant ! »[221].

Nous verrons, au chapitre suivant, comment *La Nausée* parvient à réaliser ce « programme »[222] névrotique : faire le mort, tuer l'autre et écrire son nom.

---

221. MR., p. 174.
222. I.F., tome III, p. 443.

CHAPITRE IV

NAISSANCE D'UN ECRIVAIN

La Nausée, premier livre publié de Sartre, porte la trace d'une crise profonde. Simone de Beauvoir définit ainsi le dessein de Sartre : « exprimer sous une forme littéraire des vérités et des sentiments métaphysiques »[1]. Sans doute est-ce son dessein conscient, mais ce qui frappe, lorsqu'on relit le roman aujourd'hui, c'est le caractère très particulier de l'expérience qu'il décrit : non pas « misère de l'homme », mais angoisse de l'individu voué à l'écriture. « La vérité, écrit Roquentin dans les dernières pages de son journal, c'est que je ne peux pas lâcher ma plume »[2]. Au cours du roman, Roquentin abandonne l'écriture érudite, protégée, sans risque[3], pour l'écriture romanesque. Il passe de la monographie sur le marquis de Rollebon au projet d'écrire une histoire « comme il ne peut pas en arriver »[4]. Evolution lisible en clair, mais, somme toute, extérieure : la décision d'écrire, prise à la dernière page, masquant la question qui est, pour nous, à l'origine même de l'œuvre : Et si je ne pouvais pas écrire ? Cette interrogation, perceptible dans une petite phrase de la fin du livre (« Si j'étais sûr d'avoir du talent... »[5]), est au centre de *La Nausée,* le passage réel à l'écriture romanesque se faisant au cœur même de l'entreprise savante, lorsque Rollebon cesse d'être sujet de monographie pour devenir personnage de roman. Alors surgit cette question d'apparence anodine : « qu'est-ce qui m'empêche d'écrire un roman sur sa vie ? »[6] La levée des inhibitions se fera grâce à la projection sur autrui des obstacles intérieurs. Prix du passage à l'écriture, ce jeu de massacre généralisé qu'est *La Nausée* en dit long sur les représentations inconscientes qui s'attachent au fait de tenir

---

1. *La Force de l'âge,* Gallimard, 1960, p. 293.
2. N., p. 216.
3. Parce qu'elle sera jugée selon les critères du Vrai et non selon ceux du Beau, qui mettent en jeu la terrible question : ai-je ou non du talent ?
4. N., p. 222.
5. N., p. 222.
6. N., p. 80.

une plume. Lutte à mort et crainte des représailles, d'où surgit l'angoisse de la « panne » d'écriture. C'est elle qui est exorcisée dans *La Nausée.* Les séquences les plus fameuses du roman, celles qui, soigneusement expurgées, alimentent les morceaux choisis pour classes terminales et les variations philosophiques sur l'existence et l'être, tournent autour de ces quelques lignes : « Je n'écris plus mon livre sur Rollebon ; c'est fini, je ne *peux* plus l'écrire. Qu'est-ce que je vais faire de ma vie ? »[7] et : « M. de Rollebon venait de mourir pour la deuxième fois. Tout à l'heure encore il était là, en moi, tranquille et chaud [...]. Et même quand il ne se montrait pas, il pesait lourd sur mon cœur et je me sentais rempli »[8]. La mort du « petit bonhomme »[9] et ses implications symboliques, voilà ce qui, pour nous, déclenche cette panique qu'est *La Nausée* et rend compte de l'agressivité qui s'y décharge.

La genèse de l'œuvre et la dépression qui l'accompagne sont assez bien connues maintenant. Simone de Beauvoir parle de la difficulté de passer à l'âge adulte, de la monotonie d'une vie de professeur en province, du premier livre refusé par les éditeurs, du « livre sur *L'Image* », dont Alcan n'avait « retenu que la première partie »[10]. Malgré la dénégation (« Nous avions tous deux une absolue confiance dans son avenir ; mais l'avenir ne suffit pas toujours à éclairer le présent »[11]), c'est là, semble-t-il, que le bât blesse : difficulté de supporter d'être inconnu à trente ans, surgissement de l'intolérable question : suis-je bien celui que je croyais être ? Les doutes en ce domaine ne peuvent que raviver le complexe de castration. Aussi *La Nausée* présente-t-elle, comme à l'état naissant dans l'œuvre de l'écrivain, les principales lignes de force qui structurent les enfances sartriennes et sous-tendent la fantasmatique qui s'y déploie : agressivité anale déguisée en affrontement œdipien, prévalence du phallus vécu sur le mode anal. A la question « qui suis-je ? », Roquentin, aussi rusé qu'Ulysse, répond « personne », évitant ainsi le piège dans lequel tombera Lucien Fleurier : se définir trop tôt, être « quelqu'un ». L'épigraphe de *La Nausée,* empruntée à *L'Eglise* de Céline, tire toute sa saveur rétrospective d'un mensonge par omission : « C'est un garçon sans importance collective, c'est tout juste un individu »[12]. Ce garçon-là a tout de même « dans le ventre » beaucoup plus de « cinq cents »[13] pages.

Apparemment, c'est un homme « comme tout le monde », mais il a quelques chances de finir « comme personne ». Le jeu de qui perd gagne est en place. Il n'a pas encore acquis sa virtuosité

---

7. N., p. 123.
8. N., p. 125.
9. N., p. 25.
10. *La Force de l'âge,* p. 219.
11. *Ibid.,* p. 219.
12. N., p. 7.
13. MT., p. 203.

dialectique, son perpétuel renversement du pour ou contre. Roquentin a perdu, « voilà tout. Voici trois ans que je suis entré à Bouville, solennellement. J'avais perdu la première manche. J'ai voulu jouer la seconde et j'ai perdu aussi : j'ai perdu la partie. Du même coup, j'ai appris qu'on perd toujours. Il n'y a que les salauds qui croient gagner. A présent, je vais faire comme Anny, je vais me survivre. Manger, dormir. Dormir, manger »[14]. Et... écrire. Mais il ne faut pas le dire, ou le dire si timidement que cela pourra passer inaperçu[15] ; il faut au contraire étaler sa défaite, enfouir le qui perd gagne, opération que Sartre analyse chez Flaubert et où nous verrons[16] le désir de masquer la démesure qui s'attache, chez Sartre comme chez Flaubert, au dessein de produire un chef-d'œuvre.

Nous avons jugé nécessaire de conserver, dans ce chapitre, l'ordre même du récit que nous étudions, car il nous a paru naître d'une exigence intérieure beaucoup plus profonde que celui des deux enfances sartriennes. Sous une apparence de récit, *Les Mots* sont une plaidoirie[17], *L'Enfance d'un chef*, un réquisitoire. *La Nausée* relate une expérience. Nous trouvons une confirmation de ce caractère de nécessité interne de l'agencement romanesque, dans une lettre où Sartre raconte à Simone de Beauvoir sa conversation avec Brice Parain, à propos du manuscrit de *La Nausée* : « Il trouve le genre faux et pense que ça se sentirait moins (le genre journal) si je ne m'étais préoccupé de " souder " les parties de " fantastique " par des parties de populisme. Il voudrait que je supprime autant que possible le populisme [...] et les soudages en général. [...] Je lui ai dit que de toutes façons, il n'y a plus de soudage à partir du dimanche (il n'y a plus que la peur, le musée, la découverte de l'existence, la conversation avec l'Autodidacte, la contingence, la fin) »[18].

Notre analyse suivra donc autant que possible[19] le déroulement même du texte, pour observer Roquentin dans ses transformations successives. Car *La Nausée* est une « métamorphose ». La nouvelle de Kafka est évoquée entre les lignes du prière d'insérer rédigé par Sartre pour la première édition : « Alors commence sa véritable aventure, une métamorphose insinuante et doucement horri-

---

14. N., p. 197.
15. Plusieurs critiques ont effectivement refusé de prendre au sérieux la décision finale de Roquentin : se mettre à écrire, et ont jugé artificiel le dénouement de *La Nausée.*
16. *Infra*, 3e partie, chap. III, p. 400-402.
17. Philippe Lejeune a montré que « L'ordre du récit dans *Les Mots* de Sartre » masque un ordre démonstratif, *Le Pacte autobiographique*, Seuil, 1975, p. 197 à 243.
18. *La Force de l'âge*, Gallimard, 1960, p. 307.
19. Nous prendrons cependant, parfois, la liberté de regrouper des éléments qui ont été dispersés dans le texte du roman pour respecter le vraisemblable du journal intime, ou d'anticiper et de revenir en arrière afin de mettre en évidence les implications de la séquence étudiée.

ble de toutes ses sensations ; [...] Roquentin se traîne au hasard des rues, volumineux et injustifiable »[20]. Mais Grégoire Samsa reste une bête répugnante. Roquentin lui, « le premier jour du printemps, [...] comprend le sens de son aventure »[21]. A la fin du livre, il laisse entre nos mains son encombrante chrysalide pour renaître papillon.

Qui est malade ?

Le « feuillet sans date »[22] qui précède le journal proprement dit, est tout entier orienté vers une dénégation : je ne suis pas malade, qui entraîne un phénomène de projection : « tous ces changements concernent les objets »[23]. De proche en proche, c'est la Nature entière qui deviendra malade. Nous réintégrerons évidemment dans le sujet lui-même ce qu'il projette au dehors : ainsi, première apparition de ce qui deviendra l'un des thèmes majeurs de l'œuvre, le galet « plat, sec sur tout un côté, humide et boueux sur l'autre »[24]. Cette boue soigneusement refoulée, nous la verrons refluer sur Roquentin pour le poisser d'une « ignoble marmelade »[25] et finalement disparaître « par un grand trou »[26]. Dès le début, est aussi posé, fût-ce sous forme négative, le lien de l'écriture à la maladie, l'une tenant l'autre en respect : « Je suis guéri, je renonce à écrire mes impressions au jour le jour, comme les petites filles, dans un beau cahier neuf »[27]. Nouvelle dénégation : Je ne suis pas une petite fille (nous reconnaissons cependant le petit garçon « indéterminé » des *Mots*, prenant et quittant comme une tapisserie son cahier noir à tranche rouge[28]) et quelques pages plus loin : « Je ne suis ni vierge ni prêtre, pour jouer à la vie intérieure »[29]. Castration niée, lisible pourtant dans les repères que Roquentin se donne pour se rassurer : « Ce soir, je suis bien à l'aise, bien bourgeoisement dans le monde. Ici c'est ma chambre, orientée vers le nord-est. En dessous, la rue des *Mutilés* »[30]... C'est la rue des Mutilés qui mène à la bibliothèque. Toutes les semaines, vient le « monsieur de Rouen, [...] on lui réserve la chambre n° 2, au premier, celle qui a un bidet »[31]. Rabaissement de la vie amoureuse aux trivialités des hôtels meublés[32]. « Et voici le tramway 7

---

20. Cité dans : M. Contat, M. Rybalka, *Les Ecrits de Sartre*, p. 61.
21. *Ibid.*, p. 61.
22. N., p. 11.
23. N., p. 12.
24. N., p. 12.
25. N., p. 170.
26. N., p. 171.
27. N., p. 13.
28. MT., p. 121.
29. N., p. 22.
30. N., p. 12 ; souligné par nous.
31. N., p. 13.
32. Simple « indice », objectera-t-on, de la catégorie à laquelle appartient l'hôtel où loge Roquentin. Soit, mais le bidet renvoie aux « ablutions intimes », pour

« *Abattoirs - Grands Bassins* »[33], ces bassins qui polariseront la fuite panique de Roquentin un jour de nausée (n'oublions pas les maléfices qui s'attachent aux bassins dans *Les Mots*[34]). Mais si Roquentin peut afficher naïvement sa castration sur ce feuillet sans date, c'est qu'il porte encore en lui ce « petit bonhomme » « tranquille et chaud » qui pèse « lourd » et qui le « remplit »[35]. Que le petit homme vienne à faiblir et c'est la débâcle, projetée sur l'univers entier.

Inhibitions

Dans la première séquence du journal (lundi et mardi 19 janvier 1932), Roquentin, essayant de cerner son malaise, note : « C'est curieux : je viens de remplir dix pages et je n'ai pas dit la vérité — du moins pas toute la vérité. Quand j'écrivais, sous la date, " Rien de nouveau ", c'était avec mauvaise conscience : en fait, une petite histoire, qui n'est ni honteuse ni extraordinaire, refusait de sortir. [...] J'ai voulu et je n'ai pas pu ramasser un papier qui traînait par terre. [...] J'en ai été profondément impressionné : j'ai pensé que je n'étais plus libre »[36]. Avouons qu'il est piquant de trouver au début de l'œuvre de Sartre une définition si humble et si fondamentale de la liberté : être libre, c'est pouvoir satisfaire ses pulsions, ne pas ressentir l'indéfinissable et lancinant : « qu'est-ce qui m'empêche de... » Ici, la pulsion est anale : soulever « des papiers lourds et somptueux, mais probablement salis de merde »[37], palper des feuillets « maculés »[38], puis essuyer ses « paumes remplies de boue à un mur ou à un tronc d'arbre »[39]. Bref, Roquentin ne peut plus jouer avec la matière comme un petit garçon.

La séquence se termine sur un texte qu'il nous faut citer en entier :

> « Donc, aujourd'hui, je regardais les bottes fauves d'un officier de cavalerie, qui sortait de la caserne. En les suivant du regard, j'ai vu un papier qui gisait à côté d'une flaque. J'ai cru que l'officier allait, de son talon, écraser le papier dans la boue, mais non : il a enjambé, d'un seul pas, le papier et la flaque. Je me suis approché : c'était une page réglée, arra-

---

parler comme le dictionnaire Robert. L'allusion au bidet fait apparaître le sexe dès la troisième page du roman et dans un contexte qui le dévalorise.

33. N., p. 13 ; souligné par nous.
34. On voit que nous ne partageons pas l'avis de Brice Parain sur le caractère plaqué des notations « populistes ». Les noms de rues, de tramways, annoncent un des signifiés majeurs du texte, l'angoisse de castration.
35. Voir *supra*, dans ce chapitre, p. 124, la citation entière et, 1re partie, chap. II, p. 84, note 154 et p. 85, nos remarques sur la castration mise en avant pour masquer l'introjection du phallus anal.
36. N., p. 21-22.
37. N., p. 22.
38. N., p. 22.
39. N., p. 23.

chée sans doute à un cahier d'école. La pluie l'avait trempée et tordue, elle était couverte de cloques et de boursouflures, comme une main brûlée. Le trait rouge de la marge avait déteint en une buée rose ; l'encre avait coulé par endroits. Le bas de la page disparaissait sous une croûte de boue. Je me suis baissé, je me réjouissais déjà de toucher cette pâte tendre et fraîche qui se roulerait sous mes doigts en boulettes grises... Je n'ai pas pu.

Je suis resté courbé, une seconde, j'ai lu « Dictée : le Hibou blanc », puis je me suis relevé, les mains vides. Je ne suis plus libre, je ne peux plus faire ce que je veux.

Les objets, cela ne devrait pas *toucher*, puisque cela ne vit pas. On s'en sert, on les remet en place, on vit au milieu d'eux : ils sont utiles, rien de plus. Et moi, ils me touchent, c'est insupportable. J'ai peur d'entrer en contact avec eux tout comme s'ils étaient des bêtes vivantes.

Maintenant, je vois ; je me rappelle mieux ce que j'ai senti, l'autre jour, au bord de la mer, quand je tenais ce galet. C'était une espèce d'écœurement douceâtre. Que c'était donc désagréable ! Et cela venait du galet, j'en suis sûr, cela passait du galet dans mes mains. Oui, c'est cela, c'est bien cela : une sorte de nausée dans les mains »[40].

Avec cette page, les thèmes fondamentaux du livre sont en place. Suivons le regard de Roquentin ; sa première rencontre : les bottes de l'officier. *La Mort dans l'âme* fera revenir cet officier ou son frère dans l'ordre fantasmatique : Mathieu est dans son clocher : « quatorze minutes trente secondes ; il n'avait plus rien à demander sauf un délai d'une demi-minute, juste le temps de tirer sur le bel officier si fier qui courait vers l'église ; il tira sur le bel officier, sur toute la Beauté de la Terre, sur la rue, sur les fleurs, sur les jardins, sur tout ce qu'il avait aimé. La Beauté fit un plongeon obscène et Mathieu tira encore. Il tira : il était pur, il était tout-puissant, il était libre. Quinze minutes »[41].

Il y aurait beaucoup à dire sur ce « triomphe » du dernier quart d'heure[42]. Le texte de *La Nausée*, plus fétichiste que celui des *Chemins de la liberté*, isole les bottes du cavalier. Il ne précise pas si l'homme est beau, mais son aisance le laisse supposer. On attendait qu'il écrase, il s'élance. Roquentin a les yeux rivés sur ce couple : la chose par terre, main brûlée dans la boue, le talon du bel officier. Le plongeon obscène que Mathieu fait faire à la Beauté, avec ce qu'il révèle de jalousie latente, nous permet de voir dans le bel officier une image du phallus. Juxtaposée, la main brûlée est une image de la castration. La dérision de la culture scolaire

40. N., p. 23.
41. C. L. tome III, p. 197.
42. Voir *infra*, 3e partie, chap. IV, p. 425.

est sensible dans la page de cahier humiliée. Nous la retrouverons avec le personnage de l'autodidacte. Elle recouvre une hantise plus profonde : qu'il ne suffise pas d'être un élève appliqué pour devenir un jour un grand écrivain, comme le grand-père le laissait croire. Le Hibou blanc évoque le merle blanc, celui qui n'est pas comme les autres. Transformer cette pâte tendre et fraîche en boulettes grises, manie d'écolier, jeu avec la matière ; ou peut-être, activité moins innocente. Rapprochons de ce texte un passage qui peint le malaise de Roquentin après la seconde mort de Rollebon. Il s'est donné un coup de couteau dans la main, il sort dans la rue et marche : « le beau monsieur qui passe, [...] ne sent pas qu'il existe. [...] j'ai mal à la main coupée, existe, existe, existe. Le beau monsieur existe Légion d'honneur, existe moustache, c'est tout ; [...] le reste personne ne le voit, [...] Ni son corps maigre, ni ses grands pieds il ne les voit, en fouillant au fond du pantalon, on découvrirait bien une paire de petites gommes grises »[43].

Bottes fauves et boulettes grises, Légion d'honneur, moustaches et petites gommes grises. Cette juxtaposition revient à châtrer celui qu'on juge infatué ; c'est la mise en images d'un « je suis châtré, je châtre », mouvement que nous retrouverons tout au long de l'œuvre. Nous ne serons pas étonnés de voir la nausée projetée « dans les mains ». Ce sont elles qui touchent ce qu'on ne doit pas toucher. La main brûlée, ce peut être la hantise du châtiment pour avoir approché une bête vivante. Le texte met, pour finir, en relation les papiers et le galet. Les papiers ont, avec le galet, le caractère d'être doubles[44] : « tout blancs, [...] posés comme des cygnes, mais déjà la terre les englue par en dessous »[45]. Comme le galet, ils sont « l'Ego-fantasme »[46] de celui qui les observe. Surface brillante, profondeur immonde. C'est ce refoulé « sale » qui fait retour dans les choses et anime l'inanimé. La « nausée » est d'abord une phobie de contact. Nous aurons à revenir sur son caractère sexuel. Notons, cependant, dès maintenant, que l'angoisse de castration se manifeste dès cette première séquence : « je glisse tout doucement au fond de l'eau, vers la peur »[47]. Peur de devenir un jour « un de ces hommes aux yeux de poissons »[48] qui terrifient les petits garçons parce qu'ils forment « dans [leur] tête des pensées de crabe ou de langouste »[49], comme cet ancien censeur qui allait

43. N., p. 131.
44. Comme l'a bien vu Jean Pellegrin dans « L'objet à deux faces dans *La Nausée* », *Revue des Sciences Humaines*, Lille, janvier-mars 1964, fasc. 113.
45. N., p. 22.
46. L'expression est de Sartre à propos de Flaubert se fascinant sur les objets : « Ce travail consiste en une contemplation longue et déréalisante où c'est soi-même que l'on observe », I.F., tome II, p. 1955.
47. N., p. 21.
48. N., p. 21.
49. N., p. 21.

s'asseoir dans une guérite, au Luxembourg, mutilant mutilé, avec sa tumeur au cou et sa jambe étendue devant lui.

En face des pensées de crabes et les tenant en respect, le pouvoir de raconter : pouvoir si fondamental que l'on est mort si l'on ne l'exerce. M. Fasquelle, le gérant du café Mably, s'endort dès qu'il est seul. Les clients aussi : « pour exister, il faut qu'ils se mettent à plusieurs »[50]. En buvant leur café, ils se racontent des histoires. Roquentin, lui, est atteint en même temps dans son pouvoir de toucher et dans sa capacité de mettre en mots. Si l'on voit dans le conteur une métaphore de l'écrivain[51], il semble que cette séquence réalise une sorte d'identité entre la phobie de contact et l'inhibition d'écriture. Tenir sa plume et toucher ce qui est sale représenterait pour l'inconscient le même type de transgression.

Un ravissant jeune homme

La séquence suivante introduit Lucie : sale, à quatre pattes, elle encaustique les marches de l'escalier. Son mari « file un mauvais coton »[52]. Elle « fredonne, pour s'empêcher de penser »[53]. Mais : « c'est là, dit-elle en se touchant la gorge, ça ne passe pas »[54]. « Elle souffre en avare »[55], commente Roquentin qui ajoute : « je me demande si elle ne souhaite pas, quelquefois, [...] de souffrir un bon coup, de se noyer dans le désespoir »[56]. Le lendemain, Roquentin la retrouvera sur le boulevard Noir :

> « Oui, c'est elle, c'est Lucie. Mais transfigurée, hors d'elle-même, souffrant avec une folle générosité. Je l'envie. Elle est là, toute droite, écartant les bras, comme si elle attendait les stigmates ; elle ouvre la bouche, elle suffoque »[57].

C'est la première des rencontres repoussoirs qui jalonnent cette *Tentation de saint Antoine* d'un nouveau genre qu'est *La Nausée.* Ne pas se laisser prendre au piège de la « Passion » amoureuse, une des images du phallus[58], pour Roquentin, comme plus tard pour Mathieu. Lola dans son tour de chant aura les mêmes gestes que Lucie sur le boulevard Noir : « Ça y est, elle fait la croix »[59] se dit Mathieu gêné. Il ne pense plus, alors, ce que pensait Anny, la maîtresse de Roquentin, avant la démystification des « moments parfaits » et que Roquentin voudrait tenir pour vrai quand il se

---

50. N., p. 18.
51. *Cf.*, S.G., p. 439 : « c'est un conteur d'histoires comme tous les grands écrivains ».
52. N., p. 24.
53. N., p. 24.
54. N., p. 24.
55. N., p. 24.
56. N., p. 24.
57. N., p. 43.
58. Voir *infra*, dans ce chapitre, p. 176.
59. C.L., tome I, p. 185.

promène sur le boulevard Noir : « Je croyais que la haine, l'amour ou la mort descendaient sur nous, comme les langues de feu du Vendredi saint (sic)[60]. [...] je pensais que ça existait « la Haine », que ça venait se poser sur les gens et les élever au-dessus d'eux-mêmes. Naturellement il n'y a que moi, moi qui hais, moi qui aime. Et alors ça, moi, c'est toujours la même chose, une pâte qui s'allonge, qui s'allonge... »[61].

Démystification nécessaire pour préserver le héros dans sa quête de ce qui dure, d'une « glorieuse petite souffrance »[62] et non d'une grosse passion sans gloire. D'ailleurs, Lucie ne souffre pas vraiment, le Boulevard Noir souffre pour elle : « Non, ce n'est pas en elle qu'elle puise la force de tant souffrir. Ça lui vient du dehors... c'est ce boulevard »[63]. Mouvement de castration que nous verrons souvent reparaître : ce que le héros envie passagèrement aux autres, ici le pouvoir d'être ému, mais dont il ne voudrait pas au fond, il le dévalorise. Pourtant, l'avare qui n'ose pas s'abandonner à ses émotions et que Sartre incarne d'abord en Lucie la sale, Lucie à croupetons dans l'escalier, avant de faire descendre sur elle les feux de la Passion sur le boulevard Noir, il faut bien qu'il tienne à ses fibres mêmes. Témoin le perpétuel glissement des prénoms, avec ses reprises et ses à-peu-près : la petite fille violée à laquelle s'identifiera Roquentin en proie au vertige, s'appelle Lucienne[64], et, quelques lignes plus loin, Lucile[65]. Quant à Lulu d'*Intimité*, Sartre, dans le prière d'insérer du *Mur*[66], l'appelle Lola. Lucie, du Boulevard Noir, appelle son mari Charles[67]. Nous restons en famille.

Mais il ne faudrait pas se laisser abuser par cette opposition factice : avarice, générosité. Lucie, Lola, ne sortent pas du domaine de l'avoir. « Sur les quarante ans, écrit Roquentin à propos de Lucie, cette petite noiraude s'est offert, avec ses économies, un ravissant jeune homme, ajusteur aux Usines Lecointe »[68], comme Lola vieillissante « s'offre » Boris. Et lorsqu'elles souffrent « généreusement », leurs cris sont d'ogresses frustrées. Ce que Roquentin ou Mathieu fascinés contemplent en elles, ce sont les ravages du manque, la trace laissée par le désir du phallus. Mais la tentation de Roquentin, comme celle de Mathieu, n'est pas celle de la chair

---

60. Lapsus révélateur : la Pentecôte, dans l'univers sartrien, n'a aucune résonance fantasmatique. La Passion, au contraire, sert de support à un scénario narcissique de déréliction (voir 2e partie, chap. II, p. 235).
61. N., p. 189.
62. N., p. 217.
63. N., p. 43.
64. N., p. 130.
65. N., p. 132.
66. Reproduit dans M. Contat, M. Rybalka, *Les Ecrits de Sartre*, Gallimard, 1970, p. 70.
67. N., p. 42.
68. N., p. 24.

fraîche. Aussi bien ne « s'offre-t-il » point Françoise, la patronne du Rendez-vous des Cheminots, ils « [font] l'amour au pair »[69]. « Je ne reçois rien, je ne donne rien. [...] Elle y prend plaisir [...] et je me purge ainsi de certaines mélancolies dont je connais trop bien la cause »[70].

Le « ravissant jeune homme » de Roquentin, c'est Rollebon. Il s'introduit dans le journal tout de suite après la rencontre de Lucie dans l'escalier : « M. de Rollebon était fort laid. [...] Marie-Antoinette l'appelait [...] sa « chère guenon ». Il avait pourtant toutes les femmes de la cour, [...] par un magnétisme qui portait ses belles conquêtes aux pires excès de la passion. [...] C'est par ces quelques lignes que j'ai connu d'abord M. de Rollebon. Comme il m'a paru séduisant et comme, tout de suite, sur ce peu de mots, je l'ai aimé ! C'est pour lui, pour ce petit bonhomme, que je suis ici »[71]. Quel magnifique moi idéal ! Petit singe adulé des vieilles dames comme l'enfant des *Mots,* vieillard aimé des jeunes femmes comme le vieil écrivain dans la steppe[72] ou l'inconnu du Balzar[73]. Il est laid, il est petit et il a tout. Les hommes, il ne les affronte point. Il les tue en effigie. Il pourrait avoir poussé les conjurés au meurtre du tsar en mimant « la scène qui aurait lieu avec une puissance incomparable »[74], selon un témoin dont Roquentin se défie. Plus Hamlet qu'Œdipe, en tout cas. L'intéressant, c'est la jubilation de Roquentin lorsqu'il devine « la façon magistrale dont il avait roulé Nerciat »[75], et la caution qu'il apporte à l'« histoire curieuse »[76] de la conversion in extremis d'un ami de Diderot : « M. de Rollebon, qui passait et ne croyait à rien, gagea contre le curé de Moulins qu'il ne lui faudrait pas deux heures pour ramener le malade à des sentiments chrétiens. Le curé tint le pari et perdit : [...] « Etes-vous si fort dans l'art de la dispute ? demanda le curé, vous l'emportez sur les nôtres ! » « Je n'ai pas disputé, répondit M. de Rollebon, je lui ai fait peur de l'enfer »[77]. Petit chef-d'œuvre d'humour noir : battre un bon père sur son propre terrain, mais avec des arguments déloyaux ; pratiquer la terreur pour tout art de persuader, et cela dans le style des *Provinciales.* Nous reviendrons sur cette question du pastiche et de la possession par les grands hommes[78]. La dérision est l'envers de la soumission.

Rollebon introduit, nous allons pouvoir approcher les raisons profondes de la crise : « Longtemps l'homme, Rollebon, m'a inté-

---

69. N., p. 18.
70. N., p. 18.
71. N., p. 25.
72. MT., p. 159-160
73. MT., p. 158.
74. N., p. 28.
75. N., p. 26.
76. N., p. 29.
77. N., p. 29.
78. Notamment 2e partie, chap. III, p. 272-274.

ressé plus que le livre à écrire. Mais, maintenant, l'homme... l'homme commence à m'ennuyer. C'est au livre que je m'attache, je sens un besoin de plus en plus fort de l'écrire — à mesure que je vieillis, dirait-on »[79]. Le drame, c'est que Rollebon se désagrège en même temps que son biographe. Roquentin, dans sa chambre, se prend au « piège »[80] du miroir, ce « trou blanc »[81] où la « chose grise »[82] vient d'apparaître : cette chose molle, « vague »[83], « fade »[84], « lunaire »[85], c'est son visage. S'il se regarde dans la glace, ce qui apparaît, c'est « l'indéfini en chair et en os »[86]. Celui qui ne peut répondre à la question « qui suis-je ? », comment le fera-t-il pour un autre ? Mais si définir Rollebon devient impossible, c'est le pouvoir de produire l'objet fétiche qui est atteint. Or Roquentin « vieillit ». Il approche de la trentaine et n'a encore publié aucun livre. Nous savons quel rôle irremplaçable de substitution et de prothèse joue le livre-objet et l'homme-livre pour l'enfant des *Mots*[87]. Nous pouvons imaginer le malaise de Roquentin. Si Rollebon défaille, Roquentin n'est plus que gelée, polype et protoplasme. Aussi allons-nous assister à toute une série de tentatives avortées pour essayer de reconstituer ce qui tient lieu de phallus. Bien sûr, ces tentatives seront autant de tentations, de pièges, sur la route du héros. Il importe qu'il échoue chaque fois qu'il recrée le fétiche ; il lui faut passer par l'ascèse de la « débâcle », de la grande panique qui se trouve au cœur du livre pour pouvoir, à la dernière page, renaître en celui qui produira une œuvre hors du temps.

Le dur et le mou

La première tentation, c'est celle de la « petite phrase »[88] du *rag-time* entendue au café des cheminots, lorsque l'on ne comprend

79. N., p. 26.
80. N., p. 30.
81. N., p. 30.
82. N., p. 30.
83. N., p. 31.
84. N., p. 31.
85. N., p. 31.
86. MT., p. 29.
87. Voir *supra*, 1re partie, chap. II, p. 83.
88. Sartre a soigneusement évité cette expression désormais proustienne ; mais il y a sans doute bien des affinités, comme l'ont remarqué plusieurs critiques, entre la « petite phrase » de la sonate de Vinteuil et le « petit air » de saxophone ou la « petite mélodie » du *rag-time*, malgré les oppositions patentes : musique « savante », musique populaire, musique qui console, musique qui « fait honte » (voir *infra*, dans ce chapitre, p. 197). De fait, le petit air, comme la petite phrase, est lié à l'amour impossible, ici celui de la mère (voir *infra*, dans ce chapitre, p. 196). Swann devine « de la souffrance dans son sourire » (*A la recherche du texte perdu*, Pléiade, vol. I, p. 348), la mélodie du *rag-time* sourit (p. 37) et souffre (p. 217) ; la petite phrase vient à Swann « plus merveilleuse qu'une adolescente, [...] enveloppée, harnachée d'argent, toute ruisselante de sonorités brillantes, légères et douces comme des écharpes » (*Recherche*, vol. III, p. 249) ; Roquentin écrit de « cette petite douleur de diamant qui tourne en rond au-dessus du disque et [l']éblouit » : « A travers des épaisseurs et des épaisseurs d'existence, elle se dévoile, mince et ferme

pas bien encore son message et qu'au lieu de produire des objets qui lui ressemblent, on essaie d'être comme elle. Chaque scène du journal porte la trace, sous une forme ou sous une autre, du complexe de castration que ravive la crise de l'écriture. Dans la séquence qui débute par l'entrée de Roquentin au café et se termine par sa promenade sur le boulevard Noir, ce complexe apparaît dans la prédominance du thème phallique sous son aspect directement génital. Tout l'ensemble est construit sur l'alternance : érection, fiasco. Roquentin s'est regardé dans la glace de sa chambre, il n'a vu que du mou, « du doux, du flou »[89]. Il entre au café des cheminots « pour baiser », mais la patronne est absente : « J'ai senti une vive déception au sexe, un long chatouillement désagréable »[90]. A partir de là, le texte développe une seule opposition le mou, le dur. Mais cette thématique, apparemment phallique, est en fait, semble-t-il, d'ordre anal. (N'oublions pas que lorsque Roquentin « baise », il se « purge »). Ce qui va aider Roquentin à garder la dureté que lui a communiqué la petite phrase du *rag-time*, c'est le trou noir du boulevard, ce boulevard qui est « tout juste un envers »[91] et qu'on ne nettoie qu'aux abords de la gare. Le texte reprend avec insistance les mots « trou », « noir », « sale »[92]. Sartre opposera, dans *Saint Genet*, les étrons « glacés », « dématérialisés » de Genet à la « fiente épaisse »[93] de Zola. Le boulevard Noir est un cloaque sublimé : il est « inhumain. Comme un minéral. Comme un triangle »[94]. L'image corporelle qui sous-tend l'évocation de Lucie, c'est le bâton fécal modelé par la paroi intestinale : « J'ai l'impression que les murs ont grandi, [...] qu'ils se sont rapprochés, qu'elle est au fond d'un puits. [...] j'ai peur qu'elle ne tombe raide : [...] elle a l'air minéralisée [...] Ça lui vient du dehors... c'est ce

---

[. . .] » (p. 218). La petite phrase, comme le petit air, invite au détachement : « de ces chagrins qui maintenant étaient devenus les siens sans qu'il eût l'espérance d'en être jamais délivré, elle semblait lui dire comme jadis de son bonheur : « Qu'est-ce que cela ? Tout cela n'est rien » (vol. I, p 348). Les « quatre notes de saxophone. [. . .] ont l'air de dire : « Il faut faire comme nous, souffrir *en mesure* » (N., p. 217). « La pensée de Swann [se porte] [. . .] dans un élan de pitié et de tendresse vers ce Vinteuil, [. . .] Qu'avait pu être sa vie ? » (vol. I, p. 348). Roquentin pense à l'auteur du *rag-time* : « Eh bien ! c'est la première fois depuis des années qu'un homme me paraît émouvant. Je voudrais savoir quelque chose sur ce type » (N., p. 220). Le narrateur de la *Recherche* s'étonne que « l'approximation la plus hardie des allégresses de l'au-delà se fût justement matérialisée dans le triste petit bourgeois bienséant que nous rencontrions au mois de Marie à Combray » (vol. III, p. 261), comme Roquentin de ce que le petit air ait « choisi pour naître » « le corps usé de ce juif aux sourcils de charbon » (p. 220). Pour l'un comme pour l'autre, la musique est appel pressant au salut par l'œuvre d'art. Le retour insistant des quatre notes de saxophone est pour nous le signe que le narrateur de *La Nausée* s'identifie à celui de la *Recherche*.

89. N., p. 31.
90. N., p. 32.
91. N., p. 41.
92. N., p. 41.
93. S.G., p. 369.
94. N., p. 41.

boulevard »[95]. Dans ce couloir d'air glacé, on rêve de « n'être que du froid »[96]. Et l'œil du promeneur fabrique avec des lambeaux d'affiche un mot-monstre qui accole les contraires, le mot « purâtre »[97]. Emblème du boulevard Noir, cette création hybride pourrait l'être aussi de *La Nausée*. Le « pur », dont le roman use et abuse, paraît souvent bien douteux.

Revenons à cette opposition du dur et du mou, du pur et de l'impur dans la séquence qui nous occupe, avant la sortie sur le boulevard glacé où Roquentin rencontre Lucie. Dans le café, au contraire, tant que la petite phrase n'a pas fait son entrée, règne le tiède. Madeleine a la chair pauvre, le verre de bière fait une flaque jaune, la banquette est défoncée, les bretelles d'Adolphe n'arrivent même pas à être violettes, les joueurs de cartes sont un « paquet tiède »[98] ; leur geste est si flasque qu'il « faudrait le découdre et tailler dedans »[99]. La musique va s'en charger. A-t-on remarqué combien sa dureté est redoutable ? Cette « bande d'acier » « déchire, de ses sèches petites pointes », elle « perce »[100] ce monde affalé. C'est un vrai *rag-time*[101]. Roquentin va s'identifier à elle. La voix de la négresse produit le même effet que celle du grand-père dans *Les Mots* lors de la fête de l'institut. Plus de vingt ans séparent ces deux textes, l'image génératrice glisse de l'un à l'autre. Voici le texte des *Mots* :

> « Il y a quelqu'un qui manque ici : c'est Simonnot. [...] au centre d'un anneau tumultueux, je vis une colonne : M. Simonnot lui-même [...]. Cette absence prodigieuse le transfigura. [...] M. Simonnot *manquait*. Il avait suffi de prononcer son nom : dans cette salle bondée, le vide s'était enfoncé comme un couteau. [...] Vierge, réduit à la pureté d'une essence négative, il gardait la transparence incompressible du diamant »[102].

Et celui de *La Nausée* :

> « Silence.
>
> *Some of these days*
> *You'll miss me honey.*
>
> Ce qui vient d'arriver, c'est que la Nausée a disparu [...] c'était presque pénible de devenir ainsi tout dur, tout rutilant. En même temps la durée de la musique se dilatait, s'enflait comme une trombe. Elle emplissait la salle de sa transparence métallique, en écrasant contre les murs notre temps misérable. Je suis *dans* la musique. Dans les glaces roulent des

---

95. N., p. 43.
96. N., p. 42.
97. N., p. 40.
98. N., p. 33.
99. N., p. 35.
100. N., p. 36.
101. La petite phrase met le temps (time) en lambeau (rag). Seule lui importe l'éternité.
102. MT., p. 73-74.

globes de feu ; des anneaux de fumée les encerclent et tournent, voilant et dévoilant le dur sourire de la lumière »[103].

Dans la salle se creuse une trombe aux anneaux tourbillonnants. « Au centre d'un anneau tumultueux, je vis une colonne ». Il y a quelqu'un qui manque ici, dit la chanson, ou plutôt qui veut manquer à l'autre : il est caché *dans* la musique ; Roquentin a pris la place de Simonnot, réalisant le vœu du petit garçon « réfugié dans un coin ». Revanche du châtré, cet « ego-fantasme » qui a « la transparence incompressible du diamant » ou qui remplit la salle « de sa transparence métallique », châtre à son tour : il s'enfonce « comme un couteau », ou il « écrase » contre les murs.

Comme le petit garçon des *Mots* après la lecture des *Enfances des hommes illustres*[104], Roquentin va jouer à mettre de la nécessité dans sa vie. Les trois pages qui détaillent les effets du petit air de jazz sur le café des cheminots, font apparaître des images, des tours de phrases, que les œuvres postérieures nous ont rendu familières. Leur matrice affective commune est l'angoisse du *de trop*. Ainsi le petit air organise son monde dans le café comme le faisaient, pour les séquences des films muets, les « hennissements »[105] du piano :

> « Mon verre de bière s'est rapetissé, il se tasse sur la table : il a l'air dense, indispensable. Je veux le prendre et le soupeser, j'étends la main... Mon Dieu ! C'est ça surtout qui a changé, ce sont mes gestes. Ce mouvement de mon bras s'est développé comme un thème majestueux, il a glissé le long du chant de la négresse ; il m'a semblé que je dansais [...] [La tête d'Adolphe] avait l'évidence, la nécessité d'une conclusion. Je presse mes doigts contre le verre, je regarde Adolphe : je suis heureux »[106].
>
> « Quelle joie, quand le dernier coup de couteau coïncidait avec le dernier accord ! J'étais comblé, j'avais trouvé le monde où je voulais vivre, je touchais à l'absolu »[107].

« Tout à l'heure, j'irai au cinéma »[108] pense Roquentin avant de quitter la salle tiède. Il doit sentir qu'il lui faudra encore l'adjuvant des images, même après le saisissement du boulevard Noir, pour pouvoir continuer à jouer de l'illusion rétrospective.

Le petit Jean-Paul cherchait à capter dans sa vie ce qui serait signe pour un lecteur futur. Vaine attente qui aboutissait à « ce banc »[109] du jardin public. Ecoutons Roquentin se raconter : « Moi,

---

103. N., p. 37.
104. MT., p. 167-169.
105. MT., p. 98.
106. N., p. 37.
107. MT., p. 102.
108. N., p. 39.
109. MT., p. 204

j'ai eu de vraies aventures. Je n'en retrouve aucun détail, mais j'aperçois l'enchaînement rigoureux des circonstances. J'ai traversé les mers, [...] J'ai eu des femmes, je me suis battu avec des types ; et jamais je ne pouvais revenir en arrière, pas plus qu'un disque ne peut tourner à rebours. Et tout cela me menait *où ?* A cette minute-ci, à cette banquette, dans cette bulle de clarté toute bourdonnante de musique »[110].

Roquentin s'essaie à la notice nécrologique[111]. Il balbutie aussi les rudiments du qui perd gagne : « c'est le jazz qui joue : il n'y a pas de mélodie, juste des notes, une myriade de petites secousses [...] J'aimerais bien les retenir, mais je sais que, si j'arrivais à en arrêter une, il ne resterait plus entre mes doigts qu'un son canaille et languissant. Il faut que j'accepte leur mort ; cette mort, je dois même la *vouloir* : je connais peu d'impressions plus âpres ni plus fortes »...[112]. « Si j'aime cette belle voix, c'est surtout pour ça : ce n'est ni pour son ampleur ni pour sa tristesse, c'est qu'elle est l'événement que tant de notes ont préparé, de si loin, en mourant pour qu'il naisse »[113]. La petite passion (*x* meurt pour que *y* naisse)[114] gagne jusqu'au jeu de cartes : « La silhouette du roi de cœur paraît entre des doigts crispés, puis on le retourne sur le nez et le jeu continue. Beau roi, venu de si loin, préparé par tant de combinaisons, par tant de gestes disparus. Le voilà qui disparaît à son tour, pour que naissent d'autres combinaisons et d'autres gestes, des attaques, des répliques, des retours de fortune, une foule de petites aventures »[115].

Cette attaque de la phrase, ce lamento narcissique (car ses arrière-neveux conserveront au fond d'eux-mêmes l'image du roi sacrifié), nous les retrouvons, vingt ans plus tard dans le lyrisme du dernier discours de Frantz aux crabes du XXXe siècle : « Beaux enfants, vous sortez de nous, nos douleurs vous auront faits »[116]... L'émotion qui transparaît sous toutes ces images, est celle qui s'attache, chez Sartre, à l'illusion de la nécessité. Son acharnement à ressentir la contingence, dont témoigne l'expérience de *La Nausée* et tout *L'Etre et le Néant,* est à la mesure du désir de son enfance d'être celui que l'on attend. D'où l'identification narcissique au Christ annoncé par tout l'Ancien Testament. Au fond, Sartre ne s'est jamais consolé de ce que tout événement ne soit pas avènement.

---

110. N., p. 38.
111. MT., p. 171 : « Je devins ma notice nécrologique ». Petit jeu qui consiste à lire sa vie à l'envers en transformant ses menus incidents en autant de signes pour un public futur.
112. N., p. 36.
113. N., p. 37.
114. Nous ne pourrons essayer d'éclairer le soubassement fantasmatique de cette formule qu'en étudiant *Saint Genet comédien et martyr,* (voir 2e partie, chap. II, p. 237).
115. N., p. 38.
116. *Les Séquestrés d'Altona,* Gallimard, 1960, p. 222.

Revenons à Roquentin, devenu « tout dur, tout rutilant »[117], sous l'effet de la musique : « Je suis ému, je sens mon corps comme une machine de précision au repos »[118]. De Lucien Fleurier, dans le café aux métèques, plein de sa nouvelle « conviction » de jeune camelot du Roi, Sartre écrira : « il se sentait insolite et menaçant, une monstrueuse horloge accotée contre la banquette et qui rutilait »[119]. Erection factice et, pour Roquentin, nous le verrons, prématurée.

Les eunuques de la culture

La séquence suivante débute par l'apparition d'un personnage qui n'est pas « sans importance collective »[120]. Au fur et à mesure que le malaise de Roquentin croît — c'est-à-dire que le pouvoir de ressusciter Rollebon s'affaiblit en lui, nous allons voir se succéder une série d'exécutions de notables, de ces « gens de bien »[121], dont parle le prière d'insérer et qui croient avoir, alors qu'ils n'ont rien parce qu'ils n'ont pas tout[122]. La première victime, nous ne saurions nous en étonner, se trouve être le grand-père ou l'un de ses collègues. Près de lui, on peut même reconnaître Anne-Marie Schweitzer avec ses vêtements de deuil, ses regards de jeune fille et ses « petites »[123] idées :

> « Ces dames en noir [...] jettent de côté des regards de jeunes filles, furtifs et satisfaits, sur la statue de Gustave Impétraz. [...] c'est un peu comme si leur grand-père était là, sur ce socle, coulé en bronze. [...] Au service de leurs petites idées étroites et solides il a mis son autorité et l'immense érudition puisée dans les in-folio que sa lourde main écrase »[124].

Roquentin va l'affronter en effigie :

> « Une sourde puissance émane de lui : c'est comme un vent qui me repousse : Impétraz *voudrait me chasser* de la cour des Hypothèques. Je ne partirai pas avant d'avoir achevé cette pipe »[125].

C'est à la lettre un « repoussoir » ; les jeunes femmes furtives ne savent même pas son nom, sa silhouette est coulée dans le bronze, non « [sa] babillarde, [sa] conscience »[126]. Inspecteur d'académie, « il peignait d'exquises bagatelles et fit trois livres : " De la popularité chez les Grecs anciens " (1887), " La pédagogie de Rollin "

---

117. N., p. 37.
118. N., p. 38.
119. MR., p. 236.
120. L.F. Céline, *L'Eglise*, cité dans N., p. 7.
121. Cité dans *Les Ecrits de Sartre*, Michel Contat et Michel Rybalka, p. 61.
122. Sur le danger d'être quelqu'un, voir *supra*, chap. III, p. 99.
123. Voir *supra*, 1re jartie, chap. III, p. 101.
124. N., p. 43-44.
125. N., p. 43-45 ; souligné par nous.
126. « Je pourrais couler ma babillarde, ma conscience, dans des caractères de bronze » (MT., p. 160-161).

(1891) et un " Testament poétique en 1899 " »[127]. Il est « écrivain du dimanche »[128], comme il est peintre du dimanche. Sa carrière est celle que le grand-père souhaitait pour son petit-fils et celle dont Roquentin redoute qu'elle ne soit finalement la sienne : Rollebon sujet de monographie, c'est la littérature comme annexe du professorat. On comprend que Rollebon doive mourir une seconde fois.

Rentrant à l'intérieur de la bibliothèque, Roquentin rencontre un autre eunuque de la culture : l'Autodidacte. Second repoussoir, plus redoutable au fond que le premier. Certes, il est, lui, un « garçon sans importance collective, c'est tout juste un individu »[129], il ne prétend à rien. Mais, comme Roquentin, son désir est ailleurs : l'Autodidacte regarde Roquentin écrire avec une « concupiscence respectueuse »[130] et Roquentin le regarde lire avec « une espèce d'admiration »[131]. A sa manière, il est lui aussi possédé par le « délire secret »[132] du Tout. Frère dérisoire de Roquentin, il lui donne le vertige : si c'était là son double ?

> « Un jour, il y a sept ans [...] il est rentré en grande pompe dans cette salle. Il a parcouru du regard les innombrables livres qui tapissent les murs et il a dû dire, à peu près comme Rastignac : " A nous deux, Science humaine ". Puis il est allé prendre le premier livre du premier rayon d'extrême droite [...] Et le jour approche où il se dira, en fermant le dernier volume du dernier rayon d'extrême gauche : " Et maintenant ? " »[133].

L'autodidacte aussi, comme le président Parrotin et comme l'enfant des *Mots*, est « un vrai cas de possession »[134]. Avec « sa grande mâchoire d'âne »[135] et « son souffle empesté »[136], il est profondément disgrâcié, mais cette disgrâce-là n'est sans doute que l'image d'une disgrâce plus profonde : son humilité. Cimetière de grands hommes, il signe ses propres pensées de noms illustres quand elles rencontrent ce qui a déjà été dit[137], à l'inverse de l'enfant des *Mots* qui signe les œuvres d'autrui en changeant les noms propres[138]. Sartre tâche aussi sans doute de conjurer, avec ce personnage, le danger de la culture scolaire. Peut-être n'y parvien-

127. N., p. 44.
128. Comme Mathieu redoute de l'être, dans *L'Age de raison*. « Des écrivains du dimanche : des petits bourgeois qui écrivaient annuellement une nouvelle ou cinq ou six poèmes pour mettre un peu d'idéal dans leur vie. Par hygiène, Mathieu frissonna » (C.L., tome I, p. 84).
129. L.-F. Céline, *L'Eglise*, cité dans N., p. 7.
130. N., p. 46.
131. N., p. 46.
132. N., p. 52.
133. N., p. 46-47.
134. N., p. 116.
135. N., p. 52.
136. N., p. 53.
137. N., p. 141.
138. MT., p. 118.

dra-t-il jamais tout à fait : l'Autodidacte s'exprime comme un manuel de dissertation : « Peut-on dire, avec Pascal, que la coutume est une seconde nature ? »[139] Il y a dans le pari du *Flaubert* (tout connaître d'un homme), un : « A nous deux, Science Humaine », et pas mal de : « on peut dire, après Marx et Freud »...

Lorsqu'il rencontre l'Autodidacte, Roquentin, vient de finir son tour du monde, ses souvenirs se fatiguent, il ne distingue plus très bien ce qu'il a vu de ce qu'il a lu. Le moment approche, pour lui aussi, du : « Et maintenant ? » Il importe donc de bien saisir quel genre de travail Roquentin opère sur lui-même en agressant l'Autodidacte. (Il lui apprend sans ménagement qu'il a découvert sa manière de s'instruire en suivant l'ordre alphabétique des auteurs, puis il s'empresse de le mettre à la porte « après avoir bourré ses poches de cartes postales, de gravures et de photos »[140]). Pourquoi ce besoin de lester l'autodidacte en se délestant ? Le journal de Roquentin passe, en quelques jours, de : je ne peux plus raconter d'histoires, à : je n'ai pas eu d'aventures, et de : l'aventure est dans la façon de raconter, à : personne n'a d'aventure. Or l'autodidacte avec son crâne plein de Samoyèdes, de Nyams-Nyams et de Fuégiens[141], croit naïvement à l'aventure. Il pense même qu'il lui en arrivera peut-être, lorsque, son instruction faite, il se joindra « si cela [lui] est permis, aux étudiants et aux professeurs qui font une croisière annuelle dans le Proche-Orient »[142]. Texte truqué : en ridiculisant l'autodidacte, Sartre s'offre le plaisir de se donner tort en surface : lui aussi, même s'il refusait le confort des « voyages organisés » faisait, au fond, avec Simone de Beauvoir, des voyages de professeur en vacances, et il n'est d'ailleurs pas sûr qu'à l'époque où il écrivait *La Nausée*, il ait été conscient de l'ambiguïté de la condition de touriste. Mais, profondément, il se donne raison : il est vital pour lui, à ce moment-là, qu'il assassine l'aventurier en lui déniant le droit à l'existence. Roquentin note : « il faut choisir : vivre ou raconter. [...] Quand on vit, il n'arrive rien »[143]. Il importe de réduire la vie à rien quand on a choisi l'écriture. « L'appétit d'écrire enveloppe un refus de vivre »[144], écrit Sartre dans *Les Mots*. Dans *La Nausée*, celui qui veut écrire refuse aux autres que vivre puisse exciter l'appétit. Le texte ne dit pas : l'autodidacte est un imbécile, l'aventure n'est pas où il croit qu'elle est, mais l'autodidacte est un imbécile : il croit à l'aventure, et, plus loin, vers la fin du livre, Anny est intelligente, elle n'y croit plus : « Je voulais agir. Tu sais, quand nous jouions à l'aventurier et à l'aventurière : toi tu étais celui à qui il arrive des aventures,

---

139. N., p. 52.
140. N., p. 54.
141. N., p. 52.
142. N., p. 53.
143. N., p. 57.
144. MT., p. 159.

moi j'étais celle qui les fait arriver. Je disais : " Je suis un homme d'action. " Tu te rappelles ? Eh bien, je dis simplement à présent : on ne peut pas être un homme d'action »[145].

Confusion de l'action avec l'aventure et de celle-ci avec la mission archéologique au Bengale proposée par Mercier, ce qui n'est pas si éloigné, finalement, de la croisière Guillaume Budé et, de proche en proche, de l'ouvrage savant sur Rollebon. Si bien qu'après avoir ainsi défini l'action, on peut projeter sur elle le même « à quoi bon ? » que sur les travaux érudits. Et voilà pulvérisés à bon compte d'autres itinéraires plus gênants que la carrière académique d'Impétraz, celui de Nizan ou celui de Malraux. Ironie du texte : un beau lapsus révèle que Roquentin est revenu de l'aventure avant même d'y être allé. Aurait-il pu, sans cela, confondre Hanoï et Shangaï ? Il est vrai que *La Condition humaine* a Shangaï pour décor. La première impression de désenchantement à propos de l'aventure est située « en Indochine »[146], « avec Mercier, dans le bureau de ce fonctionnaire français qui a démissionné l'an dernier, à la suite de l'affaire Pétrou. [...] Je fixais une petite statuette khmère [note Roquentin], [...] La statue me parut désagréable et stupide et je sentis que je m'ennuyais profondément. [...] Ma passion était morte »[147]. Seconde allusion : « En même temps pèse sur mes épaules ce même découragement qui me prit à Hanoï, il y a près de quatre ans, quand Mercier me pressait de me joindre à lui et que je fixais sans répondre une statuette khmère »[148]. Une dernière fois Roquentin note : « La grande affaire Rollebon a pris fin, comme une grande passion. Il va falloir trouver autre chose. Il y a quelques années, à Shangaï, dans le bureau de Mercier, je suis soudain sorti d'un songe »[149]. « Effet de réel » et méfaits du réel !

Nous avons été amenée à anticiper sur le déroulement du texte pour essayer de saisir ce que signifie l'agacement de Roquentin devant l'Autodidacte. L'ensemble de courtes séquences (travail en bibliothèque, visite de l'Autodidacte, travail en bibliothèque) qui marque une mise en question de l'aventure, se termine sur un commentaire d'« incipit » qui fait de Roquentin, avec trente ans d'avance, un précurseur des analystes du récit. (Il est vrai que les « indices » et les « informants », il les appelle modestement des « renseignements ».)

> « On a l'air de débuter par le commencement : " C'était par un beau soir de l'automne de 1922. J'étais clerc de notaire à Marommes ". En en réalité c'est par la fin qu'on a commencé.

145. N., p. 190.
146. N., p. 17.
147. N., p. 16-17.
148. N., p. 53.
149. N., p. 126.

Elle est là, invisible et présente, c'est elle qui donne à ces quelques mots la pompe et la valeur d'un commencement »[150].

Roquentin développe son exercice :

« Il faisait nuit, la rue était déserte. » La phrase est jetée négligemment, elle a l'air superflue ; mais, nous ne nous y laissons pas prendre et nous la mettons de côté : c'est un renseignement dont nous comprendrons la valeur par la suite. Et nous avons le sentiment que le héros a vécu tous les détails de cette nuit comme des annonciations »[151].

N'oublions pas l'idée de derrière la tête qui sous-tend cette brillante explication de texte : dévaloriser la vie. A la vie telle qu'on la raconte, Roquentin oppose la vie telle qu'on la vit : « Quand on vit, il n'arrive rien [...] Shangaï, Moscou, Alger, au bout d'une quinzaine, c'est tout pareil. Par moments — rarement — on fait le point, on s'aperçoit qu'on s'est collé avec une femme, engagé dans une sale histoire. Le temps d'un éclair. Après ça, le défilé recommence, on se remet à faire l'addition des heures et des jours. Lundi, mardi, mercredi. Avril, mai, juin. 1924, 1925, 1926. Ça, c'est vivre »[152].

Leur dimanche

« Ça, c'est vivre », telle pourrait être l'épigraphe de la séquence suivante ; il s'agit du fameux dimanche à Bouville. La première partie décrit « leur »[153] dimanche, la seconde est une contre-épreuve de la nouvelle conviction de Roquentin à propos de l'aventure. On l'intitulerait volontiers : De l'aventure. Derechef qu'elle existe[154]. Il s'agit, bien évidemment, d'un leurre, nous y reviendrons. Voyons d'abord la première partie : elle est toute entière terroriste. La vue plongeante que donne à Roquentin sa haute taille, n'est pas étrangère à cette entreprise de rabaissement : « Je domine les deux colonnes de toute la tête et je vois des chapeaux, une mer de chapeaux »[155]. C'est le privilège d'Erostrate à sa fenêtre et de l'enfant des *Mots* au balcon du sixième étage[156]. La technique de la construction simultanée, dans l'exercice de style du début du texte, suppose aussi un narrateur perché : « C'est dimanche : derrière

150. N., p. 58.
151. N., p. 58.
152. N., p. 57-58.
153. N., p. 74.
154. Pour pasticher Sartre pastichant Descartes : voir Simone de Beauvoir, *Mémoires d'une jeune fille rangée*, Gallimard, 1958, p. 334-335 : « Sartre et Herbaud chantaient à pleine gorge des airs qu'ils improvisaient ; ils composèrent un motet sur le titre d'un chapitre de Descartes : « De Dieu. Derechef qu'il existe ».
155. N., p. 62.
156. « Au balcon d'un sixième : c'est là que j'aurais dû passer toute ma vie » (MR., p. 77). « Je vivais sur le toit du monde, au sixième étage » (MT., p. 46).

les docks, [...] il y a des hangars vides et des machines immobiles dans le noir [...] Les bordels ouvrent à leurs premiers clients, des campagnards et des soldats. Dans les églises [...] un homme boit du vin devant des femmes à genoux. Dans tous les faubourgs [...] de longues files noires se sont mises en marche »[157].

... est donné. L'ensemble des schèmes de l'affectivité sartri... insistance complaisante su... âtré, dans la juxtaposi... au milieu des femmes, « ... distinguées, effacées »[158] p... eau rouge d'archevêque d... du sol »[159], de « cette f... vec son « corps dur et f... ard, Lucien s'enfoncera « ... nsieur »[163] dont la tête j... garçon »[164] timide, en p... e son patron vient de l... uniant. Il a croisé ses ... ge vers la vitrine avec ... regarde sans les voir ... s'épanouissent sur leur ... entin érotise la relation ... soumission. Les quatre ... ce contexte et nous ver... pie à d'autres métamor...

... etrouver dans cette at... essivité anale et orale : ... un boyau noir et puant, ... trailles de poissons »[167] ; ... la Halle-aux-Morues. Ro... uparavant, d'une « impu... ore une réclame pour le ... s droits de la vermine et ... s coûteuse de France »[168]. ... s les lignes de *Saint Genet* ... de l'église, le fantasme de

159. N., p. 62-63.
160. N., p. 64.
161. N., p. 73.
162. MR., p. 235.
163. N., p. 65.
164. N., p. 65.
165. N., p. 65.
166. N., p. 65.
167. N., p. 60.
168. N., p. 62.

la mère archaïque[169]. C'est cette image menaçante que l'on trouve dans l'église Sainte-Cécile dressant « sa monstrueuse masse blanche : un blanc de craie sur un ciel sombre », et retenant « dans ses flancs un peu du noir de la nuit »[170]. A l'ombre de ce monstre, les hommes se réduisent à leur tube digestif. Ils achètent de la nourriture à la sortie de la messe, rentrent chez eux pour manger, ressortent pour digérer. La salle de conférences conquise sur la petite boutique aux rats s'appelle « la Bonbonnière »[171]. Le ventre des « gens de bien » a droit aux nourritures fortes, leur esprit, aux sucreries. Des livres empruntés par sa grand-mère à un cabinet de lecture, Sartre écrira dans *Les Mots* : « Ces colifichets me faisaient penser à des confiseries »[172] ; « je n'aimais pas ces brochures trop distinguées ; c'étaient des intruses et mon grand-père ne cachait pas qu'elles faisaient l'objet d'un culte mineur, exclusivement féminin »[173]. Dans *La Nausée,* le bourgeois est châtré : son corps ne saurait avoir accès au génital, ni son esprit au masculin.

Au restaurant, le couple de petits commerçants dont la bonne a « campo »[174] le dimanche, semble une illustration anticipée d'une note de *Saint Genet* : « chez nous, le coït ne diffère pas beaucoup des fonctions digestives, il les prolonge »[175]. L'homme « renifle »[176] sa côte de bœuf, la femme recrache des boulettes de viande grises parce que, décidément, « ça n'est plus ça »[177], depuis que Hécart a quitté la brasserie Vézelize, mais « siffle, comme un homme, sa bouteille de bordeaux rouge à chaque repas »[178]. Leur dégustation silencieuse s'interrompt pour quelques bribes de sous-entendus égrillards. Au dessert, « la femme un peu rêveuse, un sourire fier et un peu scandalisé aux lèvres, énonce d'une voix traînante :

« Oh non, toi tu sais ! »

Il y a tant de sensualité dans sa voix qu'il s'émeut, il lui caresse la nuque de sa main grasse.

« Charles, tais-toi, tu m'excites, mon chéri », murmure-t-elle en souriant, la bouche pleine »[179].

Dernier regard de Roquentin sur le couple : « Après la tarte, Mariette leur a donné des pruneaux et la femme est tout occupée

---

169. Voir *infra,* 2e partie, chap. II, p. 230.
170. N., p. 64.
171. N., p. 62.
172. MT., p. 30.
173. MT., p. 31.
174. N., p. 66.
175. S.G., p. 231-232.
176. N., p. 66.
177. N., p. 68.
178. N., p. 67.
179. N., p. 69-70. Notons que l'homme porte le prénom du grand-père, et que la femme, « une forte blonde de quarante ans avec des joues rouges et cotonneuses » (p. 67) n'est pas sans ressembler aux « fortes idéalistes, moustachues et colorées, qui se portaient bien », avec lesquelles Charles Schweitzer « se consolait », « depuis la maladie de sa femme » (MT., p. 7).

à pondre gracieusement les noyaux dans sa cuiller »[180]. Au paroxysme de sa nausée, dans le jardin public, avant de pousser un cri, c'est eux que Roquentin évoquera : « Gras, chauds, sensuels, absurdes, avec les oreilles rouges. [...] Ces deux-là, — ça me fit horreur brusquement, — ces deux-là continuaient à exister quelque part dans Bouville ; quelque part, — au milieu de quelles odeurs ? »[181] « Le couple essaie vraiment de n'être plus qu'une seule bête qui se sent, se rumine, se renifle et se touche de ses huit pattes tâtonnantes », note Sartre dans *Saint Genet*[182].

Libérée des besoins, la foule de l'après-midi est mieux traitée que celle du matin. Et puis, sur la Jetée-Promenade, le souci d'être quelqu'un et de ne pas manquer un coup de chapeau s'estompe. N'importe qui côtoie n'importe qui. D'ailleurs, un tri s'est déjà fait. On ne va se promener sur la jetée que si l'on est vraiment libre, autrement « on va au cimetière monumental, ou bien l'on rend visite à des parents »[183]. Si cette foule trouve grâce devant Roquentin, c'est qu'elle ne prétend à rien et que les couples y sont sans désir. Roquentin peut se demander « un instant [s'il ne va] pas aimer les hommes »[184]. « Une jeune femme, appuyée des deux mains à la balustrade, leva vers le ciel sa face bleue, barrée de noir par le fard des lèvres »[185]. La tombée de la nuit la transforme en actrice du cinéma muet. Elle a « le beau visage charbonneux »[186] que l'enfant des *Mots* aimait tant voir apparaître sur l'écran, dans les salles de quartier où il se rendait avec sa mère. L'atmosphère se désexualise, l'agressivité tombe. La nostalgie apparaît. « Un petit garçon s'arrêta près de moi et murmura d'un air d'extase : " Oh ! le phare ! " »[187] Notons que le cinéma est présent dans la relation du dimanche. Mais les Bouvillois n'auront pas droit au bonheur que l'enfant des *Mots* goûtait avec sa mère : « Plus de cent personnes faisaient queue [...] Elles attendaient avidement [...] l'heure où l'écran, luisant comme un caillou blanc sous les eaux, parlerait et rêverait pour elles. [...] comme chaque dimanche, elles allaient être déçues : le film serait idiot, leur voisin fumerait la pipe et cracherait entre ses genoux, ou bien Lucien serait si désagréable. [...] Tout à l'heure, comme chaque dimanche, de sourdes petites colères grandiraient dans la salle obscure »[188].

---

180. N., p. 70.
181. N., p. 170.
182. S.G., p. 232. Nous reprenons cette question, p. 229, 2e partie, chap. II.
183. N., p. 71.
184. N., p. 74.
185. N., p. 74.
186. MT., p. 98.
187. N., p. 74.
188. N., p. 70-71. Les enfances sartriennes sont en germe dans le texte : Lucien, c'est le nom du héros de *L'Enfance d'un chef* ; l'écran, « caillou blanc sous les eaux » devient, dans *Les Mots*, « une craie fluorescente, des paysages clignotants, rayés par des averses » (p. 98). On y retrouve le « plancher jonché de mégots et de crachats » (p. 99), mais il n'ôte rien au bonheur

La violette au miroir

La deuxième partie de la séquence (la soirée du dimanche) est, nous l'avons dit, un leurre. Elle constitue la preuve *a contrario* de ce que Roquentin commençait à entrevoir dans sa chambre, le vendredi, après s'être débarrassé de l'Autodidacte : « les aventures sont dans les livres »[189]. Il faut que Roquentin, revenu à lui le lundi, ait le sentiment que la veille, après la promenade au phare, il s'est raconté des histoires et donc que l'aventure n'existe pas, puisqu'elle est dans la façon de raconter. Roquentin recommence l'expérience du Rendez-vous des Cheminots et de l'enfant des *Mots* : il met, sans l'aide de la petite phrase du *rag-time*, de la nécessité partout :

> « Rien n'a changé et pourtant tout existe d'une autre façon. Je ne peux pas décrire [...] enfin une aventure m'arrive et quand je m'interroge, je vois qu'*il m'arrive que je suis moi et que je suis ici ; c'est moi* qui fends la nuit, je suis heureux comme un héros de roman.
>
> Quelque chose va se produire : [...] Je me vois avancer, avec le sentiment de la fatalité »[190].

Cette marche sur la ville s'arrête devant la caissière du café Mably :

> « Je la connais bien : elle est rousse comme moi ; elle a une maladie dans le ventre. Elle pourrit doucement sous ses jupes avec un sourire mélancolique, semblable à l'odeur de violette que dégagent parfois les corps en décomposition. Un frisson me parcourt de la tête aux pieds : c'est... c'est elle qui m'attendait »[191].

Roquentin va s'efforcer de faire signifier cette rencontre :

> « j'ai traversé tout ce jour pour aboutir là, le front contre cette vitre, pour contempler ce fin visage qui s'épanouit sur un rideau grenat [...] cette grande vitre, cet air lourd, bleu comme de l'eau, cette plante grasse et blanche au fond de l'eau, et moi-même, nous formons un tout immobile et plein : je suis heureux »[192].

Texte menteur et pourtant véridique. Nous savons que Roquentin abhorre cette plénitude de « plante châtrée »[193] : seul le vide

---

de l'enfant, bien qu'il signale la présence inquiétante d'un autre monde que celui des parents. Rappelons que dans l'essai sur *La Transcendance de l'Ego*, Sartre rejette l'idée que le *je* puisse être dans la conscience, « comme un caillou au fond de l'eau » (p. 35) ; c'est sur l'écran, « caillou blanc sous les eaux », qu'a lieu la *projection* au double sens cinématographique et psychanalytique. D'où la fascination qu'exercent ces « délires d'une muraille » (MT., p. 101).

189. N., p. 55.
190. N., p. 75.
191. N., p. 76.
192. N., p. 76-77.
193. N., p. 196.

est capable du Tout. Cette femme est un repoussoir, mais elle n'a une présence si forte, au fond de son aquarium, que parce qu'elle menace le fantasme fondamental dont elle reproduit l'image en négatif : elle est crypte ; en elle, il y a un cadavre *qui sent déjà*[194], mais il n'est pas promis à la résurrection. Le texte dit vrai : elle est un double de Roquentin, elle est rousse comme lui. Ce détail contingent est signe d'une identité plus profonde. Mais en affirmant cette identité, Roquentin en conjure le maléfice, car cette femme est porteuse de mort. Pour nous, l'évocation de ce fin visage avec son sourire mélancolique au fond de l'eau bleue, a quelque chose d'onirique. Ni tout à fait la même, ni tout à fait une autre, elle possède indubitablement des traits qui, dans l'imaginaire sartrien, renvoient à la mère : son sourire est odeur de violette. *Les Mots* et *L'Enfance d'un chef* associent, l'un et l'autre, les violettes à la figure maternelle[195]. Des premiers essais de Sartre en poésie, Simone de Beauvoir nous a conservé un début d'élégie :

> « Adouci par le sacrifice d'une violette,
> Le grand miroir d'acier laisse un arrière-goût mauve aux yeux »[196].

On peut sourire du raffinement très fin de siècle de la mise en scène. (Simone de Beauvoir rapporte : « Pagniez brisa son inspiration en riant aux éclats »[197].) La mièvrerie ne saurait masquer le caractère sado-masochiste du rituel évoqué, ni la perversité narcissique du grand miroir teinté de mauve. Nous savons que l'acier appartient à la fantasmatique sartrienne[198]. Il y a là, bien avant la rencontre de Genet, une sorte de petite passion selon saint Genet avec ses grâces précieuses et son immolation intime[199]. Comme dans tout scénario fantasmatique, les rôles sont interchangeables : le sujet peut être tour à tour le miroir inflexible, la violette sacrifiée, ou le tiers qui regarde. Jouant sur le mode anal (sado-masochiste), l'affirmation phallique est gommée, « adoucie », travestie, et quasiment méconnaissable sous les couleurs de la mère. Que Simone de Beauvoir ait gardé dans sa mémoire, au long des années, cette phrase un peu risible ne nous étonnera pas. Sous son apparence anodine, elle est un véritable microcosme de l'inconscient sartrien.

Nous laissant aller aux associations de textes, nous sommes-nous éloignée de la caissière du café Mably ? Nous ne le pensons pas : pour nous, le face à face « immobile » (le mot est répété deux

---

194. Sur Lazare et sa signification pour l'inconscient dans l'œuvre de Sartre, voir *infra*, 3e partie, chap. II, p. 357-358.
195. Voir *supra*, 1re partie, chap. III, p. 101.
196. *La Force de l'âge*, Gallimard, 1960, p. 49.
197. *Ibid.*, p. 49.
198. Voir *supra*, 1re partie, chap. III, p. 98.
199. Voir *infra*, 2e partie, chap. II, p. 235.

fois en quelques lignes) de Roquentin et de la caissière, de part et d'autre de la « grande vitre »[200], a le même soubassement fantasmatique que le scénario de la violette au miroir.

Qu'est-ce qui m'empêche...

La séquence du lundi relie le sentiment d'aventure à celui de l'irréversibilité du temps. Parallèlement, Roquentin note son détachement progressif à l'égard de Rollebon : « Est-ce que ce n'est pas tout simplement un cabotin ? Je me sens plein d'humeur contre ce petit fat si menteur ; [...] Ah ! Il aurait fallu connaître son regard, peut-être avait-il une façon charmante de pencher la tête sur son épaule »[201]... Etonnante remontée de l'enfance sartrienne à travers Rollebon : de ce petit cabotin qui a déplu parce qu'il en faisait trop, Sartre sauve le mouvement de tête. Il le ressuscite une dernière fois dans *Les Mots*, mais l'agacement prédomine : « On m'avait ménagé des répliques de bravoure : j'étendais le bras droit, j'inclinais la tête et je murmurais, cachant ma joue de prélat dans le creux de mon épaule : " Adieu, adieu, notre chère Alsace ". On disait aux répétitions que j'étais à croquer »[202]. A la représentation, le public lui préfère une autre vedette, moins maniérée. Humiliation ineffaçable. Au point qu'on peut se demander si l'un des buts de *La Nausée* n'est pas de fermer la blessure narcissique, en répétant le traumatisme de la disgrâce dans l'espoir de le maîtriser : Roquentin tue le « petit fat » une fois pour toute à travers la seconde mort de Rollebon. Vain espoir, plaie inguérissable, comme en témoigne le texte des *Mots*[203].

Puisque Rollebon commence à s'éloigner, Roquentin se laisse aller à l'imaginer : l'esquisse mêle étroitement l'auto-portrait (ironie brillante et naïveté, traîtrise et générosité, absence de droit sur autrui et d'autrui sur lui) et les notations qui indiquent un changement de signe : Rollebon « pense peu »[204], Sartre « tout le temps »[205]. Sartre n'a qu'une passion, écrire, Rollebon, lui, fait composer ses ouvrages « par l'écrivain public »[206] ! « Si c'était pour en venir là, note Roquentin, il fallait plutôt que j'écrive un roman

---

200. N., p. 76.
201. N., p. 79.
202. MT., p. 86.
203. Et celui de *La Chambre*, qui réalise aussi, à sa manière, la mort (amoureuse) du « petit fat » : Eve regarde Pierre dormir : « il penchait la tête : on aurait dit qu'il voulait *caresser sa joue à son épaule*. [...] Un jour ses traits se brouilleraient, il laisserait pendre sa mâchoire, il ouvrirait à demi des yeux larmoyants. Eve se pencha sur la main de Pierre et y posa ses lèvres : « Je te tuerai avant » (MR., p. 72-73 ; souligné par nous).
204. N., p. 80.
205. *Mémoires d'une jeune fille rangée*, Gallimard, 1958, p. 337 : « [Herbaud] ajouta sur un ton de frayeur admirative : « Sartre, sauf peut-être quand il dort, il pense tout le temps ! ».
206. N., p. 80.

sur le marquis de Rollebon »[207]. Mais il faut choisir, écrire ou vivre[208]. Notons le caractère surdéterminé de la seconde mort de Rollebon : elle dit en même temps : « Je ne peux plus écrire », (impossibilité de la monographie), « Qu'est-ce qui m'empêche d'écrire ? » (tentation du roman), et « Si j'écris, je dois mourir ». C'est pour cette dernière raison, nous allons le voir, que Rollebon, double de l'auteur, est un *moriturus*[209].

Ce n'est évidemment pas un hasard si la séquence qui inaugure le passage à l'écriture ou qui voit s'en manifester le désir, trahit en même temps le dégoût du sexe féminin :

> « J'ai dîné au " Rendez-vous des Cheminots ". La patronne étant là, j'ai dû la baiser, mais c'était bien par politesse. [...] Je grapillais distraitement son sexe sous les couvertures ; puis mon bras s'est engourdi. Je pensais à M. de Rollebon : après tout, qu'est-ce qui m'empêche d'écrire un roman sur sa vie ? »[210]

Roquentin voit un petit jardin rempli d'horribles bêtes :

> « elles marchaient de côté avec des pattes de crabe. Les larges feuilles étaient toutes noires de bêtes. Derrière des cactus et des figuiers de Barbarie, la Velléda du Jardin public désignait son sexe du doigt. " Ce jardin sent le vomi ", criai-je »[211].

Rêve transparent ; qu'il soit ou non fabriqué importe peu. On ne peut pas jouir et écrire. Dès que Roquentin songe à un roman, son « bras » s'engourdit et le « jardin » devient crabe. Hantise de la castration qui s'explique aisément si nous nous rappelons combien de représentations interdites sont liées à l'écriture, pour l'inconscient sartrien. Faire un livre, c'est convoiter analement le pouvoir qu'a le grand-père de produire un fétiche ; archaïquement, c'est garder en soi ce que la mère veut nous arracher. Dans le langage de la pulsion orale, c'est rassasier les longues dames pensives du cabinet de lecture. L'acte d'écrire est un acte de séduction. Mettant en jeu des sentiments incestueux, il suppose le désinvestissement du pénis et le retrait sur des positions anales. Ce repli, Roquentin l'opère dans la nuit du lundi au mardi. Au rêve du jardin qui sent le vomi, succède celui de la fessée reçue par Maurice Barrès :

> « Nous étions trois soldats et l'un de nous avait un trou au milieu de la figure. Maurice Barrès [...] a donné à chacun un petit bouquet de violettes. [...] " Il faut le mettre au milieu du

---

207. N., p. 80.
208. L'alternative n'existe évidemment, sous une forme aussi contraignante, que pour celui qui, occupant la place du mort, doit se tuer d'avance pour éviter fantasmatiquement la castration (voir *supra*, 1re partie, chap. II, p. 93-94).
209. Nous reprenons l'expression que Sartre emploie dans *L'Idiot de la famille* pour désigner les frères, morts en bas âge, de Flaubert et Gustave lui-même (tome I, p. 92).
210. N., p. 80.
211. N., p. 80-81.

trou que vous avez dans la tête." Le soldat a répondu : " Je vais te le mettre dans le cul." Et nous avons retourné Maurice Barrès et nous l'avons déculotté. Sous sa culotte il y avait une robe rouge de cardinal. Nous avons relevé la robe et Maurice Barrès s'est mis à crier : " Attention, j'ai des pantalons à sous-pieds." Mais nous l'avons fessé jusqu'au sang et sur son derrière, nous avons dessiné, avec les pétales des violettes, la tête de Déroulède »[212].

Comme la petite Lucienne, le grand homme est violé « par derrière ». L'instrument du crime : un bouquet de violettes, attribut féminin ; aucun risque de castration : c'est déjà fait[213]. La victime a bien des traits du grand-père : patriotisme, esprit de revanche. Barrès est cardinal, Karl grand prêtre[214]. La robe, par-dessus les pantalons à sous-pieds, évoque un « qu'est-ce qui se cache sous la robe du prêtre ? » où nos analyses ultérieures[215] nous permettrons de reconnaître la négation de la différence des sexes. Quant au début de phrase : « Nous étions trois soldats », on la retrouvera dans la narration de la visite au musée[216] où le contexte lui donne une connotation homosexuelle passive, si bien que le « faire subir » de la fessée peut se renverser en un désir de subir violemment nié[217].

Cette mascarade où la figure paternelle est humiliée, inaugure la séquence du mardi gras. C'est, nous l'avons vu, juste avant les deux rêves qui se succèdent dans la nuit du lundi au mardi, que Roquentin pose la question : « Après tout, qu'est-ce qui m'empêche d'écrire un roman sur sa vie ? »[218] Il y a, en effet, quelque chose ou quelqu'un qui empêche le passage à l'écriture. Cet obstacle va être reconnu fantasmatiquement au cours de la séquence. Au niveau du récit, quelques petits riens : Roquentin entre chez Camille pour passer le temps et commande une omelette au jambon. Il est midi. Un petit homme demande un Byrrh à l'eau, cherche à se faire remarquer, traite la bonne de « pauvre fille », « comme ça », « sans intention »[219], et quête la complicité de Roquentin qui la lui refuse. La gêne s'installe entre eux jusqu'à l'arrivée du docteur Rogé, un homme, celui-là, qui soulage tout le monde en classant le petit homme dans la catégorie des vieux toqués[220]. A son tour, le docteur cherche la complicité de Roquentin qui la lui refuse. Echange de regards. Le docteur Rogé s'endort. Roquentin s'en va. Au niveau

212. N., p. 81.
213. Sur cette expression, voir *infra*, 3e partie, chap. I, p. 341.
214. MT., p. 141.
215. 2e partie, chap. I, p. 204 et 3e partie, chap. III, p. 376.
216. Voir *infra*, dans ce chapitre, p. 160.
217. Les pétales de violettes renvoient à la mère et les dessins sur les fesses au *Bon Petit Diable* de la Comtesse de Ségur.
218. N., p. 80.
219. N., p. 87.
220. N., p. 90.

des images, la séquence fait apparaître un ensemble qui nous est maintenant familier : l'homme-livre, cadavre-qui-sent-déjà[221]. Etre tenté par l'écriture, c'est risquer de faire surgir le fantasme du phallus vécu sur le mode anal. C'est lui qui hante le portrait du docteur Rogé :

> « Il roule une cigarette et l'allume, puis il reste immobile avec les yeux fixes et durs à la manière des vieillards. Les belles rides ; il les a toutes : [...] Il mérite son visage, d'ailleurs, car il ne s'est pas un instant mépris sur la façon de retenir et d'utiliser son passé : il l'a empaillé, tout simplement [...]. Commode passé ! Passé de poche, petit livre doré plein de belles maximes ! [...]
>
> « Le docteur Rogé a bu son calvados [...] ses paupières tombent lourdement [...] je vois son visage sans les yeux : on dirait un masque de carton, comme ceux qu'on vend aujourd'hui dans les boutiques [...] il ressemble chaque jour un peu plus au cadavre qu'il sera. Voilà ce que c'est que leur expérience [...] elle sent la mort [...]. Le docteur voudrait bien [...] se masquer l'insoutenable réalité [...]. Alors il a bien [...] capitonné son petit délire de compensation : il se dit qu'il progresse. [...] Et ce terrible visage de cadavre, pour en pouvoir supporter la vue dans les miroirs, il s'efforce de croire que les leçons de l'expérience s'y sont gravées »[222].

Le docteur Rogé est un petit livre doré plein de belles maximes. Il a sous la peau un cadavre qui sent déjà. Son beau visage est un masque. Un glissement s'opère, à travers la séquence, des masques de carton que portent les enfants et qui risquent d'être « barbouillés »[223] par la pluie, au masque mortuaire. Avec le mot « barbouillé » Pascal n'est pas loin[224]. « Qu'est-ce qui m'empêche d'écrire un roman ? »... Peut-être est-ce le fantôme d'un mort illustre ? L'écriture de la séquence a des résonances pascaliennes : « Ils ont traîné leur vie dans l'engourdissement et le demi-sommeil, ils se sont mariés précipitamment, par impatience, et ils ont fait des enfants au hasard [...]. De temps en temps, pris dans un remous, ils se sont débattus sans comprendre ce qui leur arrivait [...] des événements qui venaient de loin les ont frôlés rapidement et, quand ils ont voulu regarder, tout était fini déjà »[225].

Misère de l'homme... On peut se demander si le contenu manifeste de la séquence ne masque pas un autre scénario. Apparemment, il ne se passe pas grand chose : on se cherche du regard,

---

221. L'image ne sera totalement explicitée que dans *L'Idiot de la famille* ; voir *infra*, 3e partie, chap. I, p. 340-341 ; chap. II, p. 358.
222. N., p. 90-94.
223. N., p. 87.
224. « Les enfants qui s'effrayent du visage qu'ils ont barbouillé » (Lafuma, 153).
225. N., p. 91.

on se mesure. En fait, la violence est extrême. Il y a « un roc »[226], le docteur Rogé, « calme et puissant »[227], qui se dresse au-dessus d'une « petite épave »[228]. « Vous acceptez ça chez vous ? »[229] dit le docteur Rogé de M. Achille. Et Roquentin du docteur Rogé : « Il est bâti comme les anciens moniteurs de Joinville : des bras comme des cuisses, cent dix de tour de poitrine et ça ne tient pas debout »[230]. De part et d'autre on se refuse la qualité d'homme. L'agressivité anale est lisible dans les oppositions qui structurent la séquence : avoir-ne pas avoir, vider-remplir, gonfler-dégonfler. Il y a ceux qui ont, qui « retiennent »[231] (un passé, des maisons pour l'y ranger, de l'expérience) et ceux qui n'ont pas, qui ne peuvent pas « retenir » (« un homme tout seul, avec son seul corps, ne peut pas arrêter les souvenirs ; ils lui passent au travers »[232]), ou ceux qui pourraient avoir mais ne veulent surtout pas : « Moi aussi, à ce compte, je pourrais me faire inviter chez les gens et ils se diraient entre eux que je suis un grand voyageur devant l'Eternel »[233]... Ceux qui ont, « se sentent *gonflés*, aux approches de la quarantaine, d'une expérience qu'ils ne peuvent pas écouler au dehors »[234]. Roquentin, lui, les dégonfle. Il ne s'associe pas à la plaisanterie du docteur Rogé sur M. Achille. « Je ne ris pas, je ne réponds pas à ses avances : alors, sans cesser de rire, il essaie sur moi le feu terrible de ses prunelles. [...] C'est tout de même lui qui détourne la tête : un petit *dégonflage* devant un type seul, sans importance sociale, ça ne vaut pas la peine d'en parler, ça s'oublie tout de suite »[235]. La séquence débute par le plein : « Je vais te le mettre dans le [...] », dit le soldat à Maurice Barrès, et s'achève sur le vide. Dans le langage du corps (ici la pulsion anale), où s'enracine la fantasmatique à l'œuvre dans ce passage, vider le plein équivaut à châtrer. D'où la nécessité pour l'agresseur de maintenir en soi le vide, dans la crainte des représailles : « La pluie a cessé, l'air est doux, le ciel roule lentement de belles images noires : c'est plus qu'il n'en faut pour faire le cadre d'un moment parfait ; pour refléter ces images, Anny ferait naître dans nos cœurs de sombres petites marées. Moi, je ne sais pas profiter de l'occasion : je vais au hasard, vide et calme, sous ce ciel inutilisé »[236].

---

226. N., p. 93.
227. N., p. 93.
228. N., p. 93.
229. N., p. 89.
230. N., p. 89.
231. « Il ne s'est pas un instant mépris sur la façon de retenir et d'utiliser son passé » (N., p. 90).
232. N., p. 88.
233. N., p. 91. Les exemples choisis sont significatifs : posture vue comme humiliante pour l'homme, blessure pour la femme : « Oui : les musulmans pissent accroupis ; les sages-femmes hindoues utilisent, en guise d'ergotine, le verre pilé dans la bouse de vache ; à Bornéo, quand une fille a ses règles, elle passe trois jours et trois nuits sur le toit de sa maison ».
234. N., p. 92 ; c'est nous qui soulignons.
235. N., p. 90.
236. N., p. 94.

N'ayons crainte, ce ciel « servira », rien ne sera perdu. Il sert, dans le temps de l'écriture, à celui qui raconte l'histoire de Roquentin. C'est Anny qui gaspille son talent en se servant de ce ciel *dans sa vie*, comme le docteur Rogé se sert de sa vie dans les cafés. Ce ciel, il faut en faire la matière d'un *rag-time* et non d'un moment parfait. Tous les moments sont imparfaits, seul ce qui déchire le temps peut prétendre à la perfection. Roquentin se retire sur la pointe des pieds, laissant le docteur Rogé « [capitonner] son petit délire »[237]. Il prend bien soin, lui, de garder vide son propre cercueil[238]. Aux oppositions manifestes de la séquence : petit homme-homme grand, individu sans importance sociale-notable, il semble que se substitue, si l'on pratique l'attention flottante, le fantasme du grand homme, lisible seulement en creux dans le soin pris par Roquentin à ne pas être « quelqu'un »[239].

La menace

A l'agressivité du mardi gras (le docteur Rogé, figure paternelle, est laissé pour mort) succède l'angoisse du vendredi suivant. Qu'il s'agisse, tout au long de la séquence, d'un réveil de l'angoisse de castration, voilà qui est patent. Nous ne saurions évidemment nous en étonner, après le déchaînement fantasmatique qui accompagne ce carnaval maussade. A la pluie qui barbouille les masques, s'est substitué le brouillard qui va « monter lentement et noyer tout »[240]. Roquentin se réfugie au café Mably. Un couple d'« artistes, [...] qui ont fait le numéro d'entr'acte au Ciné-Palace »[241], déjeune. Le regard de Roquentin isole une main qui gratte et descend le long d'une jupe, vers une bottine maculée de boue. Cadrage fétichiste où tout est mis en œuvre pour que nous craignions une incongruité : que la jupe se soulève et qu'on voit ce qui s'y cache, ou qu'il ne s'y cache « rien »[242]. A l'extrémité de la séquence, même tension anxieuse, même hantise du regard, dans une petite scène qui est l'exact pendant de celle-ci. Roquentin, passant une nouvelle fois devant le jardin public au terme d'une journée d'errance qui culmine en une véritable panique, a le regard attiré par l'homme à la pèlerine :

> « Je compris soudain : la pèlerine ! J'aurais voulu empêcher ça [...] Mais j'étais fasciné à mon tour, par le visage

237. N., p. 93.
238. Il n'y a pas là seulement crainte des représailles, mais comme une opération magique, le vide mimant, par le contraire, la plénitude, le « grand fétiche » (MT., p. 162), et lui servant d'appeau.
239. Lisible aussi, nous l'avons vu, en filigrane dans le pastiche de Pascal et dans la présence de certains mots : masque, visage, barbouillé.
240. N., p. 97.
241. N., p. 96.
242. Sur le fétichisme, voir *infra*, 3e partie, chap. I, p. 332-334.

de la petite fille [...] ils étaient rivés [243] l'un à l'autre par la puissance obscure de leurs désirs [...]. Je retins mon souffle, je voulais voir ce qui se peindrait sur cette figure vieillotte, quand le bonhomme, derrière mon dos, écarterait les pans de sa pèlerine »[244].

L'exhibitionniste montre ce qui manque à la petite fille et qui est justement ce qu'un petit garçon-qui-est-la-petite-fille de sa maman imagine ne pas pouvoir manquer sous les jupes de sa mère. Revenons à la femme à la bottine. Ses mains courent le long de sa blouse comme de « grosses araignées »[245], son doigt gratte, sa bottine est maculée. Nous analyserons plus loin[246] cet ensemble dont les trois éléments (main, doigt qui gratte, maculé) apparaissent successivement ou simultanément (notamment dans le délire de Roquentin le lundi suivant). Nous verrons qu'il est, entre autres choses, une métaphore de la masturbation. Nous ne nous étonnerons donc pas que Roquentin ne puisse toucher à « ces croissants-là »[247], lorsque le garçon met devant lui la corbeille qui était devant les « artistes ». Anorexie et mort vont dominer toute la séquence : le patron n'est pas descendu ce matin, il est peut-être mort ; d'une attaque sans doute. « Il sera couleur aubergine, avec la langue hors de la bouche. La barbe en l'air ; le cou violet sous le moutonnement du poil »[248]. Ne nous y trompons pas, cette « attaque » est une décollation. Il suffit de suivre Roquentin dans sa fuite pour saisir les transformations de ce cou violet ; dans la vitrine de la charcuterie Julien, c'est la « vision » du sang sur la mayonnaise d'un œuf à la russe : « quelqu'un était tombé, la face en avant et saignait dans les plats »[249]. A la bibliothèque, c'est saint Denis avec son « cou sanglant »[250]. L'angoisse de castration est lisible dans le dégoût hystérique[251] de Roquentin au milieu des femmes qui « [flairent] un peu les devantures et [finissent] par entrer. [...] De temps à autre, je voyais à travers la glace une main qui désignait les pieds truffés et les andouillettes. Alors une grosse fille blonde se penchait, la poitrine offerte, et prenait le bout de chair morte entre ses doigts »[252]. Encore une main qui montre, des doigts qui touchent ce qu'ils ne devraient pas toucher.

---

243. C'est le même complexe de castration qui « rive » l'un à l'autre le voyeur et l'exhibitionniste. La petite fille s'imagine châtrée et l'homme à la pèlerine a besoin de l'émotion de la fillette pour croire à l'existence de son sexe.
244. N., p. 105.
245. N., p. 96.
246. *Infra*, dans ce chapitre, p. 163 et 180.
247. N., p. 96.
248. N., p. 98.
249. N., p. 99.
250. N., p. 101.
251. « Hystérique », parce que le corps traduit ici en son langage le conflit psychique, l'angoisse devant le « bout de chair morte ».
252. N., p. 99.

En cette journée de métamorphose où « *Tout* peut arriver »[253], les transformations suspectes gagnent même la bibliothèque, ce Saint des Saints. « Les livres étaient toujours là, naturellement [...] avec leurs dos noirs ou bruns [...]. D'ordinaire, puissants et trapus, avec le poêle, les lampes vertes [...], ils endiguent l'avenir [...]. Eh bien aujourd'hui [...]. Rien n'avait l'air vrai ; je me sentais entouré d'un décor de carton »[254]. Masque de carton du docteur Rogé, décomposition mortelle. L'inconsistance des livres c'est l'écroulement du monde. Derrière la bibliothèque de Bouville, se profile le bureau du grand-père avec ses « allées de menhirs » « noblement espacées »[255]. Au centre de ce « ventre »[256] de Karl, la Salamandre et ses craquements rassurants. Quand les menhirs s'effondrent, les terreurs les plus archaïques affleurent, Roquentin court dans la ville, les fenêtres des maisons le regardent, les portes surtout le terrifient : « Je craignais qu'elles ne s'ouvrissent seules »[257]. « Je vis la mort, écrit Sartre dans *Les Mots*. [...] Karlémami et ma mère rendaient visite à Mme Dupont et à son fils Gabriel, le compositeur. Je jouais dans le jardin de la villa, apeuré parce qu'on m'avait dit que Gabriel était malade et qu'il allait mourir. [...] j'aperçus un trou de ténèbres : la cave [...] je ne sais trop quelle évidence de solitude et d'horreur m'aveugla : je fis demi-tour et, chantant à tue-tête, je m'enfuis »[258]. Autres trous de ténèbres, les Bassins du Nord, terme ultime de l'errance de Roquentin, en cette journée « menaçante »[259]. « Ici, loin des maisons, loin des portes, j'allais connaître un instant de répit. [...] « Et *sous* l'eau ?

---

253. N., p. 103. Sur cette expression que l'on retrouve dans *Les Mots*, voir *infra*, dans ce chapitre, p. 167, note 362.
254. N., p. 101-102.
255. MT., p. 29-30.
256. MT., p. 55.
257. N., p. 103. La séquence : inconsistance de la bibliothèque — portes béantes, nous semble confirmer notre hypothèse sur l'écriture comme attaque fantasmatique du phallus anal grand-paternel. Le docteur Rogé, petit livre doré plein de belles maximes, laissé pour mort, c'est le ventre même de Karl qui est atteint. Or, dans ce ventre, il y a un petit garçon : « A peine avais-je poussé la porte de la bibliothèque, je me retrouvais dans le ventre d'un vieillard inerte : le grand bureau, le sous-main, les taches d'encre, rouges et noires, sur le buvard rose, la règle, le pot de colle, l'odeur croupie du tabac, et, en hiver, le rougeoiement de la Salamandre, les claquements du mica, c'était Karl en personne, réifié » (MT., p. 55). S'emparer des trésors de Karl, c'est aussi porter la main sur soi. La destruction est inséparable de l'autodestruction. On peut aussi lire l'opération en termes kleiniens, le ventre de Karl figurant une réalité plus archaïque, le corps de la mère avec les « bons » et les « mauvais » objets intériorisés. N'oublions pas que Karl est « Karlémami » (p. 25) indissolublement. Plus qu'au symbole de l'union du couple (la grand-mère est, dans *Les Mots*, « Esprit qui toujours nie » (p. 24-25) et « femme de neige » (p. 5)), ce terme hybride nous semble renvoyer, à travers l'image d'un grand-père gigogne, à l'infantile théorie cloacale. Quoiqu'il en soit, il n'est pas étonnant que l'objet partiel convoité et détruit fantasmatiquement (sein, fèces, pénis, enfant ou livre), l'angoisse de castration affleure dans la hantise des portes qui s'ouvrent seules, du trou de ténèbres qui peut happer. La menace vient de la mère, comme le suggère l'image des maisons qui regardent.
258. MT., p. 76.
259. N., p. 105.

Tu n'as pas pensé à ce qu'il peut y avoir *sous* l'eau ? » « Une bête? Une grande carapace, à demi enfoncée dans la boue ? Douze paires de pattes labourent lentement la vase »[260]. « Une grande menace pèse sur la ville »[261], dit poliment Roquentin à l'exhibitionniste après l'avoir fait trembler en l'interpellant. Dans ce petit jeu sadique avec son frère de misère, c'est Roquentin qui agite ses grandes pinces pour faire peur à son tour.

Jeu de massacre

A une séquence dominée, comme celle de ce vendredi de brouillard, par l'angoisse de castration, succède une séquence tout entière marquée par une sorte d'alacrité castratrice : c'est la fameuse visite au musée de Bouville. « Un soleil charmant, avec une brume légère »[262], prélude à l'exécution capitale. Roquentin se rend au Musée *pour rire.* Pour rire devant le portrait d'Olivier Blévigne. Feuilletant à la bibliothèque le *Satirique Bouvillois,* Roquentin a découvert la raison du malaise qu'il éprouvait à la vue du tableau : Olivier Blévigne mesurait un mètre cinquante-trois, le peintre l'avait entouré d'objets nains :

> « Seulement il lui avait donné la même taille qu'à son voisin Jean Parrottin et les deux toiles avaient les mêmes dimensions. Il en résultait que le guéridon, sur l'une, était presque aussi grand que l'immense table sur l'autre et que le pouf serait venu à l'épaule de Parrottin. Entre les deux portraits l'œil faisant instinctivement la comparaison : mon malaise était venu de là »[263].

Voilà tuée par le ridicule et la peinture académique, la tentation du pouvoir politique, comme la tentation de l'aventure l'avait été par l'analyse du récit :

> « Admirable puissance de l'art. De ce petit homme à la voix suraiguë, rien ne passerait à la postérité, qu'une face menaçante, qu'un geste superbe et des yeux sanglants de taureau. L'étudiant terrorisé par la Commune, le député minuscule et rageur ; voilà ce que la mort avait pris. Mais, grâce à Bordurin, le président du club de l'Ordre, l'orateur des Forces Morales était immortel »[264].

Parmi toutes les « capacités » qui figurent dans le jeu de massacre du musée, il y a des négociants, des médecins, un grand-père, un mystique, un juriste, un général : aucun n'est aussi maltraité que l'homme politique : « il était raide comme une trique et

260. N., p. 104.
261. N., p. 105.
262. N., p. 107.
263. N., p. 121.
264. N., p. 121.

jaillissait de la toile comme un diable de sa boîte. [...] On raillait sa petite taille et sa voix de rainette, qui avait fait, plus d'une fois, pâmer la Chambre tout entière. On l'accusait de mettre des talonnettes de caoutchouc dans ses bottines. Par contre Mme Blévigne, née Pacôme, était un cheval. « C'est le cas de dire, ajoutait le chroniqueur, qu'il a son double pour moitié »[265]. C'est le politicien que Sartre afflige de sa petite taille[266], c'est à lui qu'il prête la morale du chef dont nous savons qu'elle est aussi celle du beau-père polytechnicien[267] : « Le pays, dit-il dans un discours célèbre, souffre de la plus grave maladie : la classe dirigeante ne veut plus commander [...], commander n'est pas un droit de l'élite ; c'est son principal devoir »[268].

C'est à lui qu'il donne un fils « polytechnicien mort en bas âge »[269]. Rappelons que le fils ou le beau-fils polytechnicien est un rêve commun à l'oncle maternel et au beau-père. « Mort en bas âge » est appliqué au père dans *Les Mots*[270]. Pour amputer le beau-père de ses espérances en lui donnant un enfant mort-né, Sartre s'est servi du portrait de son propre père. Le « pauvre petit Pipo »[271] sur lequel s'apitoie la dame qui visite le musée en même temps que Roquentin, a les mêmes caractéristiques que Jean-Baptiste Sartre : la moustache, l'uniforme, les yeux clairs et l'air d'un *moriturus*. « Son teint de cire et sa moustache bien pensante auraient suffi à éveiller l'idée d'une mort prochaine. D'ailleurs il avait prévu son destin : une certaine résignation se lisait dans ses yeux clairs, qui voyaient loin. Mais, en même temps, il portait haut la tête ; sous cet uniforme, il représentait l'Armée française »[272]. Otons le port de tête qui attire l'agression, nous retrouvons le « petit officier aux yeux candides, [...] avec de fortes mous-

---

265. N., p. 120-121.
266. La petite taille des Sartre (MT., p. 110-111 : « cette grande et belle femme [la mère] s'arrangeait fort bien de ma courte taille, elle n'y voyait rien que de naturel : les Schweitzer sont grands et les Sartre petits, je tenais de mon père, voilà tout » et p. 196 : « Mon grand-père me trouvait minuscule et s'en désolait : « Il aura la taille des Sartre », disait ma grand-mère pour l'agacer ») se retrouve plusieurs fois dans *La Nausée*. L'opposition répétée du grand et du petit (dans cette séquence, « le petit dictionnaire des Grands hommes de Bouville », p. 119) permet de rendre tolérable l'atteinte au narcissisme. Roquentin est grand mais le « vieux toqué » en qui il reconnaît un frère dans l'ordre de la solitude, est tout petit ; Roquentin le venge du mépris du Docteur Rogé, un colosse, en refusant d'acquiescer au jugement de ce dernier. Mais la petitesse, dans la langue de l'inconscient, peut aussi signifier son contraire. Elle permet, alors, de masquer la démesure du rêve du grand homme. D'où l'allure de règlement de compte personnel que prend le face-à-face de Roquentin et de l'homme politique. Olivier Blévigne, qui n'a pas su transférer *post mortem* son goût du pouvoir, a dû enrager de sa petite taille. Découvrant le trompe-l'œil de Bordurin, Roquentin note : « une douce jouissance m'envahit » (p. 118).
267. Voir *supra*, 1re partie, chap. III, p. 104.
268. N., p. 119.
269. N., p. 121-122.
270. MT., p. 11.
271. N., p. 121.
272. N., p. 122.

taches »[273] que l'enfant des *Mots* a pu voir au-dessus de son lit, pendant plusieurs années, avant que sa mère se remarie. En 1904, au moment d'épouser Anne-Marie Schweitzer, il était « déjà rongé par les fièvres de Cochinchine »[274]. « S'il m'a aimé, s'il m'a pris dans ses bras, s'il a tourné vers son fils ses yeux clairs, aujourd'hui mangés, personne n'en a gardé mémoire : ce sont des peines d'amour perdues »[275].

« *Tu Marcellus eris ! Manibus date lilia plenis...* »[276] Marcellus, le jeune héros qu'Anchise célèbre devant Enée : les Enées portant sur le dos leur Anchise[277] ne peuvent que le détester... Le vers de Virgile vient, dans *La Nausée,* juste après le portrait d'Octave Blévigne, fils d'Olivier. Il inspire à Roquentin l'élégie grinçante : « Une rose coupée, un polytechnicien mort : que peut-il y avoir de plus triste ? »[278] et prépare la chute fameuse de la séquence : « Adieu beaux lis tout en finesse dans vos petits sanctuaires peints, adieu beaux lis, notre orgueil et notre raison d'être. Adieu. Salauds »[279]. Ces petits sanctuaires peints ressemblent aux tombeaux à l'italienne chers à l'enfant des *Mots.* Nous savons[280] que ces monuments sont, pour Sartre, « tout un homme baroque »[281] et qu'ils s'apparentent ainsi au fantasme de l'homme-livre et à celui de l'homme-colonne. Seuls y ont droit les écrivains que leur œuvre change en mausolée. Avant d'entrer dans le salon Bordurin-Renaudas, Roquentin a traversé sans s'y arrêter la salle Bernard Palissy, « consacrée à la céramique et aux arts mineurs. Mais [note Roquentin] la céramique ne me fait pas rire. Un monsieur et une dame en deuil contemplaient respectueusement ces objets cuits »[282]. Les objets cuits ne font pas rire. Ils n'ont aucune prétention. Valait-il la peine de brûler ses meubles pour produire quelque chose de si humble, qui s'apparente aux arts ménagers. L'art majeur, c'est la transformation d'un homme en statue. Bordurin a échoué, le truquage était trop évident. Il y a des truquages qui ne se voient pas. Olivier Blévigne n'a pas le physique de son ambition. Le futur homme-livre au contraire peut se permettre d'être minuscule sans enrager : « pour renaître, il fallait écrire, pour écrire, il fallait un cerveau, des yeux, des bras ; le travail terminé, ces organes se résorberaient d'eux-mêmes »[283]. La visite au musée dit bien autre chose que la satire sociale : elle est l'« adieu » d'un individu « sans impor-

---

273. MT., p. 12.
274. MT., p. 8.
275. MT., p. 12.
276. N., p. 122.
277. MT., p. 11.
278. N., p. 122.
279. N., p. 122-123.
280. Voir *supra,* chap. II, p. 85.
281. MT., p. 77.
282. N., p. 108.
283. MT., p. 161.

tance collective »[284] mais qui rêve d'être Tout, à ceux qui ont choisi d'être quelqu'un. Dérisoire Olivier Blévigne avec son nom qui accole les cultures méditerranéennes : ce n'est pas de sa petitesse que Roquentin est venu rire mais de sa mesure : comment peut-on être député ?

Jean Parrottin, président de la S.A.B., n'est pas tué, lui, par le ridicule et à son insu. Il a droit à un véritable affrontement. C'est qu'avec ses « yeux éblouissants [qui] dévoraient toute sa face »[285] et ses « deux lèvres minces et serrées de mystique »[286], « cet homme avait la simplicité d'une idée. Il ne restait plus en lui que des os, des chairs mortes et le Droit Pur. Un vrai cas de possession »[287]. Figure du phallus, il est momifié[288] de son vivant, privilège inacceptable. Roquentin n'aura de cesse qu'il ne l'ait réduit en cendres :

> « Je savais, pour avoir longtemps contemplé à la bibliothèque de l'Escurial un certain portrait de Philippe II, que, lorsqu'on regarde en face un visage éclatant de droit, au bout d'un moment, cet éclat s'éteint, qu'un résidu cendreux demeure »[289].

De Parrottin il ne restera que deux joues « blanches et molles »[290] déjà remarquées par sa femme :

> « comme il digérait péniblement [...] renversé dans un fauteuil, les yeux mi-clos, avec une flaque de soleil sur le menton, elle avait osé le regarder en face : toute cette chair était apparue sans défense, bouffie, baveuse, vaguement obscène. A dater de ce jour, sans doute, Mme Parrottin avait pris le commandement »[291].

La découverte que fait l'épouse de cette débandade de la chair, qui signifie que celui (ou celle) qui est censé avoir n'a rien et que celui qui regarde est incapable de dépasser l'opposition avoir le phallus - être châtré, nous la connaissons : c'est la découverte de celui des fils de Noé qui rit de son père, c'est celle de l'enfant des *Mots* pendant la sieste du grand-père, celle de Lucien Fleurier lorsque sa mère rit la bouche grande ouverte[292]. Derrière les hommes qui « ont fait Bouville »[293], il y a les messieurs de la famille : Charles Schweitzer dans le portrait du Grand-père[294], le père mort

---

284. N., p. 7.
285. N., p. 115.
286. N., p. 115.
287. N., p. 115-116.
288. Sur les fantasmes liés à l'évocation de la momie, voir *infra*, 3e partie, chap. II, p. 356-357.
289. N., p. 116.
290. N., p. 116.
291. N., p. 116-117.
292. Voir *supra*, 1re partie, chap. III, p. 107.
293. N., p. 118.
294. Même gilet blanc (MT., p. 16 ; N., p. 112), même attitude hugolienne (« Il voyait toutes ces choses qui sont invisibles aux jeunes gens », N., p. 112.

dans le polytechnicien mort en bas âge, le suicide de l'oncle Emile[295] dans *La Mort du Célibataire*[296]. Tout cela nous guide vers le désir qui, pour nous, est sous-jacent à cette scène et en explique l'agressivité. Que fait Roquentin dans cette salle immense où il n'y a que des chefs ? Il est le soldat et il « [fait] la manœuvre »[297]. Il réalise ainsi le fantasme d'Erostrate se mettant imaginairement à la place de la prostituée : « je lui ai donné ma canne et je lui ai fait faire l'exercice »[298]. Le vœu refoulé que le Père dispose de lui et le manœuvre, inspire à Roquentin son aversion pour Rémy Parrottin, ce Maître « entouré de la foule avide de ses disciples »[299], qui séduit la « brebis égarée » et, avec une douce violence, la ramène « au Bercail, éclairée, repentante »[300]. Aussi entendons-nous comme une dénégation le « Je n'étais pas une brebis »[301] de Roquentin. Rappelons enfin que la visite commence par *La Mort du Célibataire*[302] et se termine sur la mort du fils plein de promesse. Le refus de la paternité est refus d'accepter la mort en donnant la vie, choix de l'œuvre de bronze contre l'œuvre de chair.

La petite Lucienne

La séquence suivante débute par la seconde mort de M. de Rollebon. « Je n'écris plus mon livre sur Rollebon ; c'est fini, je ne *peux* plus l'écrire »[303]. Rollebon meurt en Roquentin parce qu'il s'est mis à exister comme tout le monde, comme Roquentin lui-même. Redevenu simple mortel, il ne peut plus empêcher Roquentin de mourir. Décristallisation intenable : « La grande affaire Rollebon a pris fin, comme une grande passion. Il va falloir trouver autre chose. [...] Aujourd'hui, je me réveille, en face d'un bloc de papier blanc. Les flambeaux, les fêtes glaciales, les uniformes, les belles épaules frissonnantes ont disparu. A la place, il reste *quelque chose* dans la chambre tiède, quelque chose que je ne veux pas voir »[304]. De nouveau, c'est l'opposition avoir le phallus-être châtré, qui structure toute la séquence. Sous la forme archaïque de l'enfant

---

« C'était un homme du XIXe siècle qui se prenait, comme tant d'autres, comme Victor Hugo lui-même, pour Victor Hugo » MT., p. 15). « Au soir de la vie, il répandait sur chacun son indulgente bonté. [...] « Ces gros chagrins-là, c'est le grand-père qui sait les consoler » N., p. 112. « Si l'on m'eût mis au pain sec, il m'eût porté des confitures », MT., p. 17.

295. MT., p. 7.
296. N., p. 108.
297. « Nous étions trois soldats à faire la manœuvre dans cette salle immense » N., p. 118. Le couple de visiteurs respectueux semble seul consentant.
298. MR., p. 83.
299. N., p. 114.
300. N., p. 115.
301. N., p. 115. N'oublions pas l'aveu de Sartre dans *Les Mots* (p. 138) : « docile par condition, par goût, par coutume, je ne suis venu, plus tard, à la rébellion que pour avoir poussé la soumission à l'extrême ».
302. N., p. 108. Le célibat y est valorisé *a contrario* par le jugement réprobateur que portent sur lui le peintre et son public de « gens de bien » effarouchés.
303. N., p. 123.
304. N., p. 126-127.

dans le sein de sa mère, Rollebon était le phallus : « Tout à l'heure encore il était là, en moi, tranquille et chaud et, de temps en temps, je le sentais remuer. Il était bien vivant, plus vivant pour moi que l'Autodidacte ou la patronne du « Rendez-vous des Cheminots ». Sans doute il avait ses caprices, il pouvait rester plusieurs jours sans se montrer ; mais souvent, par de mystérieux beaux temps, comme le capucin[305] hygrométrique, il mettait le nez dehors, j'apercevais son visage blafard et ses joues bleues. Et même quand il ne se montrait pas, il pesait lourd sur mon cœur et je me sentais rempli »[306]. « Il avait besoin de moi pour être et j'avais besoin de lui pour ne pas sentir mon être. [...] c'est pour lui que je mangeais, pour lui que je respirais [...]. Je n'étais plus qu'un moyen de le faire vivre, il était ma raison d'être, il m'avait délivré de moi »[307].

Quand ce Tout disparaît, c'est le « manque intolérable »[308]. A sa place, il reste « *quelque chose* » dans la chambre tiède, mais cette « chose » ou cette « Chose »[309] est l'inverse de l'acceptation de la castration[310], elle est la castration elle-même, qui se renversera vite en son contraire. Comme l'écrit Roquentin : « il va falloir trouver autre chose »[311], qui soit l'équivalent d'une grande passion. Les deux premiers « songes » dissipés (l'Aventure et l'Histoire), Roquentin aura tôt fait d'en ressusciter un troisième, la Littérature. Mais n'anticipons pas. Arrêtons-nous plutôt un instant pour mesurer l'ampleur de la crise que traverse Roquentin : position à la lettre intenable, il lui est à la fois impossible d'écrire et impossible de ne pas écrire. Car l'acte d'écrire (symbolisé dans le texte par la tentation du roman sur Rollebon) est vécu fantasmatiquement comme une agression contre le phallus anal paternel ou maternel et entraîne donc la hantise de représailles imaginaires. Et

---

305. Sur le moine comme symbole phallique chez Sartre, on peut se reporter à l'article sur le peintre Wols, dans *Situations*, IV, « Doigts et non-doigts » : « Un même objet paraît à la fois devant et derrière les autres comme ce moine en capuchon, verge décapuchonnée, qui semble marcher à pas lents » p. 429. Il y aurait beaucoup à dire sur la fascination qu'exerce Boris dans *Les Chemins de la liberté* : « Daniel fuyait un long corps frêle, un peu voûté, des yeux noisettes, tout un visage austère et charmant, c'est un petit moine, un moine russe, Alioscha » tome I, p. 157. (Pour l'expression « tout un visage », variante du « tout un homme » voir *supra*, 1re partie, chap. II, p. 85). Quant à Mathieu : « Il vit Boris et Ivich ; ils se penchaient l'un vers l'autre tout affairés, avec une austérité pleine de grâce. « On dirait deux petits moines. » [. . .] « Qu'ils sont jeunes ! » [. .] il avait l'impression de les regarder par le trou de la serrure » *Op. cit.*, p. 175. Frère et sœur, Boris et Ivich, se mirent l'un dans l'autre ; parfaite image narcissique, ils sont le phallus et ne sauraient être sexués (Boris s'arrache à Lola qu'il perçoit comme un marécage et Ivich ne supporte pas d'avoir un corps).
306. N., p. 125.
307. N., p. 127.
308. N., p. 126.
309. N., p. 127.
310. On pourrait dire, en termes lacaniens, qu'elle est castration imaginaire, leurre, masquant le refus de la castration symbolique qui, elle, est acceptation des limites.
311. N., p. 126.

l'impossibilité d'écrire, provoquée par la terreur d'une rétorsion et symbolisée par la seconde mort de Rollebon, est vécue comme la castration. Il suffit que Rollebon meure pour que l'existence apparaisse, car l'écriture seule la tient en respect. Et qu'est-ce que l'existence sinon la finitude intolérable pour celui qui ne peut pas faire son deuil de la toute-puissance. Cette vie, dépouillée de sa prothèse phallique, aventure ou écriture, c'est « la chose », « ego-fantasme »[312] de celui qui la ressent : « la Chose, c'est moi »[313]. C'est-à-dire quelque chose de tiède, de fade, qui vous écœure et qu'on ne peut regarder en face[314]. Quand Roquentin sera capable de le faire, sur un banc, au jardin public, en face de la racine, ce sera le signe, nous le verrons, que la crise est déjà dépassée, que la Chose n'est plus l'innommable, que la Nausée est dominée par les mots, que le bec d'acier a triomphé de la bête molle.

Dans cette séquence au contraire, il semble que Roquentin renchérisse sur la castration. Rollebon disparu, il se fascine sur sa main, « [s']envoie un bon coup de couteau dans la paume »[315], quitte sa chambre, achète un journal, délire sur un fait divers (la petite Lucienne violée par un ignoble individu) et se réfugie au *Bar de la Marine*. Il nous faut revenir sur ces pages.

La main de Roquentin est « sur le dos », comme « une bête à la renverse », elle « montre son ventre gras »[316]. Roquentin va s'essayer à la supprimer, imaginairement d'abord, en la laissant pendre au bout de son bras, en la mettant dans sa poche et, finalement, en lui donnant un coup de couteau. Pendant sa fuite à travers les rues, il pensera : « j'ai mal à la main coupée »[317], et non à la main blessée. Ce qu'il aurait voulu faire, c'est une amputation qui aurait valu pour tout le reste de son corps[318], pour « toute cette graisse chaude qui tourne paresseusement, comme si on la remuait à la cuiller »[319]. Le mot qui revient le plus souvent dans ces pages,

---

312. Sur cette expression, voir *supra*, dans ce chapitre, p. 129, note 46.
313. N., p. 127.
314. Voici les textes de *La Nausée* qui tentent de donner une idée du malaise que provoque la Chose : « Il me semblait que j'étais rempli de lymphe ou de lait tiède » (p. 16). « Devant moi, posée avec une sorte d'indolence, il y avait une idée volumineuse et fade. Je ne sais pas trop ce que c'était, mais je ne pouvais pas la regarder tant elle m'écœurait » (p. 17). « *L'idée* est là, cette grosse masse blanche qui m'avait tant dégoûté alors » (p. 53). « Elle s'est mise en boule, elle reste là comme un gros chat » (p. 54). « La Chose, c'est moi. [...] J'existe. [...] Il y a de l'eau mousseuse dans ma bouche. [...] j'ai dans la bouche à perpétuité une petite mare d'eau blanchâtre [...] Et cette mare, c'est encore moi » (p. 127). Chez le peintre Wols, la Chose est moins fade mais dans ses turgescences douteuses perpétuellement instables, nous pouvons lire, comme dans la petite mare de lymphe tiède ou dans la grosse masse blanche, le haut-le-cœur devant le sexe et la mort (*cf.* S., IV, Doigts et non-doigts, p. 427-431).
315. N., p. 129.
316. N., p. 128.
317. N., p. 131.
318. *Cf.* « Je n'insiste pas : [...] je ne peux pas la supprimer, ni supprimer le reste de mon corps », N., p. 128.
319. N., p. 128.

c'est le mot fade : fade, la chair, encore plus fades les pensées[320], « peut-être encore plus fade »[321], la petite sensation sous la peau après la coupure. C'est dans ce contexte d'« affadissement »[322] généralisé, (« Oh, le long serpentin, ce sentiment d'exister »[323], le contraire même du phallus et de sa « rigueur »[324]) que va s'opérer l'identification de Roquentin à la petite fille[325] violée par-derrière. Roquentin, déserté par Rollebon, ne supportera pas longtemps le vide de sa chair : « Tout à l'heure encore il était là, en moi »[326]... « Elle a senti cette autre chair qui se glissait dans la sienne. Je... voilà que je... Violée »[327]. Scénario masturbatoire qui hante Roquentin pendant sa marche hagarde à travers la ville : « J'achète un journal en passant. Sensationnel. Le corps de la petite Lucienne a été retrouvé ! Odeur d'encre, le papier se froisse entre mes doigts. L'ignoble individu a pris la fuite »[328]. Le monologue intérieur de Roquentin passe des « doigts crispés dans la boue »[329] de la fillette à « un doigt qui gratte dans ma culotte gratte, gratte et tire le doigt de la petite maculé de boue, la boue sur mon doigt qui sortait du ruisseau boueux »[330]. Le texte mêle à l'évocation du geste masturbatoire (le doigt qui tire le doigt) une thématique anale (le doigt maculé) présente dès le début du roman (plaisir de Roquentin à ramasser dans la boue les papiers « maculés »[331]) et qui s'étale dans l'insistance du monologue sur le « par-derrière ». Sitôt évoquée la scène du viol, « le doigt glisse doucement, tombe la tête la première et caresse roulé chaud contre ma cuisse »[332]. Le doigt est devenu « verge lasse »[333]. Dernière transformation, c'est Roquentin en personne

---

320. N., p. 128.
321. N., p. 128.
322. Sur les connotations du « fade », voir *supra*, 1re partie, chap. II, p. 78.
323. N., p. 129.
324. Voir, dans ce chapitre, *infra*, p. 166.
325. Cette petite fille s'appelle Lucienne (N., p. 130) ou Lucile (p. 132). Nous reconnaissons là le prénom familier des enfances sartriennes : Lucette Moreau dans *Les Mots* (p. 46), Lucien Fleurier dans *L'Enfance d'un chef*.
326. N., p. 125.
327. N., p. 130.
328. N., p. 130.
329. N., p. 130.
330. N., p. 130.
331. Une fois de plus, notons le lien de l'écriture à l'analité : le doigt maculé ne fait qu'un avec l'odeur d'encre du papier froissé, comme le talon de l'officier de cavalerie, avec la page du cahier d'écolier où « l'encre avait coulé » (p. 23). L'envers et le double éblouissant des papiers maculés d'encre, ce sont les feuillets « glacés, tout blancs, tout palpitants, [...] posés comme des cygnes » (p. 22), le vide papier que sa blancheur défend. Rappelons le clivage entre les deux Colomba, la « fraîche colombe aux cent ailes, glacée, offerte et systématiquement ignorée » et le « sale petit bouquin brun et puant ; [...] couvert de taches, de traits rouges » (MT., p. 52). L'écriture, vouée au sale, (*cf.* MT., p. 136 : « mes livres sentent la sueur [...], j'admets qu'ils puent au nez de nos aristocrates »), parce que liée à des fantasmes qui ont leur origine dans l'érotisme anal, est constamment affrontée au vertige de la blancheur, appel au viol de la vierge interdite et risque de l'impuissance.
332. N., p. 131.
333. N., p. 169.

qui devient pénis humilié : il roule et « ballotte entre les maisons »[334] comme le doigt contre la cuisse. A côté de cette verge lasse, va passer un phallus triomphant, le beau monsieur à la Légion d'honneur. Triomphe de courte durée : comment Roquentin pourrait-il laisser aller sans le châtrer quelqu'un dont il pense qu'il s'imagine avoir ce que les autres n'ont pas : « le beau monsieur qui passe, fier et doux comme un volubilis, ne sent pas qu'il existe [...] Le beau monsieur existe Légion d'honneur, existe moustache, c'est tout ; [...] Je ne pense pas donc je suis une moustache. [...] Il a la Légion d'honneur, les Salauds ont le droit d'exister : [...] J'ai le droit d'exister, donc j'ai le droit de ne pas penser : le doigt se lève »[335].

Remarquons au passage le ou bien... ou bien. Ou bien on a, ou bien on pense. La pensée sert de carapace à la bête molle, et ceux qui croient avoir n'y ont pas droit. Après la disparition du beau monsieur, le texte opère, par glissements successifs de métaphores, l'identification de Roquentin à la petite fille. Celui qui dit « je » s'imagine pénétrant un corps de femme, puis se substitue à celle qui est pénétrée : « Est-ce que je vais... ? caresser dans l'épanouissement des draps blancs la chair blanche épanouie [...] entrer dans l'existence de l'autre, dans les muqueuses rouges [...] entre les douces lèvres mouillées [...] Mon corps de chair qui vit [...] l'eau douce et sucrée de ma chair, le sang de ma main, j'ai mal, doux à ma chair meurtrie [...] je fuis, je suis un ignoble [...] individu à la chair meurtrie, meurtrie d'existence à ces murs »[336].

Cette séquence, véritable noyau fantasmatique, « condense » le geste de la masturbation, le scénario imaginaire d'un viol à la fois perpétré et subi, et le spectre de la castration figuré deux fois : dans l'identification à la petite Lucienne et dans la blessure aux lèvres mouillées. Dès lors, nous ne nous étonnerons pas de voir la panique[337] submerger le texte : « [...], fou, suis-je fou ? Il dit qu'il a peur d'être fou »[338] ; « Ça parle dans ma tête »[339], se plaignait déjà le petit garçon des *Mots*. La fin du monologue fait ressurgir l'en-

334. N., p. 131.
335. N., p. 131.
336. N., p. 131.
337. Nous n'oublions pas que cette panique est effet de panique. Il va sans dire que ce texte est écrit et concerté ! Mais nous savons aussi aujourd'hui et de la bouche de Sartre lui-même, à quel point il a nourri *La Nausée* de sa propre expérience.
338. N., p. 132.
339. MT., p. 181. La voix dans la tête, qui reprend ce qu'on pense à la troisième personne, expérience commune à Roquentin et à l'enfant des *Mots*, semble bien être une défense contre le retour du refoulé. Le bavardage intarissable de la conscience cache, tant bien que mal, un autre discours. Que ce dernier affleure et c'est la peur d'être fou, c'est-à-dire que le *ça* déborde le *moi*, qui envahit l'homme ou l'enfant, comme lorsqu'apparaît sur le mur de l'école : « Le père Barrault est un con » (MT., p. 63), double et terrible révélation que certains mots existent et que le grand-père n'est pas tout-puissant.

fance : « vois-tu petit dans l'existence »[340] c'est le discours du grand-père[341]. Roquentin « court se fuir, se jeter dans le bassin »[342] : tentation et horreur de l'eau, comme dans le rêve récurrent de l'enfant des *Mots,* où la petite Lucette est en danger près du bassin du Luxembourg. Roquentin se réfugie au *Bar de la Marine* : « les petites glaces du petit bordel il est pâle dans les petites glaces du petit bordel le grand roux mou qui se laisse tomber sur la banquette »[343]. C'est le parler d'Anne-Marie, passant des « petits cabinets »[344] du salon de thé en un lieu où jamais une jeune fille Schweitzer ne dut pénétrer. On mesure le ressentiment du fils à la migration accomplie.

L'autre face du ressentiment, c'est l'adoration. La mère de l'enfant des *Mots* était aussi une voix qui chante[345]. Seule la voix qui s'élève du pick-up, « jeune, impitoyable et sereine »[346], dans le bar où Roquentin est entré, a le pouvoir de l'apaiser.

When the low moon begins to beam
Every night I dream a little dream[347].

Petit rêve deviendra grand, plus que les deux premiers « songes », Aventure et Histoire. « Couler ma babillarde, ma conscience, dans des caractères de bronze »[348], écrit Sartre dans *Les Mots.* Roquentin n'ose pas encore s'avouer son rêve ; il se contente de rêver sur quelqu'un à qui il souhaite ressembler : « Une femme de chair a eu cette voix, elle a chanté devant un disque, dans sa plus belle toilette et l'on enregistrait sa voix »[349]. Elle a gravé cette voix dans une matière dure[350].

Au cours de la séquence, Roquentin perd Rollebon, se châtre, est violé par derrière[351] et fond en « sirop »[352]. « Mais, par-delà toute cette douceur, inaccessible, toute proche, si loin hélas, jeune, im-

---

340. N., p. 132.
341. Donnons un exemple du type de discours qui pouvait débuter par : « Vois-tu petit dans l'existence » : « ce luthérien ne se défendait pas de penser, très bibliquement, que l'Eternel avait béni sa Maison. A table, il se recueillait parfois pour prendre une vue cavalière sur sa vie et conclure : « Mes enfants, comme il est bon de ne rien avoir à se reprocher », MT., p. 48.
342. N., p. 132.
343. N., p. 132.
344. Voir *supra,* 1re partie, chap. III, p. 101.
345. MT., p. 137.
346. N., p. 133.
347. N., p. 132.
348. MT., p. 160-161.
349. N., p. 132.
350. Rappelons que la « voix enregistrée » (MT., p. 137) fait partie d'un ensemble imaginaire dont le masochisme est lisible à travers la mise en scène de *La Colonie pénitentiaire* : « On grave simplement [...] le paragraphe violé sur la peau du coupable » (voir *supra,* 1re partie, chap. II, p. 88). Dans *Les Mots,* Sartre découvre en lui la voix gravée du grand-père. Nous verrons, en poursuivant notre étude de *La Nausée,* que la voix de la mère est aussi et peut-être plus profondément, voix gravée dans le corps et dans les mots (voir *infra,* dans ce chapitre, p. 195-196).
351. *Cf.* N., p. 132.
352. N., p. 132.

pitoyable et sereine, il y a cette... cette rigueur »[353]. Mot qui clôt le feuillet du lundi et dont la charge fantasmatique est si lourde, qu'il est comme bégayé et mis à l'écart par les points de suspension. Phallus entrevu, aussitôt enfoui : la séquence suivante se réduit à trois mots : « Mardi. Rien. Existé »[354]. Sa simplicité est évidemment rhétorique : il s'agit d'un effet de réel dans l'imitation du journal intime. Cependant, c'est aussi un blanc, une pause avant la dernière bataille. Mais souvenons-nous qu'à ce qui perd gagne informulé[355] qu'est *La Nausée,* il importe d'être battu.

Le lendemain, « dans la nuit »[356], Roquentin tirera les conséquences d'une défaite apparente : « Ma décision est prise : je n'ai plus de raison de rester à Bouville puisque je n'écris plus mon livre ; je vais aller vivre à Paris »[357]. Auparavant, il aura fallu affronter la journée du mercredi, journée cruciale sous son air anodin : il déjeune au restaurant avec l'Autodidacte ; la tournure prise par la conversation l'énerve ; il a un malaise, saute dans un tramway, en descend pour pénétrer dans le jardin public où soudain, « le voile se déchire »[358], il *voit.* Une lecture superficielle isole trop facilement, dans cet ensemble, les morceaux de bravoure désormais classiques : une savoureuse scène de la vie de province (le repas au restaurant), un brillant catalogue des humanistes, de non moins brillantes variations « métaphysiques » sur une banquette de tramway ou sur une racine de marronnier. Nous verrons que la scène de genre recouvre une mise à mort, que la diatribe contre les humanistes est une manœuvre de diversion et que l'illumination du jardin public « rationalise » des fantasmes.

Anorexie

La première partie de la séquence (le déjeuner) débute par un petit massacre qui signale, comme en un coin du tableau, la présence de l'enfant des *Mots* : un index meurtrier se dirige vers une mouche[359]. L'enfant des *Mots* se faisait « insecticide »[360] par ennui et c'est bien l'ennui qui saisit Roquentin dès son entrée au restaurant : « Pourquoi suis-je ici ? »[361] Laissons la raison que se donne consciemment Roquentin, et n'oublions pas qu'à la racine de l'ennui

353. N., p. 133.
354. N., p. 133.
355. Nous prêtons à Sartre la tactique qu'il décrit chez Flaubert (voir *infra,* 3e partie, chap. IV, p. 401-402).
356. N., p. 171.
357. N., p. 171.
358. N., p. 160.
359. N., p. 133 : « Elle ne voit pas surgir cet index géant dont les poils dorés brillent au soleil ».
360. MT., p. 206. L'ennui est souvent, chez l'enfant, un « on ne m'aime pas, donc je les hais », d'où le massacre des mouches et le retournement sur soi : « Je suis mouche » (*ibid.,* p. 206).
361. N., p. 133.

il y a l'*inodium*, l'entrée dans la haine. Que peut-il y avoir de si haïssable dans la relation de Roquentin à l'Autodidacte pour qu'il doive sortir du restaurant de peur d'enfoncer un couteau dans l'œil[362] de son hôte ? Ce déjeuner semble réveiller les conflits archaïques liés à l'oralité, l'ambivalence de la réaction aux soins maternels et, finalement, l'angoisse de la fusion avec la mère, née de la hantise d'être dévoré pour avoir voulu dévorer.

Dès le début, l'Autodidacte dorlote Roquentin : « Etes-vous bien, monsieur ? Vous sentez-vous bien ? [...] Si vous avez froid, nous pourrions nous installer à côté du calorifère. [...] [Ces messieurs] s'en vont, voulez-vous que nous changions de place ? »[363] Hélas ! très vite, la mère attentive se change en mère abusive. Impossible d'échapper au gavage. « Voulez-vous choisir votre menu ? »[364] propose aimablement l'Autodidacte. Dès les hors-d'œuvre, Roquentin sait qu'il n'aura pas le choix : il devra obligatoirement manger des huîtres et du poulet chasseur parce que l'Autre a décidé que c'est ce qu'il y a de mieux pour lui. La réaction par l'anorexie est prévisible : « Je découvre soudain, [...] un petit plat d'étain où un pilon de poulet nage dans une sauce brune. Il faut manger ça »[365]. A la fin du repas, le « bout de camembert crayeux »[366] ne passe pas ; « je ne me décide pas à avaler. [...] j'ai envie de vomir — et tout d'un coup, ça y est : la Nausée »[367]. Evidemment, ce dégoût est la métaphore d'un autre dégoût, venu d'un temps où la relation à l'autre était vécue sur le mode oral. Roquentin lui-même, quand il s'étonne de « cette formidable colère qui vient de [le] bouleverser », « une colère de malade »[368], opère un déplacement : il passe de : « Tout

---

362. L'œil crevé apparaît plusieurs fois dans l'œuvre de Sartre. Dans *La Nausée*, la scène du restaurant mise à part, il est lié à la peur du sujet pour sa propre vie et à l'avortement (comme dans *L'Age de raison*, C.L., tome I, p. 24) : Roquentin essaie en vain de rafraîchir des souvenirs qui lui échappent : « Meknès [. . .] ce montagnard qui nous fit peur dans une ruelle, [. . .] je ne vois plus qu'un gros œil crevé, laiteux [. . .] Le médecin qui m'exposait à Bakou le principe des avortoirs d'Etat, était borgne lui aussi et, quand je veux me rappeler son visage, c'est encore ce globe blanchâtre qui paraît. Ces deux hommes, comme les Nornes, n'ont qu'un œil qu'ils se passent à tour de rôle » (p. 49). Il nous paraît difficile de ne pas voir en ces cyclopes une figure de la castration. « Qu'est-ce qui m'empêchait de crever les yeux de Daisy ? » se demandait le petit garçon des *Mots*. Mort de peur, je me répondais : rien [. . .] je découvrais dans l'angoisse des possibilités effroyables, un univers monstrueux qui n'était que l'envers de ma toute-puissance ; je me disais : tout peut arriver ! et cela voulait dire : je peux tout imaginer » (p. 122-123). « *Tout* peut arriver », répète Roquentin (p. 103) pris de panique et courant dans le brouillard. « Je peux tout imaginer », traduit Sartre dans *Les Mots*, mais ce *tout* est justement crever les yeux de Daisy ou décoller la tête de M. Fasquelle et celle de saint Denis, voir un bout de chair morte dans la vitrine du charcutier et une grande carapace avec douze paires de pattes sous l'eau du bassin. Et si la toute-puissance n'était que l'envers de l'angoisse de castration ?
363. N., p. 133-134.
364. N., p. 135.
365. N., p. 145.
366. N., p. 155.
367. N., p. 155.
368. N., p. 146.

ça, simplement parce que le poulet était froid »[369], à : « je rage, c'est vrai, mais pas contre lui, contre les Virgan et les autres, tous ceux qui ont empoisonné cette pauvre cervelle »[370]. Rationalisation bien sûr, que ce passage de la nourriture à la colère contre les humanistes. Mais, finalement, comme toujours, les images trahissent le ratiocinant et l'inconscient fait retour par la métaphore : car l'humanisme est un ogre dangereux : il « digère »[371] une certaine « race de gens têtus et bornés, de brigands, [...] il en fait une lymphe blanche et mousseuse »[372], c'est une « bête » qui « s'engraisse » de « beau sang rouge »[373]. Cette bête qui « bouffe » votre sang rouge ou votre « sang bleu »[374], est-ce bien l'humanisme ? Et si c'était l'homme, mon semblable ? Car l'énorme colère qui fond sur Roquentin, ce n'est pas un exposé doctrinal qui la provoque, mais le récit d'une expérience faite par l'Autodidacte dans un camp de concentration :

> « Tous ces hommes étaient là [...] on les sentait contre soi, on entendait le bruit de leur respiration... Une des premières fois qu'on nous enferma dans ce hangar [...] je crus d'abord que j'allais étouffer, puis, subitement, une joie puissante s'éleva en moi, je défaillais presque : alors je sentis que j'aimais ces hommes comme des frères, j'aurais voulu les embrasser tous. Depuis, chaque fois que j'y retournais, je connus la même joie »[375].

Que l'Autodidacte motive son adhésion à la S.F.I.O. par une expérience de pur contact physique, est-ce cette naïveté qui met Roquentin en fureur ou bien est-ce l'évocation de ce qui se vit dans le hangar qui lui fait perdre le contrôle de lui-même ? Pour nous, le récit de l'Autodidacte est la première apparition, dans l'œuvre de Sartre, d'une de ces scènes de promiscuité où l'on sent qu'entrent en jeu les réactions les plus archaïques de la psyché au contact de l'autre, l'autre premier étant, bien sûr, la mère : désir et peur de la fusion, proximité ressentie à la fois comme fascinante et dangereuse : le petit Jean-Paul est au cinéma avec sa mère ; entracte, lumière :

> « Où étais-je ? [...] Pas le moindre ornement [...] des murs barbouillés d'ocre [...] plutôt que par une fête, ce public si mêlé semblait réuni par une catastrophe ; morte, l'étiquette démasquait enfin le véritable lien des hommes, l'adhérence. Je pris en dégoût les cérémonies, j'adorai les foules ; j'en ai vu

369. N., p. 146.
370. N., p. 154.
371. N., p. 151.
372. N., p. 151.
373. N., p. 151.
374. *Cf.* I.F., tome II, p. 1121 : « le petit féal va se faire bouffer son sang bleu par un certain « collectif » pratico-inerte. » Recul de Gustave devant ses condisciples et du narrateur devant ses semblables.
375. N., p. 146.

de toute sorte mais je n'ai retrouvé cette nudité, cette présence sans recul de chacun à tous, ce rêve éveillé, cette conscience obscure du danger d'être homme qu'en 1940, dans le Stalag XII D »[376].

Curieuse prémonition de l'œuvre, ou bien, tout simplement, mise en scène effective, quelquefois, par l'événement, de nos scénarios imaginaires : en 1930 Sartre fait faire à l'Autodidacte l'expérience de « l'adhérence » ; il la situe dans un camp de concentration, lors de la Grande Guerre ; il la répète, dans sa propre vie, en 1940. La coloration homosexuelle de la scène dans *La Nausée* ne doit pas nous égarer, ni ce que nous savons des « ennuis » de l'Autodidacte avec le Corse, à propos des lycéens qui fréquentent la bibliothèque[377]. Le choix, par Sartre, de cette particularité pour son personnage donne après coup à l'expérience de l'« adhérence » un caractère génital qu'elle n'a pas, semble-t-il, à l'origine. Nous la rattacherions, pour notre part, à ce temps archaïque où « la conscience obscure du danger d'être homme » est liée au sein, à l'époque où lorsqu'on mange, on craint d'être mangé et où la différence des sexes n'est pas encore connue. C'est seulement « après coup »[378] que l'imagination, inclinée peut-être par une fixation homosexuelle défensive, la rapportera au père et non à la mère : les pères dévorent leurs enfants dans *L'Idiot de la famille*[379], et, tout au début de l'œuvre, dans *Nourritures*[380], le père mord les fesses de sa petite fille. L'ambivalence des sentiments que suscite l'« adhérence » se traduit, dans *La Nausée*, par l'opposition des personnages : attirance chez l'Autodidacte, répulsion chez Roquentin[381]. La peur d'être dé-

376. MT., p. 98-99.
377. N., p. 136 et 205-209.
378. Sur l'importance de cette notion en psychanalyse, voir J. Laplanche et J.-B. Pontalis, *Vocabulaire de la psychanalyse*, p. 33 : « Terme fréquemment employé par Freud en relation avec sa conception de la temporalité et de la causalité psychiques : des expériences, des impressions, des traces mnésiques sont remaniées ultérieurement en fonction d'expériences nouvelles, de l'accès à un autre degré de développement. Elles peuvent alors se voir conférer, en même temps qu'un nouveau sens, une efficacité psychique. »
379. Voir *infra*, 3e partie, chap. I, p. 345.
380. Il s'agit d'un fragment d'une nouvelle inédite, reproduit dans *Les Ecrits de Sartre* par M. Contat et M. Rybalka, p. 553 à 556.
381. Dans *Les Mots*, l'ambivalence est soigneusement censurée bien qu'on puisse la lire à travers l'inquiétude de l'enfant au cinéma : « posés de loin en loin sur ce parterre de têtes, de grands chapeaux palpitants rassuraient » (p. 99). La foule attire, et, lorsqu'elle apparaît, c'est avec les épithètes qui sont celles de la mère, « orpheline » comme dans les fantasmes de la jeune fille à sauver et « veuve » : « Le célèbre romancier Dickens va débarquer dans quelques heures à New-York, on aperçoit au loin le bateau qui le transporte ; la foule s'est massée sur le quai pour l'accueillir, elle ouvre toutes ses bouches et brandit mille casquettes, si dense que les enfants étouffent, solitaire, pourtant, orpheline et veuve, dépeuplée par la seule absence de l'homme qu'elle attend. Je murmurai : « Il y a quelqu'un qui manque ici : c'est Dickens ! » et les larmes me vinrent aux yeux » (p. 140). Peut-être, tout de même, l'ambivalence se fait-elle jour à travers le détail : « les enfants étouffent ». « J'étouffais contre le sein d'une romancière allemande », lit-on à la page 73. Le sein des femmes étouffe plus souvent qu'il n'accueille dans l'univers de Sartre.

voré est sensible tout au long du repas et la nécessité corrélative de garder ses distances. A peine installé, l'Autodidacte s'approche, Roquentin se recule. « Mais l'Autodidacte avance le buste au-dessus de la table, [...] Heureusement, la serveuse lui apporte ses radis. Il retombe sur sa chaise »[382]. A la fin du repas, c'est la proximité du visage de l'Autodidacte, c'est le *vis-à-vis*, qui déclenche la Nausée : « Je ne peux plus parler, j'incline la tête. Le visage de l'Autodidacte est tout contre le mien. Il sourit d'un air fat, tout contre mon visage, comme dans les cauchemars. Je mâche péniblement un morceau de pain que je ne me décide pas à avaler. Les hommes. Il faut aimer les hommes. Les hommes sont admirables. J'ai envie de vomir — et tout d'un coup ça y est : la Nausée »[383].

Aussi n'est-ce point pour nous un hasard que Roquentin sente grandir en lui l'instinct de meurtre, lorsqu'il se trouve au restaurant. Roquentin ne supporte pas de voir manger. Toute la séquence donne l'impression d'une oralité exclusive, envahissante. Chacun se remplit et/ou remplit son voisin : l'Autodidacte dévore[384], contraint Roquentin à manger et le saoule de paroles au point qu'il n'entend plus[385]. Le voyageur de commerce regarde Roquentin sans le voir : « il est trop absorbé à épier ce qu'il mange »[386]. « Deux hommes rouges et trapus dégustent des moules en buvant du vin blanc »[387]. Mais là, manger ne suffit point ni épier ce qu'on mange. Le plus petit gave l'autre qui manifeste la même anorexie que Roquentin : l'un « raconte une histoire dont il s'amuse lui-même. [...] L'autre ne rit pas ; ses yeux sont durs. Mais il fait souvent " oui " avec la tête »[388]. Quant au couple d'amoureux, il agacera vite Roquentin : l'homme parle pour la galerie, son récit du match de football emplit la salle. La bonne en est « bouche bée »[389]. Le beau monsieur distingué qui-peut-encore-séduire s'identifie au jeune homme. Il se contente de boire de l'eau de Vichy car il a d'autres compensations. A la jalousie à l'égard de celui qui tient les autres bouche bée et au refus d'être soi-même mis dans une telle situation, répondent, dans l'autobiographie, les lignes de Sartre sur le bavardage intarissable de l'enfant : « Je lui disais tout. Plus que tout [...] Cela commençait par un bavardage anonyme dans ma tête : quelqu'un disait : « Je marche, je m'assieds, je bois un verre d'eau, je mange une praline. » Je répétais à voix haute ce commentaire perpétuel : « Je marche, maman, je bois un verre d'eau, je m'as-

382. N., p. 136.
383. N., p. 155.
384. « J'ai un estomac d'autruche, je peux avaler n'importe quoi » N., p. 135-136.
385. « . . . de la Rome antique, monsieur ? » L'Autodidacte m'interroge, je crois. Je me tourne vers lui et je lui souris » N., p. 156.
386. N., p. 134.
387. N., p. 134.
388. N., p. 134.
389. N., p. 141.

sieds »[390]. Gavage de la mère, désir de l'occuper totalement, de ne point la laisser respirer.

Que la relation à l'Autodidacte, dans le restaurant, ravive les conflits de la phase orale, nous en voyons un autre signe dans la présence, au début et à la fin de la séquence, des animaux complémentaires du bestiaire sartrien. Au début du repas, nous reconnaissons la méduse ; au dessert, c'est un crabe qui sort de la salle. La bête molle a mis sa carapace : « l'âme de l'Autodidacte est montée jusqu'à ses magnifiques yeux d'aveugle où elle affleure. Que la mienne en fasse autant, qu'elle vienne coller son nez aux vitres : toutes deux se feront des politesses. Je ne veux pas de communion d'âmes, je ne suis pas tombé si bas. Je me recule »[391]. *Les Mots* donnent un nom à cette apparition sous-marine : l'enfant se regarde dans la glace : « Sous mes yeux, une méduse heurtait la vitre de l'aquarium, fronçait mollement sa collerette, s'effilochait dans les ténèbres. [...] Dans le noir, je devinais une hésitation indéfinie, un frôlement, des battements, toute une bête vivante — la plus terrifiante et la seule dont je ne pusse avoir peur »[392]. De l'autre côté de la vitre, il y a le double ou le semblable. C'est une bête dangereuse : elle a des ventouses qui sucent comme la bouche vorace de l'enfant au sein. Aussi ne reste-t-il plus qu'à fuir quand l'autre réveille les angoisses mortelles de la trop grande proximité en « collant » son visage au vôtre.

Nous venons de tenter l'analyse de ce qui se passe au niveau le plus archaïque dans cette séquence. Mais la reviviscence de la pulsion orale n'est pas seule en cause. Il s'agit aussi d'empêcher l'autre de « triompher »[393]. La lutte qui s'engage alors, appartient à la phase phallique. Comment une conversation avec l'Autodidacte, ce modeste, ce tendre à la mine de « brebis »[394], peut-elle tourner au règlement de comptes ? Remarquons d'abord que Sartre a prêté à l'Autodidacte un certain nombre de traits qui suffisent à le désigner comme une bête noire. Au moment où Roquentin s'aperçoit qu'il ne peut plus écrire l'histoire d'un autre, où il s'oriente, sans se le dire encore (il faudra attendre la dernière page de son journal), vers une écriture radicalement différente, tout en se masquant son inquiétude fondamentale (« Si j'étais sûr d'avoir du talent... »[395] lit-on ailleurs, et, dans la séquence que nous étudions : « Si je connaissais l'art de persuader »[396]), l'Autodidacte lui présente en plusieurs visages « la carrière appliquée d'un écrivain mineur »[397].

390. MT., p. 181.
391. N., p. 136.
392. MT., p. 89.
393. N., p. 150 : « Il me demande peu de chose, en somme : simplement d'accepter une étiquette. Mais c'est un piège : si je consens, l'Autodidacte triomphe ».
394. N., p. 136.
395. N., p. 222.
396. N., p. 143.
397. MT., p. 135.

Mineur, ce pauvre séquestré, autre facteur Cheval, cet « insurgé de la Commune qui vécut à Bouville jusqu'à l'amnistie, en se cachant dans un grenier. [...] Il employa ses loisirs forcés, précise l'Autodidacte, à sculpter un grand panneau de chêne [reproduisant l'attentat d'Orsini]. Il n'avait pas d'autres instruments que son canif et une lime à ongles [...]. Monsieur, si je puis me permettre, c'est un ouvrage qui vaut la peine d'être vu »[398].

« Homme admirable » peut-être, mais doublement manqué, comme artisan et comme artiste. Mineure aussi l'activité de « copiste » de l'Autodidacte. Il semble que Sartre ait fait partager à l'Autodidacte, comme pour détourner de soi le danger, les conceptions de son grand-père sur le métier d'écrivain : un prolongement de la vie d'écolier, puis une annexe du professorat, en attendant d'aller rejoindre les « vieillards irremplaçables »[399] : « N'est-ce pas l'Autodidacte qui me disait l'autre jour : « Nul n'était mieux qualifié que Nouçapié pour entreprendre cette vaste synthèse ? » Chacun d'eux fait une petite chose et nul n'est mieux qualifié que lui pour la faire. Nul n'est mieux qualifié que le commis-voyageur, là-bas, pour placer la pâte dentifrice Swan. Nul n'est mieux qualifié que cet intéressant jeune homme pour fouiller sous les jupes de sa voisine »[400]. A travers l'Autodidacte, c'est le grand-père qui est moqué : « Tous ses collègues portaient le ciel [...] Il parlait d'eux sentencieusement pour nous faire mesurer leur importance [...] « Shurer se fait vieux ; espérons qu'on n'aura pas la sottise de lui donner sa retraite : la Faculté ne sait pas ce qu'elle perdrait »[401]. Confusion du spécialiste et du grand homme, redoutable pour qui rêve du Panthéon.

Il n'est pas jusqu'aux inquiétudes de l'Autodidacte sur son insensibilité à la peinture qui n'aient leur source dans l'enfance de Sartre. L'Autodidacte se plaint de ne pas ressentir, malgré ses connaissances : « c'est inconcevable : j'ai vu des jeunes gens qui ne savaient pas la moitié de ce que je sais et qui, placés devant un tableau, paraissaient éprouver du plaisir ». « Ils devaient faire semblant », [dit Roquentin] d'un air encourageant »[402]. La plaisanterie n'est pas aussi innocente qu'elle le paraît. Qui a « fait semblant », au point de ne plus savoir s'il aimait réellement Corneille ou s'il jouait à l'aimer pour que le grand-père s'émerveille ? Qui est entré dans la culture, par la « Comédie de la culture »[403] et dans l'ordre alphabétique[404] pour essayer de posséder ce qui avait du prestige

---

398. N., p. 138-139.
399. MT., p. 74.
400. N., p. 143.
401. MT., p. 74.
402. N., p. 139.
403. MT., p. 57.
404. MT., p. 38 : « le Grand Larousse me tenait lieu de tout : j'en prenais un tome au hasard, derrière le bureau, sur l'avant-dernier rayon, A-Bello, Belloc-Ch ou Ci-D, Mele-Po ou Pr-Z ».

aux yeux des autres ? *Mutatis mutandis,* il y a de l'Autodidacte dans l'enfant des *Mots.* L'Autodidacte cherchant en vain à devenir un amateur en peinture et le petit Jean-Paul un professionnel de l'écriture, ne rencontrent-ils pas la même frigidité et la même tentation de faire semblant ? : « Je béais, je me contorsionnais pour provoquer l'intuition qui m'eût comblé, j'étais une femme froide dont les convulsions sollicitent puis tentent de remplacer l'orgasme. La dira-t-on simulatrice ou juste un peu trop appliquée ? »[405].

C'est ce parent pauvre de l'enfant des *Mots,* ce vieil écolier disgracié que Roquentin va se trouver amené à agresser. Il n'est pourtant ni un « monsieur » ni un notable. Que s'est-il donc passé ? Le mouton est devenu enragé. Le « vernis de douceur »[406] a sauté ; un « mur de suffisance »[407] est apparu. « Il a l'air de me prendre en pitié. [...] Il me hait. J'aurais eu bien tort de m'attendrir sur ce maniaque »[408], écrit Roquentin. Le seul militant du roman est manifestement psychopathe, son socialisme, une rêverie compensatoire sinon masturbatoire. Il importe de réduire par la caricature, comme celui de l'aventure par l'analyse du récit, le seul choix qui puisse équivaloir au choix de l'écriture. Certes, Sartre écrit contre soi[409], mais c'est pour se donner finalement raison. En effet, son militant « trafique »[410] le christianisme qui sert de « maquette »[411] à ses nouvelles convictions politiques, comme le petit Jean-Paul le faisait pour sa vocation d'écrivain. Il est lui aussi un « martyr »[412], qui sauve les hommes sans qu'ils le sachent[413] : « Il a écarté les bras et me présente ses paumes, les doigts tournés vers le sol, comme s'il allait recevoir les stigmates. Ses yeux sont

---

405. MT., p. 172.
406. N., p. 150.
407. N., p. 150.
408. N., p. 151.
409. *Cf.* MT., p. 136, à propos de ses livres : « je les ai souvent faits contre moi, ce qui veut dire contre tous, dans une contention d'esprit qui a fini par devenir une hypertension de mes artères. » P. 210 : « Je raconterai plus tard [...] par quelle raison je fus amené à penser systématiquement contre moi-même au point de mesurer l'évidence d'une idée au déplaisir qu'elle me causait. »
410. MT., p. 209 : « [Le Saint-Esprit] s'était installé à l'arrière de ma tête dans les notions trafiquées dont j'usais pour me comprendre. »
411. MT., p. 207.
412. N., p. 148.
413. « Mes amis, ce sont tous les hommes. Quand je vais au bureau, le matin, il y a, devant moi, derrière moi, d'autres hommes qui vont à leur travail. Je les vois, si j'osais je leur sourirais, je pense que je suis socialiste, qu'ils sont tous le but de ma vie, de mes efforts et qu'ils ne le savent pas encore. C'est une fête pour moi, monsieur. » (N., p. 148). « Si j'ouvrais les yeux chaque matin, si courant à la fenêtre, je voyais passer dans la rue des Messieurs et des Dames encore vivants, c'est que, du crépuscule à l'aube, un travailleur en chambre avait lutté pour écrire une page immortelle qui nous valait ce sursis d'un jour » (MT., p. 149). « Avant de sauver l'humanité, je commencerais par lui bander les yeux ; [...] quand ma nouvelle orpheline oserait dénouer le bandeau, je serais loin ; sauvée par une prouesse solitaire, elle ne remarquerait pas d'abord, flambant sur un rayon de la Nationale, le petit volume tout neuf qui porterait mon nom » (p. 150).

vitreux, je vois rouler, dans sa bouche, une masse sombre et rose[414]. Ce piteux mystique garde encore quelques traits du grand-père pendant sa sieste. Avant de dénoncer, trente ans plus tard, dans *Les Mots,* « le mythe odieux du Saint qui sauve la populace »[415], sous-jacent à sa conception de l'écriture, Sartre le ridiculise, dans *La Nausée,* sans se mettre en question. Roquentin sourit de l'Autodidacte, ignore sa propre démesure, mais ne supporte pas celle d'autrui. Après l'aveu de son inscription à la S.F.I.O., l'Autodidacte « rayonne de fierté »[416] et s'avoue « parfaitement heureux »[417]. Le malheureux ne sait pas jouer à qui perd gagne. Sa conversion lui donne l'illusion de n'être plus seul, il est habité par les pensées d'autrui, c'est un possédé, un « mur de suffisance », un propriétaire de la vérité. Il est plein, il a comblé en lui le vide qu'il faut maintenir à tout prix. Une fois de plus Roquentin est en présence de celui-qui-croit-avoir-le-phallus, et le réflexe du chien du jardinier joue : je ne veux pas de ce phallus-là, mais je ne veux pas qu'un autre l'ait. L'humanisme n'est pas un trompe-la-mort sérieux.

Nous ne nous attarderons pas à l'analyse du morceau de bravoure sur les humanistes : il participe de l'affirmation phallique qui anime l'ensemble, mais à un autre niveau : parade, joute, il est, par le pastiche[418], jeu taquin du cadet encore inconnu, qui prend place parmi ses pairs, les grands hommes, en se moquant des subalternes, les Virgan et autres et de ce « pauvre Guéhenno »[419]. Le morceau de bravoure tournera au règlement de comptes dans la lettre d'Erostrate aux écrivains célèbres[420]. Mais auparavant, le manuscrit de *La Nausée* aura été refusé deux fois par l'éditeur. La diatribe de *La Nausée* est tout de même le signe qu'à travers l'Autodidacte, ce sont les autres qui sont visés mais pas seulement parce qu'ils pensent mal et qu'ils ont « empoisonné cette pauvre cervelle »[421], parce qu'ils ont le tort d'exister pour un public parisien

---

414. N., p. 148.
415. MT., p. 150.
416. N., p. 148.
417. N., p. 148.
418. « [...] l'humaniste qui aime les hommes tels qu'ils sont, celui qui les aime tels qu'ils devraient être, [...] » (N., p. 149). Sur le pastiche voir *infra*, 2e partie, chap. III, p. 272-274.
419. « [L'Autodidacte] a quitté sans s'en apercevoir l'amour des hommes en Christ ; il hoche la tête et, par un curieux phénomène de mimétisme, il ressemble à ce pauvre Guéhenno. » (N., p. 153-154). Ce « pauvre » Guéhenno, qui venait (1934) de publier son *Journal d'un homme de quarante ans,* est triplement présent dans ce passage, par la mention de son nom, par son physique prêté à l'Autodidacte, par le métier de sa mère : « Quel beau conte de fées, dit [l'humaniste catholique], que la plus humble des vies, celle d'un docker londonien, d'une piqueuse de bottines ! » (N., p. 149). Notons la perfidie du trait final qui ne vaut pas seulement pour l'humaniste catholique mais pour tous ceux qui précèdent : « il écrit, pour l'édification des anges, de longs romans tristes et beaux, qui obtiennent fréquemment le prix Fémina » (p. 149). Pas de place pour deux. Le rival est châtré.
420. MR., p. 87-89. Il semble que ce soit Giraudoux qui ait, cette fois, les honneurs du pastiche.
421. N., p. 154.

et même d'être lus en province, d'où l'allegretto vengeur du mouvement de phrase.

Laissons cet accrochage relativement isolé[422] pour revenir à l'ensemble de la séquence et au combat qui s'y livre. « Moi, *je sais* »[423], dit Roquentin ; lui seul sait qu'il est mortel, les autres croient qu'ils le savent et croient qu'ils l'acceptent. Roquentin, lui, sait et n'accepte pas : son modèle, c'est ce qui n'existe pas, le petit air de saxophone. Notre condition mortelle est intenable et Roquentin ne tiendra pas : il lui faudra se faire la matrice d'un chef-d'œuvre, produire, lui aussi, son petit air de saxophone. En écrivant *La Nausée,* Sartre se donne raison de refuser la vie ; le seul être qui le dérangerait dans cette entreprise, c'est quelqu'un qui accepterait d'aimer la vie simplement et de disparaître pour laisser la place aux autres. Nous chercherions en vain ce quidam[424] parmi les nombreux figurants de *La Nausée* : ce que Roquentin ne peut ni ne veut faire, personne ne doit pouvoir le faire. S'ils croient y être parvenus, c'est qu'assurément ils font semblant : « ils jouent la comédie »[425], « C'est une farce »[426]. Ainsi, le vieux monsieur qui boit de l'eau de Vichy, n'a que l'apparence de « l'Homme mûr qui s'achemine avec courage vers son déclin et qui soigne sa mise parce qu'il ne veut pas se laisser aller »[427]. En fait, « c'est un salaud »[428]. S'il s'attendrit sur le couple d'amoureux, s'il le regarde « avec complaisance, presque avec complicité »[429], c'est qu'« il sait bien qu'il est encore beau, admirablement conservé, qu'avec son teint brun et son corps mince il peut encore séduire. Il joue à se sentir paternel »[430]. Il *n'est pas* paternel, il ne souffre pas que d'autres aient des plaisirs qu'il n'a plus. Masqués ou non, il n'y a que des jaloux dans *La Nausée.* Le vieux monsieur n'accepte pas plus la mort qu'Anny ou Roquentin, puisqu'il n'accepte pas de vieillir. Le

---

422. Il y aurait toute une étude à faire sur la place de la jalousie dans l'œuvre de Sartre. Masquée dans *Les Mots* où elle se déguise en admiration inconditionnelle pour le prix d'excellence, Sartre en fait le principe même de l'ascension du Tintoret ; elle torture Lucien dans *L'Engrenage,* Goetz dans *Le Diable et le bon Dieu,* Gustave dans *L'Idiot de la famille* ; « ravagé d'envie », Flaubert voit dans les écrivains du XVIIIe siècle « les chouchous de l'aristocratie », I.F., tome I, p. 803.
423. N., p. 143.
424. Peut-être est-ce lui qui apparaît, dans l'œuvre, à la fin des *Mots,* avec le vœu d'être n'importe qui et, dans la vie, avec le militant gauchiste de base que Sartre voudrait être devenu. Mais le vœu des *Mots* est un vœu pieux, étant donné le poids de l'œuvre. D'ailleurs, dans son « Autoportrait à soixante-dix ans », repris dans *Situations, X,* Sartre a de nouveau fait l'aveu naïf de sa démesure : il veut *tout* (p. 159), et seuls l'intéressent ceux qui veulent tout (p. 194) ; quant au reste de l'humanité : « Ils se débrouillent entre eux... » (p. 160).
425. N., p. 152.
426. N., p. 142.
427. N., p. 153.
428. N., p. 153.
429. N., p. 141.
430. N., p. 141.

rejet de la finitude est au centre de *La Nausée.* D'où l'intérêt du jeune couple dans la séquence du restaurant : sur le chemin ascétique qui conduit Roquentin au dénuement total, ces figures de l'amour représentent la dernière tentation, plus redoutable peut-être que celle de l'aventure ou de l'engagement politique, parce que plus immédiate et plus naturelle. Remarquons qu'une fois de plus, on ne dépasse pas la parade phallique, chacun est pour l'autre le plus beau fleuron de sa propre couronne. Le couple est montré comme aimant à se faire voir, et Roquentin le suit sur ce terrain : qu'on n'aille pas croire qu'il puisse être dépourvu de ce que les autres se vantent de posséder. C'est le retour infantile au « Moi aussi »[431] : « Moi aussi », j'aurais pu raconter des histoires dans les salons[432]..., « moi aussi », j'ai été amoureux :

> « Quelquefois, quand nous entrions, Anny et moi, dans un restaurant de Piccadilly, nous nous sentions les objets de contemplations attendries [...] à présent, j'ai l'âge de m'attendrir sur la jeunesse des autres. Je ne m'attendris pas [...] Je les sens si loin de moi [...] Ils sont à l'aise, ils regardent avec confiance les murs jaunes, les gens, ils trouvent que le monde est bien comme il est, tout juste comme il est et chacun d'eux, provisoirement, puise le sens de sa vie dans celle de l'autre. Bientôt, à eux deux, ils ne feront plus qu'une seule vie, une vie lente et tiède qui n'aura plus du tout de sens — mais ils ne s'en apercevront pas »[433].

Roquentin ne leur permet pas de dépasser le narcissisme du début de l'amour vers l'accomplissement d'une œuvre commune. Il importe à sa démonstration qu'ils soient stériles et aveugles. Jeune et beau, le couple qu'il nous présente est d'ailleurs moins une image de l'amour qu'un symbole phallique ; mais un phallus de chair périssable[434] ne saurait l'intéresser.

La scène primitive

Sorti du restaurant en « crabe », « à reculons »[435], Roquentin peut se laisser submerger par la Nausée. Il ne perdra pas pied. Il a déjà touché le fond. Il est en train de remonter. Mais il se le cache. En effet, cette expérience « horrible »[436] est tout de même « extase »[437], jouissance, « illumination »[438], « moment [...] extraordi-

---

431. N., p. 91.
432. Voir N., p. 91.
433. N., p. 137-138.
434. Avec l'écœurement, la langueur, le doux, le tiède, nous ne sommes pas loin de la « Chose » et donc de la castration (voir *supra*, dans ce chapitre, p. 162, note 314).
435. N., p. 157.
436. N., p. 166.
437. N., p. 166.
438. N., p. 161.

naire »[439], parce qu'il « [comprend] »[440] la Nausée et donc parce qu'il la « [possède] »[441].

Rappelons-nous le début du livre : la Nausée est-elle dans le galet ? Sur mes mains ? En moi ? Qui est malade ? La séquence du jardin public donne la réponse : la Nausée, c'est moi, c'est la contingence, donc tous les hommes. Nous connaissons ce mouvement de généralisation : une vie qui se termine par la mort m'est intolérable ; donc, personne n'a le droit de la trouver bonne :

> « Tout est gratuit, ce jardin, cette ville et moi-même. Quand il arrive qu'on s'en rende compte, ça vous tourne le cœur et tout se met à flotter [...] voilà la Nausée ; voilà ce que les Salauds — ceux du Coteau Vert et les autres — essaient de se cacher avec leur idée de droit. Mais quel pauvre mensonge : personne n'a le droit. »[442]

On glisse de : ils n'ont pas *de* droits à : ils n'ont pas *le* droit. C'est le mouvement même de l'intimidation. La timidité de Roquentin : qu'est-ce qui m'empêche... (d'écrire un roman), cache un terrorisme féroce : rien ne saurait m'empêcher[443] d'écrire une œuvre hors du temps, de n'être rien, ni père, ni fils, ni ingénieur, ni médecin, pour être tout, un jour, sur les rayons de la Bibliothèque Nationale. Mais eux n'ont pas le droit d'être pères, fils, médecins, négociants, professeurs ou avocats, sous peine d'être des salauds. Le seul choix possible est d'être artiste[444].

Comment peut-on être n'importe qui ? Lorsque Roquentin, sur son banc, se laisse envahir par la Nausée, il a déjà fait, le sachant ou non, le choix de l'Art. Nous le verrons à la trace mystérieuse d'un sourire dans le texte. Peut-il, dès lors, écrire sans mauvaise foi : « ils ont essayé de surmonter cette contingence en inventant un être nécessaire et cause de soi »[445], quand il n'ignore pas qu'il ne saurait lui-même se passer d'inventer un être nécessaire[446] (musique ou roman) capable de « porter fièrement [sa] propre mort en soi comme une nécessité interne »[447]. Mais, chez les autres, tout est ersatz. L'éventualité n'est pas même entrevue que certains d'entre eux, sans inventer un être nécessaire, se contentent d'aimer cette vie promise à la mort et de la donner à des êtres de chair.

---

439. N., p. 166.
440. N., p. 166.
441. N., p. 166.
442. N., p. 166.
443. Rappelons que personne n'empêche qui que ce soit de faire œuvre littéraire. Les obstacles sont intérieurs et liés à la fantasmatique du sujet.
444. Ce choix suppose la culture bourgeoise ; véritable écharde dans la chair, ce fait, que *La Nausée* ignore, est obsessionnellement présent dans *L'Idiot de la famille.*
445. N., p. 166.
446. Et qui vous rend cause de vous-même : « Je suis né de l'écriture », MT., p. 127.
447. N., p. 169.

Ces monstres de modestie ne sauraient exister, qui portent en eux simplement, et non « fièrement », leur propre mort comme une nécessité interne. Car pour Roquentin si l'on n'est pas un air de jazz, on meurt toujours « par rencontre »[448] et non parce que la vie se tarit progressivement et « nécessairement » en vous[449].

Pour s'avouer mortel peut-être faut-il pouvoir s'engager dans les chemins de l'Œdipe, mettre un pied dans la vie, donc dans la mort, en acceptant la succession des générations et d'avoir partie liée avec l'autre sexe. Or, nous allons voir que « l'illumination » du jardin public peut se lire entièrement comme un défaut d'affrontement œdipien, comme une régression à des positions pré-génitales où le refus de se reconnaître sexué pousse à châtrer la nature entière. Au centre de l'expérience, la scène primitive déformée, niée, tournée en dérision, « fécalisée ». La relation triangulaire n'arrive pas vraiment à prendre corps. Il y a bien cette atmosphère de « vaudeville »[450], cette impression de gêne, d'être « de trop », comme si l'on était en tiers[451] et le rappel du couple gras, chaud et sensuel[452] de la brasserie Vézelise dont l'image un instant apparue dans la rêverie digestive de Roquentin lui fait pousser un cri et ouvrir les yeux. Mais, très vite, l'élément masculin disparaît, des femmes lasses, à la voix mouillée, s'abandonnent au rire et s'étalent. La femme du couple gras reste seule aussi, « [chatouillée] » par « l'épanouissement de ses seins »[453], répétant pour elle-même : « mes nénés, mes beaux fruits »[454]. Narcissisme, auto-érotisme, effacement de la figure paternelle, censure du génital. Il ne subsiste plus qu'odeur et digestions[455]. Toutes les formes phalliques sont réduites en bouillie. La racine du marronnier, « long serpent mort [...] griffe [...] serre »[456], « grosse patte rugueuse, [...] pompe aspirante »[457],

---

448. N., p. 169.
449. L'angoisse de la finitude, lisible dans le désir de maîtriser la mort, comme le fait le petit air, se retrouve à l'autre bout de l'œuvre dans le dernier tome du *Flaubert* : « En fait la proposition « l'homme est mortel » est une proposition purement inductive [...] : on peut certes montrer *aujourd'hui* que la mort est un événement *de la vie* et qui en est, dès le premier moment, la conséquence rigoureuse. Mais c'est *pour aujourd'hui : l'antiphysis* peut demain s'étendre à la mort même ». I.F., tome III, p. 437.
450. N., p. 163.
451. Voici le texte : « Comique... non : ça n'allait pas jusque-là, rien de ce qui existe ne peut être comique ; c'était comme une analogie flottante, presque insaisissable avec certaines situations de vaudeville. Nous étions un tas d'existants gênés, embarrassés [...], nous n'avions pas la moindre raison d'être là, [...] chaque existant, confus, vaguement inquiet, se sentait de trop par rapport aux autres » (N., p. 162-163). Pour nous, le comique est ici une défense. Le malaise renvoie à ce que l'enfant veut et ne veut pas voir de ce qui se passe dans la chambre des parents.
452. Voir N., p. 170.
453. N., p. 170.
454. N., p. 170.
455. Voir N., p. 163 : « Et *moi* — veule, alangui, obscène, digérant, ballottant de mornes pensées » ; sur la connotation du verbe ballotter, voir *supra*, dans ce chapitre, p. 164.
456. N., p. 163.
457. N., p. 164.

va se ramener à « ça »[458] : « une petite mare noire »[459], les troncs d'arbres vont « se rider comme des verges lasses, se recroqueviller [...] en un tas noir et mou avec des plis »[460]. L'indéterminé triomphe : les choses ont perdu leur diversité, ce qui les faisait séparées, distinctes. Le refus de la différence des sexes entraîne la projection de l'amorphe sur la nature entière : il n'y a plus que des « masses monstrueuses et molles, en désordre — nues, d'une effrayante et obscène nudité »[461].

Cette nécessité de projeter autour de soi, comme la seiche son encre[462], un nuage protecteur, se traduit par l'impossibilité de nommer, qui est refus de discerner. Les lignes de *La Nausée* sur l'innommable et le louche, sur les bretelles d'Adolphe qui ne sont pas vraiment violettes et sur le noir de la racine qui n'est pas vraiment noir[463], mais aussi « meurtrissure [...] sécrétion, [...] suint [...] odeur de terre mouillée, [...] fibre mâchée »[464], entrent en résonance avec certains passages des *Mots* et de *L'Enfance d'un chef* : le petit Lucien refuse, nous l'avons vu[465], de dire à sa maman comment s'appellent les choses ; l'enfant des *Mots*, lui, est intarissable. Mais vers l'âge de dix ans, il est pris d'une curieuse manie : « Pendant près d'une année je terminai mes phrases, au moins une fois sur dix, par ces mots prononcés avec une résignation ironique : « Mais ça ne fait rien. » Je disais : « Voilà un grand chien blanc. Il n'est pas blanc, il est gris mais ça ne fait rien »[466]. La racine n'est pas noire, mais çe ne fait rien. Ce qui importe, c'est que le noir soit réduit à une « présence amorphe et veule »[467] et que, de proche en proche, on y réduise tous les hommes : Roquentin d'abord, en personne : « Et *moi* — veule, alangui »[468], puis identifié à la racine : « J'*étais* la racine [...] une petite mare noire à mes pieds »[469], tous les hommes ensuite : « en eux-mêmes, secrètement, ils *sont trop,*

---

458. N., p. 164.
459. N., p. 167. Dans *La Terre et les rêveries du repos*, Corti, 1948, réimpression 1974, Bachelard, devant cette « *image souffrante* » (p. 300) de la racine (« Il s'agit d'une sorte de racine qui a perdu son arbre », p. 300) et ce « *refoulement* de [. . .] l'archétype verticalisant » (p. 304), écrivait généreusement : « Il y aurait sans doute quelque humanité à mettre Roquentin [. . .] devant l'étau, la lime en main pour lui apprendre sur le fer la beauté et la force de la surface plane, la rectitude de l'angle droit. Une bonne bille de bois à dégrossir à la râpe suffirait à lui apprendre gaiement que le chêne ne pourrit pas, que le bois rend dynamisme pour dynamisme, bref que la santé de notre esprit est dans nos mains » (p. 305).
460. N., p. 169.
461. N., p. 162.
462. L'image est empruntée au bestiaire sartrien : Genet, le Tintoret, Flaubert sont tour à tour des seiches qui projettent leur encre (S.G., p. 202 ; S., IV, p. 325 ; I.F., tome I, p. 157).
463. N., p. 165.
464. N., p. 166.
465. *Supra*, 1re partie, chap. III, p. 118.
466. MT., p. 181.
467. N., p. 166.
468. N., p. 163.
469. N., p. 167.

c'est-à-dire amorphes et vagues, tristes »[470]. Triste comme un petit garçon qui se voudrait la petite fille de sa maman mais qui a quelque chose en trop, amorphe et vague, innommé.

De multiples correspondances s'établissent entre le texte de *La Nausée* et ceux des enfances sartriennes : l'interdit de la masturbation peut se lire dans la répétition quasi-obsessionnelle des images de la main : main de l'homme affalé sur la banquette du tramway qui gratte le cuir chevelu[471], mains noires des troncs[472], mains sèches des feuilles[473], ongle noir de la racine qui gratte la terre[474], main de l'Autodidacte qui se transforme en « un gros ver blanc »[475]. Quand Roquentin essaye de saisir la naissance du mouvement dans les arbres, il reprend les questions de Jean-Paul enfant après la lecture, dans *le Matin*, de l'histoire qui le glaça d'effroi : « Du vent dans les arbres »[476]. D'où vient le frisson qui s'est emparé de l'arbre ? De nulle part, répond Roquentin : « Le vent existant venait se poser sur l'arbre comme une grosse mouche ; et l'arbre frissonnait »[477]. D'un fou grimaçant, répondait *le Matin*, ou bien alors c'était la Mort elle-même qui secouait les branches, tuant ainsi la jeune femme malade[478]. Dans le texte de *La Nausée*, la Mort n'a pas eu besoin de grimper dans le marronnier pour montrer sa face, elle est le marronnier et la pâte même des choses. Et s'il n'est pas possible de s'en accommoder, c'est qu'elle est indissolublement liée à l'angoisse de castration. Le vent, sur l'arbre, se pose comme une grosse mouche. Il y aura aussi une grosse mouche, une « mouche à caca » dans ce coin défendu du jardin où Lucien renifle l'odeur forte de la crotte de chien en décapitant les orties[479]. Roquentin est l'effort maladroit « d'un insecte tombé sur le dos »[480], comme Lucien sera le grillon de Férolles qu'il écrase parce qu'il ne supporte pas de le voir se traîner[481].

---

470. N., p. 167.
471. N., p. 160.
472. N., p. 160.
473. N., p. 168.
474. N., p. 160.
475. N., p. 165.
476. MT., p. 124.
477. N., p. 168. Notons que le texte lu dans l'enfance et celui que produit l'adulte sont complémentaires : la page du *Matin* réveillait l'angoisse de castration et celle de la mort ; la page de *La Nausée* lui répond en refusant l'idée de naissance et donc de scène primitive : il n'y a ni commencement ni fin : « Ça grouillait d'existences, au bout des branches, d'existences qui se renouvelaient sans cesse et qui *ne naissaient jamais*. [. . .] le frisson n'était pas une qualité naissante [. . .] tous ces existants qui s'affairaient autour de l'arbre ne venaient de nulle part et n'allaient nulle part. [. . .] Je me laissai aller sur le banc, étourdi, assommé par cette profusion d'êtres *sans origine*. » N., p. 168. Souligné par nous.
478. MT., p. 125.
479. MR., p. 154.
480. N., p. 168-169.
481. MR., p. 208.

Mais Lucien se contente de châtrer les mauvaises herbes à coup de canne. La castration du jardin dans *La Nausée* est plus radicale et fait appel à des moyens plus archaïques. « Est-ce que je l'ai rêvée, cette énorme présence ? »[482] Roquentin se laisse aller à ses fantasmes. Une « confiture »[483] épaisse, une « ignoble marmelade »[484], se pose sur le jardin, « toute molle, poissant tout »[485], « larve coulante »[486]. « Je criai " quelle saleté, quelle saleté ! " et je me secouai pour me débarrasser [...] Et puis, tout d'un coup, le jardin se vida comme par un grand trou »[487]. L'autre est digéré, réduit à l'état de matière répugnante et vidangé. Que cette agressivité anale soit dirigée contre une mère trop envahissante, les images du texte ne laissent aucun doute là-dessus : la Nature « [incommode] »[488] Roquentin : le marronnier « [se presse] »[489] contre ses yeux, le bruit d'eau de la fontaine « [se coule] »[490] dans ses oreilles, ses narines « [débordent] »[491] d'une « odeur verte et putride »[492]. Dans le tramway qui le conduit au jardin, ce sont les maisons qui lui offrent, par centaines, les « cœurs noirs »[493] de leurs fenêtres ouvertes. A cette vision dangereuse, Roquentin réagit par l'agressivité : il transforme le tramway avec sa banquette, en boîte qui porte dans ses flancs cette « chose rouge », avec ses milliers de petites pattes mortes, « énorme ventre [...] en l'air, sanglant, ballonné-boursouflé »[494]. Il y a quelque chose de pourri à l'intérieur de la boîte... L'agresseur jubile, le voilà chevauchant la bête morte : « Ça pourrait tout aussi bien être un âne mort, [...] ballonné par l'eau et qui flotte à la dérive, [...] et moi je serais assis sur le ventre de l'âne et mes pieds tremperaient dans l'eau claire »[495]. L'allégresse qui accompagne l'agression est sensible dès le début de la séquence, lorsque Roquentin, face à la mer, pense : « Moi je vois le dessous ! les vernis

---

482. N., p. 170.
483. N., p. 170.
484. N., p. 170.
485. N., p. 170.
486. N., p. 170.
487. N., p. 171.
488. N., p. 162.
489. N., p. 162.
490. N., p. 162.
491. N., p. 162.
492. N., p. 162. Sur les figures maternelles qui étouffent voir *supra*, dans ce chapitre, p. 169, note 381 et N., p. 80, à propos de la patronne : « Elle me serrait la tête contre sa poitrine dans un débordement de passion : elle croit bien faire. »
493. N., p. 158. Sur le symbolisme des ouvertures béantes, voir *supra*, p. 157, note 257.
494. N., p. 159. Bachelard note plaisamment à propos de Roquentin : « même pour un nauséeux, pour un être qui ne veut rien avaler, pour un être qui souffre « d'un anti-Jonas », il y a des ventres partout », *La Terre et les rêveries du repos*, Corti, 1948, réimpression 1974, p. 169. Pour nous, anorexie et attaque du ventre sont complémentaires et signalent une même difficulté dans la relation à la figure maternelle. Nous revenons sur le « complexe de Jonas » *infra*, 3e partie, chap. III, p. 383.
495. N., p. 159.

fondent, les brillantes *p*etites *p*eaux veloutées, les *p*etites *p*eaux de *p*êches du bon Dieu *pètent* de *p*artout sous mon regard »[496]. Les allitérations, le choix de certains mots, nous ramènent à un temps où l'enfant joue de ses orifices et les imagine volontiers dotés des pleins pouvoirs. Au fond Roquentin n'est pas aussi « écrasé »[497] qu'il le prétend par l'« illumination » du jardin public. Il y a de l'alacrité dans le récit de l'expérience et comme un air de triomphe.

La mère envahissante n'est pas seule à subir l'attaque. Il y a aussi le pseudo-rival œdipien, ce double narcissique, l'écrivain célèbre dont on convoite la gloire. C'est lui, ou plutôt ce sont eux, car ils sont légion (cent un dans « Erostrate »), qui décrivent dans leurs livres des printemps ridicules, pleins de sève montante, les « imbéciles »[498]. Aussi risibles, ces « poètes »[499] qui regardent la mer d'un air approbateur. Roquentin seul sait la « *vraie* mer », sous sa mince pellicule verte »[500]. Bref, le rire n'épargne ni la mère archaïque ni les pères postiches. Mais on peut remarquer que la figure maternelle est soigneusement clivée. La mère du *ça* est méconnue sous son déguisement d'ignoble marmelade. Roquentin peut étouffer, crier de colère contre elle et la haïr[501]. La mère du *moi*, au contraire, la grande sœur pudique et réservée, constamment présente dans le texte, aide Roquentin à refouler ou à maintenir à distance l'énorme présence gélatineuse. C'est elle que nous voyons se promener au bord de la mer dès le début de la séquence : « Il y a des femmes en clair, qui ont mis leur toilette du printemps dernier ; elles passent longues et blanches comme des gants de chevreau glacés »[502]. Plus diffuse et non peinte en pied, mais pourtant omniprésente, elle informe et modèle la réaction de Roquentin à l'invasion de l'Existence : c'est la jeune fille bien élevée que Roquentin porte en lui, qui recule devant « l'obscène nudité »[503] des choses, devant leur « abondance pâmée »[504]. C'est cette « vierge en résidence surveillée »[505], qu'« incommode » le laisser-aller, qui souhaiterait plus de « rete-

---

496. N., p. 158, souligné par nous.
497. N., p. 161.
498. N., p. 169.
499. N., p. 158.
500. N., p. 158.
501. N., p. 170-171.
502. N., p. 157. « Glacé » appartient à la mère dans *Les Mots* : « La longue Ariane [...] glacée de reconnaissance » ... p. 9-10, et à l'une de ses images, la vierge Colomba, celle du haut de la bibliothèque, colombe « glacée » (p. 52). Le gant de chevreau glacé est un détail migrateur venu de la vie d'Elizabeth Mabille racontée par Simone de Beauvoir dans ses *Mémoires* : « [Hans Miller] l'avait d'abord trouvée si gourmée qu'il lui avait dit en riant : « Vous prenez la vie avec des gants de chevreau glacé » (p. 302). Nous savons que « Zaza » fut un double et un repoussoir de la jeune fille rangée et qu'Anne-Marie Schweitzer fut, pour Sartre, la première image de la jeune fille rangée. Notons que, dans le texte de *La Nausée,* le gant de chevreau est devenu « toute une femme » fétiche et phallus.
503. N., p. 162.
504. N., p. 162.
505. MT., p. 13.

nue »[506] dans le jardin. A-t-on remarqué, en effet, combien le vocabulaire de Roquentin sent la jeune fille d'autrefois ? Cette jeune fille du souvenir, figure idéalisée, échappe à la mort parce qu'elle échappe à la vie (Anne-Marie Schweitzer, dans *Les Mots*, n'a ni corps ni sexe et son fils n'est pas né d'elle). Forme pure et rigide[507], image de ce qui est soustrait au temps, Roquentin la retrouvera dans la musique. Cette promesse de l'éternité par l'art est annoncée à deux reprises, nous semble-t-il, dans la séquence, même si ce dont il est question paraît à l'opposé des quatre notes de saxophone : les signes avant-coureurs, nous les lisons dans la fréquence de l'adjectif « petit », trace de la présence maternelle, et dans l'apparition d'un sourire : « Sous le coussin de la banquette, [...] il y a une petite ligne d'ombre, une petite ligne noire qui court [...] d'un air mystérieux et espiègle, presque [...] un sourire. Je sais très bien que ça n'est pas un sourire et cependant [...] ça s'obstine, comme le souvenir imprécis d'un sourire, comme un mot à demi oublié dont on ne se rappelle que la première syllabe »[508]. A la fin de la séquence, le sourire reparaît avec cette même impression d'une énigme impossible à déchiffrer, et le retour d'« un drôle de petit sens » dans les choses : « Alors le jardin m'a souri. Je me suis appuyé à la grille et j'ai longtemps regardé. Le sourire des arbres, du massif de laurier, ça *voulait dire* quelque chose ; c'était ça le véritable secret de l'existence. [...] Ça m'agaçait ce petit sens : je ne *pouvais* pas le comprendre, quand bien même je serais resté cent sept ans appuyé à la grille »[509]. Pour nous, ce mystérieux sourire, projeté dans les choses, appartient évidemment à celui qui l'y décèle. Espiègle et taquin, fermé sur lui-même, il semble dire : « j'ai quelque chose que vous n'avez pas » ; son humilité cache un triomphe discret : il attend son tour[510].

Anny retrouvéee et perdue

La séquence suivante est d'une extrême importance : Roquentin tourne le dos à l'existence et s'engage délibérément dans la voie de l'imaginaire. Avant de faire ce choix, il importe éminemment qu'il rencontre pour la dernière fois quelqu'un qui est en même temps l'un de ses doubles et sa tentation la plus dangereuse. Apparemment, l'identité est affirmée avec Anny tout au long de la séquence : bien que séparés, ils ont évolué de la même manière. Anny en est arrivée au même point que Roquentin. Elle aussi *sait*. Elle sait qu'il n'y a pas de « moments parfaits »[511] ni de « situations

506. N., p. 162.
507. N., p. 162. « Les airs de musique gardent leurs lignes pures et rigides. »
508. N., p. 159-160.
509. N., p. 171.
510. Voir MT., p. 183 : « j'admirais de bon cœur mes camarades et je ne les enviais pas : j'aurais mon tour. A cinquante ans. »
511. N., p. 188.

privilégiées »[512], que la Haine, l'Amour ou la Mort n'existent pas, qu'« il n'y a que moi, moi qui hais, moi qui aime »[513] et qu'«alors ça, moi, c'est toujours la même chose, une pâte qui s'allonge, qui s'allonge... ça se ressemble même tellement qu'on se demande comment les gens ont eu l'idée d'inventer des noms, de faire des distinctions »[514]. Mais, ne nous y trompons pas, Anny est un repoussoir : Anny ou le mauvais usage de l'imaginaire ; Anny ou l'imaginaire comme drogue ; Anny la « grasse »[515], Anny la « vieille »[516], Anny la « ruine »[517], qui accepte de perdre totalement, qui ne sauve rien « en douce », bref, qui ne sait pas jouer à qui perd gagne. Anny, comme l'Autodidacte mais dans un autre domaine, et même si elle doit beaucoup de son pittoresque aux rencontres de l'adulte[518], a ses racines profondes dans les enfances sartriennes. Comme l'enfant Flaubert, elle fait du théâtre *dans* la vie[519]. Comme celui des *Mots,* elle est restée l'enfant de huit ans à qui les vieilles dames demandent à quoi il joue quand il met en scène ses fantasmes ; comme lui, elle est fascinée par les gravures des livres, par leurs grandes feuilles blêmes qui ont la couleur et l'odeur du champignon ; comme lui, elle risque de basculer dans l'imaginaire, de devenir l'image plate qui disparaît entre les feuillets une fois le livre fermé. Mais Anny aggrave son cas : les moments parfaits démystifiés, alors qu'elle sait qu'on ne vit pas comme dans les livres et que le récit même de la contingence efface la contingence, elle se réfugie dans la rêverie en laïcisant[520] les *Exercices spirituels* d'Ignace de Loyola : elle campe le décor, introduit les personnages et arrive à *voir.* Pauvre Anny, qui ne sait pas garder ses fantasmes pour en faire un livre et qui les consomme séance tenante ! Lorsqu'elle essaie de faire comprendre à Roquentin ce qu'était une situation privilégiée en prenant l'exemple de la mort de son père, Roquentin narquois note : « elle profite de l'occasion pour revivre la scène encore une fois »[521]. Surtout ne pas jouir, être avare, épargner pour l'œuvre.

---

512. N., p. 189.
513. N., p. 189.
514. N., p. 189.
515. N., p. 214.
516. N., p. 214.
517. N., p. 181 : « cette fille grasse à l'air ruiné ».
518. *Cf.* Simone de Beauvoir, *La Force de l'âge,* Gallimard 1960, p. 71-80. « Sartre voyait encore de temps en temps une jeune femme à laquelle il avait beaucoup tenu et que nous appelions Camille. [...] Son père lui fit aimer Michelet, [...] Elle se composa un petit Panthéon dont les principales divinités étaient Lucifer, Barbe-Bleue, Pierre le Cruel, César Borgia, Louis XI ; mais c'est avant tout à sa propre personne qu'elle rendait un culte » (p. 71). « Camille avait un sens aigu de la mise en scène [...] sa chambre ressemblait à un décor d'opéra » (p. 72). « Ils échangèrent des lettres qu'elle signait Rastignac et lui Vautrin ; [...] elle s'ingéniait à susciter des disputes ; ce qu'elle attendait de l'amour, c'était de grands déchirements suivis de réconciliations exaltées » (p. 73).
519. Voir *infra,* 3e partie, chap. I, p. 331.
520. Comme Barrès et ses héros.
521. N., p. 186.

Le « nous en sommes au même point » de Roquentin est menteur. Le journal signale, il est vrai, une différence : « Je ne suis pas, comme elle, désespéré, parce que je n'attendais pas grand-chose »[522]. Mais Roquentin pratique la restriction mentale ; au fond de lui, et il le sait, quelqu'un attend tout de l'écriture.

Revenons à Anny. Elle n'est pas seulement un enfant imaginaire qui a voulu jouir trop vite, mais l'une des pièces d'une structure fantasmatique qui appartient à l'œuvre entière et s'enracine dans l'enfance de Sartre. Elle entre dans la série des femmes en noir et blanc qui partagent le destin du séquestré. Son origine : les deux « enfants » Anne-Marie et Poulou, « frère et sœur », qui vont ensemble au cinéma et qui commentent leur vie à la troisième personne. Indissolublement associées à ce « couple puéril »[523], les figures surgies dans l'obscurité des salles de quartier, telle la baronne au « beau visage charbonneux »[524] apparue dans la « craie fluorescente »[525] de l'écran. Ce visage noir sur fond blanc semble un négatif du visage blême, noyé d'ombre, et qui finit par ne plus faire qu'une tâche blanche dans l'obscurité : notation que l'on retrouve dans *La Nausée* à propos d'Anny[526], dans « La Chambre » à propos de Pierre[527]. L'un et l'autre sont parties d'un couple où chacun cherche dans son vis-à-vis un partenaire en fantasmes. Dans ce couple, la femme est à la fois la Beauté et la Mort : elle est celle qui est interdite. Actrice ou tragédienne, elle n'existe que sur l'écran ou sur la scène, c'est-à-dire nulle part. Elle porte le masque de Méduse[528] lorsqu'elle s'appelle Anny, le masque de Phèdre[529] lorsqu'elle s'appelle Eve. Johanna, elle, portera un masque de star sur un visage quelconque[530]. La séduction qu'exerce la sœur jumelle avec laquelle on

522. N., p. 190.
523. MT., p. 183.
524. MT., p. 98.
525. MT., p. 98.
526. N., p. 192 : « je distingue à peine la tache pâle de son visage. Son vêtement noir se confond avec l'ombre qui a envahi la pièce. »
527. MR., p. 60 : « elle s'avança prudemment vers une tache pâle qui semblait flotter dans la brume. C'était le visage de Pierre : le vêtement de Pierre (depuis qu'il était malade, il s'habillait de noir) s'était fondu dans l'obscurité. »
528. N., p. 182 : « Soudain elle fait paraître sur sa face son superbe visage de Méduse que j'aimais tant, tout gonflé de haine, tout tordu, tout venimeux. »
529. MR., p. 52 : « M. Darbédat remarqua qu'elle s'était fardée avec grand soin, presque avec pompe. [...] Il pensa qu'elle avait l'air d'une tragédienne. « Je sais même exactement à qui elle ressemble. A cette femme, cette Roumaine qui a joué *Phèdre* en français au mur d'Orange ». Phèdre tue son beau-fils, Eve, épouse maternelle de Pierre, lui murmure à l'oreille : « Je te tuerai [...] » (p. 73). Comme Méduse, elle est l'image castratrice de la mère incestueuse (voir Freud, *Nouvelles Conférences*, Idées, Gallimard, 1974, p. 34).
530. « On me faisait... une beauté. Une par film. » *Les Séquestrés d'Altona*, p. 73. C'est seulement dans cette pièce qu'apparaît à découvert le lien profond du cinéma et de la mort, lien qui s'explique, pour nous, par le fait que le cinéma est associé à travers les visages de stars, à la figure de la mère, inaccessible et interdite : « Johanna. — C'est aux vivants que je

invente des histoires, est si forte chez Sartre, qu'on la retrouve dans sa vie avec Camille[531] qui se sert de lui, telle Anny de Roquentin, comme d'une patère pour ses oripaux, et avec Simone de Beauvoir lorsqu'ils jouent ensemble à « M. et Mme Organatique », « petits bourgeois désargentés », ou à « M. et Mme Morgan Hattick », « milliardaires américains »[532]. Dans *La Nausée,* Roquentin joue avec Anny « à l'aventurier et à l'aventurière »[533], ou bien il lui raconte qu'il la voit plus tard en jeune veuve avec deux garçons[534]. Anne-Marie Schweitzer n'en eut qu'un, mais il se dédoublait souvent.

Anny ou le mauvais usage de l'imaginaire, Anny partenaire dans le récit à deux, tout cela n'épuise pas le personnage. Sartre lui a donné, ou a rencontré en celles qui prêtent de leur vie à cet être de papier, une des caractéristiques fondamentales de sa propre sensibilité : l'impossibilité de ressentir vraiment, la peur de l'émotion, qui trahit pour nous un recul devant le retour possible du refoulé. Lorsqu'Anny embrasse Roquentin pour la première fois, elle se réfugie dans le solennel, oublie de « penser à [ses] cuisses » (elle s'est assise sur des orties) et conclut : « Je suis arrivée à m'anesthésier complètement »[535]. Même anesthésie, qu'elle trouve sublime, dans l'histoire de ce roi prisonnier qui voit passer sans se troubler ses enfants enchaînés mais pleure à la vue de son serviteur[536]. Déplacement de l'émotion qui fait qu'on semble ému d'un rien alors qu'on s'est cuirassé contre ce qui pourrait bouleverser. Il reste, de ces opérations défensives de dissociation, des images familières à tout lecteur de Sartre : la mer avec ses petits éclats de soleil en surface et sa profondeur glacée, l'omelette-surprise ou l'omelette norvégienne. Anny est comparée à la mer[537] dans *La Nausée,* Roquentin à l'omelette norvégienne[538]. *Les Mots* traduisent en termes abstraits l'image de l'omelette : agitation de surface, froid au fond[539].

---

voulais plaire. Frantz. — Aux foules éreintées qui rêvent de mourir ? Vous leur montriez le visage pur et tranquille de l'Éternel Repos. Les cinémas sont des cimetières, chère amie » p. 119, Gallimard, 1960.

531. « Elle concevait l'amour-passion comme un exercice éminemment solitaire. » Simone de Beauvoir, *La Force de l'âge,* Gallimard, 1960, p. 72.
532. Simone de Beauvoir, *op. cit.,* p. 24.
533. N., p. 190.
534. N., p. 178.
535. N., p. 188.
536. N., p. 187-188.
537. N., p. 192 : « tout cela lui était au fond tellement indifférent : de petits éclats de soleil à la surface d'une mer sombre et froide ».
538. N., p. 146-147 : « le fond était resté [...] absolument froid, glacé. La colère m'a traversé en tourbillonnant, [...] Ma rage se démenait à la surface et pendant un moment, j'eus l'impression pénible d'être un bloc de glace enveloppé de feu, une omelette-surprise ».
539. MT., p. 92 : « [la comédie familiale] ne m'agitait qu'en surface et le fond restait froid, injustifié ». Ce gel des profondeurs, tout comme l'agitation de surface, est une défense contre les représentations angoissantes. La « *vraie* mer » est « pleine de bêtes » dans *La Nausée* (p. 158) et, dans *Les Mots,* on y rencontre « la Bête » (p. 126).

Mais n'oublions pas que ce personnage qui a tant d'affinités avec Roquentin est aussi un repoussoir et il ne le doit pas seulement au fait qu'il se raconte des histoires au lieu de les raconter aux autres. Anny, avant de perdre ses illusions, pensait qu'on pouvait être, dans la vie, Mathilde de la Môle. Roquentin aussi : « Ça pourrait même faire un apologue : il y avait un pauvre type qui s'était trompé de monde. Il existait, comme les autres gens, dans le monde des jardins publics, des bistrots [...] et il voulait se persuader qu'il vivait ailleurs, derrière la toile des tableaux, avec les doges du Tintoret, [...] derrière les pages des livres, avec Fabrice del Dongo et Julien Sorel »[540]. Mais le roman ne nous montre pas comment Roquentin se sentait Julien Sorel[541]. Il nous donne au contraire quelques exemples du « travail » d'Anny pour devenir romanesque. Et c'est là que le journal de Roquentin satisfait le moins : Roquentin semble y manquer à la fois de lucidité et d'honnêteté. Certes, ce n'est pas parce que nous lisons, aujourd'hui, les symptômes d'Anny en termes de névrose, comme Sartre l'a fait pour l'enfant des *Mots*, que nous reprocherons à Sartre-Roquentin de n'avoir pas eu, trente ans auparavant, le même système de déchiffrement. Cependant, le caractère d'Anny, tel qu'il le décrit, offre des traits si singuliers que nous sommes, encore plus que pour Roquentin, étonnés de le voir présenter sans médiation, comme une pure illustration du choix de l'Etre contre l'existence.

Etrange passion « métaphysique » que celle qui pousse une petite fille de huit ans à se jeter par la fenêtre du troisième étage parce que sa mère l'a battue. Comment ne pas voir en cette tentative de suicide le retournement sur soi du vœu de tuer cette mère détestée qui a laissé l'oncle faire main basse sur le Michelet après la mort du père ? Et cette attirance pour les gravures où se meurt un roi, que vient rejoindre, dans le réel, une mort du père à laquelle la petite fille tente par ses gestes de donner la solennité du fabuleux, qu'est-elle d'autre qu'une expression particulière et sans doute fortement morbide, de l'Œdipe ? Trop d'éléments nous manquent pour « analyser » Anny et ce n'est pas notre propos. Mais on a l'impression de se trouver devant un « cas »[542]. Anny ou le triomphe

540. N., p. 218.
541. On trouve une allusion (mais c'est pour condamner l'expérience, trop immédiatement gratifiante et bien vite décevante), à quelques essais de Roquentin pour se mettre dans la peau de Descartes : « Quand j'avais vingt ans, je me saoulais et, ensuite, j'expliquais que j'étais un type dans le genre de Descartes. Je sentais très bien que je me gonflais d'héroïsme, je me laissais aller, ça me plaisait. Après quoi, le lendemain j'étais aussi écœuré que si je m'étais réveillé dans un lit rempli de vomissures » (N., p. 77).
542. Impression qui se confirme à la lecture de *La Force de l'âge* : « Tout enfant, elle avait été patiemment dépucelée par un ami de la famille. A dix-huit ans, elle commença à fréquenter d'élégantes maisons de rendez-vous ; elle bordait tendrement sa mère, [. . .] feignait d'aller se coucher, et s'esquivait avec Zina. Celle-ci eut des débuts épineux ; sa virginité récalcitrante intimidait les amateurs qui étaient tous des messieurs bien ; ce fut Camille qui l'en délivra » (p. 71).

du narcissisme et de l'instinct de mort : on peut les voir à l'œuvre dans le choix d'une identification masculine (au jeu de l'aventurier et de l'aventurière, c'est elle qui disait : « Je suis un homme d'action »[543], et dans le refus de l'enfant (il est évident qu'elle n'a pas songé une seconde à donner la vie[544], car l'enfant qu'elle porte en elle est celui qui tue ses parents). Cette Méduse qui n'est ni femme ni mère, a été le seul amour de Roquentin. Mais l'a-t-il rencontrée ou l'a-t-elle fasciné ? C'est là que le texte biaise : « Tant que nous nous sommes aimés, nous n'avons pas permis que le plus infime de nos instants [...] se détachât de nous et restât en arrière. [...] Pas un souvenir ; un amour implacable et torride, sans ombres, sans recul, sans refuge. Trois années présentes à la fois. C'est pour cela que nous nous sommes séparés : nous n'avions plus assez de force pour supporter ce fardeau »[545].

Evocation d'une passion intenable où chacun est pour l'autre le phallus, relation dévorante, écrasante, où l'on doit être à la hauteur des fantasmes du partenaire. Crispée sur son refus d'accepter la castration, la mort et le temps qui passe, Anny travaille contre la montre. Elle balaie les formules de politesse pour contraindre son interlocuteur à une invention perpétuelle, elle fait « rendre au temps tout ce qu'il [peut] »[546]. Arrêtons-nous un instant à l'exemple qu'en donne Roquentin :

> « A l'époque où elle était à Djibouti et moi à Aden, quand j'allais la voir pour vingt-quatre heures, elle s'ingéniait à multiplier les malentendus entre nous, jusqu'à ce qu'il ne restât plus que soixante minutes, exactement, avant mon départ [...] Je me rappelle une de ces terribles soirées. Je devais repartir à minuit. Nous étions allés au cinéma [...] nous étions désespérés, elle autant que moi. Seulement elle menait le jeu. A onze heures, [...] elle prit ma main et la serra dans les siennes [...]. Je me sentis envahi d'une joie âcre et je compris [...] qu'il était onze heures. A partir de cet instant, nous commençâmes à sentir couler les minutes. Cette fois-là, nous nous quittions pour trois mois. A un moment on projeta sur l'écran une image toute blanche, l'obscurité s'adoucit et je vis qu'Anny pleurait. Puis, à minuit, elle lâcha ma main, après l'avoir serrée violemment ; je me levai et je partis sans lui dire un seul mot. C'était du travail bien fait. »[547]

Laissons de côté l'emprunt géographique aux voyages de Nizan et, plus importante, la position des deux amants, côte à côte, en face de l'écran. Retenons le sourire du connaisseur : « C'était du

---

543. N., p. 190.
544. Camille avait deux grands poupons - phallus, Fiedrich et Albrecht (*La Force de l'âge*, p. 78) en souvenir de Nietzsche et de Dürer auquel elle ressemblait. *La Nausée*, devait d'abord s'appeler *Melancholia*.
545. N., p. 86.
546. N., p. 78.
547. N., p. 78.

travail bien fait ». Cette petite scène où Anny est tout entière dans le drame qu'elle fabrique mais où Roquentin, légèrement décalé, est à la fois acteur et voyeur, dément les lignes du journal sur cet amour torride. L'un des deux partenaires est un traître ou se prépare à l'être. Roquentin est Tout pour Anny. Mais le Tout de Roquentin, nous savons qu'il est dans l'œuvre à naître. Si cet amour est à la lettre « invivable », ce n'est pas parce qu'il est passion mutuelle, dévorante, mais parce qu'il n'est pas même viable. La névrose d'Anny est nécessaire à l'œuvre : elle est matériau fascinant, mais elle rendrait la vie quotidienne impossible. Recul de Flaubert devant Louise Colet. Attirance de l'écrivain pour la sœur en fantasmagorie, fuite du célibataire qui a besoin de son horaire monastique pour produire : « Qu'on me donne quelque chose à faire, n'importe quoi... [s'écrie Roquentin avant de quitter Bouville]. Il vaudrait mieux que je pense à autre chose, parce que, en ce moment, je suis en train de me jouer la comédie. Je sais très bien que je ne veux rien faire : [...] La vérité, c'est que je ne peux pas lâcher ma plume »[548]. On ne peut pas tenir tant à sa plume et s'encombrer[549] d'Anny.

C'est pourquoi la séquence suivante (Roquentin assiste, gare Saint-Lazare, au départ d'Anny avec l'homme qui l'entretient, un Anglais ou un Egyptien) fait presque sourire par la juxtaposition qu'on y sent à chaque phrase d'un double mouvement : si je pouvais la retenir, ne pas rester seul ! et : qu'il l'emmène, bon débarras ! Le narcissisme de Roquentin est sauf : il aura eu d'Anny « son dernier amour vivant »[550]. Il n'est pas indifférent qu'il « [s]'occupe l'esprit »[551], avant le départ du train, en regardant les gravures obscènes d'un ouvrage intitulé *Le docteur au fouet*. « Elles étaient peu variées : dans la plupart d'entre elles, un grand barbu brandissait une cravache au-dessus de monstrueuses croupes nues »[552]. Retour à la solitude des fantasmes masturbatoires, régression au sado-masochisme. Rejet, ou impossibilité de la rencontre amoureuse, qu'on dévalorise : Anny et l'Egyptien ne sont pas montrés comme des amants mais comme un couple de magazine où chacun affiche son sexe et son pouvoir de séduction : Anny a « l'air d'une dame »[553] avec son gros manteau de fourrure et sa voilette, lui, porte « un manteau de poils de chameau »[554], il est « très grand, très beau »[555]. Quelques heures plus tard, Roquentin les imagine sur le bateau : « Elle dort dans une cabine et, sur le pont, le beau type bronzé fume des cigarettes »[556]. Quel soulagement !

548. N., p. 216.
549. Nous revenons sur cette question *infra*, 2e partie, chap. I, p. 212.
550. N., p. 212.
551. N., p. 194.
552. N., p. 194.
553. N., p. 194.
554. N., p. 194.
555. N., p. 194.
556. N., p. 196.

Apocalypses

La séquence suivante débute par ces mots : « Est-ce que c'est ça la liberté ? [...] Je suis libre. [...] Seul et libre. Mais cette liberté ressemble un peu à la mort »[557]. Ne nous laissons pas prendre à cette morosité apparente. Et si le but recherché était justement une sorte de mort ? Nous verrons la fin de *La Nausée* dominée par le désir de faire le vide en soi, d'évacuer, après la monographie et la femme, le moi lui-même. Il faut mourir pour renaître. Le mot gloire apparaîtra subrepticement[558] dans les dernières lignes du journal de Roquentin. Dans cette séquence, il lui faut affirmer qu'il a « perdu », et, immédiatement, dans un mouvement que nous connaissons bien maintenant, généraliser. Comment tolérer que l'autre croie avoir ce que je me refuse : « Du même coup, j'ai appris qu'on perd toujours. Il n'y a que les salauds qui croient gagner »[559]. Mais Roquentin non plus ne croit pas à sa défaite, sinon, il serait plus abattu. Il y a, au contraire, comme un accent triomphal dans le fléau imaginaire qu'il déchaîne sur Bouville du haut du coteau où il la contemple. Nous renvoyons le lecteur à ces deux pages qui ont quelque chose d'infantile, même si elles se veulent pastiche des surréalistes. Roquentin, nous l'avons vu, a opéré fantasmatiquement sa propre castration sur le mode anal, en vidant le jardin poisseux de marmelade par un grand trou et en se retrouvant vide et léger en face du jardin souriant. Castration accomplie en-deça du stade phallique, trop dangereux à affronter. Maintenant, il s'agit de tourner en dérision tous ceux à qui l'on suppose une quelconque prétention à l'affirmation phallique. Tous ces gens-là ont quelque chose en trop comme le petit garçon dont la mère attendait une fille. Moquons-nous de ce trop en renchérissant : « une mère regardera la joue de son enfant [...] et elle verra la chair [...] s'entr'ouvrir et, au fond de la [...] crevasse, un troisième œil [...] un autre [...] s'approchera d'une glace, ouvrira la bouche : et sa langue sera devenue un énorme mille-pattes tout vif »[560]. Aux « verges lasses » du jardin public répond « une forêt de verges bruissantes, dressées vers le ciel comme les cheminées de Jouxtebouville, avec de grosses couilles à demi sorties de terre, velues et bulbeuses, comme des oignons »[561]. Des oiseaux les picorent et il en coule « du sperme mêlé de sang »[562]. Nous retrouvons ici le refus de s'accepter sexué, limité : les verges sont gigantesques ou misérables : « Un bout de chair torturé [...] se roule dans les ruisseaux en projetant par spasmes des jets de

557. N., p. 196.
558. *Cf.* N., p. 217 : « une glorieuse petite souffrance »... à propos de la musique et p. 220 : Tout ça n'a rien de bien joli ni de bien glorieux », à propos du corps suant du juif dans lequel s'incarnera la mélodie.
559. N., p. 197.
560. N., p. 199.
561. N., p. 200.
562. N., p. 200.

sang »[563]. Ce tronçon doit hanter l'imaginaire sartrien puisqu'on le retrouve dans *Saint Genet* pour évoquer la liberté mutilée du poète[564]. Remarquons enfin qu'au nombre des « imbéciles »[655] agressés figurent non seulement les législateurs et les parents[566] comme il se doit, mais aussi les auteurs de « romans populistes »[567] : c'est peindre en un coin du tableau le rival par excellence, l'écrivain qui aime les hommes, celui sur qui Erostrate choisirait, s'il le pouvait, de décharger son revolver. Dès la séquence précédente, Roquentin se promenant dans Paris en attendant de voir partir Anny, s'était fait crabe pour châtrer Bouville : il imaginait la « Végétation » avec « ses longues pinces noires »[568] rampant pendant des kilomètres vers la ville pour finir par la faire craquer. A l'opposé de ces pinces offensives, les plantes de Bouville : « Des plantes châtrées, domestiquées, inoffensives tant elles sont grasses. Elles ont d'énormes feuilles blanchâtres qui pendent comme des oreilles. A toucher, on dirait du cartilage. Tout est gras et blanc à Bouville »[569]. Tout sera sec et dur en Roquentin, au terme de son séjour.

Du sang dans la bibliothèque

Nous voici parvenus au terme de *La Nausée*. Roquentin note dans son journal : « Mercredi : *Mon dernier jour à Bouville* »[570]. Ces pages contiennent un des textes les plus réussis du roman, celui de l'expulsion de l'Autodidacte hors les murs de la bibliothèque. C'est, bien sûr, un ultime règlement de comptes avec les « salauds » : la grosse dame, qui a un couteau planté à la place du nez et un petit trou obscène à la place de la bouche[571], parle au nom de toutes les mères de familles[572], bien qu'elle n'ait pas d'enfants, et le petit corse rageur, au nom de M. le Bibliothécaire, de M. le Proviseur et des parents d'élèves[573]. Leur cruauté exige l'exécution du misérable et leur regard « fasciné »[574] transforme en scène de séduction criminelle de timides caresses provoquées par deux garnements à l'âge ingrat.

Mais, son intention manifeste mise à part, on peut se demander à quoi répond une telle scène. On y sent d'abord le plaisir un peu pervers de profaner le Saint des Saints en y faisant entrer la violence. Au début, la salle est « légère comme une vapeur, presque

563. N., p. 199.
564. Voir *infra*, 2e partie, chap. II, p. 253.
565. N., p. 198.
566. N., p. 198.
567. N., p. 198.
568. N., p. 195.
569. N., p. 196.
570. N., p. 201.
571. N., p. 202.
572. N., p. 208.
573. N., p. 204.
574. N., p. 206.

irréelle, toute rousse ; le soleil couchant [teinte] de roux la table réservée aux lectrices, la porte, le dos des livres. Une seconde [Roquentin a] l'impression charmante de pénétrer dans un sous-bois plein de feuilles dorées »[575]. Sartre dit des livres, dans *Les Mots,* qu'ils ont été ses oiseaux et ses nids et que le clair-obscur de la bibliothèque de Karl lui réserva des enchantements dignes de ceux des enfances paysannes[576]. A la fin de la séquence, Roquentin note, avec une sécheresse très « littéraire » : « Sur le seuil de la porte, il y avait une tache de sang, en étoile »[577]. L'autodidacte chassé de la bibliothèque, c'est un peu, aussi, Adam chassé du paradis terrestre, l'éternel écolier expulsé de son rêve culturel. Cauchemar de Sartre sans doute, mais peut-être aussi expression d'une tentation folle, chimère d'un prisonnier du livre : en finir avec la culture. La scène permet aussi un ultime cadrage sur un jeu de mains : « la petite main blanche [...]. A présent elle reposait sur le dos, détendue, douce et sensuelle, elle avait l'indolente nudité d'une baigneuse qui se chauffe au soleil. Un objet brun et velu s'en approcha, hésitant. C'était un gros doigt jauni par le tabac ; il avait, près de cette main, toute la disgrâce d'un sexe mâle. Il s'arrêta un instant, rigide, pointant vers la paume fragile, puis, tout d'un coup, timidement, il se mit à la caresser »[578].

La sensualité particulière de Roquentin s'exprime là encore tout entière. Lorsqu'il évoque l'accouplement de l'homme et de la femme, c'est toujours en des termes qui soulèvent le cœur. Mais cet accouplement devient grâcieux et pudique s'il est métaphorique, si les organes ne sont pas, justement, organes sexuels. Une fois de plus, le sexe mâle est dévalorisé. Remarquons aussi que le couple que forment l'Autodidacte et le jeune garçon, s'il « fascine » le Corse et la grosse dame, ne provoque chez Roquentin qu'une indulgence apitoyée[579]. L'intérêt de la scène est ailleurs. Sa fonction est de *marquer* le visage de l'Autodidacte pour que cette face sanglante erre à travers la ville. L'exécution de l'Autodidacte est encore un exorcisme : il fallait que ce double misérable, ce frère en solitude, fût chargé de la dernière chose dont Roquentin cherchât à se débarrasser : un moi[580]. Désormais l'Autodidacte est marqué par son histoire, il est déterminé. Pour le Corse, pour la grosse dame, pour

---

575. N., p. 201-202.
576. MT., p. 37.
577. N., p. 211.
578. N., p. 206.
579. De tous les couples de *La Nausée,* le seul qui « fascine » Roquentin, c'est celui, fugitivement entrevu, de l'exhibitionniste à la pèlerine et de la petite fille. Le couple de la brasserie Vézelise est répugnant, les amoureux du restaurant sont agaçants, quant au couple qu'il formait avec Anny, Roquentin le considère avec une tendresse souriante et détachée.
580. Le moi peut évidemment être un trompe-l'œil. Mais il ne s'agit pas, ici, pour Roquentin, d'éviter de donner dans ce panneau, recherche légitime, mais de la prétention vaine à échapper à sa propre histoire.

une « ville féroce »[581], il existe. A cette conscience-repoussoir, martyre du pour-autrui, hantée jusqu'à la torture par l'image que les autres ont d'elle, Roquentin va pouvoir opposer sa propre conscience, « paisible et vide [...] libérée de l'homme qui l'habitait, monstrueuse parce qu'elle n'est personne »[582]. Plus personne ne pense à lui. Bouville le quitte : « Je savoure cet oubli total où je suis tombé »[583]. Peut-être Anny pense-t-elle encore à lui ? Qu'à cela ne tienne. Supprimons ce témoin gênant : il suffit de l'imaginer dans les bras de l'Egyptien : « Elle jouit et je ne suis pas plus pour elle que si je ne l'avais jamais rencontrée ; elle s'est vidée de moi d'un coup »[584]. Avouons que cet oubli qui doit être « total » pour que l'on puisse le « savourer » a quelque chose de suspect. Il est pour nous la trace d'un qui perd gagne. Si l'on goûte une situation aussi proche du délaissement absolu, c'est qu'on a besoin de ce fantasme pour cacher son contraire, c'est que le « personne ne pense à moi » peut se transformer, comme dans la gravure où Dickens est attendu par une foule en délire[585], en un « tout le monde me réclame ». *La Nausée* réalise les rêveries de l'enfant des *Mots* et notamment celle-ci cent fois recommencée : l'écrivain oublié, vivant dans un grenier, subitement découvert[586]. La deuxième partie de l'histoire est pour le moment soigneusement censurée dans sa démesure, mais elle apparait tout de même « timidement »[587] dans les dernières pages.

La petite phrase modèle

Roquentin est entré au Rendez-Vous des Cheminots pour faire ses adieux à la patronne. Madeleine lui propose d'entendre pour la dernière fois « son » disque. C'est alors qu'il lui vient à l'esprit que le Juif qui a composé l'air, comme la négresse qui le chante, est « sauvé »[588]. Pourquoi ? Parce qu'il y a, « dans la septième ville de France, aux abords de la gare, quelqu'un qui pense à lui. [...] moi, je serais heureux, si j'étais à sa place ; je l'envie »[589]. Roquentin ne souhaite ni le rencontrer ni le connaître, il aimerait avoir quelques renseignements pour pouvoir se livrer sur lui à ce qui ressemble

---

581. N., p. 213.
582. N., p. 213.
583. N., p. 211.
584. N., p. 212.
585. MT., p. 140.
586. MT., p. 156-157.
587. N., p. 221.
588. N., p. 221. Il importe pour être « sauvé » d'appartenir à un groupe auquel a été contestée d'une façon ou d'une autre, la qualité d'être humain à part entière : d'où le choix d'un Juif, d'une négresse, comme support de l'œuvre et les identifications provisoires de Roquentin aux diverses épaves de *La Nausée,* le « vieux toqué », l'Autodidacte. Cette *capitis diminutio* est une sorte de castration destinée à donner le change sur la démesure du désir.
589. N., p. 221.

fort aux exercices spirituels d'Anny. Il vient d'ailleurs de nous en donner un échantillon assez réussi :

> « Je pense à un Américain rasé, aux épais sourcils noirs, qui étouffe de chaleur, au vingtième étage d'un immeuble de New York. Au-dessus de New York le ciel brûle [...][590] ».

Roquentin met en place le décor, puis les personnages.

> « Ça s'est passé comme ça. Comme ça ou autrement, mais peu importe. C'est comme ça qu'elle est née. C'est le corps usé de ce Juif aux sourcils de charbon qu'elle a choisi pour naître. [...] Et pourquoi pas moi ? Pourquoi fallait-il précisément ce gros veau plein de sale bière et d'alcool pour que ce miracle s'accomplit ? [...] Mais je ne pense plus à moi. Je pense à ce type de là-bas qui a composé cet air, un jour de juillet, dans la chaleur noire de sa chambre. J'essaie de penser à lui *à travers* la mélodie [...] il y avait cette terrible vague de chaleur qui transformait les hommes en mares de graisse fondante. Tout ça n'a rien de bien joli ni de bien glorieux. Mais quand j'entends la chanson et que je pense que c'est ce type-là qui l'a faite, je trouve sa souffrance et sa transpiration... émouvantes »[591].

Il nous faut revenir sur ce texte, fondamental, puisqu'il représente le seul « salut » possible selon Roquentin. Ce qui frappe[592], c'est le caractère infantile, régressif, du but à atteindre : je pense à lui, si l'on pouvait penser ainsi à moi ! Narcissique et nostalgique, le désir qui s'y exprime n'est pas d'une relation vivante qui engage et où l'autre intéresse, il est d'un miroir qui se contente de refléter une image où l'on se trouve intéressant. Rien ne vient troubler l'eau où Narcisse se contemple, puisque c'est une relation rêvée, comme avec un mort quand il ne reste plus dans le souvenir qu'un fantôme idéalisé. Là encore, l'enfant des *Mots* trouve l'assouvissement de ses fantasmes : être aimé par un blondinet du trentième siècle. Etre « émouvant » comme le grand-père et son petit-fils au Balzar : « Le Balzar m'attirait ; je me rappelais que mon grand-père — mort depuis — m'y avait amené quelquefois, en 1913 : nous nous asseyions côte à côte sur la banquette, tout le monde nous

---

590. N., p. 219.
591. N., p. 220.
592. Si l'on reste au niveau sentimental. Le texte dit bien autre chose, sur quoi nous avons suffisamment insisté : la « castration » de l'artiste, la naissance miraculeuse de la petite phrase, le choix pour son incarnation d'un corps indigne, d'une chair humiliée. Tout cela renvoie aux rêveries pseudo-religieuses sur l'œuvre d'art comme Christ (nous reviendrons longuement sur cette question *infra*, 3e partie, chap. IV, p. 406-407), mais aussi — et la chose procède d'une même origine — à l'omniprésence de la pulsion anale : hommes réduits en « mares de graisse fondante », comme Roquentin, devant la racine, en « petite mare noire » (p. 167), désir de récupération totale — que rien ne se perde : il faut « racheter » toute cette « saleté ». Roquentin s'en charge en pensant à « ce gros veau » comme d'autres le feront à son propos en évoquant « l'éléphant de mer » (voir *infra*, dans ce chapitre, p. 196).

regardait d'un air de connivence, il commandait un bock et, pour moi, un galopin de bière, je me sentais aimé »[593].

Mais, ne l'oublions pas, cette récupération narcissique passe par la création d'une œuvre : « Il y aurait des gens qui liraient ce roman et qui diraient : « C'est Antoine Roquentin qui l'a écrit, c'était un type roux qui traînait dans les cafés », et ils penseraient à ma vie comme je pense à celle de cette négresse : comme à quelque chose de précieux et d'à moitié légendaire »[594]. Un glissement s'opère, semble-t-il, rétrospectivement de l'œuvre à l'homme : « Il viendrait bien un moment où le livre serait [...] derrière moi [...]. Alors peut-être que je pourrais, à travers lui, me rappeler ma vie sans répugnance. Peut-être qu'un jour, en pensant [...] à cette heure morne où j'attends, le dos rond, qu'il soit temps de monter dans le train, [...] je sentirais mon cœur battre plus vite et [...] je me dirais : « C'est ce jour-là, à cette heure-là que tout a commencé »[595]. Nous voilà au rouet. Le piège de l'imaginaire s'est refermé. L'homme imaginaire est heureux. Il peut, grâce à l'œuvre et parce qu'on parlera de lui, se raconter sa vie en commençant par « Il était une fois ». Ce n'est plus une pâte qui s'allonge... qui s'allonge, mais une vraie vie selon son cœur avec un commencement et une fin, comme on n'en trouve que dans les romans et il peut donner une suite à l'apologue : « Il y avait un pauvre type qui s'était trompé de monde. Il existait, comme les autres gens, dans le monde des jardins publics, des bistrots [...] et il voulait se persuader qu'il vivait ailleurs [...]. Et puis, après avoir bien fait l'imbécile, [...] il a vu qu'il y avait maldonne : il était dans un bistrot, justement, devant un verre de bière tiède. Il est resté accablé sur la banquette ; il a pensé : je suis un imbécile. Et à ce moment précis, de l'autre côté de l'existence, [...] une petite mélodie s'est mise à danser, à chanter : « C'est comme moi qu'il faut être ; il faut souffrir en mesure »[596]... Alors le pauvre type s'est mis au travail pour pouvoir se persuader qu'il vivrait derrière les pages des livres, avec Fabrice del Dongo et Julien Sorel.

Il nous reste à revenir en terminant, sur l'omniprésence de la mère idéalisée, sublimée, aérienne. A-t-on remarqué que lorsque Roquentin atteint les limites de son effort pour se débarrasser de soi, elle vient l'habiter, et que, le temps d'une ritournelle, cette petite transparence qu'est devenue la pure conscience sans moi de Roquentin, coïncide avec la voix qui chante : « la voix chante sans pouvoir s'arrêter et le corps marche et il y a conscience de tout ça et conscience, hélas ! de la conscience. Mais personne n'est là pour souffrir et se tordre les mains et se prendre soi-même en pitié.

593. MT., p. 157.
594. N., p. 222.
595. N., p. 222.
596. N., p. 218-219.

Personne, c'est une pure souffrance des carrefours, une souffrance oubliée — qui ne peut pas s'oublier »[597]. Roquentin a oublié Roquentin. Un instant, dans l'imaginaire, il s'est « purifié », « pour rendre enfin le son net et précis d'une note de saxophone »[598] ; « une petite mélodie s'est mise à danser »[599].

Pour nous, cette petite mélodie à laquelle on s'identifie et qu'on veut éternelle, c'est la petite fille au cerceau près du bassin, qu'il faut sauver, c'est la « vierge en résidence surveillée »[600], « souffrance-modèle »[601] dans son « aride pureté »[602]. « A travers des épaisseurs et des épaisseurs d'existence, elle se dévoile, mince et ferme et, quand on veut la saisir, [...] on bute sur des existants dépourvus de sens. [...] Elle n'existe pas, *puisqu'elle n'a rien de trop* »[603]. « Glorieuse »[604] mère des souvenirs pieusement embaumée dans la musique. Mais — triomphe de la contingence dans la nécessité de l'œuvre — Anne-Marie est présente en son fils à travers les contraintes de son langage : *petite* transparence, *petite* souffrance, *petite* mélodie et, ironie du sort, charme désuet des bienséances, — jusque dans les gênes qu'imposait aux jeunes filles l'éducation d'autrefois : « Anne-Marie, [...] passa son enfance sur une chaise. On lui apprit à s'ennuyer, à se tenir droite »[605]. La « petite douleur de diamant, qui tourne en rond au-dessus du disque »[606] retransmet les leçons de maintien qui lui furent infligées. Petite fille modèle, la petite souffrance fait honte[607] : honte à l'éléphant de mer[608], honte à tous les affalés du café. C'est sous son regard que Roquentin se sent le « dos rond »[609], c'est pour obéir à cette « voix enregistrée »[610] qui est celle de la mère en lui, avant d'être celle du grand-père, qu'il a écrit un livre. Apparemment, ce livre n'est qu'en projet lorsqu'il quitte Bouville. En fait, il est déjà écrit, c'est le journal de Roquentin. Car, si celui-ci semble à l'opposé d'une histoire « comme il ne peut pas en arriver »[611] d'une aventure qui soit « belle et dure comme de

---

597. N., p. 214.
598. N., p. 218 : « chasser l'existence hors de moi, vider les instants de leur graisse, les tordre, les assécher, me purifier, me durcir, pour rendre enfin le son net et précis d'une note de saxophone. » Ces images semblent bien parler le langage de la pulsion anale. Voir *infra*, 2e partie, chap. II, p. 244.
599. N., p. 219.
600. MT., p. 12.
601. N., p. 217.
602. N., p. 217.
603. N., p. 218 ; contrairement au petit garçon dont la mère eût aimé qu'il fût une fille ; souligné par nous.
604. N., p. 217 : « glorieuse petite souffrance ».
605. MT., p. 7.
606. N., p. 218.
607. N., p. 218 : « elle nous a surpris dans le débraillé, le laisser aller quotidien : j'ai honte pour moi-même et pour ce qui existe *devant* elle. »
608. N., p. 218. Sur le portrait de Sartre en éléphant de mer, voir : Simone de Beauvoir, *La Force de l'âge*, p. 23.
609. N., p. 222.
610. MT., p. 137.
611. N., p. 222.

l'acier »[612], il répond néanmoins à l'intention fondamentale de l'œuvre supposée : faire « honte aux gens de leur existence »[613]. Nous ne sommes pas loin de l'entreprise flaubertienne de démoralisation.

Au terme de *La Nausée,* le programme névrotique de l'enfant des *Mots* est accompli : dévaloriser la vie. Roquentin a rompu tous les liens qui l'attachaient au monde. Il a mimé la mort en éteignant en lui un à un, tous les désirs. C'est le prix à payer pour maintenir l'attachement inconscient à l'image maternelle. Libre d'une liberté qui ressemble à la mort, Roquentin ne craint plus rien, « la mort ne [prendra] qu'un mort »[614]. Féminisé par son identification à la petite phrase modèle, il peut, s'étant imaginairement châtré, convoiter pour l'œuvre la dureté du diamant.

Sartre a souvent affirmé que la guerre avait produit dans sa vie une coupure majeure, le malheur des temps et les bouleversements historiques contribuant à rendre caduque sa conception de l'écrivain. Mais l'évolution consciente d'un homme peut laisser intacte sa structure psychique profonde. Les écrits autobiographiques de Sartre nous montrent quel vœu narcissique de toute-puissance se cache sous le désir d'être écrivain. La guerre donne une forme nouvelle au désir d'être Tout, elle ne produit pas, nous le verrons en étudiant les biographies, de changement fondamental du point de vue de l'inconscient : le rejet de la castration symbolique demeure. Mais, dorénavant, celui qui peut prétendre à l'admiration des foules, c'est le héros historique. Dans la dernière partie, inédite, des *Chemins de la liberté,* « Mathieu, précise Simone de Beauvoir, mourait sous les tortures, héroïque non par essence mais parce qu'il *s'était fait* héros. [...] Tout le monde mort ou presque, il n'y avait plus personne pour poser les problèmes de l'après-guerre »[615].

On a beaucoup épilogué sur le tarissement de l'œuvre romanesque de Sartre. C'est qu'il est bien difficile aux survivants d'être héroïques lorsque les événements ne s'y prêtent plus. Un roman de l'après-guerre eût renvoyé Sartre à l'homme quelconque ; pour lui donner une vie romanesque, il aurait fallu que cet homme « sans importance collective »[616], qui vit, aime, travaille, fait des enfants et meurt dans son lit, pût l'intéresser. Or il n'y a que des chefs dans les pièces des années cinquante qui prolongent un temps la « littérature de situations extrêmes »[617] et l'exaltation du héros. Sartre mime alors dans son théâtre les affres du pouvoir et s'essaie tant bien que mal dans sa vie à l'action politique. Mais au fond, il n'est

612. N., p. 222.
613. N., p. 222.
614. MT., p. 164.
615. *La Force des choses,* Gallimard, 1963, p. 213-214.
616. N., p. 7.
617. S., II, p. 327, note 10.

pas le personnage[618]. La guerre a réactivé le conflit entre Cervantès et Pardaillan. Cervantès honteux va laisser Pardaillan le contester ; mais ce travail de harcèlement qui culmine dans les milliers de pages de *L'Idiot de famille,* aboutit, nous le verrons, à la restauration du héros de l'imaginaire, apparemment détrôné par « les fauves du temporel »[619]. A la fin de l'œuvre, l'homme-image reste sans rival. D'ailleurs, si le meneur d'hommes, dans le théâtre, occupe un temps le devant de la scène, le grand écrivain n'a jamais cessé de mobiliser, fût-ce sous la forme d'une critique acerbe, l'affectivité sartrienne. Sartre lit la correspondance de Flaubert pendant l'Occupation[620], écrit le *Baudelaire* au lendemain de la guerre. Dès lors, l'écriture biographique est pratiquement ininterrompue.

Nous analyserons, dans les chapitres suivants, ses relations souvent orageuses, toujours passionnées avec ceux qui, pour un temps, avant qu'il n'entreprenne son autobiographie et ne s'absorbe dans *L'Idiot de la famille,* lui auront servi de miroir.

---

618. Sartre emploie l'expression (I.F., tome III, p. 201) à propos des écrivains dont la névrose subjective ne correspond pas à la névrose objective ; ainsi Leconte de Lisle, par opposition à Flaubert ; voir *infra,* 3e partie, chap. IV, p. 417, 426.
619. MT., p. 148.
620. S., X, p. 91.

DEUXIEME PARTIE

SARTRE PAR LES AUTRES

Chapitre premier

BAUDELAIRE

Saint Genet, comédien et martyr, est hagiographique, l'étude sur le Tintoret déborde de sympathie pour le « petit teinturier », *L'Idiot de la famille* témoigne de l'« empathie » de Sartre à l'égard de Flaubert ; Baudelaire seul provoque un rejet qui est à la mesure de l'identification inavouée de Sartre au poète. Avant d'essayer d'expliquer l'animosité de Sartre dans son premier essai biographique, nous nous demanderons si les conflits de l'auteur, tels qu'ils sont apparus à travers les écrits autobiographiques, n'infléchissent pas ses commentaires « psychanalytiques » de la vie de Baudelaire.

Psychanalyse existentielle et auto-défense.

Nous avons vu, en étudiant l'attitude de Sartre à l'égard de la psychanalyse[1], qu'il était tout près d'admettre, chez Baudelaire, l'aspect positif du complexe d'Œdipe, mais qu'il rejetait comme bouffonne l'hypothèse de la soumission érotisée du poète à la figure paternelle. Cette forme négative de l'Œdipe semble à la fois niée et tangible dans l'étrange rationalisation qu'est la théorie de la femme froide, « au pur regard d'eau claire et de neige fondue »[2], « incarnation sexuelle du juge »[3]. Cent pages plus haut, Sartre reconnaissait l'origine de ce regard sous lequel on se pâme : « Après cela le regard qui le transperce, [...] est-il celui de sa mère, du général Aupick ou de Dieu " qui voit tout " ? C'est tout un. »[4] La censure qui protège Sartre contre la prise de conscience de son propre désir fait rarement appel au refoulement. Tous les éléments de la représentation interdite sont patents mais neutralisés affectivement par l'intellectualisation[5]. L'étude thématique apparaît alors

1. *Supra,* 1re partie, chap. I, p. 43-44.
2. B., p. 141.
3. B., p. 141.
4. B., p. 66.
5. Voir J. Laplanche et J.-B. Pontalis, *Vocabulaire de la psychanalyse,* P.U.F., 1968, p. 204.

comme une opération défensive : thème du regard, thème du froid... Cet éparpillement descriptif est d'un grand secours à qui veut s'épargner la perception de l'Œdipe sous tous ses aspects. Nous verrons, en étudiant *L'Idiot de la famille*[6], que le regard qui transperce appartient à un scénario de soumission masochiste à la figure paternelle et que la femme froide renvoie finalement, autant qu'à une défense contre l'Œdipe positif, à un fantasme pervers lié, comme la possession par le regard du père, à la relation duelle avec la mère contraignante du stade anal.

Le déplacement d'accent est encore une autre façon de s'interdire la prise de conscience : « l'acte amoureux, pour Baudelaire, se pratique à trois »[7], écrit Sartre. Il y a l'idole qui juge et que l'on bafoue, le poète et la prostituée. En fait, la prostituée n'est que le prétexte d'un scénario imaginaire, sado-masochiste, qui se joue à deux. Mais l'idole elle-même est instable ; juge sévère, elle peut fort bien représenter une figure paternelle. En mettant l'accent sur un trio factice, celui que forment l'ange, la femme impure et le poète, Sartre évite de reconnaître pleinement un autre trio où la femme aimée compte moins que le rival : « Toutes les héroïnes de Baudelaire " en aiment un autre ". C'est la garantie de leur froideur. »[8] Sans doute, mais peut-être n'est-ce pas la seule raison. Dans *La Fanfarlo*, M. de Cosmelly prend, c'est Sartre qui cite, « avec tout le monde un air de commandement à la fois affable et irrésistible »[9]. Il semble que reparaisse au premier plan la relation de soumission amoureuse à une figure paternelle. Commentant *L'Ivrogne*, Sartre écrit que « Baudelaire-Ivrogne » veut violer la femme froide, « la souiller, atteindre dans la femme l'amant plus heureux qui représente la morale »[10]. C'est dire, sans le reconnaître, que la femme n'est ici que le chemin vers l'homme.

Un ensemble de traits qui rendent sensible une fixation au stade anal en même temps qu'une relation érotisée à la figure paternelle et que nous verrons s'accuser dans les biographies suivantes, est déjà présent, dans ce texte, bien que de façon beaucoup plus discrète, relativement. Ainsi, on est surpris de lire à la page 142, après la citation de Baudelaire : « Ce qui rend la maîtresse plus chère, c'est la débauche avec d'autres femmes », une remarque qui ne s'imposait pas : « Nous retrouvons là un trait fréquent du platonisme pathologique : le malade qui adore de très loin une femme respectable, appelle son image dans les moments où il se livre aux occupations les plus basses : lorsqu'il est aux cabinets, lorsqu'il se lave les parties génitales. Elle apparaît alors et le regarde en silence

---

6. Voir *infra*, 3e partie, chap. I, p. 339-341.
7. B., p. 147.
8. B., p. 148.
9. B., p. 148.
10. B., p. 150.

avec des yeux sévères. » Les plaisirs interdits évoqués par Baudelaire étaient moins archaïques. A la page 159, on relève, apparemment dans un tout autre registre, à propos de l'écrivain du dix-huitième siècle entretenu par l'aristocratie, une allusion à Ganymède, « en l'air et sans racines », « emporté par les serres de l'aigle ». Nous verrons revenir, dans *Saint Genet*[11] puis dans *L'Idiot de la famille*, ce « mignon divin »[12]. Nous serons alors en mesure de comprendre la fascination qu'il exerce[13].

La défense contre l'homosexualité latente apparaît aussi dans la manière saugrenue dont Sartre tente de disculper Baudelaire de l'accusation de sodomie. Après avoir usé de l'alibi sociologique qu'il reprendra dans *L'Idiot de la famille* (« la " féminité " vient de la condition, non du sexe »[14] : Baudelaire, oisif et entretenu, comme la femme bourgeoise, « [endosse] semblablement la féminéité »[15]), Sartre poursuit :

> « Quand il sort, paré comme une châsse, c'est toute une cérémonie ; il faut protéger sa toilette, sautiller parmi les flaques d'eau [...] et le regard est là, qui l'enveloppe ; pendant qu'il accomplit avec gravité les mille petits actes impotents de son sacerdoce, il se sent pénétré, *possédé* par autrui [...] *comment ne serait-il pas femme et prêtre à la fois,* femme comme le prêtre ? N'a-t-il pas senti plus qu'un autre et en lui-même cette liaison du sacerdoce et de la féminéité puisqu'il écrit dans *Fusées :* " De la féminéité de l'Eglise comme raison de son omnipuissance ? " Mais un homme-femme n'est pas nécessairement un homosexuel. Cette passivité d'objet sous les regards [...] peut-être l'a-t-il de temps à autre transformée, dans ses rêves, en une autre passivité : celle de son corps sous un désir de mâle : de là, sans doute, ces accusations perpétuelles et mensongères de pédérastie qu'il porte contre lui-même. Mais s'il a rêvé qu'il était pris de force, c'était pour contenter sa perversité et ce masochisme dont nous savons les raisons. »[16]

Il y aurait quelque cruauté à s'étendre sur la naïveté de Sartre à l'époque où il écrit le *Baudelaire.* Qu'un rêve manifestement homosexuel puisse ne pas exprimer un désir homosexuel latent, même chez quelqu'un qui n'aurait jamais aimé que des femmes, voilà qui prête à sourire, d'un point de vue freudien. Quant à cette étrange créature, un homme-femme, nous verrons en analysant, dans *L'Idiot de la famille,* le développement sur le Père Eudes[17], qu'elle n'est pas, en effet, nécessairement un homosexuel, mais qu'elle masque, pour celui dont l'inconscient méconnaît la différence des sexes, le

---

11. Voir *infra,* 2e partie, chap. II, p. 219 et note 51, p. 219.
12. I.F., tome I, p. 606.
13. Voir *infra,* 3e partie, chap. III, p. 386.
14. B., p. 176.
15. B., p. 176.
16. B., p. 177-178.
17. *Infra,* 3e chap. III, p. 376.

fantasme de la mère phallique. « *Comment ne serait-il pas femme et prêtre à la fois,* femme comme le prêtre ? » Comment cette étrange interrogation soulignée par Sartre et dont il a l'air de s'étonner qu'elle puisse étonner, ne semblerait-elle pas naturelle à celui qui, dans *Les Mots,* se peindra à la fois en jeune fille effarouchée et en petit-fils de prêtre et qui écrira, curieusement, de l'homosexualité de Genet : « il s'en revêt comme d'une soutane »[18] ? Nous verrons que la féminité du prêtre, notion bâtie sur un fantasme, recouvre à la fois la castration et son contraire et signale l'impossibilité d'accéder au couple d'opposés masculin-féminin.

Pour l'inconscient sartrien, Baudelaire, comme tout « grand homme », est le phallus, donc il ne peut l'avoir[19]. C'est pourquoi il est à la fois, images parfaitement cohérentes dans leur incohérence apparente, « cette totalité raidie, perverse et insatisfaite »[20], et cette « plaie vive aux lèvres largement écartées »[21], puis de nouveau, comme pour éloigner l'épouvantail de la castration, « quelque chose comme *l'homunculus* du *Second Faust* »[22], ce petit homme, objet partiel déguisé en personne totale[23]. Baudelaire tout entier en est venu à symboliser, pour l'inconscient, l'objet inaccessible du désir sartrien. On ne s'étonnera donc pas que les relations conscientes de Sartre avec Baudelaire aient un caractère passionnel, où l'on peut déceler sous le réquisitoire, les tourments de la jalousie. Mesurons d'abord l'ampleur de l'identification à Baudelaire.

Baudelaire et Sartre.

D'une certaine façon, nul n'est plus proche de Sartre enfant que Baudelaire enfant. Poulou aura certes en commun avec Gustave « les affres d'une actrice vieillissante »[24] et la conscience d'agacer le *paterfamilias* à force de grimaces. Il reste que Sartre adulte écrivant *Les Mots,* puis *L'Idiot de la famille,* a pu nommer cette blessure. Au contraire, la blessure majeure, le second mariage de la mère, est tue. C'est elle qui met fin au récit de l'enfance[25], dans l'autobiographie, mais elle ne sera jamais dite[26]. On peut mesurer son impact au silence qui l'entoure. Seul Baudelaire permet à Sartre d'en parler indirectement :

---

18. *S.G.*, p. 193.
19. Voir là-dessus Moustafa Safouan, « De la Structure en psychanalyse », dans *Qu'est-ce que le structuralisme ?*, Seuil, 1968, p. 275, 276.
20. B., p. 221.
21. B., p. 91.
22. B., p. 224.
23. On n'est pas loin, là, de la petite poupée phallique ; *cf. supra,* 1re partie, chap. II, p. 85 et *infra,* 2e partie, chap. II, p. 235.
24. MT., p. 85.
25. Comme l'a montré Philippe Lejeune ; voir « L'ordre du récit dans *Les Mots* de Sartre », dans *Le pacte autobiographique,* Seuil, 1975, p. 221-222.
26. Voir *supra,* 1re partie, chap. III, p. 102-103.

« Lorsque son père mourut, Baudelaire avait six ans, il vivait dans l'adoration [...] uni au corps et au cœur de sa mère par une sorte de participation primitive et mystique ; il se perdait dans la douce tiédeur de leur amour réciproque ; il n'y avait là qu'un foyer, qu'une famille, qu'un couple incestueux. »[27]

Quelques années plus tard, cette mère adorée se remarie, Sartre écrit :

« Cette brusque rupture et le chagrin qui en est résulté l'ont jeté sans transition dans l'existence personnelle. Tout à l'heure il était tout pénétré par la vie unanime et religieuse du couple qu'il formait avec sa mère. Cette vie s'est retirée comme une marée, le laissant seul et sec[28], il a perdu ses justifications, il découvre dans la honte qu'il est un, que son existence lui est donnée pour rien. »[29]

Couple peut-être encore plus sartrien que baudelairien ; le commentaire insiste sur la fusion, sur la symbiose : avant le remariage de la mère, l'enfant n'est même pas né. Calquant la vie de Baudelaire sur la sienne, Sartre oublie que Baudelaire a connu son père pendant tout le temps de sa petite enfance. L'identification de Sartre à Baudelaire explique qu'il gomme la figure paternelle pourtant présente dans les écrits mêmes qu'il préface (« Faire tous les matins ma *prière à Dieu, réservoir de toute force et de toute justice, à mon père, à Mariette et à Poe,* comme intercesseurs »[30]) et qu'il accuse les traits du général Aupick, symbole d'un autre usurpateur.

Mais il n'y a pas qu'une même fêlure pour rapprocher Baudelaire de son biographe. Le *Baudelaire* apparaît à bien des égards comme la matrice des *Mots* et des biographies futures. La vie de Baudelaire a la saveur de l'idiosyncrasie sartrienne : « Il est plein de lui-même, il en déborde mais ce « lui-même » n'est qu'une humeur fade et vitreuse [...], une conscience babillarde qui se dit elle-même en longs chuchotements »[31] ; « je pourrais couler ma babillarde, ma conscience, dans des caractères de bronze »[32]. Même enfance de jardin d'acclimatation : « chaque objet se présente à lui avec une étiquette ; il est éminemment rassurant et sacré puisque le regard des grandes personnes traîne encore dessus. Loin que l'enfant explore des régions inconnues, il feuillette un album, il recense un herbier, il fait le tour du propriétaire »[33]. « C'est dans les livres que j'ai rencontré l'univers : assimilé, classé, étiqueté »[34] ; « à moi ces voix

27. B., p. 18.
28. Caroline Flaubert se retirant, laisse « son cadet comme un poisson sur le sable [. . .] agoniser », I.F., tome I, p. 334.
29. B., p. 19-20.
30. *Mon cœur mis à nu, Œuvres complètes de Baudelaire,* Bibliothèque de la Pléiade, Gallimard, 1954, p. 1237.
31. B., p. 28.
32. MT., p. 160-161.
33. B., p. 60.
34. MT., p. 39.

séchées dans leurs petits herbiers »[35]. Même sexualité précocement éveillée d'objet manié dont nous verrons plus longuement en étudiant *L'Idiot de la famille*[36], ce qu'elle emprunte aux fantasmes du biographe : le chat voluptueux de la jeune géante a d'abord droit, comme il se doit, à un commentaire sociologique ; il a « l'indépendance limitée d'une bête de luxe »[37] dans une société aristocratique, mais, quelques lignes plus loin, Sartre écrit : « Baudelaire plus encore que celui du chat, regrette l'état du nourrisson, lavé, nourri, habillé par de fortes et belles mains. »[38]

Comme l'enfant des *Mots*, pour avoir été « trop caressé, trop bouchonné »[39], Baudelaire prend l'abandon « en haine »[40]. « La noblesse et la grandeur humaine de Baudelaire viennent en grande partie de son horreur du laisser-aller »[41]. Il ne sait jamais s'il ressent ou s'il joue à ressentir : « à rien de ce qu'il sent, [...] Baudelaire ne croit tout à fait [...]. [ses] sentiments [...] ont une sorte de vide intérieur. Il tente par une frénésie perpétuelle, par une extraordinaire nervosité, de compenser leur insuffisance »[42]. Cette anesthésie que Sartre étend un peu vite à la condition humaine (« rappelons-nous, si nous voulons entrevoir les paysages lunaires de cette âme désolée, qu'un homme n'est jamais qu'une imposture »[43]) et qui est une défense névrotique contre la hantise d'être dominé par l'émotion[44], aboutit au « suicide à la Gribouille »[45] des *Mots*, au suicide « à la petite semaine »[46] du *Baudelaire*. Sartre est « posthume »[47], Baudelaire choisit de « se constituer en *survivant* »[48]. Dans les deux cas, il s'agit d'une « opération » au sens chirurgical du terme : « à l'âge de neuf ans, une opération m'a ôté les moyens d'éprouver un certain pathétique qu'on dit propre à notre condition »[49] ; Baudelaire, lui, « choisira de considérer sa vie du point de vue de la mort [...] vivant encore, il est déjà de l'autre côté de la tombe ; il a fait l'opération dont parle Malraux[50] ; son " irrémédiable

35. MT., p. 36.
36. Voir *infra*, 3e partie, chap. I, p. 339.
37. B., p. 64.
38. B., p. 65.
39. MT., p. 92.
40. MT., p. 92.
41. B., p. 155.
42. B., p. 93.
43. B., p. 94.
44. « Il ne tolère en lui aucune spontanéité : sa lucidité la transperce aussitôt et il se met à *jouer* le sentiment qu'il allait éprouver. Ainsi est-il sûr d'être son maître » (B., p. 180-181). Ici Sartre voit bien la cause particulière de ce refus du vécu spontané chez Baudelaire, mais il n'en donne pas la raison.
45. MT., p. 160.
46. B., p. 217.
47. MT., p. 165.
48. B., p. 220.
49. MT., p. 162.
50. On cherchera en vain dans *L'Espoir*, la trace de cette « opération ». La phrase rapportée par Hernandez est celle-ci : « La... tragédie de la mort est en ceci qu'elle transforme la vie en destin, qu'à partir d'elle rien ne peut plus être compensé » (Malraux, *Romans*, 1947, Bibliothèque de la Pléiade, p. 249).

existence " est là, sous ses yeux comme une destinée ; [...] à chaque instant il se met en position d'écrire des *Mémoires de ma vie morte.* »[51]

Le projet que Sartre prête à Baudelaire (la synthèse de l'existence et de l'être), c'est celui de Genet et de Flaubert, c'est la névrose de l'écrivain décrite dans *Les Mots* et que Sartre a longtemps confondue, notamment dans *L'Etre et le Néant,* avec la condition humaine par excellence[52] :

> « Tout l'effort de Baudelaire a été pour récupérer sa conscience, pour la posséder comme une chose dans le creux de ses mains et c'est pourquoi il attrape au vol tout ce qui offre l'apparence d'une conscience objectivée : parfums, lumières tamisées, musiques lointaines, autant de petites consciences muettes et données, autant d'images aussitôt absorbées, consommées comme des hosties, de son insaisissable existence. »[53]

Même désir, chez Roquentin, de s'approprier les quatre notes de saxophone, de s'identifier à la mélodie, petite conscience muette[54]. « Nul n'a plus profondément vécu, écrit Sartre de Baudelaire, dans sa contradiction insurmontable, l'activité créatrice. Le créateur n'a-t-il pas pour but, en effet, de produire sa création comme une émanation, comme la chair de sa chair et ne souhaite-t-il pas, en même temps, que cette partie de lui-même se tienne devant lui comme une chose étrangère ?[55] » « Et moi aussi j'ai voulu *être,* notait Roquentin dans son journal. Je n'ai même voulu que cela ; voilà le fin mot de ma vie : au fond de toutes ces tentatives qui semblaient sans liens, je retrouve le même désir : chasser l'existence hors de moi, vider les instants de leur graisse, les tordre, les assécher, me purifier, me durcir, pour rendre enfin le son net et précis d'une note de saxophone. »[56]

Retenons, pour finir, une dernière ressemblance, fondamentale : comme Flaubert et comme Sartre lui-même, Baudelaire est un christ suspect dont la « Passion » est l'écriture[57]. Il a même un Précurseur : Edgar Poe est « comme le Jean-Baptiste de ce Christ maudit »[58]. Pourquoi donc est-il si malmené ?

Le contexte montre qu'elle s'applique à n'importe qui au moment de mourir, et plus à ceux qui ont choisi de vivre pleinement leur vie qu'à ceux qui se sont tués d'avance. La méprise est éclairante. La métaphore médicale souligne la castration affective dont nous avons dit (*supra,* 1re partie, chap. II, p. 94) de quelle contrainte intime elle procède. Sur la nécessité d'être « déjà mort », voir aussi, *infra,* 2e partie. II, p. 257).

51. B., p. 186-187.
52. Sur les avatars du choix d'être l'En-soi-pour-soi, attribué à tout homme, puis à l'artiste et finalement au bourgeois dans le dernier tome du *Flaubert,* et sur l'impossibilité corrélative de valoriser réellement le « choix de la finitude », voir, *infra,* 3e partie, chap. IV, p. 420-421.
53. B., p. 203.
54. Voir *supra,* 1re partie, chap. IV, p. 196.
55. B., p. 182.
56. N., p. 218.
57. Voir *infra,* 3e partie, chap. III, p. 406.
58. B., p. 165.

L'accusation.

Il a voulu se créer tel que les autres le voient. Mais Genet décidait « je serai le Voleur »[59], reprenant à son compte la sentence portée contre lui. L'enfant des *Mots* jouait à se faire surprendre, plume en main, dans le soir tombant, pour répondre à la phrase prophétique : « Mon petit bonhomme écrira ! »[60] Il n'a pas choisi la liberté, il joue « sur deux tableaux »[61] : « son idéal serait d'être sa propre cause, ce qui apaiserait son orgueil, et de s'être produit cependant conformément à un plan divin, ce qui calmerait son angoisse et le justifierait d'exister ; en un mot il réclame d'être *libre*, ce qui suppose qu'il est gratuit et injustifiable dans son indépendance même — et d'être *consacré* — ce qui implique que la société lui impose sa fonction et jusqu'à sa nature »[62]. Qui ne reconnaît là les oscillations de Pardaillan à Strogoff[63] ? Il a tiré « son épingle du jeu »[64], choisi le déclassement par le haut, rejoint le « collège spirituel »[65] des grands hommes, « noué des liens d'amitié avec un mort »[66] pour se faire consacrer. C'est là, selon Sartre, le sens de sa « longue liaison »[67] avec Poe. Que dire alors des efforts de déclassement de Flaubert[68] et de la longue liaison de Sartre avec ce dernier ?

Son satanisme de messe noire est reconnaissance du Bien[69], celui de Genet aussi ; cela n'empêche pas Sartre d'admirer Genet auquel il dédie le *Baudelaire*. Plus grave, peut-être, est la soumission de Baudelaire aux divers pères fouettards qui traversent sa vie depuis le général Aupick jusqu'à Joseph de Maistre[70] en passant par le conseil de famille. Mais Sartre reproche-t-il à Genet sa soumission aux « Macs » ? « Ce tribunal, écrit justement Sartre, satisfait chez [Baudelaire] un besoin »[71], aussi faut-il y voir « comme un organe nécessaire à son équilibre »[72] ; « toute sa vie ces hommes graves et imposants que Kafka eût nommé des « Messieurs » eurent le droit de lui parler sur un ton de sévérité paternelle »[73]. Reproche-t-il à Joseph K. d'être lui aussi *organiquement* lié à ses Messieurs et à Genet de rêver d'une invitation à dîner « chez le président de la Cour de cassation »[74] ? Nous ne ferons évidemment pas grief à

59. S.G., p. 55.
60. MT., p. 128.
61. B., p. 187.
62. B., p. 78-79.
63. *Cf.* MT., p. 108-109.
64. B., p. 216.
65. B., p. 164.
66. B., p. 164.
67. B., p. 164.
68. Voir *infra*, 3e partie, chap. III, p. 362.
69. Voir B., p. 81.
70. Voir B., p. 75.
71. B., p. 74.
72. B., p. 74.
73. B., p. 74.
74. S.G., p. 525-526.

Sartre d'ignorer, à cette époque, qu'il en viendrait lui-même à sécréter, dans sa vie et dans son œuvre, toutes sortes de tribunaux où il siégerait en qualité de juge et non de pénitent. L'un n'est bien souvent que l'envers de l'autre, comme Sartre le note lui-même, mais à propos de Flaubert : « Jamais coupable, pour avoir été culpabilisé jusqu'aux moelles par la malédiction paternelle, il ne sait que porter sentence. »[75] Etrange partialité sartrienne : du *Baudelaire* au *Flaubert,* il y a vraiment deux poids et deux mesures ! Ainsi, l'horreur de la paternité est mise au compte du narcissisme baudelairien : « l'homme rare emporte dans la tombe le secret de sa fabrication ; il se veut totalement stérile, c'est la seule façon dont il puisse se donner du prix »[76]. Chez Flaubert, le « panégyrique rageur de la stérilité »[77] n'est pas relié à l'amour de soi, toujours blâmable pour Sartre[78], mais à la haine justifiée du père.

Prenons un dernier exemple qui illustre le parti pris de Sartre : Baudelaire sollicite et Flaubert accepte, après avoir « Cent fois [...] répété avec force et raison que " les honneurs déshonorent " »[79], la Légion d'honneur. Baudelaire est exécuté sobrement en quelques lignes : « Il s'est laissé juger, il a accepté ses juges, il écrivait même à l'Impératrice qu'il " avait été traité par la Justice avec une courtoisie admirable... " ; mieux encore, il a postulé une réhabilitation sociale, d'abord la croix, puis l'Académie. »[80] La « postulation » se passe de commentaire. La condamnation va de soi, ces quelques lignes étant insérées dans un ensemble qui est un réquisitoire. Pour disculper Flaubert de n'avoir pas « [protégé] jusqu'au bout la virginité de sa boutonnière »[81], il faut à Sartre plus de vingt grandes pages serrées de *L'Idiot de la famille* [82], avec force angoisse pour le héros de l'aventure et des soupirs de soulagement lorsqu'on parvient à le blanchir : « Cette fois, nous avons retrouvé notre Gustave. »[83] Il avait simplement mis Mathilde « à sa boutonnière »[84], et pris Napoléon III pour Napoléon 1er : « Flaubert ne pouvait accepter qu'un honneur lui vînt d'Isidore le Bâtard à moins de voir en celui-ci un possédé, chevauché sans relâche par Napoléon le Grand. »[85]

Il semble donc légitime de se demander, après avoir examiné les différents griefs faits à Baudelaire, pourquoi il est le seul à être condamné sans appel.

---

75. I.F., tome III, p. 643.
76. B., p. 123.
77. I.F., tome I, p. 103.
78. Sur le narcissisme « négatif » de Sartre, voir *infra,* 2e partie, chap. IV, p. 311.
79. I.F., tome III, p. 553.
80. B., p. 55.
81. I.F., tome III, p. 555.
82. I.F., tome III, p. 553 à 575.
83. I.F., tome III, p. 557.
84. I.F., tome III, p. 555-556.
85. I.F., tome III, p. 572.

Les raisons d'un procès.

On peut penser que le *Baudelaire* est une œuvre de jeunesse, jeunesse toute relative d'ailleurs : quand Sartre l'écrit, il approche de la quarantaine ; mais nous savons que sa névrose l'a maintenu dans une adolescence prolongée et qu'il ne lui a fallu rien de moins que le conflit mondial pour commencer à ouvrir les yeux. *Baudelaire* est donc contemporain de *Qu'est-ce que la littérature ?* où Sartre fait le procès de l'écrivain du XIXe siècle qui entre en littérature comme on entre en religion. Plusieurs pages du *Baudelaire* sur la confraternité des élus par delà la mort[86] correspondent directement aux analyses de l'essai. On pourrait donc juger naturel l'emportement de Sartre, néophyte de l'engagement, contre Baudelaire, tout comme son indulgence, vingt ans après et son auto-analyse faite, pour Flaubert. Il aurait écrit contre soi[87] en écrivant contre Baudelaire, mais sans le dire.

Cette interprétation ne nous satisfait pas. D'abord parce que, nous avons déjà eu l'occasion de le signaler[88], *Qu'est-ce que la littérature ?* n'est pas une œuvre d'une totale bonne foi, mais l'un des avatars du « Qui perd gagne » sartrien. Sartre s'y « applique à piétiner » ses anciens espoirs « pour que tout [lui] soit rendu au centuple »[89]. Il écrit ses *Provinciales* non pour s'engager dans les conflits de l'heure mais pour durer autant que Pascal. Ensuite, parce qu'à lire attentivement le *Baudelaire*, on s'aperçoit que même si Sartre ironise, comme ailleurs, sur cet ersatz de « communion des Saints »[90] qu'est le « cimetière »[91] de grands morts avec lesquels l'écrivain vivant s'entretient spirituellement, il ne reproche finalement pas à Baudelaire sa religion de la littérature, mais qu'elle soit insuffisamment pure. En effet, à aucun moment il ne met en question la démesure du créateur. Les lignes[92] sur l'activité créatrice qui tend à ériger hors du créateur une partie de lui-même dont il souhaite qu'elle se tienne debout devant lui « comme une chose étrangère »[93] ne sont nullement critiques. C'est aussi l'écrivain d'avant la démythification de l'écriture qui cite comme allant de soi ce passage de Baudelaire : « Les autres hommes sont taillables et corvéables, faits pour l'écurie, c'est-à-dire pour exercer ce qu'on appelle des *professions.* »[94] Le mépris pour les professions et le comment peut-on n'être pas « créateur » ? nous renvoient au Sartre de *La Nausée*, à celui qui a encore la « berlue »[95]. Lorsque Sartre blâme Baudelaire

86. B., p. 157 à 164.
87. *Cf.* MT., p. 136.
88. *Supra*, 1re partie, chap. II, p. 92.
89. MT., p. 212.
90. B., p. 164.
91. B., p. 163.
92. Citées *supra*, p. 207.
93. B., p. 182.
94. B., p. 49.
95. MT., p. 209.

de n'avoir pas su émerger comme Nietzsche par delà le Bien et le Mal[96], ou de n'avoir pas pu, comme Gide, inventer « une nouvelle table de la loi »[97], il lui reproche au fond de ne pas coïncider avec l'image idéale qu'il a du créateur. Baudelaire déçoit Sartre : il n'a pas la carrure de Moïse[98] et Sartre l'en punit par biographie interposée : « sa vie entière fut une punition. Je n'y découvre pas un accident [...]. Il a cherché et trouvé son conseil de famille, cherché et trouvé la condamnation de ses poèmes, son échec à l'Académie et ce genre de célébrité irritante qui était si loin de la gloire qu'il rêvait. »[99] Il a cherché « jusqu'à sa syphilis »[100], et tout le mouvement de l'essai sur Baudelaire apparaît comme un « c'est bien fait ! », martelé depuis l'*incipit* : « Il n'a pas eu la vie qu'il méritait »[101] jusqu'à la dernière phrase : « le choix libre que l'homme fait de soi-même s'identifie absolument avec ce qu'on appelle sa destinée. »[102] Il y a du père fouettard dans le ton de Sartre à l'égard de cet « enfant boudeur »[103] et beaucoup de condescendance envers ce malheureux qui n'a pas pu faire voler en éclat la morale de son beau-père, qui n'a jamais rien cassé[104], qui ne pouvait supporter d'être seul un instant, qui était incapable du moindre travail suivi, bref, qui « n'a jamais dépassé le stade de l'enfance »[105].

On aura peut-être la clé de cette entreprise de rabaissement en relisant les dernières lignes de la note de Michel Leiris qui précède le texte de Sartre. Michel Leiris porte à « l'actif de Sartre [...] d'avoir montré qu'il serait faux de ne voir que « guignon » dans une vie qui se découvre, tout compte fait, participer du mythe au sens le plus élevé, si tant est que le héros mythique soit un être en qui la fatalité se conjugue avec sa volonté et qui semble obliger le sort à lui façonner sa statue. »[106] Tout lecteur sentira, pensons-nous, la différence entre ce que dit Leiris et ce que Sartre fait. Leiris laisse la statue intacte. Sartre essaie de la démolir. Sartre ne supporte pas le mythe de Baudelaire. Il n'a de cesse qu'il n'ait réduit à la médiocrité ce prestigieux martyr des belles-Lettres. « On s'est beau-

96. B., p. 50.
97. B., p. 57.
98. Moïse est dans le *Baudelaire* sous-jacent à l'image de l'écrivain : ainsi, à la page 58, Sartre écrit : « il reste en face d'elle [l'individualité objective qu'il a pour autrui, mais dont il ne peut jouir] comme Moïse au seuil de la terre promise ».
99. B., p. 98.
100. B., p. 100.
101. B., p. 17.
102. B., p. 224.
103. B., p. 54.
104. B., p. 183.
105. B., p. 59. En termes psychanalytiques, on pourrait dire que Sartre, qui prétend n'avoir pas de surmoi (voir *Les Mots*, p. 11), reproche à Baudelaire d'en avoir un (la morale du beau-père) au nom d'un idéal du moi narcissique (le génie au-dessus de toute loi), mais en empruntant la grosse voix du discours moralisateur ; ce qui fait que mainte page du *Baudelaire* sonne faux.
106. B., p. XIII.

coup extasié, écrit Sartre, sur ces deux amours de Baudelaire », (Il s'agit des sentiments de ce dernier pour Mme Sabatier et pour Marie Daubrun)[107]. Sartre ne souffre pas qu'on s'extasie sur la vie de Baudelaire. Il s'ingénie à l'amoindrir : Baudelaire refuse « les dépaysements réels »[108], remplace « les voyages par les déménagements »[109]. Le lien profond et déchirant de Baudelaire à Jeanne Duval est expédié en un mot : Jeanne fait partie du « bric-à-brac »[110] dont Baudelaire a « encombré »[111] sa vie : « négresse, dettes, vérole »[112]. Sartre ne supporte pas que l'illusion rétrospective jouant sur la vie de Baudelaire lui donne, après coup, des reflets romanesques.

Il ne supporte pas non plus que Baudelaire ait pu vouloir jouir de sa statue de son vivant :

> « Il a souhaité se dresser à l'écart de la grande fête sociale, à la manière d'une statue, définitif, opaque, inassimilable »[113]. « Son souhait le plus cher est d'*être*, comme la pierre, la statue, dans le repos tranquille de l'immuabilité, mais que cette impénétrabilité calme, cette permanence, cette adhésion totale de soi à soi soit précisément conférée à sa libre conscience en tant qu'elle est libre et en tant qu'elle est conscience. »[114]

Ou encore, à propos de la « différence » cultivée par Baudelaire :

> « L'acte créateur ne permet pas d'en jouir : celui qui crée [...] n'*est* plus rien : il *fait*. Sans doute construit-il hors de lui une individualité objective. Mais lorsqu'il y travaille, elle ne le distingue pas de lui-même [...] Baudelaire a écrit ses poèmes pour retrouver en eux son image. Mais il ne pouvait s'en satisfaire : c'est dans sa vie quotidienne qu'il voulait jouir de son altérité. »[115]

Bref, il est interdit de jouir de soi dans la vie et *post mortem*. Sartre impose à Baudelaire l'alternative qui est celle de Roquentin et de Flaubert et qu'il définit ainsi dans *Les Mots* : « L'appétit

---

107. B., p. 140.
108. B., p. 222.
109. B., p. 223.
110. B., p. 222.
111. B., p. 222. Les biographes de Sartre pourront sans doute un jour nous faire admirer la manière élégante dont Sartre a résolu le problème de l'encombrement : la dissociation de l'amour « nécessaire » et des amours « contingentes » (Simone de Beauvoir, *La Force de l'âge*, Gallimard, 1960, p. 27), évite les désastres baudelairiens. Choisir une femme libre, indépendante, comme l'a fait Flaubert avec Louise Colet, c'est réduire l'encombrement au minimum ; encore faut-il ne pas commettre la bévue de faire de l'âme-sœur (ou frère, Louise écrivain est « virile » pour Flaubert) sa maîtresse : on risque alors de se retrouver avec une compagne « fort encombrante » (I.F., tome I, p. 216).
112. B., p. 222.
113. B., p. 90.
114. B., p. 196 ; sur la symbolique du gisant, voir *infra*, 3e partie, chap. II, p. 367.
115. B., p. 57-58.

d'écrire enveloppe un refus de vivre. »[116] Nous avons entrevu en étudiant *La Nausée* et nous comprendrons mieux, avec *L'Idiot de la famille,* quel type de conflit névrotique suppose l'alternative écrire ou vivre. Ce n'est pas là le conflit baudelairien. Baudelaire ne joue pas à « Qui perd gagne », témoin cette remarque de Sartre : « ce goût de la mort et de la décadence, par quoi Baudelaire annonce Barrès, et qui accompagne chez lui le culte de l'individualité le pousse à refuser ce que Flaubert réclame : il ne veut pas d'une société qui dure autant que l'espèce humaine. »[117]. C'est au contraire un rêve de Sartre autant que de Flaubert : « Pour m'assurer que l'espèce humaine me perpétuerait, on convint dans ma tête qu'elle ne finirait pas [...] ; aujourd'hui encore, désenchanté, je ne peux penser sans crainte au refroidissement du soleil. »[118] La chute du second Empire tiendra lieu, pour Flaubert, de catastrophe cosmique : « Il a fait des romans qu'il voulait immortels et que la société de l'avenir va s'empresser d'oublier. »[119]

Y a-t-il finalement tant de différence entre celui qui veut se voir tout de suite et celui qui sait attendre, entre celui qui veut contempler sa statue de son vivant et ceux qui se résignent à n'apparaître sous la forme d'un « grand fétiche »[120] ou d'une colonne de granit[121] que dans les yeux de leurs arrière-neveux ? C'est le même mirage de l'En-soi-pour-soi, simplement transformé en En-soi-pour-autrui. Pourquoi faudrait-il valoriser une attitude au dépens de l'autre ? Il peut être aussi rigoureusement imposé par la névrose de passer inaperçu[122] que de se teindre les cheveux en vert. Sartre le reconnaîtrait sans doute aujourd'hui, après son auto-analyse et son long travail sur le « Qui perd gagne » de Flaubert. Au moment où il écrit le Baudelaire, il ne peut supporter que le poète auquel il s'identifie secrètement ait un « programme »[123] névrotique qui diffère du sien. Mais ce dont Sartre ne conviendrait sans doute pas, c'est qu'il n'y ait là qu'une question de nuance dans le narcissisme. L'étude des autres biographies nous permettra de revenir sur cette

116. MT., p. 159.
117. B., p. 168.
118. MT., p. 208.
119. I.F., tome III, p. 513-514.
120. MT., p. 162.
121. Voir *infra,* 3e partie, chap. III, p. 369.
122. Voir MT., p. 161 : « pour renaître il fallait écrire, pour écrire, il fallait un cerveau, des yeux, des bras ; le travail terminé, ces organes se résorberaient d'eux-mêmes ».
123. I.F., tome III, p. 447. Baudelaire ne tenait pas à la gloire posthume et ne dédaignait pas la célébrité de son vivant. Pour Sartre, au contraire, la vie cachée conditionne l'immortalité : réussir son apothéose impose de ne pas rater son obscurité. D'où son agacement devant la « célébrité irritante » de Baudelaire (B., p. 98). On remarquera que Simone de Beauvoir, confondant Sartre et Baudelaire, assujettit ce dernier aux contraintes sartriennes en matière de pour-autrui : « Comparée à l'obscurité de Baudelaire, la gloire idiote qui avait fondu sur Sartre avait quelque chose de vexant », *La Force des choses,* Gallimard, 1963, p. 52. Sur cette question, voir *infra,* 2e partie, chap. III, p. 267 et 271.

question et de comprendre pourquoi Sartre admet le narcissisme de Genet, fait grief du sien à Baudelaire, tolère chez Flaubert un « narcissisme négatif »[124] et refuse l'idée qu'il puisse lui-même être Narcisse[125].

124. I.F., tome III, p. 199.
125. Voir *infra*, 2e partie, chap. IV, p. 309-311.

Chapitre II

SAINT GENET, COMEDIEN ET MARTYR

Saint Genet : essai monstre, où le lecteur est agressé, insulté, violenté, invité à se confesser, à se repentir. On l'appelle à une conversion, il doit passer de la projection à l'identification : au début du livre, en effet, Genet est « bouc émissaire »[1], à la fin, il est « notre prochain, notre frère »[2], notre « miroir »[3]. L'œuvre s'achève sur une « Prière pour le bon usage de Genet »[4]. Genet est donc aussi une maladie. Mais qui est le malade ? L'homme, bien sûr, puisque « tout homme est tout l'homme »[5]. Peut-être pourrions-nous cependant dire de Sartre ce qu'il dit de Flaubert : « la terreur de sa " différence " le tenaille et, à peine découvre-t-il une particularité, il en fait aussitôt un trait de la nature humaine. »[6] Tout comme font les « Justes »[7], ses têtes de turc, Sartre dit : Genet, ce n'est pas moi : « Mon casier judiciaire est vierge et je n'ai pas de goût pour les jeunes garçons »[8], puis : Genet, c'est vous ; et quand il peut enfin dire : Genet c'est nous, « le plus rusé voyou »[9] a disparu, il reste le sujet coupable dans sa généralité, notre époque sous le regard de l'Histoire, accusée et pourtant innocente. Innocente du moins de ce dont on l'accuse car cet « essai-martyre »[10] est hanté par l'inavouable. Prenant à partie la réaction de François Mauriac à la lecture de Genet[11], Sartre écrit : « ce que M. Mauriac [...] voit clairement mais dissimule, c'est que l'horreur est *recon-*

1. S.G., p. 29.
2. S.G., p. 549.
3. S.G., p. 550.
4. S.G., p. 536.
5. S.G., p. 539.
6. I.F., tome II, p. 1536.
7. S.G., p. 331, 394, 425, etc.
8. S.G., p. 537.
9. S.G., p. 528. Genet écrit « le plus rusé des voyous » à propos d'un de ses héros dans *Pompes funèbres*, Œuvres complètes, tome III, Gallimard, 1953, p. 80.
10. L'expression est de Sartre à propos de *L'Expérience intérieure* de Georges Bataille, S., I, p. 144.
11. Il s'agit du très bel article, paru dans *Le Figaro Littéraire* du samedi 30 mars 1949, qui, contrairement à ce qu'en dit Sartre, ne nous a semblé ni indigné, ni bouffon.

naissance »[12]. Il n'est pas sûr que l'admirable compréhension de Sartre à l'égard de Genet ne soit pas, elle, une forme de défense : « pourquoi voudrais-je, *moi*, l'enterrer ? Il ne me gêne pas »[13]. Voire... Les « indignations bouffonnes [de Mauriac] traduisent tout simplement, écrit Sartre, la haine d'un auteur médiocre pour un grand écrivain »[14]. L'enthousiasme de Sartre ne trahirait-il pas la fascination du névrosé par le pervers, par celui qui assume souverainement ses fantasmes, qui « invente le *sujet pédérastique* »[15] ?

Les histoires que Genet raconte parlent à l'inconscient sartrien ; aussi Sartre s'empresse-t-il de les traduire en les intellectualisant. Il refuse, à sa manière, l'homosexualité de Genet, tout en essayant de la prendre sur lui : « acceptez la réversibilité des crimes [...] ; aux vices qui nous répugnent le plus chez les autres, il nous paraît qu'une chance incroyable seule nous a fait échapper »[16]. La situation que Sartre nomme « pré-pédérastique »[17], est celle de tout homme constitué objet dans son enfance, celle de Flaubert, de Baudelaire, la sienne : « n'eût-il, par après, jamais couché avec un homme ni même rêvé de le faire, [Genet] était marqué, élu ; il fût demeuré, comme tant d'autres[18], une Vestale de l'homosexualité »[19]. Genet a beau dire qu'il était pédéraste avant d'être voleur, Sartre n'en croit rien : « s'il désirait les garçons, c'était avec une espèce d'innocence. [...] la volonté de Mal est première et, même quand il prétend le contraire, Genet le sait fort bien »[20]. Voilà Genet « pédéraste d'honneur »[21]. Au commencement était le Diable. Genet entre dans le mythe. On peut dire de Sartre ce qu'il dit de Proust et de Genet : il a « l'âme fabuleuse et corrosive »[22]. Après la fable (Genet-Lucifer), l'analyse, qui dissout ce sur quoi elle s'exerce : le voleur, en Genet, précède l'homosexuel, et le vol, « c'est tout simplement sa possibilité permanente de devenir objet »[23], s'il est découvert. Sartre préfère le scandale métaphysique, l'objectivation d'un sujet, à la reconnaissance du désir. Même schéma d'explication pour ce que Sartre nomme la crise originelle : l'enfant est saisi en train de voler : « une condamnation peut être

12. S.G., p. 538.
13. S.G., p. 528.
14. S.G., p. 464.
15. S.G., p. 539, ce que ni Proust ni Gide n'ont eu l'audace de faire : le premier « a eu l'habileté un peu lâche de parler des homosexuels comme si c'était une espèce naturelle : il feint de moquer Charlus ou de le prendre en pitié » (S.G., p. 538) ; le second « tente d'esquisser [dans Corydon] un naturalisme de la pédérastie » (S.G., p. 383).
16. S.G., p. 540.
17. S.G., p. 81.
18. « Et cela vaut, par exemple, pour bien des acteurs, même s'ils n'ont de plaisir qu'à coucher avec des femmes » (S.G., p. 83).
19. S.G., p. 81.
20. S.G., p. 81.
21. Comme Pégase et Coriolan dans *L'Ecume des jours.*
22. S.G., p. 129.
23. S.G., p. 326.

ressentie comme un viol. L'une comme l'autre transforment le coupable en objet et si celui-ci ressent son objectivation dans son cœur comme une honte, il la ressent dans son sexe comme un coït subi »[24]. Cela n'explique pas qu'il en jouisse.

« Quelles que soient les erreurs que je puisse faire sur lui, écrit Sartre à propos de Genet, je suis sûr de le connaître mieux qu'il ne me connaît car j'ai la passion de comprendre les hommes et il a celle de les ignorer. Depuis notre première rencontre je ne me souviens pas que nous ayons parlé d'autre chose que de lui : cela nous arrange tous les deux »[25]. On voit que la passion de comprendre n'est pas l'envie de rencontrer[26] et qu'elle se passe fort bien d'un échange qui risquerait d'engager, de prendre du temps, de mener là où on ne voudrait pas aller. Aussi la passion qu'a Sartre de comprendre les hommes peut-elle être une forme du désir de les ignorer. Avec Genet, c'est en grand partie l'exploration de lui-même qu'il poursuit. Il nous a semblé que l'œuvre de Genet mettait Sartre en présence de son homosexualité latente et de sa fixation anale, si bien que ce gros livre peut se lire comme une défense opiniâtre contre des tendances qu'il assouvit par ailleurs en les évoquant. Ainsi satisfait-il à la fois le ça qui s'y complait et le moi qui y répugne. Mais ce long travail sur soi ne s'est fait que parce que Sartre a pu voir en Genet, malgré leurs différences manifestes, une sorte de double. Aussi, avant d'aborder l'élaboration que Sartre fait subir à Genet, soulignerons-nous les affinités qui les unissent.

Biographie et autobiographie.

Ce qui prévaut, au début du livre, c'est la distance : « J'admire profondément cet enfant qui s'est *voulu* sans défaillance à l'âge où nous n'étions occupés qu'à bouffonner servilement pour plaire »[27]. Nul rapport, en effet, entre le jeune bourgeois cajolé et l'enfant de l'Assistance, ni plus tard, entre le condamné de droit commun, écrivain maudit, et le maître à penser, vedette de l'après-guerre. Mais, somme toute, Genet est maintenant choyé par ses pairs et la célébrité de Sartre n'est pas toujours de bon aloi. Qu'elle accuse ou estompe les distances, la comparaison au niveau des faits est

---

24. S.G., p. 81.
25. S.G., p. 132.
26. *Cf.* B., p. 215 : « Il nous suffirait de voir vivre Baudelaire, fût-ce un instant, pour que nos remarques éparses s'organisent en une connaissance totalitaire » ; et S., X, (entretien sur *L'Idiot de la famille*) p. 102 : « je n'aimerais pas dîner avec [Flaubert] parce qu'il devait être vraiment assommant » et p. 163 (Autoportrait à soixante-dix ans) : « Je n'ai pas la curiosité des gens.
— Pourtant, vous avez écrit une fois : « J'ai la passion de comprendre les hommes. »
— Oui. Une fois que j'ai un homme devant moi, j'ai la passion de le comprendre, mais je n'irai pas me déplacer pour le voir ».
27. S.G., p. 55.

trompeuse. Il faut en revenir au sentiment intérieur : « faux enfant »[28], « créature sophistiquée »[29], « enfant du miracle »[30], ne pouvant « ni décrire ni fixer son malaise »[31], « enfant abstrait »[32], « coupé de la nature et de son propre corps »[33], tous ces termes de *Saint Genet* pourraient s'appliquer à l'enfant des *Mots*. L'histoire de l'un ressemble au « roman familial »[34] de l'autre. Poulou se rêve orphelin[35], recommence le scénario de sa naissance, décidé à ne rien devoir à autrui[36]. Tous les deux s'enferment dans une bouderie sans fin, manquent de s'engloutir dans l'imaginaire, ont dans leur passé une petite fille morte[37], mènent une vie posthume (Querelle est un « joyeux suicidé moral »[38], Sartre aussi). La Sainte selon Genet, qui dit avec Marie : « Seigneur, je ferai ta volonté, je serai ta servante »[39], ressemble à Grisélidis.

Tous deux ont été des enfants soumis : « sa candeur, sa confiance, son respect font de lui le meilleur auxiliaire des grandes personnes : on lui a dit qu'il était méchant, il le croit [...] C'est un méchant appliqué »[40]. Tout leur malheur vient d'avoir été « *nommés* »[41]. Et celui qui n'a été traité ni de voleur ni de méchant, ni frappé plus tard « comme une médaille »[42] d'un « mot vertigineux »[43], peut avoir été pris au piège d'autres mots : « adorable », « gentil » (le voilà hanté par ce qu'il cache et que font, seuls, les « vilains » garçons), marqué par d'autres prophéties : « Mon petit bonhomme écrira ! »[44] « Il a la bosse de la littérature »[45]. « Lorsqu'on fait subir à des enfants, dès leur plus jeune âge, écrit Sartre dans *Saint Genet,* une pression sociale considérable, lorsque leur Etre-pour-Autrui fait l'objet d'une représentation collective accompagnée de jugements de valeurs et d'interdits sociaux, il arrive que l'aliénation

28. S.G., p. 14.
29. S.G., p. 14.
30. S.G., p. 14.
31. S.G., p. 14.
32. S.G., p. 17.
33. S.G., p. 201, note 1.
34. « Expression créée par Freud pour désigner des fantasmes par lesquels le sujet modifie imaginairement ses liens avec ses parents », J. Laplanche et J.-B. Pontalis, *Vocabulaire de la psychanalyse*, p. 427.
35. Dans *L'Enfance d'un chef,* Lucien brode sur ce thème : « Il avait été recueilli par des voleurs qui voulaient faire de lui un pick-pocket », MR., p. 151 ; rêverie qui permet la projection sur les parents du vœu d'être le voleur. L'enfant volé nous semble, dans l'œuvre de Sartre, une autre variante du roman familial. Il apparaît dans *L'Idiot de la famille* à propos du désir, chez Flaubert, de faire du théâtre : « Un acteur [. . .] c'est d'abord un enfant volé, sans droit, sans vérité, sans réalité » I.F., tome I, p. 790.
36. Voir MT., p. 21-22.
37. A laquelle ils dédient leurs premiers vers (S.G., p. 396 ; MT., p. 116).
38. S.G., p. 74.
39. S.G., p. 233.
40. S.G., p. 39.
41. S.G., p. 48.
42. S.G., p. 109.
43. S.G., p. 109.
44. MT., p. 128.
45. MT., p. 128.

soit totale et définitive »[46]. Genet, Sartre, Baudelaire, Flaubert, sont des prisonniers du pour autrui, des martyrs de l'irréalisable. Sartre enfant se laisse surprendre à écrire « même dans le noir »[47], pour saisir, dans les exclamations des grandes personnes, la réalité de sa « vocation », ou bien il essaie de se surprendre lui-même : « Mon éternité future [...] frappait chaque instant de frivolité, elle fut au centre de l'attention la plus profonde, une distraction plus profonde encore, le vide de toute plénitude, l'irréalité légère de la réalité ; elle tuait, de loin, le goût d'un caramel dans ma bouche, les chagrins et les plaisirs dans mon cœur »[48]. Texte que semble annoncer ce passage de *Saint Genet* : « Public jusqu'en son plus secret conseil, [...] il se [...] fait Autre pour *se surprendre* comme un Autre. Pour vouloir l'être trop, ses affections ne sont jamais tout à fait ressenties : au plus profond de cette insoutenable tension, il y a toujours [...] une sorte de distraction ; c'est qu'il est *dans l'attente* : à la fois chasseur et proie, il se dispose comme un appât et il guette : peut-être l'oiseau vorace va fondre sur lui et se laisser prendre au piège »[49]. Ces quelques lignes pourraient à leur tour trouver leur illustration dans la page des *Mots* où l'enfant, assis sur un banc, au Luxembourg, essaie de se « *réaliser* »[50]. Catastrophe ! le piège ne fonctionne pas et c'est sa mère qui « fond »[51] sur lui avec « le jersey de laine, le cache-nez, le paletot »[52].

L'un et l'autre vivent dans un univers féodal. Ils reçoivent leur mandat du Seigneur (le grand-père dans *Les Mots*, les « caïds » à la colonie, puis les « durs », les « Macs »). « Pour tous ses vassaux, le Dur est le Toit, il est le Mandat. [...] Une hiérarchie s'établira entre les durs selon qu'ils prennent à tâche de supporter un ciel plus ou moins haut »[53]. Même image pour qualifier les collègues de Charles Schweitzer : ces « vieillards irremplaçables »[54] « portaient le ciel »[55] comme des « Atlas »[56]. Chez les deux enfants, une relation semblable s'établit avec le langage, les mots ont plus de poids que les choses : « au Jardin d'Acclimatation, les singes étaient moins singes, au Jardin du Luxembourg, les hommes étaient moins hommes »[57] que

---

46. S.G., p. 38.
47. MT., p. 171.
48. MT., p. 192.
49. S.G., p. 69.
50. MT., p. 204.
51. MT., p. 205. Voilà la plaintive Anne-Marie transformée en oiseau vorace. Ganymède est un motif migrateur qui sollicite tour à tour l'imagination de Sartre et celle de Genet. Il apparaît dans le *Baudelaire* où il symbolise l'écrivain du XVIIIe siècle pensionné par la noblesse (p. 159), puis dans le *Journal du voleur*, (Gallimard, 1949), où il est Genet lui-même (p. 185 et 249). Nous le retrouverons dans *L'Idiot de la famille*, voir *infra*, 3e partie, chap. III, p. 386.
52. MT., p. 205.
53. S.G., p. 114.
54. MT., p. 74.
55. MT., p. 74.
56. MT., p. 74.
57. MT., p. 38-39.

dans les livres. Quant à Genet, coupable, il n'a pas droit à la parole[58]. « L'important c'est que le mot soit dans sa bouche : interdites, lointaines, fluentes, les choses sont les apparences dont les mots sont la réalité »[59]. Le petit Jean-Paul, lui, a « mis la propriété dans les mots »[60]. Certes, il n'a jamais connu le besoin mais, comme le petit Jean, il n'a jamais rien eu à lui, il n'a jamais été « chez lui » ni chez son grand-père, ni plus tard chez son beau-père[61].

Pour l'un comme pour l'autre, le choix de l'imaginaire est vital. Herbes folles[62], ils se lancent dans la « folle entreprise »[63] d'écrire. Tous deux sont voués, élus, la littérature est salut, le sacré s'est pour eux, « [déposé] dans les Belles-Lettres »[64]. A cet égard, l'analyse que Sartre entreprend du rapport de Genet à l'écriture peut apparaître comme un fragment ou une ébauche de sa propre auto-analyse. Genet « *a liquidé le sacré* »[65], écrit Sartre et, dans *Les Mots*, il conclut : « j'ai pincé le Saint-Esprit dans les caves et je l'en ai expulsé »[66]. Chez l'un et l'autre, il y a eu « acrobatie »[67], « truquage »[68], « notions trafiquées »[69] :

> « si, sous l'effet de forces centrifuges, écrit Sartre dans *Saint Genet*, un individu est expulsé du groupe, l'idée de Dieu, en lui, devient folle. [...] coupée de ses racines vivantes, elle demeure chez le solitaire comme un recours contre la société qui l'exile [...]. Seulement elle souffre de cette utilisation nouvelle, elle s'étiole, pâlit, se transforme au gré des situations et des besoins »[70].

Même gauchissement de l'idée de Dieu chez Sartre enfant, même image pour décrire un processus de dévitalisation : « Faute de prendre racine en mon cœur, il a végété en moi quelque temps, puis il est mort »[71]. Chez Sartre le mot de Dieu a été éliminé beaucoup plus tôt, mais la « Religion sous un masque »[72] a persisté jusqu'au moment où il entreprend de la traquer chez Genet. A l'époque de *La Nausée*, s'il décrit la contingence radicale de l'homme, il pense y échapper par le fait même de la décrire. Il dénonce dans *Les Mots*

---

58. « On a condamné Genet au silence : un coupable ne parle pas ; je me rappelle encore l'ébahissement indigné que feignirent les grandes personnes quand, à dix ans, puni pour je ne sais quel méfait, j'osai leur adresser la parole ». S.G., p. 259.
59. S.G., p. 262.
60. S., IX, p. 42.
61. MT., p. 70-71.
62. MT., p. 209 ; S.G., p. 40 et 240.
63. S.G., p. 376.
64. MT., p. 207.
65. S.G., p. 529.
66. MT., p. 210.
67. S.G., p. 218.
68. S.G., p. 220.
69. MT., p. 209.
70. S.G., p. 134-135.
71. MT., p. 83.
72. MT., p. 209.

cette traîtrise, tout en sachant que cette dénonciation est peut-être encore traîtrise : si la postérité allait trouver exemplaire cette plume par soi-même brisée ? « En ce cas je serais Philoctète : magnifique et puant, cet infirme a donné jusqu'à son arc sans condition : mais souterrainement, on peut être sûr qu'il attend sa récompense »[73]. Ainsi se reforme un peu plus loin le piège du pour-autrui, que l'auto-analyse n'a fait que déplacer. Genet aussi est Philoctète ou son envers : « trahissant dans le désespoir et renonçant à l'amitié par fidélité au Mal, c'est l'exacte contre-partie de Philoctète renonçant à la haine et donnant son arc »[74]. Il « a donc ouvert les bras et laissé tomber sa haine ? Il a donc donné, ce Philoctète, son arc à quelque Néoptolème de la maison Gallimard »[75] ? La traîtrise, Sartre la traque chez Genet avant d'en suivre chez lui les traces : « Ce Dieu finit par n'être plus qu'une caution ; il s'identifie avec l'optimisme inébranlable de Genet, il garantit à celui-ci que sa vie misérable et souffrante a, quelque part dans l'absolu, un *sens*. [...] Seulement cette folie d'espoir est la véritable trahison de Genet »[76].

La « véritable » trahison de Genet, pour Sartre, c'est celle qu'ils ont en commun : l'optimisme impénitent (la certitude intime que l'écriture assure le salut) et non le fait de « donner » son ami, ce dont Sartre, identifié à Genet, refuse de le croire capable, malgré ses dires[77]. Mais finalement « écrire l'éveille »[78] et l'on sent que cela n'est pas vrai simplement, pour Sartre, de Genet. Les dernières pages de *Saint Genet* et des *Mots* rendent le même son. Genet est « désenchanté »[79], Sartre « désabusé »[80]. « Depuis à peu près dix ans je suis un homme qui s'éveille, guéri d'une longue, amère et douce folie et qui n'en revient pas et qui ne peut se rappeler sans rire ses anciens errements et qui ne sait plus que faire de sa vie »[81]. Genet, lui,

> « ne sait plus très bien pourquoi il écrit. [...] l'ouvrage était talisman, conjuration ; [...] il aurait pu écrire, comme Chénier :
> ... O mon cher trésor,
> O ma plume ! fiel, bile, horreur, Dieux de ma vie
> Par vous seuls je respire encore.
> Mais aujourd'hui, il s'est réveillé, on l'a gracié »[82].

Et Sartre conclut :

> « pour avoir été au bord du suicide littéraire, il est aujourd'hui comme ces désespérés qui ne sont pas arrivés à se tuer :

73. MT., p. 212.
74. S.G., p. 155.
75. S.G., p. 528.
76. S.G., p. 228.
77. Voir S.G., p. 198.
78. S.G., p. 417.
79. S.G., p. 526.
80. MT., p. 211, comme Pauline dans *Polyeucte*, mais en changeant de signe.
81. MT., p. 211.
82. S.G., p. 527.

il a « décroché », il regarde la littérature avec les yeux dont ils regardent la vie »[83].

Une mythologie commune.

Nous venons de faire une série de rapprochements que permet après coup la lecture des *Mots*. Mais on pourrait à la limite se passer de l'autobiographie de Sartre pour comprendre la rencontre de ce dernier avec Genet. Bien qu'ils ne soient pas au centre manifeste de l'œuvre de Sartre, l'onanisme, le vol, l'homosexualité, le crime n'en sont pas pour autant des motifs mineurs. Sans entrer dans le détail de ce qui pourrait être un autre sujet de recherche, nous donnerons deux exemples parlants de cette circulation d'une œuvre à l'autre de thèmes, de personnages ou d'images, signes d'une même fascination.

Le crime des sœurs Papin est présent dans *Erostrate* bien avant de faire naître en Genet les rêveries dont il tirera *Les Bonnes*. Paul Hilbert, comme les héros de Genet, est narcissiquement séduit par les visages de criminels. Dans la glace, il guette ses « beaux yeux d'artiste et d'assassin »[84] :

> « je comptais changer bien plus profondément encore après l'accomplissement du massacre. J'ai vu les photos de ces deux belles filles, ces servantes qui tuèrent et saccagèrent leurs maîtresses. J'ai vu leurs photos d'*avant* et d'*après*. *Avant*, leurs visages se balançaient comme des fleurs sages au-dessus de cols de piqué. [...] *Après*, leurs faces resplendissaient comme des incendies. Elles avaient le cou nu des futures décapitées »[85].

Un autre héros sartrien joue, comme Genet et comme Paul Hilbert, avec l'idée du crime, c'est Flaubert :

> « dans la rue, dans les lieux publics, partout où il rencontre des foules, il ressent des impulsions meurtrières [...] ce n'est pas grave. Encore que la honte, l'impuissance, l'horreur de vivre conduisent parfois ceux qu'on nomme dans la presse des « énergumènes » à commettre l'acte surréaliste le plus simple, c'est-à-dire à descendre dans une rue populeuse et à tirer dans le tas. Gustave ne passera jamais aux actes : il est protégé contre ces gestes désespérés par sa condition de bourgeois »[86].

Paul Hilbert est justement un de ces « énergumènes » dont parle la presse. Sartre semble oublier, à trente ans de distance, qu'il a prêté à son personnage des mobiles sensiblement différents de ceux qu'il prête à Flaubert : haine des hommes, désir de faire parler de lui, comme Erostrate brûlant le temple d'Ephèse[87]. Eros-

83. S.G., p. 528-529.
84. MR., p. 90.
85. MR., p. 90.
86. I.F., tome II, p. 1261.
87. MR., p. 86.

trate est d'ailleurs présent dans le premier volume de *L'Idiot de la famille* et la démesure initiale du personnage est beaucoup plus sensible que dans l'allusion du second tome aux énergumènes : Sartre cite une page du dernier *Saint Antoine* où une vieille femme pousse l'ermite au suicide :

> « Faire une chose qui nous égale à Dieu, pense donc ! Il t'a créé, tu vas détruire son œuvre, toi, par ton courage, librement ! La jouissance d'Erostrate n'était pas supérieure. Et puis ton corps s'est assez moqué de ton âme pour que tu t'en venges à la fin.. » [...] cette tentation par l'orgueil prend une fascinante profondeur si l'on remonte à sa véritable origine et si l'on comprend qu'elle met en présence non pas le Créateur infini et la créature infime mais deux êtres finis dont l'un a produit l'autre : Achille-Cléophas et Gustave »[88].

Nous sommes beaucoup plus près, là, des véritables mobiles du crime de Paul Hilbert. Il y a, dans la nouvelle de Sartre, tous les éléments qui permettent une interprétation psychanalytique de son acte : homosexualité latente [89], horreur du sexe féminin supposé châtré, culte du phallus. Ce sont là les thèmes majeurs de l'œuvre de Genet[90] et les motifs, selon Jacques Lacan, du crime paranoïaque[91]. Les sœurs Papin, Christine et Léa[92], dont l'amour mutuel est une défense contre la haine qu'elles éprouvent l'une envers l'autre « ne pouvaient même prendre [entre elles], écrit Jacques Lacan, la distance qu'il faut pour se meurtrir »[93]. Dans le noir, à la faveur d'une panne d'électricité, ces « âmes siamoises »[94] massacrent leur maîtresse et sa fille, leur arrachant les yeux et mutilant un sexe dont leur narcissisme phallique ne peut tolérer l'existence (« Je crois bien que dans une autre vie, je devrais être le mari de ma sœur »[95], dit l'aînée).

---

88. I.F., tome I, p. 402.
89. Qui peut se lire aussi dans les récriminations perpétuelles envers son père, que Sartre prête à Flaubert. Dans « Un enfant est battu » (*Névrose, psychose et perversion*, P.U.F., 1973, p. 235), Freud écrit : « Des êtres humains qui portent en eux un tel fantasme font preuve [. . .] d'une susceptibilité particulière vis-à-vis des personnes qu'ils peuvent insérer dans la série paternelle ; ils se laissent facilement offenser par ces personnages et ainsi procurent sa réalisation à la situation fantasmée [. . .]. Je ne serais pas étonné si l'on parvenait un jour à montrer que ce même fantasme est à la base du délire quérulant des paranoïaques ». Nous montrons (*infra*, p. 224) comment Paul Hilbert arrive à *réaliser la situation fantasmée* en se faisant battre par des substituts du père après s'être livré à eux.
90. A ceci près que l'homosexualité est chez lui patente.
91. Voir « Motifs du crime paranoïaque : le crime des sœurs Papin », paru initialement dans le n° 3 de la revue *Le Minautaure*, décembre 1933, repris dans *De la psychose paranoïaque dans ses rapports avec la personnalité*, Seuil, 1975, p. 389 à 397.
92. Autre rappel du massacre du Mans dans la nouvelle de Sartre : la prostituée à laquelle Paul Hilbert s'adresse habituellement pour réaliser ses fantasmes, s'appelle Léa (MR., p. 79).
93. *Op. cit.*, p. 397.
94. *Ibid.*, p. 397.
95. *Ibid.*, p. 397.

Narcissique comme elles, Paul Hilbert, qui se croit persécuté [96], ne peut poursuivre de son amour-haine que son semblable, un homme. « Diamant noir »[97], son crime fera de lui un « héros noir »[98]. Il se rêve anarchiste, portant sur lui « une machine infernale »[99]. « A l'heure dite, le cortège passait, la bombe éclatait et nous sautions en l'air, moi, le Tsar, et trois officiers chamarrés d'or, sous les yeux de la foule »[100]. Explosion finale où il est le phallus : « j'étais un être de l'espèce des revolvers, des pétards et des bombes »[101]. Meurtrier, il réalise un désir longtemps caressé dans l'horreur : se faire battre et humilier :

> « ils m'ont passé à tabac, ils m'ont tapé dessus [...], ils m'ont donné des gifles et des coups de poing, ils m'ont tordu les bras, ils m'ont arraché mon pantalon et puis, pour finir, ils m'ont jeté mon lorgnon par terre et pendant que je le cherchais, à quatre pattes, ils m'envoyaient en riant des coups de pied dans le derrière. J'ai toujours prévu qu'ils finiraient par me battre »[102].

Et encore, sur le mode du vœu :

> « Ils me jetteraient au-dessus de leurs têtes et je retomberais dans leurs bras comme une marionnette »[103].

Enfin des hommes le « *touchent* »[104] ; sa phobie des contacts était l'envers d'un désir interdit. Notons qu'il tire, dans la rue, sur le gros homme parce que celui-ci « [allonge] la main »[105] vers lui : il ne supporte pas du semblable aimé-haï un geste qui ressemble à une avance et il l'a d'abord suivi, dans une sorte d'état second, horrifié de voir apparaître sur lui une allusion à la castration : « Le pli de la nuque me souriait comme une bouche souriante et amère »[106]. Paul Hilbert, cultivant une solitude hautaine, rompant un à un tous les liens qui le rattachent au reste du monde, travaillant son visage au miroir, préférant l'onanisme à la relation à l'autre, caressant dans sa poche son revolver et l'introduisant dans sa bouche est, avant la lettre, un héros de Genet.

---

96. Freud a montré dans le cas du Président Schreber (*Cinq psychanalyses*, P.U.F., 1967, p. 263 à 324) le fondement homosexuel du délire de persécution. Le persécuté projette sur l'autre le désir d'en être poursuivi et change de signe une relation originellement amoureuse.
97. MR., p. 86.
98. MR., p. 85.
99. MR., p. 86.
100. MR., p. 86.
101. MR., p. 86. L'explosion finale, dont on reconnaîtra sans peine l'origine anale, est un vœu commun à Paul Hilbert et au narrateur des *Mots* : « A l'heure dite, [. . .] la bombe éclatait » (MR., p. 86). « Aux environs de 1955, une larve éclaterait » MT., p. 161.
102. MR. p. 78.
103. MR., p. 92.
104. MR., p. 78.
105. MR., p. 95.
106. MR., p. 94-95.

Nous donnerons un second exemple de la parenté thématique entre les deux œuvres: A propos du premier roman de Genet, Sartre écrit : « Dans les *Faux-Monnayeurs,* le petit Boris inscrit sur un *parchemin* : Gaz, Téléphone. Cent mille roubles. « Ils étaient, ces cinq mots, le Sésame ouvre-toi du Paradis honteux où la volupté le plongeait. Boris appelait ce parchemin : son *talisman.* » En un certain sens *Notre-Dame* est le recueil des talismans érotiques de Genet, le thésaurus de tous les « Gaz. Téléphone. Cent mille roubles. » qui réussissent à l'émouvoir »[107]. Par l'intermédiaire du mot thésaurus, qui n'est ni dans Gide ni dans Genet, c'est tout un monde latent qui affleure, où l'onanisme côtoie le vol et l'homosexualité : le petit Boris des *Faux-Monnayeurs* possède un talisman et le petit Boris des *Chemins de la liberté* vole un *Thésaurus.* A propos de ce « moment jouissant »[108] où, en quelques secondes, il s'approprie l'objet convoité, Boris parle d'« ascèse » comme Sartre à propos des vols de Genet. Comme Genet, Boris éprouve alors, malgré son angoisse, une « extraordinaire impression de lucidité et de puissance »[109]. Petit moine, Boris fascine Mathieu et torture Daniel de son inaccessible beauté. Nous avons reconnu en lui[110] une des figures du phallus. Gémellaire comme bien des créatures de Genet, il témoigne de ce « dioscurisme fondamental »[111] qui n'est pas seulement « cher »[112] à l'auteur de *Pompes funèbres.* Du « joyau »[113] que Boris convoite et qui reparaît inopinément sous la plume de Sartre écrivant *Saint Genet,* le narrateur de *L'Age de raison* écrit : « il aimait le mot de Thesaurus qui lui rappelait le moyen-âge, Abélard, un herbier[114], Faust et les ceintures de chasteté qu'on voit au musée de Cluny »[115]. Véritable Trésor fantasmatique qui condense en effet en lui le phallus[116] et la castration, la rêverie sadique et la négation de la féminité.

Ces affinités multiples permettent de comprendre et l'engouement de Sartre pour Genet, et les piétinements de *Saint Genet, comédien et martyr.* Nous verrons Sartre, en effet, célébrer, sous prétexte d'exposer, d'expliquer Genet, un véritable culte phallique et s'ingénier à le méconnaître, inventer mille détours métaphysiques et moraux pour réduire à autre chose que ce qu'elle est la véritable fascination qu'exerce sur Genet l'organe mâle. Celui-ci, exalté, sta-

107. S.G., p. 416.
108. C.L., tome I, p. 149.
109. *Ibid.,* p. 149.
110. Voir *supra,* 1re partie, chap. IV, p. 161, note 305.
111. S.G., p. 500.
112. S.G., p. 496.
113. C.L., tome I, p. 149.
114. L'image de l'herbier pour le livre où le monde se trouve étiqueté, renvoie du personnage à l'auteur. On la trouve dans le *Baudelaire,* p. 60, dans *Les Mots,* p. 36 et dans le *Flaubert,* tome I, p. 161.
115. C.L., tome I, p. 149.
116. Symbolisé ici, pour nous, par Faust avec sa soif de savoir et de pouvoir, ainsi que par la création de l'*homunculus.*

tufié, n'est plus pénis mais Phallus. L'origine anale d'un tel fétiche est lisible dans les textes de Genet[117]. Le criminel qui polarise toutes les rêveries de Genet et qui est la figure la plus somptueuse du phallus, est constamment placé sur un trône souvent aussi modeste, malgré les couleurs dont l'écriture le pare, que celui sur lequel Lucien Fleurier s'éternise[118]. Pour nous, ce culte phallique va avec le rejet de la différence des sexes, avec le refus de la castration symbolique et de la mort. Défense contre l'horreur de finir et de n'être pas tout, la glorification du criminel satisfait l'omnipotence imaginaire : maître de la vie et de la mort de l'autre, le meurtrier croit maîtriser aussi sa propre mort, en appelant sur lui l'exécution capitale[119]. Aveugle à cette configuration inconsciente, Sartre s'acharne à désexualiser, malgré les apparences, la Passion selon saint Genet et à dissocier culte phallique et fixation anale. Ce double travail d'assimilation et de rejet est particulièrement sensible dans la production du vaste fourre-tout tantôt lyrique, tantôt obscène, scatologique ou provocant, que Sartre décore, après Genet, du nom de « Sainteté ».

Sainteté et sac d'excréments.

En mainte page de *Saint Genet*, revient une série d'affirmations et de dénégations pour le moins suspectes : « [Genet] n'est pas le fils de cette femme : il en est l'excrément »[120]. « Quelque part dans ses livres, il compare le Mal aux excréments ; et si la merde coule à profusion dans ses œuvres, c'est qu'elle représente le Mal brut : car le Mal et la Merde supposent l'un et l'autre l'insolente santé d'un estomac qui digère bien. Genet *est* un excrément et c'est comme tel qu'il se revendique »[121]. Mais il semble que Sartre ne puisse guère poser cette équation en toute égalité d'humeur. Elle suscite immédiatement un mouvement d'agressivité, puis un réflexe de défense que l'on pourrait résumer ainsi : Genet est un excrément, vous aussi, moi non. Vous aussi, soit sous la forme d'un des types exemplaires de la culture occidentale : le saint, soit tout simplement sous l'aspect plus commun du Français moyen.

> « Genet, quand il se jette dans ses longues descriptions excrémentielles du coït anal, fait irrésistiblement songer à Marie Alacoque ramassant avec la langue les déjections des malades »[122].

---

117. Donnons un exemple parmi beaucoup d'autres : la ronde des punis, à Fontevrault, gravitant autour de la tinette qui permet l'exaltation du héros (voir *Miracle de la rose*, Œuvres complètes, tome II, Gallimard, 1951, p. 214).
118. Voir *supra*, 1re partie, chap. III, p. 109.
119. Nous nous rencontrons là avec Serge Viderman ; voir : « *La plaie et le couteau*, L'écriture ambiguë de Jean Genet », Revue française de psychanalyse, P.U.F., tome XXXVIII, janvier 1974, n° 1, p. 137 à 141.
120. S.G., p. 15.
121. S.G., p. 163.
122. S.G., p. 124.

« Quand je me refuse à juger l'éthique de la Sainteté, j'emprunte les yeux de Genet pour la regarder, et je connais qu'elle est sa seule issue [...]. Que je prenne un peu de recul [...] aussitôt je la condamne. Mais *sous toutes ses formes à la fois* : [...] le bourgeois français ne déteste pas la merde pourvu qu'on la lui serve opportunément ; il est « gaulois », c'est-à-dire qu'il parle au dessert de purge et de lavements et qu'il confond en son cœur les organes de la sexualité avec ceux de l'excrétion ; c'est un saint de notre bourgeoisie, ce rentier poitevin qui se promenait dans les couloirs de sa maison, un chapeau melon sur la tête, en humant un pot de chambre plein. Pour ma part, je n'aime pas tant la merde qu'on le dit, c'est pourquoi je refuse la Sainteté partout où elle se manifeste, chez les saints canonisés aussi bien que chez Genet ; et je la renifle même sous des déguisements laïques, chez Bataille, chez Gide, chez Jouhandeau »[123].

Nous allons revenir sur ce que masque et révèle pour nous la définition que Sartre donne de la Sainteté. Mais nous ferons d'abord deux remarques : le bourgeois français n'est pas seul à confondre les organes de la sexualité avec ceux de l'excrétion : lorsqu'il nous montre les condisciples de Flaubert « tels les fils de Noé, incités par le romantisme à découvrir la nudité de leur père, [...] scandalisés par la vulgarité de celui-ci »[124], Sartre écrit : « Quand ils se marent devant son ventre et son bas-ventre, il leur semble que l'hilarité vengeresse supprime leurs intestins, leurs organes génitaux urinaires »[125]. Ce ne sont pas les intestins de Noé qui gênaient ses fils... La confusion du viscéral et du génital apparaît aussi dans la persistance de la comparaison avec l'étoile de mer : « les étoiles de mer doivent s'aimer mieux que nous, elles s'étendent sur la plage quand il fait soleil et elles sortent leur estomac pour lui faire prendre l'air et tout le monde peut le voir »[126], pense Lulu dans *Intimité*, et Sartre dans *Saint Genet* : « Ce gisant, sous ses couvrantes empouillées, comme une étoile de mer, projette hors de lui un monde viscéral et glandulaire puis le réinvagine et le dissout en lui »[127]. Une image aussi retient l'attention, dans le texte de *Saint Genet* que nous avons cité, et vient infirmer la vigoureuse dénégation sartrienne : le rentier poitevin « hume » un pot de chambre et Sartre « renifle » Bataille, Gide, Jouhandeau, avec répugnance bien sûr, mais il semble qu'il y ait là trace d'une ancienne fixation !

On trouve en effet, dans l'œuvre de Sartre, un long débat sur l'homme comme « sac d'excréments », qui apparaît dès *Intimité* (« Il m'aime, il n'aime pas mes boyaux, si on lui montrait mon

---

123. S.G., p. 231-232.
124. I.F., tome II, p. 1449.
125. I.F., tome II, p. 1449.
126. MR., p. 103-104.
127. S.G., p. 417.

appendice dans un bocal, il ne le reconnaîtrait pas »[128] et qui n'est pas clos dans *Saint Genet* puisqu'il ressurgit dans *Le Diable et le Bon Dieu* (« Donnez-moi les yeux du lynx de Béotie pour que mon regard pénètre sous cette peau »[129]...). Morceau d'éloquence dont *Saint Genet* nous donne la source :

> « Odon de Cluny ayant eu dessein de dégoûter les âmes chrétiennes de l'amour humain, écrivait, après Chrysostome, que la beauté du corps est tout entière dans la peau. " En effet, si les hommes, doués comme les lynx de Béotie d'intérieure pénétration visuelle, pouvaient voir ce qui est sous la peau, la vue seule des femmes leur serait nauséabonde : cette grâce féminine n'est que saburre, sang, humeur, fiel. Considérez ce qui se cache dans les narines, dans la gorge, dans le ventre : saleté partout... Comment pouvons-nous désirer de serrer dans nos bras le sac d'excréments lui-même ? "
>
> Pour *sentir* l'impardonnable bêtise de cette homélie, il suffit d'avoir aimé une fois ; y *répondre,* c'est une autre affaire »[130].

Ce qui est suspect ici, c'est le besoin de « répondre » à ce qu'on reconnaît être une sottise. Il faut donc que le « sac d'excréments » persiste, ne serait-ce que sous la forme d'un « Je sais bien, mais quand même... »[131]. Seul, nous dit Sartre, Genet a su « répondre ». Immédiatement d'ailleurs, Sartre s'empresse de le faire à sa place : « c'est que l'on n'aime rien si l'on n'aime tout ; car le véritable amour est salut et sauvegarde de tout l'homme en la personne d'*un* homme par une créature humaine »[132]. Genet, lui, écrit : « Le corps de Jean était un flacon de Venise. [...] Il m'apprenait le secret de la matière composant l'astre qui l'émettait et que la merde entassée dans l'intestin de Jean, son sang lourd et brut, son sperme, ses larmes, sa boue n'étaient pas votre merde, votre sang, votre sperme... »[133]. Loin de nous l'idée de tourner en dérision l'admirable commentaire sartrien et son désir de sauver l'amour à tout prix. Nous le trouvons simplement un peu précipité : le goût *particulier* de Genet est aussitôt nié : « déchet, excrément de la terre, [Genet] réclame d'aimer les intestins où se forment les excréments ; sa volonté d'impossible s'acharne à chérir ce qui, en vérité, lui répugne autant qu'aux autres »[134]. Nulle trace de perversion en Genet : « l'amour ne se laisse pas faire [...]. Aussi la volonté *mauvaise* d'aimer en l'homme sa misère se change en volonté *bonne*

---

128. MR., p. 103.
129. *Le Diable et le Bon Dieu,* Gallimard, 1951, p. 253.
130. S.G., p. 491.
131. Cette phrase sert de titre à l'étude d'O. Mannoni sur le déni de la réalité, parue dans *Les Temps Modernes,* (janvier 1964, n° 212) et reprise dans *Clefs pour l'Imaginaire ou l'Autre Scène,* Seuil, 1969. Nous revenons sur l'utilisation de ce texte par Sartre dans *L'Idiot de la famille, infra,* 3e partie, chap. I, p. 333.
132. S.G., p. 491.
133. Cité par Sartre p. 491-492.
134. S.G., p. 492.

d'aimer Jean [...] tout entier. Qu'importe après cela qu'un infantilisme de provocation le mène à symboliser l'amour absolu par un morpion posé sur sa langue ? Après tout, cette image répugnante signifie *aussi* que rien ne doit rebuter l'amour »[135].

Etrange chassé-croisé pourtant : dans les amours de Jean, Sartre ignore le sac d'excréments et ne voit que l'amour. Dans les amours de tout un chacun, Sartre ne voit plus l'amour et retrouve le sac d'excréments. On lit dans une note ajoutée par Sartre au texte sur la sainteté que nous avons cité[136] :

> « La coprophagie est sans doute un vice sexuel assez peu répandu mais le climat conjugal y dispose un peu partout : chez nous, le coït ne diffère pas beaucoup des fonctions digestives, il les prolonge ; le couple essaie vraiment de n'être plus qu'une seule bête qui se sent, se rumine, se renifle et se touche de ses huit pattes tâtonnantes et poursuit dans la moiteur du lit le rêve triste de l'immanence absolue »[137].

L'explication sociologique par l'absence de valorisation sociale de l'individu et par la peur du dehors, ne convainc pas. Il semble bien que nous ayons là la trace persistante d'une question propre à Sartre. Son identification à Genet « héros de ce temps »[138] lui interdit de s'arrêter à l'idée que la sexualité de ce dernier puisse être effectivement perverse, incapable d'intégrer les pulsions partielles, anale et orale, et son puritanisme l'entraîne en même temps à nier l'existence d'une sexualité génitale, en projetant sur le couple, comme pour s'en défendre, les pratiques perverses. Il semble que, pour Sartre, tout amour charnel soit « sale » et qu'il ne supporte pas que la sexualité génitale intègre les pulsions partielles. Nous sommes tous des coprophages et le saint éminemment.

Sartre reprend dans *Saint Genet* les discours de son grand-père sur la sainteté, alors qu'il les traitera de « bourdes »[139] quelques années plus tard, en écrivant *Les Mots* : « Il racontait la vie de saint Labre, couvert de poux, celle de sainte Marie Alacoque, qui ramassait les déjections des malades avec la langue. [...] je risquais d'être une proie pour la sainteté. Mon grand-père m'en a dégoûté pour toujours : je la vis par ses yeux, cette folie cruelle m'écœura par la fadeur de ses extases, me terrifia par son mépris sadique du corps »[140]. Chez Genet, Sartre retrouve les « excentricités »[141] des saints qu'il avait si violemment repoussées, enfant. Comme le petit garçon aux « propos de table »[142] de son grand-père, l'homme mûr

135. S.G., p. 492.
136. *Supra*, p. 227.
137. S.G., p. 231-232, note 2.
138. S.G., p. 549.
139. MT., p. 81.
140. MT., p. 81.
141. MT., p. 81.
142. MT., p. 80 : « ses propos de table ressemblaient à ceux de Luther ».

réagit par le dégoût et par la frayeur : « Je pense avec beaucoup d'autres qu'il faut abréger les convulsions d'un monde qui meurt[143], [...] la Sainteté me répugne, [...] elle n'a qu'un seul usage aujourd'hui : permettre aux hommes de mauvaise foi de raisonner faux »[144]. Quand on l'a échappé belle, il faut tuer.

Aussi vaut-il la peine de s'attarder un peu sur l'étrange acharnement avec lequel Sartre poursuit la sainteté dans *Saint Genet.*

L'équivalence établie par Freud (fèces = or) et que Berliac savait si bien utiliser contre Lucien[145], Sartre la reprend ici en l'appliquant à la sainteté : sainteté = excrément = or, sans voir, semble-t-il, qu'elle met en cause l'analyste plus que l'analysé. « Le Saint se prive de tout, écrit-il, va nu, mange des racines [...]. Je maintiens pourtant que c'est une fleur de luxe qui croît à la chaleur d'un seul soleil : l'or de l'Eglise »[146]. Certes tout ceci peut s'expliquer rationnellement : « Le christianisme — qui naît avec les premiers empereurs, triomphe sous le Bas-Empire et règne sur le monde féodal — émane d'une société dont les assises sont l'agriculture et la guerre. L'Eglise exprime à sa manière les idéaux de l'aristocratie romaine, puis de l'aristocratie féodale : elle prouve sa puissance en gaspillant le travail humain »[147]. Le saint qui se martyrise imite l'aristocrate qui consume sa richesse en vains « potlatches » et mystifie le pauvre auquel il fait accepter sa misère, car « l'abandon des possessions qu'on a est un acte de prince »[148]. Mais à peine a-t-on suivi ce raisonnement (repris d'ailleurs jusqu'au ressassement), qu'il fait l'effet d'une rationalisation. L'impression se confirme à la lecture d'une note qui figure au bas d'une des nombreuses pages où Sartre analyse la sainteté du point de vue économique et social :

> « Même s'il existait, le Dieu des catholiques, à qui fera-t-on croire qu'il s'est réjoui quand des prêtres féroces ont fait suer de l'or aux paysans mexicains pour le plaquer ensuite sur les murs des églises ? [...] si Dieu est tout amour, comment n'aurait-il pas horreur de ce cadeau arraché de force et qui a coûté tant de rage et de larmes »[149].

L'Eglise apparaît ici comme la mauvaise mère anale qui contraint l'enfant. C'est à elle que Sartre identifie Genet, quand celle-ci dispose souverainement de ses personnages : « Dieu, naturellement, c'est la grande déesse barbare, Genet, la Mère, Genemesis, qui les fouille du bout de son doigt »[150]. Si bien que lorsque nous lisons, par

---

143. Dans *L'Idiot de la famille,* il s'agira de « délivrer » le monde du « grand corps pourrissant qui l'encombre », le christianisme (I.F., tome II, p. 2124).
144. S.G., p. 192.
145. Voir *supra,* 1re partie, chap. I, p. 34.
146. S.G., p. 185.
147. S.G., p. 187.
148. S.G., p. 188, note 2.
149. S.G., p. 187, note 3.
150. S.G., p. 442.

exemple; « le prêtre meurt de faim à l'ombre d'une basilique d'or massif »[151], il nous est difficile de ne pas donner à ce qui se veut simple énoncé d'un fait, une coloration fantasmatique, de ne pas y voir un retournement sur soi de l'agressivité à l'égard de l'autre et la traduction, dans le registre vindicatif, du « Je meurs de soif auprès de la fontaine » repris par Sartre dans *L'Idiot de la famille* »[152]. C'est ce même ressentiment qui, pour nous, est à la source de l'évocation vengeresse de Sainte-Cécile-de-la-Mer dans *La Nausée*[153]. Conquis sur la pourriture, ce « monstrueux édifice, [...] ne coûta pas moins de quatorze millions »[154]. Dans les pages qui suivent, elle se métamorphose en une terrifiante femelle qui garde en elle ce qu'elle a arraché de force : « elle retient dans ses flancs un peu du noir de la nuit »[155] ; « énorme masse [...] tapie dans l'ombre et dont les vitraux luisent »[156], elle est la Bête à l'affût.

Ce qui est revécu inconsciemment et que les images laissent transparaître, ce sont les conflits du stade anal. C'est pourquoi les raisons que Sartre donne au choix de la sainteté chez Genet ne sont pas convaincantes : « Il sera saint faute d'être fils »[157] ; « il demande à Dieu de lui donner cette existence de plein droit que les hommes lui refusent »[158]. Même besoin de Dieu chez Sartre enfant, et d'être saint faute d'être fils : « le mysticisme convient aux personnes déplacées, aux enfants surnuméraires »[159]. Dans un cas comme dans l'autre, l'explication pèche par excès de généralité. On ne voit pas pourquoi ce saint ignore la charité, se révèle incapable d'une relation fraternelle avec ses semblables et fait du sacrifice un exercice aussi douteux. La « Sainteté »[160] selon Genet est un autre nom

---

151. S.G., p. 187.
152. I.F., tome I, p. 522 : « S'il changeait d'image, Flaubert pourrait écrire ce merveilleux vers de Villon :
« Je meurs de soif auprès de la fontaine... »
Sartre commente *Rage et Impuissance*, où le jeune Flaubert met en scène un enterré vif qui entend, sans pouvoir manifester sa présence, des pas décroître au-dessus de lui. La ballade du concours de Blois est présente dans *Les Mots* qui lui empruntent une partie de son refrain :
« Bien recueilli, débouté de chacun ».
Voir MT., p. 89.
153. Voir *supra*, 1re partie, chap. IV, p. 144.
154. N., p. 61.
155. N., p. 64.
156. N., p. 75.
157. S.G., p. 18.
158. S.G., p. 17.
159. MT., p. 81.
160. « Sainteté » selon saint Genet et selon Sartre, qui s'orne d'une majuscule, méconnaît l'amour et confond systématiquement le saint et le moine : « sans cette méprise, je serai moine », écrit-il dans *Les Mots* (p. 79). Dans *L'Idiot de la famille*, Sartre note que Julien « n'est jamais *bon* » (I.F., tome II, p. 1906). Dans *Saint Genet*, tout en reconnaissant, une fois, comme en passant, que Genet « caricature » la sainteté (p. 225), il fait sienne pourtant sa conception ; ou du moins laisse-t-il planer l'équivoque, ce qui sert son dessein polémique : ainsi le verrons-nous (*infra*, dans ce chapitre, p. 248) mettre en compétition pour le plus haut mérite, Genet, Jouhandeau et sainte Thérèse d'Avila.

pour le masochisme, lié aux mésaventures de la pulsion anale. De même dans *Les Mots*, le « faute d'un tsar, d'un Dieu ou tout simplement d'un père »[161] ne suffit pas à rendre compte des délices ressenties à s'identifier au persécuté : Griselidis, Parsifal, Chantecler « déchiré, sanglant, rossé »[162]. Contre tout ce qui touche à l'analité, Sartre utilise différents systèmes de défense : dérision dans *L'Enfance d'un chef*, censure dans *Les Mots*, projection sur autrui dans *Saint Genet*, disjonction[163] dans *L'Idiot de la famille*.

Mais la « Sainteté » ne recouvre pas seulement l'analité non intégrée. Pour comprendre l'élaboration que Sartre fait subir à la « Sainteté » dans *Saint Genet* et la virulence de son rejet, il faut saisir la puissance et la complexité des images inconscientes que cette notion-écran met en jeu : mère archaïque de la phase orale, mère anale du dressage sphinctérien, complexe de castration, incorporation du phallus anal. Quelques exemples parmi bien d'autres : Dieu est « grand Dégustateur »[164], le saint « se fait sucer par [Lui] comme un sucre d'orge et se sent délicieusement fondre dans une bouche infinie »[165].. Le grand Dégustateur châtre, mais nous verrons[166] que le saint, devenu écrivain, châtre Dieu à son tour. Ailleurs, il est « fourreau de Dieu »[167] ou « dévote pâmée qui réclame d'être percée par l'épée divine »[168]. De toutes façons, c'est un « militaire manqué »[169]. Comme l'enfant des *Mots*, son épée est brisée. La seule manière, pour Genet, de « conserver quelque dignité, c'est de se faire Saint noir, comme Loyola, estropié, se fit Saint blanc »[170]. Le saint « intériorise [la mort du héros] et la joue au ralenti »[171]. C'est un mort, « il n'est plus au monde. Il ne produit pas, il ne consomme pas [...]. Il meurt de faim au milieu des richesses. [...] comblé de *tout* parce qu'il n'accepte *rien* : alors, le monde abandonné, désert, se dresse comme une cathédrale inutile. L'homme s'en est retiré et l'a offert à Dieu »[172] ; « je dresserais des cathédrales de paroles sous l'œil bleu du mot ciel »[173], lit-on dans *Les Mots*. A

---

161. MT., p. 109.
162. MT., p. 149.
163. Voir *infra*, 3e partie, chap. I, p. 334.
164. S.G., p. 186.
165. S.G., p. 186. Il semble que la lecture de Genet libère l'oralité sartrienne : Genet est une « conscience fourrée à elle-même comme les pruneaux de Tours » (p. 238). Les personnages de ses scénarios masturbatoires sont des « fondants » (p. 342). Oralité toute apparente, car la conscience est « fourrée à elle-même », comme le cercueil doré sur tranche à Michel Strogoff (MT., p. 107), comme Flaubert à Alfred *incorporated* ; sur l'origine anale de ces représentations, voir *infra*, 2e partie, chap. III, p. 281 et 3e partie, chap. II, p. 356.
166. *Infra*, dans ce chapitre, p. 239.
167. S.G., p. 232.
168. S.G., p. 233.
169. S.G., p. 193.
170. S.G., p. 193.
171. S.G., p. 190.
172. S.G., p. 190.
173. MT., p. 152.

propos de « l'opération nominative »[174] chez Genet, Sartre évoque la vieille cérémonie féodale de la *montre* : « après l'hommage, le vassal invitait son seigneur sur la terre que celui-ci lui avait donnée en fief et, le conduisant sur quelque lieu élevé, la lui *montrait*. Ce geste n'apprenait rien au donataire qui connaissait fort bien les lieux : c'était plutôt une action de grâce, une *reconnaissance* du bénéficiaire »[175]. Mais ce qu'il faut « montrer » à l'œil bleu, c'est le phallus imaginaire, la tour faite de mots mise là pour cacher ce qu'on juge dérisoire.

On voit combien la « Sainteté » selon Sartre est polymorphe, comme ce pervers qu'est tout enfant selon Freud. L'une de ses fonctions majeures, au long des cinq cents pages, est d'être l'un des noms de l'homosexualité.

« Sainteté » et homosexualité.

Ce détournement de sens n'est pas innocent. Il constitue, pour nous, au contraire, sous son apparence de provocation à l'égard des Justes, une défense contre la réalité du désir homosexuel. C'est pour nier la spécificité de cette inclination que Sartre construit le mythe de la crise originelle où l'enfant est surpris à voler. Relisons une des nombreuses versions du drame :

> « Ainsi l'acte sexuel qui confère à Genet un destin de tapette renouvelle la crise qui le transforme en voleur : dans un cas comme dans l'autre un enfant est cloué au sol par le regard d'hommes cruels et forts. Mais cette fois la crise est provoquée, consentie et, comme dans un traitement psychanalytique[176], elle acquiert une valeur cathartique »[177].

Malgré les apparences, la reconstruction sartrienne chasse Eros :

> « le coït est doublement sacré : il est l'instant fatal, il ramasse en lui tous les maléfices du vol, du crime et de la décollation. Rien d'étonnant si [...] toutes les pentes de cette âme y conduisent : c'est toute sa vie condensée en un spasme, [...] c'est l'accident qui l'affecta de passivité pour toujours et c'est la décision courageuse qui transforma la catastrophe en un choix [...]
>
> De cette austère cérémonie, la volupté, le bonheur des sens sont rigoureusement exclus »[178].

Au commencement, il y a un hasard malheureux, suivi d'un sursaut de dignité. Jamais n'est présenté comme premier ce qui éclate à

174. S.G., p. 277.
175. S.G., p. 277.
176. Sartre associe une fois de plus psychanalyse et homosexualité, *cf. supra*, 1re partie, chap. I, p. 44.
177. S.G., p. 109.
178. S.G., p. 109.

chaque page de Genet : la surestimation narcissique de son propre sexe.

Une autre façon de nier l'érotisme, c'est de l'escamoter au profit de la nostalgie ou de la tendresse. Surgit alors, en fait, sous ce déguisement, un fantasme de captation du phallus. Reprenons une nouvelle variation sur la crise originelle : l'enfant, surpris à voler, est condamné ; il réagit par « une inversion éthique et généralisée. On l'a, dit-il, retourné comme un gant »[179] ; exilé, indésirable, il lui est interdit de désirer : il est châtré, atteint jusque dans son sexe. Amant, il rêvera de « [voler] à l'aimé son être pour se l'incorporer [...] de lui arracher le sexe et les testicules pour se les greffer »[180]. Engagé à ce point dans le délire de Genet, fantasmant avec lui de compagnie en toute générosité, Sartre se retourne brusquement vers ses lecteurs pour les agresser, pour leur apprendre qu'ils sont tous la proie de quelque Zar[181], abandonnant d'ailleurs l'image de la greffe pour celle de l'être habité, possédé analement. Puis l'agression fait place au lyrisme :

> « Si, pour vous-même, vous êtes déjà l'Autre, si vous souffrez d'une absence perpétuelle au cœur de vous-même, [...] cet autre ne sera jamais plus absent que vous n'êtes [...].
>
> Genet, lui aussi, souffre de n'être jamais au rendez-vous ; [...] c'est un palais vide : les tables sont dressées, les couverts mis, les flambeaux allumés, les lits faits, des pas résonnent dans les couloirs, des portes s'ouvrent et se ferment, on retrouve les verres et les assiettes vides, des ordres sont laissés sur les tables : mais jamais personne ne paraît. Il a guetté, intallé des pièges et des miroirs : tout en vain »[182].

Nous retrouvons là un des tons fondamentaux de Sartre, le lamento de l'abandonné. Sous le palais vide, on reconnaît, un peu endimanchée, la salle louée pour la fête de l'Institut[183]. L'hôte qu'on attend en vain, c'est Dieu, un des noms du Père, dans le *Flaubert* ; c'est, dans *Les Mots*, celui que le grand-père vous préfère ; c'est, de toutes façons, l'image magnifiée de celui qu'on voudrait être, vieil enfant couvert de gloire, fantôme de la Toute-Puissance.

On aurait tort de se laisser égarer par le lyrisme : l'oscillation sans cesse recommencée du « je veux tout » au « je n'ai rien », que la « Passion » homosexuelle reprend inlassablement, laisse voir, à travers la complainte du manque, le désir de châtrer l'aimé, de le priver de sa splendeur, avant de revenir à l'apitoiement sur soi :

> « désarmé l'archange, l'enfant assassiné ressuscite en Genet ; [...] il peut aimer l'enfant dans le jeune dur réduit à l'impuis-

179. S.G., p. 83.
180. S.G., p. 84.
181. Texte cité *supra*, 1re partie, chap. II, p. 71.
182. S.G., p. 85.
183. Voir *supra*, 1re partie, chap. III, p. 100.

sance ; c'est une figure de l'enfance, ce petit sexe, poupée d'étoffe. La tendresse de Genet va de l'enfance à l'enfance ; et c'est sa propre enfance qu'il retrouve chez l'aimé.

Cet enfant mort en moi
Bien avant que me tranche la hache

dit Pilorge ; et nous ne savons plus s'il parle pour lui-même ou pour Genet »[184].

Et nous ne savons plus si Sartre parle pour Genet ou pour lui-même. Car la tendresse de Sartre va aussi de l'enfance à l'enfance, de la petite poupée à la petite poupée, du blondinet du vingtième siècle qui lit *René* sous le regard de feu Chateaubriand, au blondinet du trentième siècle qui s'attendrira sur les œuvres de son aîné[185]. Nous sommes pris à notre tour au piège de l'attendrissement, glissant sur ce qui, pour Sartre, a l'air d'aller de soi : le petit sexe, image de l'enfant. Nous avons vu, en étudiant *Les Mots* et *L'Enfance d'un chef* que cette identification de l'objet partiel à la personne totale, de la poupé phallus à l'enfant[186], est un des signes du complexe de castration. La figure de la mère qui se vit comme châtrée et fait de son enfant une excroissance de son propre corps, n'est pas absente du texte que nous commentons. Sartre écrit quelques lignes plus loin : « s'il devinait qu'il fait l'objet d'une affection douce, à demi-enfantine et maternelle à demi, [le mâle] se sentirait obscurément atteint aux sources de sa virilité »[187]. Cette tendresse suspecte qu'on lui porte ressemble à celle de Lulu pour son mari : elle se complait à l'évoquer « réduit à l'impuissance »[188], à côté d'elle, comme le « jeune dur » auprès de Genet. L'image qui lui vient alors à l'esprit, Gulliver « saucissonné »[189], dit l'équivalence de la poupée phallus et du mâle sans pénis.

La Passion selon Saint Genet

Avec le scénario narcissique du sacrifice de l'aimé, « petite passion d'alcôve » chaque jour renouvelée, véritable noyau fantasmatique où prendre et être pris, grand et petit, gain et perte s'inversent inlassablement, nous tenons sans doute la source archaïque de l'extraordinaire fascination que la Passion du Christ exerce sur Sartre. Les traces de la scène évangélique sont multiples dans l'œuvre. Dans la vie, la rencontre avec le récit biblique se fait très tôt, marquée dès l'origine d'un double mouvement d'appropriation et de rejet : « Un jour, je remis à l'instructeur une composition fran-

184. S.G., p. 126.
185. Voir MT., p. 170.
186. Voir *supra*, 1re partie, chap. II, p. 84-85.
187. S.G., p. 127.
188. MR., p. 102.
189. MR., p. 102. Nous retrouverons l'expression dans *L'Idiot de la famille* et nous verrons que les mêmes fantasmes s'y attachent (voir *infra*, 3e partie, chap. II, p. 356).

çaise sur la Passion ; elle avait fait les délices de ma famille et ma mère l'avait recopiée de sa main. Elle n'obtint que la médaille d'argent. Cette déception m'enfonça dans l'impiété »[190]. Que la Passion puisse être déformée au gré de la fantasmatique personnelle, Sartre le dit, dans *Saint Genet*. A propos de la création littéraire vécue comme Passion, il écrit :

> « Nous connaissons son faux masochisme, son dolorisme feint, nous savons que le christianisme l'a marqué et qu'il n'a pu supporter son exécrable sort qu'en se prétendant l'Iphigénie d'un pur sacrifice offert à tous et à rien. [...] Nous le connaissons assez pour ne pas nous laisser prendre à ces apparences : ce beau mot de Passion, il est creux quand Genet en use »[191].

Pour nous en convaincre, Sartre compare les exercices spirituels de Genet à ceux de Bataille dans *L'Expérience intérieure*. Ce dernier tente, on le sait, de « se fasciner sur la photo d'un supplicié comme le chrétien sur la Crucifixion »[192]. Sartre, qui tient « cette méditation pour une duperie »[193], essaie d'admettre qu'on puisse « réaliser un instant, grâce à elle, la condition souffrante de l'homme »[194]. Revenant à Genet, il conclut :

> « Il n'y a chez lui ni extase dolorique ni méditation sur le « supplice ». Loin de clamer l'absurdité de la souffrance universelle, il cherche à donner un sens à la sienne propre. Son dolorisme est surtout sexuel et nous avons vu ses rêveries sur les malheurs de Divine s'achever paisiblement par une masturbation »[195].

Iphigénie ou Grisélidis, Sartre, reconnaît et démasque la jouissance travestie en souffrance subie ; reconnaît et méconnaît : pourquoi en effet « *faux* masochisme », « dolorisme *feint* » ? Le masochiste qui se supplicie en imagination est aussi *vrai* que l'autre. Sartre qui se supplicie aussi « à [ses] heures »[196], comme Bataille mais différemment, semble là reculer devant le mot. Quand à « ce beau mot de Passion » qui est « creux » quand Genet en use, quel usage peut-on en faire qui ne soit pas « creux » s'il est un « beau mot ? » Et le chrétien, s'il se « fascine » sur la Crucifixion, c'est qu'il s'est pris au piège d'un désir pervers. Sartre voulant démystifier l'usage que Genet fait de la Passion du Christ ne parvient pas à sortir du langage de la séduction. Lui-même n'échappait qu'en apparence au langage du désir lorsqu'il écrivait les lignes fameuses qui terminent le dernier chapitre de *L'Etre et le Néant* : « Ainsi la passion de

---

190. MT., p. 82-83.
191. S.G., p. 514-515.
192. S.G., p. 515.
193. S.G., p. 515.
194. S.G., p. 515.
195. S.G., p. 515.
196. S., I, p. 175.

l'homme est-elle inverse de celle du Christ, car l'homme se perd en tant qu'homme pour que Dieu naisse. Mais l'idée de Dieu est contradictoire et nous nous perdons en vain ; l'homme est une passion inutile »[197]. De fait, il y avait là « abus de confiance »[198], non seulement parce qu'il usait de la langue littéraire dans un ouvrage philosophique[199], mais parce qu'à cette époque, si pour Sartre l'homme est une passion inutile, l'écrivain ne l'est pas, lui qui se perd pour que son œuvre naisse. « Le Dieu de Genet, c'est lui-même, lui-même comme Autre »[200], c'est Genet sacré. « Genet crée pour jouir de son infinie puissance »[201] ; « le Juste qui lit, par une véritable et singulière passion, se perd pour que Genet soit »[202]. La lecture, comme l'écriture, est une passion, mais, après la mise à mort, il reste l'homme-livre.

Il faut prêter attention à ce schéma singulier, décalque de la Passion, que l'œuvre de Sartre répète inlassablement : *x* (l'homme, Dieu, le lecteur...) se perd pour que *y* (Dieu, l'homme, l'auteur...) naisse. Il s'agit chaque fois de perdre pour gagner, de masquer par le manque la toute-puissance ; mais l'opération est infinie et voue à l'insatisfaction perpétuelle. Nous reviendrons sur les avatars du « Qui perd gagne »[203]. Ce que nous voudrions souligner ici, c'est le soubassement archaïque de ce schéma, son enracinement dans le corps. *Saint Genet* rend lisibles les images de castration et de restauration du phallus anal[204]. Reprenons un texte que nous avons déjà cité[205] :

> « Vide, sa conscience était encore de trop [...]. A présent on la met en perce [...] la verge dressée de l'aimé c'est une soudaine concrétion de l'Etre pur. Empalé par l'Etre ! Un autre, en poursuivant son seul plaisir, opère pour le compte de Genet l'identification de Genet avec soi-même ; écrasée, comprimée, perforée, la conscience meurt pour que l'En-soi naisse »[206].

Reconnaissons au passage un des instruments du « supplice » sartrien : « surtout ne pas vous asseoir [conseille Bergère à Lucien]. A moins, dit-il en riant, que ce ne soit sur un pal »[207].

---

197. E.N., p. 708.
198. S., IX, p. 56.,
199. Voir S., IX, p. 56. On dirait que Sartre s'empresse de reconnaître ce mauvais usage de l'écriture pour se masquer un autre « abus de confiance ».
200. S.G., p. 401.
201. S.G., p. 444.
202. S.G., p. 463.
203. Voir *infra*, dans ce chapitre, p. 248.
204. Nous citons *infra*, 2e partie, chap. III, p. 277, un texte de Serge Leclaire qui montre, après Freud, comment « le concept d'un pénis symboliquement indépendant se trouve imaginairement altéré par l'expérience du rejet du bol fécal ».
205. *Supra*, 1re partie, chap. I, p. 46.
206. S.G., p. 108.
207. MR., p. 186.

C'est sans doute le commentaire de *Pompes funèbres* qui éclaire le mieux l'assise fantasmatique de la petite passion d'alcôve et du schéma qui l'informe : *x* meurt pour que *y* naisse. Nous sommes renvoyés au corps et à d'humbles opérations que l'imaginaire enfantin magnifie. Le caractère oral des images que nous allons citer ne doit pas nous abuser. Il s'agit d'ingérer et de digérer.

> « *Pompes funèbres* est le récit des efforts de Genet pour transformer son amant mort en sa propre substance ou, comme il dit, pour le *manger* »[208]. « Digérer un mort [...] : au départ [...] un absent ; à l'arrivée [...] Genet l'unique »[209]. « Nous voyons à l'œuvre l'esprit vorace et dissolvant de notre auteur [...]. Autour de la mort de Jean surgissent comme des diastases diligentes tous les thèmes de la mort selon Genet »[210].
>
> « Cette mante religieuse veut manger son mâle pour pouvoir le recréer en elle [...] Dévoré par Genet, Jean dévorera les choses et les personnes : finalement, c'est Genet qui bouffe tout. *Pompes funèbres* est une gigantesque entreprise de transsubstantiation »[211].

« Cet ogre narcissiste, tout occupé à traîner un mort dans son antre »[212], « ce veuf funambulesque occupé à déglutir son mort »[213], c'est ici Genet ; dans *L'Idiot de la famille,* ce sera Flaubert devant le cadavre d'Alfred le Poittevin ; les métaphores trahiront l'origine anale de l'objet incorporé[214].

Un second mouvement vient très vite annuler le premier, satisfaisant à la fois l'agressivité et le sentiment de culpabilité. Il importe de ne pas se refermer béatement sur ces figures du plein et de maintenir en soi la vacuité[215] : « pour finir, la mante religieuse dévore son mâle, Genet avale, comme une hostie, le Bien et le corps glorieux de son amant ; il les digère. [...] Genet s'incorporant le Bien, c'est le Mal se refermant sur l'Etre pour le dissoudre »[216]. Nous ne sommes pas loin de l'activité de l'esthète définie comme la volupté de faire le mal pour le mal, première tentation de Genet avant l'écriture et dont Sartre écrit : « sa Passion est de se perdre pour que l'être se change en néant »[217].

Réduire l'être au néant, c'est peut-être aussi la véritable passion de Sartre. On peut lire ce désir dans la prolifération des métaphores urétrales et anales qui évoquent la destruction : ronger l'être, ron-

---

208. S.G., p. 483.
209. S.G., p. 484.
210. S.G., p. 487.
211. S.G., p. 489.
212. S.G., p. 492.
213. S.G., p. 498.
214. Voir *infra,* 3e partie, chap. II, p. 340-341.
215. Voir *supra,* 1re partie, chap. IV, p. 152.
216. S.G., p. 499.
217. S.G., p. 370.

ger le réel[218], acide rongeur de la conscience, de la liberté[219], chaux vive de la laideur[220], bain d'acide sulfurique de la lucidité[221] ; se vider, s'écouler, s'évanouir par un trou de vidange : « Divine est un trou par où le monde se vide dans le néant[222] ; c'est pour cela qu'on la nomme Divine : quand elle apparaît, elle provoque une hémorragie de l'être »[223]. Nous aurons l'occasion de revenir[224] sur l'agressivité de Sartre à l'égard de ceux qui se croient propriétaires de Dieu, du Bien, comme ce « gros plein d'Etre »[225] de Claudel. La valorisation, dans l'œuvre de Sartre, du Mal, du Néant, et de l'imaginaire, dont il fait quasiment des synonymes, vient du caractère de ronge-Dieu, de dissolvant de l'être qu'il leur attribue : « déjà il trouve en lui, écrit-il de Genet, ce « principe de délicatesse » dont parlait le marquis de Sade et qui lui fait préférer le néant à l'être, l'imagination au réel, la tension à la jouissance »[226]. Le « superbe projet d'être cause de soi »[227], l'imaginaire seul peut le réaliser ; « puisque l'homme en tant qu'être vient de Dieu, il se choisira résolument imaginaire pour ne se tenir que de lui seul »[228]. Car « dans l'imaginaire, l'impuissance absolue change de signe et devient toute-puissance »[229]. Mais c'est là que le bât blesse. Il semble qu'il faille cacher cette toute-puissance factice, « cette volonté acharnée [...] à saisir la privation comme le chiffre de la plénitude »[230]. A ce moment-là, le choix de l'imaginaire n'est plus seulement désir de détruire mais hantise d'être détruit : « le néant que sécrète la créature est un voile qui la cache aux yeux du Tout-Puissant comme l'encre dont s'enveloppe la seiche »[231]. Dieu ne peut percevoir l'apparence, « saisir un tour de cartes et voir une Vénus dans un bloc de marbre »[232]. « Dieu qui est toute positivité, être infini et infiniment être, est aveuglé par sa toute-puissance : il ne saisit la créature que dans la mesure où elle est positivité »[233]. Il vaut la peine de s'attarder un instant sur ce raisonnement saugrenu, si saugrenu d'ailleurs qu'il est démenti quelques pages plus loin. Sartre commente la phrase de Jouhandeau : « souvent peut-être quand l'homme se scandalise lui-même, Dieu est édifié »[234]. « Dans la *lettre,*

---

218. S.G., p. 20, p. 123.
219. S.G., p. 25, p. 321.
220. MT., p. 210.
221. S.G., p. 303.
222. Roquentin produit fantasmatiquement le même effet, dans le jardin public (voir *supra,* 1re partie, chap. IV, p. 181).
223. S.G., p. 352-353.
224. *Infra,* 3e partie, chap. III, p. 383-384.
225. S.G., p. 161.
226. S.G., p. 20.
227. S.G., p. 73.
228. S.G., p. 334.
229. S.G., p. 443.
230. S.G., p. 110.
231. S.G., p. 202.
232. S.G., p. 334.
233. S.G., p. 202.
234. S.G., p. 213.

écrit-il, cela est conforme au dogme : il est vrai que Dieu connaît l'homme mieux que lui-même »[235]. Puis il se ravise et rajoute en note : « Cela, d'ailleurs n'est pas si clair : comment Dieu, toute positivité, a-t-il l'intelligence du négatif ? »[236]. Evidemment, cela n'est pas clair ! A moins que l'on abandonne cette logique postiche pour essayer de saisir le désir qui s'exprime dans une phrase comme celle-ci : le positif ne peut saisir le négatif. On n'est pas loin alors du « Picotin » et du « Pacota » que Lucien prononçait le soir dans son lit pour empêcher le bon Dieu de voir certaines choses[237]. Comme l'écrit Sartre dans *Saint Genet* : « Une mère prétend savoir tout, elle persuade à l'enfant qu'elle lit dans son âme, il ne se croit jamais seul [...]. Longtemps nos mauvaises pensées nous paraîtront publiques »[238]. Et parlant des vols de Genet enfant, de « cette magie enfantine qui opère aux frontières du néant, du sommeil »[239], toute proche des « fantasmagories de l'onanisme »[240] il écrit : « de temps en temps, Dieu détourne la tête et des actes silencieux, veloutés, inaperçus se coulent hors de l'enfant. [...] à peine prend-il garde à ce qu'il fait : ses mains se promènent »[241]. Oublions un instant que Sartre veut décrire un vol pour n'avoir présente à l'esprit que l'image de la masturbation qui sous-tend le texte : « le but est de prendre avec l'objet l'attitude familière, experte, brutale dans la dextérité[242] qui, aux yeux d'invisibles témoins, l'en désignera comme le véritable propriétaire »[243]. « Par une communion fictive il touche [...] sur cette jouissance évanescente et dérobée, son être imaginaire de fils-de-famille-possédant-de-plein-droits-les-fruits-de-sa-terre »[244]. Mais cette cérémonie d'appropriation est vécue comme extrêmement dangereuse. Peut-être atteignons-nous là les raisons qui rendent compte du caractère curieusement affectif de l'athéisme sartrien. L'ambivalence des sentiments de Sartre à propos de Dieu prend, pour nous, sa source dans le désir contradictoire et impérieux qu'il existe pour pallier le manque et qu'il n'existe pas, car son regard tue. Le désir que Dieu soit est reconnu dans *Les Mots*, le désir qu'il ne soit pas est méconnu même s'il est lisible : c'est l'épisode du tapis brûlé : « Dieu me *vit*, je sentis Son *regard* à l'intérieur de ma tête et *sur mes mains* ; je tournoyais dans la salle de bains horriblement *visible*, une cible vivante »[425]. L'enfant jure

---

235. S.G., p. 213.
236. S.G., p. 214, note 1.
237. Voir *supra*, 1re partie, chap. III, p. 113.
238. S.G., p. 17-18.
239. S.G., p. 21.
240. S.G., p. 21.
241. S.G., p. 18.
242. Tous ces termes renvoient à l'image du grand-père « maniant » ses livres, *cf. supra*, 1re partie, chap. II, p. 83.
243. S.G., p. 18.
244. S.G., p. 19.
245. MT., p. 83 ; souligné par nous.

comme son grand-père et congédie l'intrus : « Il ne me regarda plus jamais »[246].

Peut-être sommes-nous à même de saisir maintenant une constellation d'images qui revient dans l'œuvre et associe trois éléments : le tranchant, la colonne et le vide. S'y expriment, à notre avis, le désir éperdu du phallus, le besoin que l'autre qui est supposé l'avoir en soit privé, et l'appréhension sourde que celui qu'on se fabrique est postiche, autrement dit, en langage sartrien, le tourment que l'en-soi pour-soi se trouve être un « irréalisable ». Déception toujours niée et toujours renaissante dont témoignent, par exemple, deux citations de *Notre-Dame des Fleurs* souvent reprises par Sartre au cours de l'œuvre : « L'Eternel passa sous forme de Mac » et « Dieu était creux »[247]. Nous allons laisser parler trois textes de Sartre : les deux premiers, extraits de *Saint Genet,* portent l'un sur l'argot, l'autre sur l'art de Genet. Le troisième, tiré des *Mots,* dit le désir d'être l'Autre ; nous l'avons déjà cité[248]. Relu après *Saint Genet,* il fait apparaître Simonnot, *colonne manquante,* comme l'équivalent de ce *néant dressé* qu'est l'œuvre d'art.

> « La voix mâle, colonne d'air, verge debout, et le vocable, signe du sexe viril, ne font qu'un. L'argot, verbe en érection, n'a pas d'abord, pour les tantes-filles, la fonction de signifier : il bouleverse et soumet »[249].

> « ce coup de faux, ce trajet d'une lame étincelante et froide qu'on croit posséder dans la souffrance et qui glisse sans laisser de trace, n'est-ce pas le passage en notre âme d'un de ses poèmes ; et ce vide profond que dissimule l'impénétrabilité des durs, n'est-ce pas le néant “ dressé comme une digitale ”[250], but secret de son art ? »[251].

> « Il y a quelqu'un qui manque ici : c'est Simonnot. » [...] au centre d'un anneau tumultueux, je vis une colonne [...] Seul M. Simonnot *manquait.* Il avait suffi de prononcer son nom : dans cette salle bondée, le vide s'était enfoncé comme un couteau. [...] Je voulus manquer comme l'eau, comme le pain, comme l'air à tous les autres hommes dans tous les autres lieux »[252].

Nous voilà au rouet, car ce désir de manquer est l'envers du désir d'être en plénitude, mais le plein à son tour est creux. C'est

---

246. MT., p. 83.
247. S.G., p. 131.
248. *Supra,* 1re partie, chap. II, p. 93 et chap. IV, p. 135.
249. S.G., p. 269.
250. Sartre, simplifiant la phrase de Genet, accentue son caractère phallique. Voici le texte exact : « Les hommes de tels visages m'épouvantent, quand je dois les parcourir à tâtons, mais quelle éblouissante surprise quand, dans leur paysage, au détour d'une venelle abandonnée, je m'approche, le cœur éperdu, et ne découvre rien, rien que le vide dressé, sensible et fier comme une haute digitale ! » *Notre-Dame des Fleurs,* Œuvres complètes, Gallimard, 1951, tome II, p. 10.
251. S.G., p. 507.
252. MT., p. 73-74.

dans l'acte d'écrire que ce désir va chercher son assouvissement impossible et toujours recommencé.

Ecriture et pulsions partielles.

Saint Genet montre éminemment, sans doute parce que la fréquentation de Genet autorise Sartre à régresser, le jeu des pulsions inconscientes à l'œuvre dans l'écriture. Nous retrouvons, à travers celle de Genet qui la rend plus lisible en l'amplifiant, la fantasmatique sartrienne telle que nous avons essayé de la cerner depuis *L'Enfance d'un chef*. La fixation anale y est évidente.

> « On ouvrira *Notre-Dame des Fleurs* comme l'armoire à glace d'un fétichiste pour y trouver, rangés sur les rayons, bottines cent fois humées, baisées, mordues, les mots noirs, humides, luisants du trouble qu'ils ont provoqué [...] un seul lieu : son « trou d'odeur noire, sous la laine râpeuse des couvrantes ». [...] Cet ouvrage de l'esprit est un produit organique, sent les entrailles, le sperme, le lait. [...] Aucun livre, pas même *Ulysse*, ne nous fait entrer si loin dans l'intimité de l'auteur ; à travers les narines du détenu, nous respirons sa propre odeur. [...] Cherchant le trouble et le plaisir, Genet commence par s'envelopper dans ses images comme le putois s'enveloppe dans son odeur »[253].

Ce passage est plein d'échos : pour Sartre aussi les mots sont « noirs »[254]. Lucien, comme Lulu, aime s'enfouir sous ses draps le soir pour sentir « sa propre odeur »[255]. Quant à l'image de l'armoire à glace avec ses objets noirs, rangés sur les rayons, elle témoigne sans doute d'une fascination sartrienne : il est impossible que Sartre n'ait pas rêvé sur le « curieux scandale »[256] que Simone de Beauvoir relate dans ses mémoires et qui se produisit dans l'hôtel où elle habitait, « deux étages au-dessus de [sa] tête »[257] : « dans une armoire, des étrons desséchés s'alignaient sur les planches, comme de petits gâteaux chez un pâtissier. Cela fit un beau vacarme. La coupable fut expulsée sur le champ et quitta l'hôtel, sanglotant sous les injures »[258].

Mêmes connotations dans les textes suivants :

> « La poésie de Genet, c'est *l'irréalisable*. Née dans les mots, l'émotion est emportée par eux « comme un toxique par la purge », elle continue avec eux et en eux son mouvement, avec une vitesse folle et laisse le poète sur place, vidé »[259].

---

253. S.G., p. 416-417.
254. *Cf.* MT., p. 150 : « les petits reîtres noirs et véloces » et I.F., tome III, p. 52 : « ces petits éclats noirs et pointus ». On voit que l'agressivité est intimement liée, chez Sartre, à l'écriture.
255. MR., p. 157.
256. *La Force de l'âge*, Gallimard, 1960, p. 541.
257. *Ibid.*, p. 541.
258. *Ibid.*, p. 541-542.
259. S.G., p. 476.

« D'un poème, il dit, dans *Notre-Dame des Fleurs,* « je l'ai chié ». Tel est son propos esthétique : *se* chier, pour figurer comme un excrément sur la table des justes »[260].

« en affirmant son être jusqu'au bout, en lui conférant par les mots une réalité nouvelle, en le déposant chez autrui comme une ordure, il s'en délivre et se retrouve dans cette négativité pure, [...] dans ce perpétuel dépassement du donné qu'est la conscience. En poussant l'engagement jusqu'à l'extrême, il rejoint la disponibilité »[261].

« Il se peut que sa poésie soit l'art de nous faire bouffer de la merde, mais c'est aussi celui de la dématérialiser. Excréments, vomissements, puanteur : chez lui tout cela ne choque guère : lisez la *Terre* ou *Pot Bouille* et vous verrez la distance qui sépare une fiente épaisse, chaude et odorante de ces étrons distingués, glacés, que Genet essaime dans ses livres et qui ressemblent à des fruits déguisés »[262].

La fixation au stade anal est particulièrement sensible ici dans les efforts faits pour la nier. Que peut bien signifier, en effet, le désir de dématérialiser la matière et cette étrange valorisation de l'étron déguisé par rapport à la fiente épaisse, sinon que les produits du corps sont sentis comme dangereux parce que, en un temps lointain, l'enfant les utilisait fantasmatiquement pour assouvir ses vengeances, détruire l'autre, figurer sur sa table comme un cadeau

260. S.G., p. 452.
261. S.G., p. 511.
262. S.G., p. 369. Il y a peut-être, dans ce désir de déguiser l'étron et de le rendre comestible (l'étron glacé se change en fruit), la trace d'une très ancienne tendance coprophagique. Elle nous semble se manifester plus particulièrement (sous forme de défense puisque ce qu'on mange donne envie de vomir) dans le texte de *Nourritures*, paru en 1938 et repris dans *Les Ecrits de Sartre* par M. Contat et M. Rybalka, Gallimard, 1970, p. 553 à 556 (il s'agit d'un fragment d'une nouvelle inédite intitulée *Dépaysement*). Inspirées par un séjour à Naples, ces pages opposent les nourritures des beaux quartiers à celles des quartiers pauvres. Ainsi, la pâtisserie Caflish à « l'air d'une joaillerie » (p. 554) : ses gâteaux sont « bibelots vernis » (p. 556), « orfèvreries alimentaires » (p. 554). Ils ont « une perfection cruelle : tout petits, tout nets — à peine plus gros que des petits fours, ils rutilaient. Leurs couleurs dures et criardes ôtaient toute envie de les manger, on songeait plutôt à les poser sur des consoles, comme des porcelaines peintes » (p. 554). Ces produits qui découragent la consommation, semblent bien parents des « petits gâteaux » rangés par la malade de *La Force de l'âge* (*cf. supra,* dans ce chapitre, p. 242) sur l'étagère de son armoire (les renvois métaphoriques à un signifié anal sont multipliés dans le texte par le biais des allusions aux bijoux et aux couleurs). Ces « nourritures propres — plus que propres, pudiques » (p. 554), « [masquent] [...] la *vérité* de la nourriture » (p. 554). Cette *vérité* se manifeste dans les quartiers populeux : tranche de pastèque « maculée de boue » (p. 554), transformée en « charogne » saignante, en « viande pourrie » (p. 554) ; « déchets vivants, écailles, trognons, viandes obscènes, fruits ouverts et souillés » qui « [jouissent] avec une indolence sensuelle de leur vie organique » (p. 555). L'évocation de la castration se mêle ici à la complaisance dans la saleté. Le complexe de castration et son palliatif anal sont d'ailleurs lisibles dans l'opposition que réalise le texte entre les petits gâteaux durs et cruels (métaphores du bâton fécal), et les « petits sexes tremblants » que « [raclent] contre la pierre » (p. 555) des enfants aux « derrières nus » (p. 555).

empoisonné[263]. D'où la nécessité de se délester au plus vite de ces matières redoutables : « Il procède à une Assomption par vidage, il égoutte la matière »[264]... « Au fond de toutes ces tentatives qui semblaient sans lien, je retrouve le même désir : chasser l'existence hors de moi, vider les instants de leur graisse, les tordre, les assécher, me purifier, me durcir, pour rendre enfin le son net et précis d'une note de saxophone »[265], soupirait Roquentin en écoutant le petit air de jazz.

S'alléger pour alourdir les autres ou le contraire, ce schéma commence à nous devenir familier : il s'agit toujours de se vider, de s'évanouir, pour se faire reconstituer par autrui, inaltérable, mort, tout-puissant :

> « un Genet fantôme s'installe dans les âmes ; mais le vrai Genet s'est délivré de ce personnage, [...] il est à la fois ce vide extraordinairement vivant qui peut produire par milliers les fantasmes [...] et ce rien « corrosif » et vorace qui absorbe et dissout tout. Il a fait une à une, à vide, ses expériences de « dénuement » progressif [...]. Dehors, au milieu de l'univers, il triomphe : dans les âmes, dans les journaux, dans les livres, il est Genet le Voleur ; pendant ce temps il est, en lui-même, une calme et totale absence. Il s'est délivré de soi [...] ; au moment que la société des Justes, mystifiée, *l'accepte*, par l'acte même qui nous oblige à l'installer en nous il se métamorphose et se place au-dessus de nos consciences asservies »[266].

Qui perd sa détermination misérable gagne l'omnipotence : « pour les lecteurs, il est regard surgissant des mots ; et comme les Justes, par ce regard, se sentent mués en chose, penché sur ces âmes qui s'épaississent et se « prennent » sous ses yeux à la façon d'une mayonnaise, Genet se découvre comme le ferment secret qui provoque cette solidification. [...] Il nous baise : c'est le sacre du Poète »[267].

Que nous nous trouvions là en face d'un fantasme proprement sartrien, un passage à la première personne, à propos du regard surgissant des objets, ne nous permet pas d'en douter : « Je connais bien ce regard maussade : dans un moment de surmenage, il me poursuivait partout, j'étais traqué. Les fenêtres, c'étaient des yeux, j'entrais dans un champ de visibilité absolue [...]. Je cherchais la source du regard et je ne voyais que des fenêtres. Des fenêtres avec quelque chose en plus : l'éclat froid et blême d'une transcendance pétrifiée. Genet est la victime élue de ces regards minéraux »[268]. Minéraliser,

---

263. *Cf.* Mélanie Klein, *La psychanalyse des enfants*, P.U.F., 1972, p. 56, 57, 159, 179, 267.
264. S.G., p. 369.
265. N., p. 218.
266. S.G., p. 522.
267. S.G., p. 508.
268. S.G., p. 242.

être minéralisé, pétrifié, solidifié, épaissi, Sartre dans le passage précédent en donne une traduction brutale : « Il nous baise ». Il repousserait, cela va de soi, notre lecture qui voit dans cette pétrification, le deuxième terme du couple d'opposés : évacuer-retenir en soi. Il préfère citer Bachelard pour qui « la rêverie introvertie de pétrification » nous «ramène [...] au temps où le regard d'un père nous immobilisait »[269]. Chez Genet, elle renvoie au moment de la crise originelle : c'est le regard du Juste qui l'a d'abord « pétrifié ».

Pouvoir pétrifiant ou rongeur : Sartre parle tour à tour le langage de la pulsion anale et celui de la pulsion urétrale : Genet « s'agite dans une colonne de lumière, aveuglé par le regard fixe que la Société abaisse sur lui depuis son enfance, ce regard lui pénètre jusqu'à l'âme et brûle toutes ses pensées »[270]. Le petit Jean-Paul lit, les grandes personnes sont absentes ; cependant : « leur regard futur entrait en moi par l'occiput, écrit Sartre, ressortait par les prunelles, fléchait à ras du sol ces phrases cent fois lues que je lisais pour la première fois »[271]. « Les pages, c'étaient des fenêtres, du dehors un visage se collait contre la vitre, quelqu'un m'épiait ; je feignais de ne rien remarquer, je continuais ma lecture, les yeux rivés aux mots sous le regard fixe de feu[272] Chateaubriand »[273]. « Passif, éphémère, j'étais un moustique ébloui, traversé par les feux d'un phare [...]. Je donnerais à mes ouvrages la violence de ces jets de lumière corrosifs »[274]. C'est ce jet brûlant que Sartre dirigera sur le tombeau de Chateaubriand, lors d'un voyage en Bretagne[275].

On a souvent souligné l'importance du regard dans l'univers de Sartre. On voit que l'acte de regarder peut être métaphorique et dire autre chose que le pouvoir de l'œil. Ainsi est-ce, nous semble-t-il, l'érotisme anal et un fantasme de séduction par le père qui expliquent la résonance dans l'œuvre des scènes où *l'on se fait prendre,* en train de voler dans *Saint Genet,* en train de lire ou d'écrire dans *Les Mots,* en train de regarder par le trou de la serrure dans *L'Etre*

269. S.G., p. 252.
270. S.G., p. 450.
271. MT., p. 56.
272. Par la vertu de l'homonymie, ce défunt brûle.
273. MT., p. 50.
274. MT., p. 152.
275. *Cf.* Simone de Beauvoir, *La Force de l'âge,* Gallimard, 1960, p. 114 : « le tombeau de Chateaubriand nous sembla si ridiculement pompeux dans sa fausse simplicité que pour marquer son mépris, Sartre pissa dessus ». L'équivalent littéraire de ce geste, dédié cette fois-ci à Pascal, se trouve dans *Intimité* : « A Port-Royal. Lulu donna des coups de pieds dans les draps, elle détestait Pierre quand elle se rappelait ce qui s'était passé à Port-Royal. Elle était derrière la haie, elle croyait qu'il était resté dans l'auto, qu'il consultait la carte, et tout d'un coup elle l'avait vu, il était venu à pas de loup derrière elle, il la regardait » (MR., p. 110). Contiguïté de la satisfaction du besoin et de l'annotation mise par Pascal aux fragments qu'il désirait utiliser pour sa conférence « A Port-Royal ». La scène réalise à la fois le désir de corroder une des figures du génie humain, et celui d'être saisi dans la honte. Dans *Les Mots* (p. 202) le masque mortuaire de Pascal voisine avec « un pot de chambre qui figure la tête du président Fallières ».

et le Néant. L'attention consciente s'arrête au vol, à la lecture, à l'écriture, au fait d'épier. Diversion qui permet au désir de se satisfaire dans la littéralité du : on me [sur]prend. *L'Etre et le Néant* rend la posture visible puisque l'exemple choisi pour illustrer l'effet universel de l'être-vu-par-autrui est la très singulière position « courbé-sur-le-trou-de-la-serrure »[276]. C'est redoubler dans le couloir la scène qui, dans *L'Enfance d'un chef*, se passe de l'autre côté de la porte :

> « Lucien inventa un jeu nouveau : le matin, quand il prenait son tub tout seul dans le cabinet de toilette comme un grand, il imaginait que quelqu'un le regardait par le trou de la serrure. [...] Alors il tournait son derrière vers la porte et se mettait à quatre pattes pour qu'il fût bien bombé et bien ridicule »[277].

Revenons aux avatars de l'être-pris dans *Saint Genet*. Une des variantes de l'être-vu-par-derrière et qui lui est d'ailleurs parfois associée, comme dans le texte de *L'Enfance d'un chef* que nous venons de citer, est l'être-vu-dans-la-honte :

> « il appelle des voyeurs scandalisés pour prendre son plaisir dans la honte et le défi. Point d'art encore : l'écriture est moyen érotique ; le regard imaginaire de l'honnête homme n'a d'autre fonction que de donner au mot une consistance nouvelle, étrangère ; le lecteur n'est pas une fin, c'est un moyen, un instrument qui redouble la jouissance, bref un voyeur malgré lui »[278].

La jouissance de Lucien, dans son lit, s'imaginant vu par Costil, est de cette nature : « Regardez donc un peu ce qu'elle fait, la grande asperge ! »[279]. Ce qui est recherché ici, ce n'est pas seulement le plaisir de l'humiliation[280]. Celui qui scandalise se rassure : l'exhibitionniste écartant sa pélerine[281] lit sur le visage de la fillette l'effet produit par ce dont il doute.

Jeu du regard, sado-masochisme anal, complexe de castration, se retrouvent dans le perpétuel renversement du « manier » en être « manié ». Nous avons peut-être là le schéma fondamental de la rêverie érotique chez Genet, Sartre et Flaubert[282] : Genet, identifié à Divine, la fait désirer par « toute la gracieuse théorie des Macs, belles biches aux yeux idiots »[283]. « Créatures et [...] objets de ses

---

276. E.N., p. 321.
277. MR., p. 165.
278. S.G., p. 425.
279. MR., p. 164.
280. Qui peut être considéré, d'une certaine façon, comme l'envers du désir de toute-puissance : aller au devant de l'humiliation, c'est éviter le risque de la subir.
281. Voir *supra*, 1re partie, chap. IV, p. 154.
282. Ou du moins Flaubert tel que Sartre l'imagine. Voir, à ce propos *infra*, 3e partie, chap. II, p. 357.
283. S.G., p. 418.

désirs féminins [...] [ils] sont les moyens qu'il choisit pour se faire manier, tripoter, renverser, pénétrer »[284]. D'autres personnages dans l'œuvre de Sartre remplissent la fonction qui est celle de Divine chez Genet : « le criminel, le fou sont objets purs et sujets solitaires ; leur subjectivité forcenée s'exalte jusqu'au solipsisme au moment qu'ils se réduisent pour tous les autres à l'état de pure chose maniée, de pur *être-là* sans avenir, prisonniers qu'on habille et qu'on déshabille, qu'on nourrit à la main »[285]. Le condamné à mort du *Mur*, le fou de la *Chambre*, le criminel d'*Erostrate*, Frantz dans *Les Séquestrés d'Altona* sont aussi, à leur manière, les moyens que l'auteur choisit pour satisfaire ces désirs archaïques.

Nous clorons cet ensemble de textes destinés à montrer ce que représente l'écriture pour qui n'accepte ni la différence des sexes ni la mort, par un passage qui ne porte pas à proprement parler sur l'acte d'écrire mais qui rassemble en lui tous les schèmes que nous venons d'indiquer. Genet, pendant la messe d'enterrement de Jean, caresse une boîte d'allumettes qui figure son ami ; Sartre écrit :

> « la poche du pantalon est un des éléments essentiels de sa mythologie érotique ; à travers elle on caresse, on se caresse, on y glisse la main pour voler. Glisser la main dans la poche d'un nègre pour voler une pièce d'or et refermer les doigts sur un sexe : il paraît que Genet ne rêve pas de plus grand délice. Et le couteau dans la poche, voisinant avec le sexe, en devient le symbole. Les caresses que Genet prodigue à ce simulacre ce sont tout simplement les gestes de la masturbation. Par là, Genet ne se contente pas de profaner en secret la cérémonie publique : il transforme le monde en un jeune mort et, ce jeune mort, en sa propre verge. Sade rêvait d'éteindre avec son sperme les feux de l'Etna ; la folie orgueilleuse de Genet va plus loin : il branle l'Univers. Au reste il y a quelque maléfice dans ce rapetissement : le mort devient un poupon, un jouet, déjà s'annonce le travail du deuil qui réduira peu à peu la douleur, qui la rétrécira comme une peau de chagrin. On se rappelle avec quelle vénéneuse tendresse Genet voyait le sexe du mâle fondre au plaisir et rapetisser : c'est la même tendresse qu'il ressent à tripoter dans sa poche cette réduction d'un mâle »[286].

Sartre, cédant au désir d'exalter narcissiquement son héros, croit sans doute parler pour lui le langage de l'affirmation phallique. Mais ce qui s'exprime sous cette ambition brûlante, c'est la pulsion urétrale (éteindre les feux de l'Etna) et anale (or changé en pénis noir, équivalent de l'étron), ainsi que l'angoisse de castration (présence rassurante du couteau dans la poche) ; si bien qu'au terme de tous

---

284. S.G., p. 418.
285. S.G., p. 543.
286. S.G., p. 490.

ces « maléfices », il n'y a plus un homme porteur d'un sexe mais un monstre indéfinissable tantôt poupon tantôt phallus.

Qui perd gagne.

Nous pensons avoir suffisamment montré combien l'inconscient de Sartre parle à travers la fascination que Genet exerce sur lui. Ce n'est évidemment pas le but conscient de l'œuvre ! Sartre-Pardaillan s'y propose de défendre une orpheline en la changeant en « un des héros de ce temps »[287]. Par là, il sacralise à nouveau l'écriture qu'il pensait sans doute avoir désacralisée en suivant pas à pas Genet dans son entreprise. *Saint Genet* porte en effet les traces naïves de l'ancienne « religion » sartrienne. Ainsi le « Qui perd gagne » sur quoi se fonde le salut par l'écriture, y est à la fois valorisé et mis en question.

La mise en question peut se lire à travers la critique du mysticisme :

> « Ces clercs sont des truqueurs ; il pouvaient, en suivant la filière ecclésiastique, obtenir *quelque chose* [...]. Poursuivant la Sainteté, c'est donc *quelque chose* qu'ils refusent. Mais par l'emportement qu'ils mettent à refuser, [...] ils se persuadent et persuadent aux autres qu'ils ont *tout* refusé [...]. Leur ruse leur a donné le monde. [...] Avec ces hommes est apparue la sophistique du Non qui était promise, plus tard, à de si éclatants succès »[288].

Sartre ajoute en note : « Les mystiques s'entendaient fort à la sophistique du Non » et il cite saint Jean de la Croix : « Pour arriver à être tout, veillez à n'être rien en rien... » (maxime dont il a fait le titre de son chapitre) et Maître Eckhart : « Tant que je suis ceci ou cela, ou que j'ai ceci ou cela, je ne suis pas toutes choses »[289]. Sartre peut reconnaître là, sans le dire, le dénuement concerté de Roquentin. Aussi ne serons-nous pas étonnés de voir reparaître la sophistique du Non dans *L'Idiot de la famille* sous la forme de la théologie négative[290].

On peut lire également comme écrites contre soi et contre son propre « Qui perd gagne », les pages où Sartre met en compétition Jouhandeau, Genet et sainte Thérèse d'Avila. Juxtaposant trois textes sur le mépris des autres, Sartre comptabilise les souffrances et les mérites de chacun. Sainte Thérèse est taxée de fausse humilité puisqu'elle sait qu'on l'accuse injustement et que Dieu est son témoin[291]. Jouhandeau est classé un peu au-dessus puisqu'il a voulu

287. S.G., p. 549.
288. S.G., p. 191.
289. S.G., p. 191, note 1.
290. Voir *infra*, 3e partie, chap. III, p. 398-399.
291. Voir S.G., p. 206 à 208.

par son abjection « *mériter* ce mépris que [la sainte] méprisait : mais c'est pour que cette volonté de sacrifice lui confère le plus haut mérite »[292]. Autrement dit : « s'il abandonne sa place au Paradis, c'est pour qu'on la lui rende à la droite du Seigneur »[293]. Le vainqueur est sans conteste Genet :

> « Toutes les acrobaties que nous venons de décrire, elles se faisaient au-dessus d'un filet. A présent, le filet est ôté : l'acrobate court un danger de mort. Nous allons retrouver, bien sûr, les vieux concepts éreintés de dénuement, d'humilité, tous les termes de la littérature hagiographique. Pourtant, tout est neuf : c'est que Dieu a disparu ; Dieu, c'était le filet.
>
> [...] Genet, dans la course au plus grand crime, bat tous les records »[294].

Dans l'acrobate que Sartre applaudit, il n'est pas difficile de reconnaître Grisélidis, une Grisélidis qui aurait réussi à se séparer de son Seigneur, qui se laisserait martyriser pour rien, après avoir « pincé le Saint-Esprit dans les caves »[295].

Si Sartre valorise le « Qui perd gagne » de Genet, c'est qu'il n'est pas un pari sur l'au-delà. Genet, à la différence de Jouhandeau ou de sainte Thérèse, ne peut « miser sur les deux tableaux »[296] ; « son demi-athéisme le désarme »[297]. Il a modestement choisi la finitude, accepté de gagner ici-bas, de se faire une place dans cette société qui le rejetait, d'y être quelqu'un : « il a gagné sur tous les tableaux : il échappe à la misère, à la prison, à l'horreur ; les honnêtes gens l'entretiennent richement, le recherchent, l'admirent ; ceux même qui le blâment encore, il faut bien qu'ils l'acceptent puisqu'il a peuplé leur esprit d'images obsessionnelles »[298]. Sartre peut donc écrire sans se contredire : « J'ai montré que son œuvre est la face imaginaire de sa vie et que son génie ne fait qu'un avec sa volonté inébranlable de vivre sa condition jusqu'au bout. Ce fut tout un pour lui de vouloir l'échec et d'être poète. Il n'a jamais renié ses fidélités, il ne s'est jamais soumis, n'a jamais abdiqué, et s'il a gagné, c'est pour avoir joué sans relâche à qui perd gagne »[299].

Ceci ne va pas tout de même sans approximations. On sent, tout au long du livre, un effort de Sartre pour moraliser le « Qui perd gagne » de Genet, pour en évacuer le calcul sous-jacent[300]. Il y

---

292. S.G., p. 213.
293. S.G., p. 217.
294. S.G., p. 218.
295. MT., p. 210.
296. S.G., p. 219.
297. S.G., p. 219.
298. S.G., p. 521.
299. S.G., p. 523.
300. Resterait à savoir pourquoi, une fois le filet ôté et le succès accepté pour ce monde-ci, il faudrait perdre pour gagner. Sartre valorise curieusement ici sur le plan éthique une conduite magique. Rappelons que cette contrainte est liée pour nous à un scénario inconscient de captation du phallus, qui se joue sur le mode anal : se délester pour se lester.

rencontre évidemment quelques difficultés. Ainsi note-t-il à la page 182 :

> « N'a-t-il pas écrit cette phrase inquiétante : " la détresse, le désespoir, ne sont possibles que s'il existe une issue, visible ou secrète " ? En un mot le désespoir [...] crée l'issue ; [...] il sait qu'un invisible témoin le contemple, qui viendra poser les mains sur le front de Genet et chuchoter des phrases tendres : " Tu ne me chercherais pas si tu ne m'avais trouvé. " »

Même inquiétude à la page 228 :

> « Ce Dieu [...] s'identifie avec l'optimisme inébranlable de Genet, il garantit à celui-ci que sa vie misérable et souffrante a, quelque part dans l'absolu, un *sens*. En un mot, il y a désormais une dimension du sacré où les actes de Genet lui sculptent une statue.
>
> Seulement cette folie d'espoir est la véritable trahison de Genet ; [...] Genet ne finira peut-être jamais sa statue mais il ne cesse de la modeler. »

Le mouvement d'ensemble du livre, préfigurant celui des *Mots*, tente de « guérir » Genet, de le faire plus modeste qu'il n'est, de gommer sa démesure. On chercherait en vain dans *Saint Genet*, où Sartre n'est pourtant pas avare de citations, ce passage de *Notre-Dame des Fleurs* :

> « la chiromancienne d'une baraque foraine m'a affirmé qu'un jour je serai célèbre. De quelle sorte de célébrité ? J'en tremble. Mais cette prophétie suffit à calmer mon vieux besoin de me croire du génie. [...] Cette célébrité toute virtuelle m'ennoblit, comme un parchemin que personne ne saurait déchiffrer, une naissance illustre gardée secrète, une barre de bâtardise royale, un masque ou peut-être une filiation divine »[301].

Enfouie, reniée plus que véritablement abandonnée, l'ancienne religion sartrienne, la recherche du salut, c'est-à-dire de la gloire par l'écriture, reparaît cependant en maints passages de *Saint Genet*. En voici deux exemples parmi beaucoup d'autres : « Avant d'écrire, qu'est-il ? Une toute petite ordure, négligeable, une vermine qui court, inaperçue, entre les lattes du plancher »[302]. « S'il n'est qu'un homme, il a perdu : il ne pourra supporter la vie »[303]. La vie de Genet, comme celle de Roquentin, est une métamorphose, mais à l'envers. Nul n'échappe au destin de cancrelat s'il n'est écrivain. Roquentin souhaitait devenir légendaire et Genet écrit : « ma vie doit être légende c'est-à-dire lisible et sa lecture donner naissance à quelque émotion nouvelle que je nomme poésie »[304].

---

301. Genet, *Œuvres complètes*, Gallimard, 1951, tome II, p. 159-160.
302. S.G., p. 450.
303. S.G., p. 61.
304. *Journal du Voleur*, Gallimard, 1949, p. 126.

Dans *Saint Genet,* Sartre ne parvient pas à démystifier le « Qui perd gagne » : il ne parvient pas non plus à se déprendre du « comme personne ».

L'évolution du « comme personne » au « comme tout le monde » est soulignée, comme dans *Les Mots* : « Cette conscience s'était aliénée : elle se reprend ; libéré de ces fantômes qu'il nommait les Justes, il découvre les hommes, qui ne sont ni justes ni injustes mais, tout à la fois [...] ; parmi les hommes il *se* découvre non plus comme *le* Voleur ni comme *la* Sainte, mais sous l'aspect d'un certain homme semblable à tous et à personne. Il ne se croit plus ni oblat ni coupable, puisque le sacré a déserté son univers »[305]. Mais nous ne sommes pas plus convaincus que lorsque nous lisons la fin des *Mots.* Trop de remarques au cours du livre viennent infirmer ce passage. Ainsi, dès le départ, la chance de Genet fût-elle selon Sartre, de pouvoir « trouver dans son anonymat administratif un recours contre l'idée particulière que les villageois se font de lui »[306]. « Il sait qu'il est double dans sa réalité objective : pour les braves gens qui l'entourent il est une figure singulière, le petit Jean ; mais quelque part dans un bureau, à cinq ou six cents kilomètres de son village, il est un numéro, un enfant *quelconque.* [...] L'enfant trouvé, en Genet, devient sujet universel »[307].

Cet enfant « quelconque » est très loin du « n'importe qui », malgré les apparences. Il y a, sous son indétermination, quelque chose qui rappelle le « Pour arriver à être tout, veillez à n'être rien en rien »[308]. Sa chance est justement de n'être pas le petit Jean qui, lui, est n'importe qui. Plus tard, si Genet choisit le mal, c'est justement pour n'être pas n'importe qui : car « les hommes de bonne volonté sont interchangeables. [...] à travers eux l'être va au Bien comme la vache au taureau »[309]. L'image est parlante. L'est aussi cette analyse :

> « si Genet s'était vraiment sauvé en exerçant ce métier [...] nous ignorerions jusqu'à son nom [...]. Pourquoi donc écrirait-il, ce bourgeois du crime ? [...] le maître des outils, nous le savons, c'est *n'importe qui.* « Je suis, dit Genet, devenu moi-même. » [...] si c'est là ce qu'il nomme sa délivrance, elle se traduit par un affranchissement si radical que ce rêveur « réadapté » [...] ne doit pas même pouvoir comprendre qu'il se trouve des gens pour se jeter dans la folle entreprise d'écrire.
>
> Fort heureusement, le changement n'est pas si radical »[310].

Il semble bien que Sartre n'accepte le « comme tout le monde » que lorsqu'il est sûr de n'être « comme personne », une fois l'œuvre

305. S.G., p. 531.
306. S.G., p. 58.
307. S.G., p. 58.
308. Voir *supra,* dans ce chapitre, p. 248.
309. S.G., p. 152.
310. S.G., p. 376.

accomplie. On est tenté de lui retourner la critique qu'il fait du saint mystifiant le pauvre : « l'abandon des possessions qu'on a est un acte de prince. C'est jouir éminemment »[311]. Ce n'est sans doute pas un hasard s'il nous vient à l'esprit ces admirables lignes des *Mots* où Sartre retrouve toute une littérature de la condition humaine :

> « A Sainte-Anne, un malade criait de son lit : " Je suis prince ! Qu'on mette le Grand-Duc aux arrêts. " On s'approchait, on lui disait à l'oreille : " Mouche-toi ! " et il se mouchait ; on lui demandait : " Quel est ton métier ? " ; il répondait doucement : " Cordonnier " et repartait à crier. Nous ressemblons tous à cet homme, j'imagine ; en tout cas, moi, au début de ma neuvième année, je lui ressemblais : j'étais prince et cordonnier »[312].

Peut-être Sartre n'accepte-t-il d'être cordonnier que lorsqu'il est certain d'être prince. Mais peut-être aussi ne se pose-t-il la question qu'à partir du moment où il perçoit confusément qu'être écrivain aujourd'hui, ce n'est plus être prince.

Quoi qu'il en soit, comme nous le disions en terminant notre chapitre sur *Les Mots*[313], l'oscillation problématique du « comme personne » au « comme tout le monde » traduit pour nous l'impossibilité de répondre à la question « Qui suis-je ? ». Il n'y a ni hommes ni femmes dans *Saint Genet*. La castration est généralisée. Les mâles sont des apparences, les femmes des « femelles dégraissées »[314], « absentes de tout gynécée »[315]. On nous objectera qu'il ne saurait en être autrement puisque Sartre a choisi de parler de Genet. Certes, mais nulle part, dans le livre, il n'apparaît que pour Sartre lui-même une femme puisse être autre chose qu'un homme châtré. De Mignon Sartre écrit : « c'est à son propos que Genet a le plus clairement montré les étapes d'une entreprise concertée de féminisation »[316]. L'idée que l'on puisse poser à Genet la question « Qui es-tu ? » déclenche la charge émotive des lignes sur le Zar qui nous chevauche tous, et le passage se termine par une interdiction absolue suivie de consignes appliquables à chaque cas : « il n'est plus permis à personne de dire ces simples mots : je suis moi. Les meilleurs, les plus libres peuvent dire : j'existe. C'est déjà trop. Pour les autres, je propose qu'ils usent de formules telles que : « Je suis Soi-même... » ou : « Je suis un Tel *en personne* »[317]. Curieuses précautions. Genet, en tout cas, ne peut pas répondre à

311. S.G., p. 188, note 2.
312. MT., p. 173.
313. Voir *supra*, 1re partie, chap. II, p. 92.
314. S.G., p. 561.
315. S.G., p. 563.
316. S.G., p. 127. La féminité vient toujours de la situation chez Sartre, jamais du sexe. Sur la « féminité de Flaubert, voir *infra*, 3e partie, chap. I, p. 343.
317. S.G., p. 85.

la question « Qui suis-je ? », il est « Genet et le sphinx en une seule personne »[318]. Et lorsque Sartre répond pour Genet, nous retrouvons l'indétermination dont nous savons qu'elle renvoie, en fin de compte, à l'alternative avoir le phallus-être châtré : « Il n'est plus rien qu'une liberté sans visage qui dresse des pièges fascinants pour d'autres libertés »[319]. « En se déterminant *dans son œuvre* comme *le Voleur*, Genet échappe à cette détermination, il s'oppose à elle comme libre conscience créatrice qui ne saurait se définir qu'en termes de libre activité indéterminée »[320]. Nous ne saurions oublier les images qui, dans *Saint Genet*, représentent la détermination et la liberté : « l'homme de bien se châtre : il arrache de sa liberté le moment négatif et projette hors de lui ce paquet sanglant. Voilà la liberté coupée en deux : chacune de ses moitiés s'étiole de son côté. L'une demeure en nous »[321]. « Qui donc, de son propre gré, quitterait le troupeau et ses préceptes confortables pour aller rejoindre cette liberté mutilée dont les tronçons sanglants se tordent dans la poussière ? »[322] Tout le travail de Genet va être de recoudre les morceaux : « ce labyrinthe du Bien et du Mal où il s'est égaré, il s'apercevra que ce sont les honnêtes gens qui l'ont construit, le jour où par frousse verte, ils ont coupé en deux la liberté. L'Etre, le Non-Etre [...] il n'y verra plus que des reflets que les deux tronçons se renvoient [...]. Qu'il ressoude ces tronçons et la liberté va se rétablir [...]. Alors, peut-être, la vraie morale va le tenter »[323]. Hélas ! une note au bas de cette même page donne la vraie morale pour « *impossible aujourd'hui* ». Décidément, ces deux tronçons ressoudés semblent bien être, comme l'En-soi pour-soi, un « irréalisable ».

Genet ou Sartre ?

L'exhortation à ressouder les tronçons s'adresse-t-elle seulement à Genet ? Ces « tourniquets »[324] en perpétuel mouvement, ce jeu de balançoire de l'Etre au Néant, du réel à l'imaginaire, du Bien au Mal, ne sont-ils pas d'abord sartriens ? L'étude de Genet permet à Sartre de magnifier l'imaginaire, de glorifier cette conscience imageante dont il a, dès le début de sa recherche philosophique, décrit et fait reconnaître l'autonomie. C'est d'abord lui, nous le savons depuis *L'Etre et le Néant*, qui asssimile les uns aux autres, le plein, l'être, le réel, Dieu d'une part, le vide, le néant, l'imaginaire et le mal d'autre part, en valorisant cette dernière série, puisqu'elle a partie liée avec la liberté.

318. S.G., p. 239.
319. S.G., p. 510.
320. S.G., p. 511.
321. S.G., p. 29.
322. S.G., p. 33.
323. S.G., p. 177.
324. S.G., p. 306.

Le privilège exorbitant accordé à l'image n'est nulle part plus manifeste que dans le grand débat sur le mal qui hante, d'un bout à l'autre[325], *Saint Genet comédien et martyr.* Dans les glissements de Genet à Sartre que nous avons vus s'opérer précédemment, nous avons observé, à travers les métaphores, le jeu des pulsions intervenant à la limite du vécu corporel et du représenté. Le débat sur le mal se situe à un autre niveau, celui, nous semble-t-il, d'une défense de type intellectuel contre les fantasmes sadiques.

Etudiant Genet, Sartre se trouve amené à distinguer deux sortes de mal, le *Mal de la Conscience*[326], celui de la brute qui tue dans la nuit de l'âme, le boucher de Hambourg par exemple, et la *Conscience dans le Mal* « que Baudelaire tenait pour le Mal suprême »[327] et qui se repaît, en fait, de crimes imaginaires[328]. Jouir solitairement de ses fantasmes voilà le vrai mal :

> « Acte démoniaque pur, l'onanisme soutient au cœur de la conscience une apparence d'apparence [...]. Et pourtant, par un renversement qui portera l'extase à son comble, ce clair néant provoquera dans le monde vrai des événements réels : [...] les taches humides sur les couvrantes ont l'imaginaire pour cause [...]. Non, l'onanisme de Narcisse n'est pas, comme un vain peuple le pense, une petite galanterie qu'on se fait vers le soir, [...] il se veut crime. [...] l'irréel, le mal ont produit directement et sans recourir à l'être un *événement* dans le monde »[329].

Assassiner un enfant est un moindre mal : le criminel passe à l'acte, crée de l'être pour parvenir à ses fins ; ses moyens sont donc moins purs. On aurait tort de ne voir là que gamineries provocantes à l'égard des Justes. Il est vrai que l'on pourrait retourner à Sartre, lorsqu'il exalte l'onanisme de Genet, ce qu'il écrit de Jouhandeau : « il fait un bruit du diable pour quelques voluptés vénielles »[330]. Mais ce serait manquer l'essentiel. Sartre prête à Genet le désir d'unir en lui les deux sortes de Mal : « il veut *tout à la fois* : engendrer le Mal *ex nihilo* par une décision souveraine et le produire par une nécessité naturelle. Etre tout ensemble Satan et phylloxéra »[331].

Ce vœu d'omnipotence se satisfait imaginairement dans l'œuvre de Sartre à travers Frantz, le Séquestré : comme Erik dans *Pompes*

---

325. Même s'il fait plus particulièrement l'objet du livre II, intitulé « Première conversion : le Mal » ; ajoutons que ce livre constitue plus de la moitié de l'ouvrage (p. 55 à 391).
326. S.G., p. 156.
327. S.G., p. 156.
328. Les exemples donnés par Sartre, « Maldoror ou Fantomas » (p. 156), sont des êtres de papier qui renvoient non aux crimes, mais aux fantasmes sadiques de leurs auteurs.
329. S.G., p. 342.
330. S.G., p. 219.
331. S.G., p. 65-66.

funèbres, il rêve d'être possédé par Hitler[332] et il fait dire à son père : « Le boucher de Smolensk, c'est toi »[333]. Le réel historique permet à l'écrivain d'assouvir ses fantasmes en faisant passer à l'acte ses personnages. L'horreur de l'événement (la guerre, le nazisme) est telle qu'il va de soi que l'auteur ne saurait être du côté des bourreaux ; mais le ça peut jouir de ce dont le moi et le surmoi se scandalisent. La création du personnage de Frantz, comme celle des héros de Genet, réalise le désir inconscient d'être objet de réprobation, c'est-à-dire, comme l'a bien vu Genet, « l'inverse d'une Adoration Perpétuelle » : fouillé par des policiers espagnols qui retirent de sa poche un tube de vaseline et ironisent sur leur trouvaille, Genet écrit :

> « J'étais en cellule. Je savais que toute la nuit mon tube de vaseline serait exposé au mépris — l'inverse d'une Adoration Perpétuelle — d'un groupe de policiers beaux, forts, solides. Si forts que le plus faible en serrant à peine l'un contre l'autre les doigts pourrait en faire surgir, avec d'abord un léger pet, bref et sale, un lacet de gomme qui continuerait à sortir dans un silence ridicule. Cependant, j'étais sûr que ce chétif objet si humble leur tiendrait tête, par sa seule présence il saurait mettre dans tous ses états toute la police du monde, il attirerait sur soi les mépris, les haines, les rages blanches et muettes, un peu narquois peut-être — comme un héros de tragédie amusé d'attiser la colère des dieux — comme lui indestructible, fidèle à mon bonheur et fier »[334].

Sartre reprend ce texte dans *Saint Genet* et l'accommode à sa façon :

> « Enfin il se voit, il se touche : ce gros bouquin prohibé, pourchassé par la police, c'est lui ; si vous l'ouvrez, des personnages soudain vous entourent, lui encore. Il est partout, il est tout, les hommes et les choses, la société et la nature, les vivants et les morts. Qu'on imagine sa joie : il vit seul, en secret, il se cache de la police, il signe d'un faux nom sur les registres des hôtels, il efface ses pas, toutes les traces de son passage, il existe à peine : pourtant il est partout, il occupe tous les esprits, il est l'objet d'une horreur véritable. De ses livres on pourrait dire, sans changer un mot, ce qu'il disait de son tube de vaseline : « J'étais sûr que ces chétifs objets si humbles leur tiendraient tête, que par leur seule présence, ils sauraient mettre dans tous leurs états toutes les bonnes consciences, qu'ils attireraient sur eux les mépris, les haines, les rages blanches et muettes, un peu narquois peut-être... indestructibles, fidèles à mon bonheur et... pour toujours exposés au mépris, l'inverse de l'*Adoration Perpétuelle* »[335].

---

332. Voir *infra*, 3e partie, chap. III, p. 378.
333. *Les Séquestrés d'Altona*, Gallimard, 1960, acte V, scène I, p. 211.
334. *Journal du voleur*, Gallimard, 1949, p. 22-23.
335. S.G., p. 453.

Notons que Sartre change plus d'un mot : il passe du singulier au pluriel pour réaliser l'identité du tube de vaseline et des livres, il substitue à « toute la police du monde » « toutes les bonnes consciences », pour ne pas restreindre le public de Genet, et, finalement, il ne résiste pas au plaisir de tailler dans le texte de Genet, de déplacer un membre de phrase, pour achever son paragraphe sur l'*Adoration Perpétuelle,* mise en italique et pourvue de l'article défini. Remarquons encore que l'on trouve dans ce texte les fantasmes de l'enfant des *Mots* : « à peine paru, mon premier livre déchaînerait le scandale, je deviendrais un ennemi public [...]. Poursuivi, déguisé, proscrit peut-être, [...] »[336]. Comparons enfin l'homme-livre-tube-de-vaseline et l'homme-livre des *Mots* : « il existe à peine : pourtant il est partout, il occupe tous les esprits, il est l'objet d'une horreur véritable ». « On *me* lit, je saute aux yeux ; on *me* parle, je suis dans toutes les bouches [...]. Je n'existe plus nulle part, je *suis,* enfin ! je suis partout »[337]. Même hypertrophie du moi, dans le rêve d'approbation ou de réprobation universelle.

Revenons aux deux espèces de mal distinguées par Sartre dans *Saint Genet.* La *Conscience dans le Mal* narcissiquement valorisée renvoie, pour nous, au complexe de castration et à l'exhibitionnisme : elle suscite imaginairement un témoin, Dieu, les Justes, le Père dans *Les Séquestrés d'Altona,* dont la colère, l'indignation ou la douleur garantissent au sujet qui rêve de crimes un pouvoir dont il est autrement peu sûr. Quant au *Mal de la Conscience,* il est un fourre-tout commode qui permet à Sartre de méconnaître une fois de plus le désir et la loi : la brute ne fait pas le mal, elle en est le « porteur comme la mouche est porteuse de germes »[338]. Bref, Genet est Satan, l'assassin est phylloxera ; il a glissé hors de l'humain : « celui qui *aime* le sang et le viol, comme le boucher de Hambourg, celui-là est un fou criminel mais ce n'est pas un vrai méchant »[339]. « Je doute personnellement, commente fort justement Georges Bataille, que le sang eût eu pour le boucher la même saveur s'il n'avait pas été celui du crime, qu'interdit la loi première, opposant l'humanité qui observe des lois, à l'animal qui ignore toute loi »[340]. Sartre, dans son empressement généreux à réintégrer Genet, notre frère, dans la communauté humaine, en exclut le fou criminel.

Tout au long de son étude, Sartre associe le pouvoir de produire des images à la liberté, à l'audace, au défi, à l'orgueil, à la toute-puissance, au contrôle, à la maîtrise, au refus de subir. Il lui arrive pourtant, quelques rares fois, de saisir la faiblesse secrète du choix

336. MT., p. 156.
337. MT., p. 162.
338. S.G., p. 157.
339. S.G., p. 149.
340. *La littérature et le mal,* Gallimard, 1967, collection idées, p. 217.

de l'imaginaire et ce qu'il comporte de peur de vivre[341]. Ainsi est-ce dans le passage même que nous avons cité[342], où l'onaniste semble rivaliser avec Dieu puisqu'il crée de l'être avec du néant, que Sartre écrit : « Narcisse a peur des hommes, de leurs jugements, de leur présence réelle »[343]. A propos des amours solitaires de Genet avec l'image d'un « Mac », il note : « rien ne le déborde »[344]. Léger, il n'aura à vivre ni l'attachement ni la séparation. Comme les « Carolines » de Barcelone, il ne craint rien parce qu'il est « déjà mort » ; comme elles, il est « à l'abri »[345]. La catégorie du « déjà mort » revient souvent pour qualifier Genet :

> « Une Vénus triviale qui ne se distingue guère de la digestion, de la respiration, des battements de notre cœur, nous incline doucement vers la femme ; il suffit de lui faire confiance, cette déesse servante se chargera de tout : de notre plaisir et de l'espèce. Mais Genet *est mort* [...]. Il ne trouve en lui aucun de ces puissants instincts qui soutiennent les désirs de l'honnête homme [...] il lui est *originellement défendu* de désirer »[346].

Là encore, Sartre semble vouloir ignorer l'ordre humain du désir : l'honnête homme va au Bien comme la vache au taureau[347] et il va, semble-t-il, tout aussi paisiblement vers la femme. Le parcours, toujours hasardeux, qui aboutit au choix de l'autre ou du même, est réduit à un béat fonctionnement d'organes. Quant à Genet, son incapacité de ressentir est rattachée, bien entendu, à l'inépuisable crise originelle.

L'attitude de Sartre vis-à-vis de l'anesthésie de Genet est donc complexe : Genet est victime de son insensibilité, mais elle ajoute à ses mérites. Le créateur d'images « connaît une espèce d'ataraxie parce qu'il ne subit plus rien : jusque dans l'affectivité pure, Genet a réussi enfin à introduire l'activité »[348]. A tout propos, Sartre souligne que Genet « a la passivité en horreur »[349], qu'il est « bien éloigné de l'abandon à la sensualité »[350], que de l'« austère cérémonie [du don de soi à l'aimé], la volupté, le bonheur des sens sont rigou-

---

341. Nous verrons *infra*, 3e partie, chap. IV, p. 424, que Sartre en restera, dans *L'Idiot de la famille*, à cette attitude ambivalente vis-à-vis du choix de l'imaginaire, passant continuellement de la surestimation à la dépréciation.
342. *Supra*, dans ce chapitre, p. 254.
343. S.G., p. 342.
344. S.G., p. 339.
345. Voici le passage du *Journal du Voleur* (p. 107) tel qu'il est cité par Sartre : « Couvertes de ridicule, les Carolines étaient à l'abri. . . Toutes étaient mortes. Ce que nous en voyions se promener étaient des ombres retranchées du monde. Les tapettes sont un peuple pâle et bariolé qui végète dans la conscience des braves gens » (S.G., p. 99).
346. S.G., p. 83.
347. Voir *supra*, dans ce chapitre, p. 251.
348. S.G., p. 511.
349. S.G., p. 339.
350. S.G., p. 518, note 1.

reusement exclus »[351]. Il y a pour nous, dans cette valorisation puritaine de l'activité, une secrète défense contre l'homosexualité. Il faut que Genet soit mâle en quelque façon pour être un héros sartrien. Cependant, Sartre fait parfois apparaître dans cette tension comme une crispation apeurée : dans l'imaginaire même, où Genet semble régner en maître, il lui faut encore être sur ses gardes : « l'abandon lui fait peur : il se tient. Se confier, si peu que ce soit, à l'ivresse, à l'inspiration, à l'automatisme, c'est risquer de voir apparaître d'étranges monstres qui le conduiront au suicide »[352]. Danger du côté des hommes, danger du côté de l'inconscient.

Cette inaptitude à la jouissance est liée, d'un point de vue psychanalytique, au vœu inconscient d'être le phallus et, partant, à l'impossibilité de l'avoir[353]. *Saint Genet* semble une illustration aveugle de ce que la théorie psychanalytique a dégagé de la clinique. Illustration, parce que les images parlent d'elles-mêmes et redisent un inlassable culte phallique ; aveugle, parce que Sartre prend prétexte de glissements de sens pour rationaliser : ainsi, lorsqu'il passe de la rigidité au cadavre, il parle encore le langage figuratif de l'inconscient ; mais lorsqu'il utilise l'image du cadavre pour créer la catégorie intellectuelle du « déjà mort », où la castration est rejetée sur les Justes, Sartre, éternel procureur[354], s'interdit de voir les implications de ce culte phallique : négation de l'autre sexe, refus de la vie limitée, soumise à la mort, complexe de castration. Retenons quelques textes parmi bien d'autres :

> « L'impassibilité des Macs les transformait en cadavre ; inversement la mort de Jean n'est rien qu'un peu d'impassibilité. Genet va pouvoir commencer à l'aimer »[355].
>
> « Ils se regardent[356], se haïssent et chacun est pour l'autre l'image de sa propre haine : c'est l'absolue séparation qui les rejoint : cette grande figure raidie dont chacun se revêt et qu'il contemple sur l'autre, c'est à la fois le symbole de l'érection et celui de la rigidité cadavérique »[357].
>
> « Si l'aimé se révélait conscience, [...] [il] perdrait va vertu maléfique et sublime de cadavre transfiguré »[358].
>
> « *Rigidité,* mot cher à Genet [...] le Destin est une verge géante, l'homme est tout entier sexe et le sexe devient homme.

---

351. S.G., p. 109.
352. S.G., p. 474.
353. Voir *supra,* 2e partie, chap. I, p. 204, note 19.
354. L'enquête interminable sur les causes, qui détourne l'attention du fait lui-même, la question : « D'où cela vient-il ? » constamment réitérée, nous paraît être, chez Sartre, la principale défense contre la prise de conscience. Le besoin de comprendre peut masquer le désir d'ignorer.
355. S.G., p. 486.
356. Il s'agit de Genet et d'un complice, éprouvant passagèrement un attrait mutuel.
357. S.G., p. 298.
358. S.G., p. 104.

[...] Le pansexualisme de Genet va retrouver partout cette roideur musculaire et sexuelle »[359].

Sartre brode sur le thème de Genet. Il ne perçoit pas l'étrangeté de l'affirmation : sexe égale homme. C'est que, nous l'avons vu[360], pour son propre inconscient, elle va de soi[361]. C'est aussi pourquoi, il paraphrase sans s'étonner le travail du deuil entrepris par Genet[362] dans *Pompes funèbres* après la mort de Jean Decarnin. Il célèbre l'ingestion du cadavre de Jean[363], sans discerner les implications de cette incorporation fantasmatique du phallus anal. Toujours soucieux de valoriser la crispation au dépens de l'abandon, il écrit : « le propre de ses sentiments c'est qu'ils sont actifs. Il les pousse à l'extrême pour s'en rendre maître et parce qu'il ne veut rien subir ; aussi, nous l'avons vu, ne ressent-il jamais rien qu'à moitié. Sa douleur *c'est* justement cet acharnement qu'il met à la jouer pour en sortir ; c'est son livre »[364].

Sartre glisse pudiquement sur la façon dont se réalise cette volonté de ne rien subir et ferme les yeux sur la misère profonde dont témoigne *Pompes funèbres* : la peur panique de finir est présente dans l'impossibilité de vivre humainement la mort de l'autre ; la disparition de celui qui représente le phallus est l'image d'une insoutenable castration. Il faut s'empresser de la maîtriser en la voulant, détruire ce phallus trop fragile en le remplaçant immédiatement par un autre qui le nie : dans l'obscurité d'une salle de cinéma, Genet dédie au jeune milicien un instant apparu sur l'écran la mort de son ami résistant (« Tue-le, Riton, je t'offre Jean »[365]) et retrouve ainsi l'omnipotence imaginaire un instant menacée par le réel. Maître de la vie et de la mort, il commande après coup le meurtre de celui qu'il aime, se précipite à imaginer une hécatombe érotique de jeunes mâles, remonte du milicien au soldat allemand, de celui-ci au bourreau de Berlin et de ce dernier à Hitler. Cela fait, il retrouve la tranquillité de Querelle enfant au pied des tours de La Rochelle[366].

Aussi pouvons-nous nous demander, en terminant ce chapitre, si, dans sa hâte de comprendre Genet, de l'annexer pour s'en défendre et provoquer les Justes, Sartre ne s'est pas interdit de l'entendre en niant à tout prix la spécificité de l'organisation perverse :

---

359. S.G., p. 105.
360. Voir *supra*, dans ce chapitre, p. 235.
361. *Cf.* : « ce n'est pas lui [Genet, auteur] qui décide [du destin de ses personnages], c'est le petit homme capricieux et blasé qu'il porte entre les cuisses » S.G., p. 419.
362. Ou plutôt l'ersatz qui en tient lieu. Sur le « travail » du deuil voir Freud, « Deuil et mélancolie », dans *Métapsychologie*, Gallimard, 1968, collection idées, p. 147 à 174.
363. Voir *supra*, dans ce chapitre, p. 238.
364. S.G., p. 483.
365. *Pompes funèbres*, *Œuvres complètes*, tome III, Gallimard, 1953, p. 36.
366. *Cf. infra*, p. 262, la citation du *Journal du Voleur*.

Sartre a besoin de moraliser[367] son héros : à propos de la fascination qu'exerce la police sur Genet, il écrit : « Le désir d'avouer, c'est le rêve fou de l'amour universel »[368]. Sartre oublie vite le caractère particulier de cet amour, qu'il exclut l'amour de l'homme pour la femme, l'union des corps dans la tendresse, qu'il a besoin du pouvoir et de la soumission comme adjuvant. De même, lorsque les héros de Genet trahissent, c'est pour « arracher de soi un par un tous ceux qu'on aime, mériter leur mépris »[369] ; ce « dépouillement systématique »[370] est une « ascèse »[371]. Genet, lui, parle de se « [hisser] sur un socle de solitude »[372] donnant à lire à la fois son narcissisme et sa peur de toute relation qui engage.

Si dans *Pompes funèbres* le petit Pierrot se force à garder dans sa bouche un asticot qu'il y a mis par mégarde, Sartre cite le commentaire de Genet : « Il se trouva pris entre s'évanouir d'écœurement ou dominer sa situation en la voulant. Il la voulut. Il obligea sa langue et son palais à éprouver savamment, patiemment le contact hideux. Cette volonté fut sa première attitude de poète que l'orgueil dirige. Il avait dix ans »[373] ; mais il ne retient de ces lignes que le volontarisme et non le goût particulier, travesti en dégoût, que cette exploration révèle. A la page suivante, tout de même, la scène reparaît avec ses implications sexuelles : Sartre rappelle des comportements d'adolescentes cités par Simone de Beauvoir dans *Le deuxième sexe* et qui se rapprochent beaucoup de celui de Pierrot :

> « ces adolescentes s'essaient à réaliser symboliquement et de leur propre initiative l'acte de défloration dont le pressentiment obscur suffit à leur faire horreur et dont elles savent qu'il leur sera imposé. Ce qu'il y a de commun chez Genet et chez ces petites filles, c'est que les unes comme l'autre n'ont pas d'autre ressource que de vouloir ce qui est. De toute façon, les jeux

---

367. Dans son *Journal Paris-Berlin* (Christian Bourgois, 1968), Witold Gombrowicz se demande en termes « virils » si Sartre ne s'est pas « laissé « avoir » par Genet » (p. 97) et il poursuit : « Mais d'abord, pourquoi Genet lui-même, en nous annonçant qu'il choisit le Mal et veut le Mal, me paraissait aussi peu convaincant que le jeune filou qui vient raconter des bobards au juge d'instruction ? Quelqu'un ici, a dû « avoir » quelqu'un d'autre. Est-ce Genet qui « a eu » Sartre ? Genet qui « s'est laissé avoir » par lui-même ? » (p. 97). Pour Gombrowicz, qui nie aussi la spécificité de l'organisation perverse, mais autrement que Sartre (Genet est devenu pédéraste « en suivant la voix de son corps » p. 98) et pour d'autres raisons, Genet s'est d'abord abandonné à la facilité : vagabondage, vol, prostitution ; puis, ayant intéressé l'intelligentsia parisienne, il a moralisé son cas : « Et c'est à cette jeunesse-là, déjà dûment trafiquée par l'âge mûr, que Sartre alors est venu appliquer ses analyses plus mûres encore... » (p. 100).
368. S.G., p. 168.
369. S.G., p. 174.
370. S.G., p. 174.
371. S.G., p. 174.
372. *Journal du Voleur*, Gallimard, 1949, p. 258.
373. S.G., p. 61.

sont faits. Genet est un voleur, les fillettes seront dépucelées »[374].

Le commentaire de Sartre refuse, une fois de plus, de reconnaître le désir dont l'adolescente se défend par la répulsion, il « moralise » apparemment la scène en l'interprétant par l'orgueil ; en fait, il la pervertit en y introduisant un élément de contrainte dont l'origine est à chercher dans ses propres fantasmes[375] et non dans l'anecdote elle-même.

Nous donnerons un dernier exemple de la façon dont Sartre veut ignorer les particularités de l'univers de son héros : il s'agit d'une effraction :

> « Si tout se passe bien, on *entre dans un homme* : car c'est un homme à la renverse, nu et paralysé que cet appartement béant, sans défense. [...] Or, cette personne vivante et fluide, ce n'est pas assez de dire qu'on la viole : on la mutile. Des mains gantées fouillent ce ventre, extirpent le foie, arrachent un bibelot, un souvenir de famille. Ce viol suivi de meurtre est symbolique : les voleurs en sont si conscients qu'ils veulent le réaliser dans leur chair ; feuilletez au hasard les œuvres de Genet ; tel casseur bande quand il vole, tel autre vomit sur les billets qu'il sort d'un tiroir. [...] Le salon Louis XVI où Genet vient d'entrer signifie « bourgeoisie française » ; c'est *la* bourgeoisie française qui a piraté le mobilier d'une aristocratie ruinée ; [...] Genet, forçant les tiroirs, brisant les vitres des consoles, veut atteindre l'être de la bourgeoisie ; ainsi Caligula réclamait que le Sénat n'eût qu'une tête pour pouvoir la trancher d'un coup. La bourgeoisie n'a qu'un seul salon, *n'est* qu'un seul salon. Genet sera le fossoyeur de la bourgeoisie européenne »[376].

Sartre néglige ce qu'a de spécifique le comportement du voleur. Il en dévie le sens par une interprétation exclusivement sociale ; mais, chemin faisant, dans l'écriture, il satisfait ses fantasmes en rêvant sur ce que d'autres font. L'univers de Genet permet à Sartre de régresser et fait apparaître ce qu'il entre de satisfactions archaïques dans son désir d'être le « fossoyeur de la bourgeoisie »[377]. *Entrer dans un homme,* c'est aussi ce que tentent de réaliser les trois tomes de *L'Idiot de la famille*[378] et cet « homme à la renverse, nu et paralysé » sera à la fois Gustave[379] et son père[380], le phallus et la castration.

---

374. S.G., p. 62.
375. Sur le fantasme « une fillette est violée », voir *supra,* 1re partie, chap. IV, p. 163.
376. S.G., p. 244-245.
377. Voir S., II, p. 287 : « J'aime mieux être fossoyeur que laquais. »
378. *Cf.* I.F., tome I, p. 8 : « on entre dans un mort comme dans un moulin ».
379. Voir *supra,* 1re partie, chap. I, p. 60 : « le voici tout nu, à la renverse »...
380. Voir *infra,* 3e partie, chap. II, p. 351 : « renversé sur son lit, réduit à l'impuissance »...

Aussi ne nous étonnerons-nous pas que l'identification de Sartre à Genet lui interdise, tout au long de ces six cents pages, les citations les moins flatteuses et les plus significatives du *Journal du Voleur*. Le narcissisme de Sartre exige que Genet soit un « héros noir »[381]. Si nous nous contentons de lire *Saint Genet*, nous ne saurons rien de l'étrange relation qu'entretient Genet avec son argent et ses excréments[382], nous ignorerons tout du peu glorieux scénario qui « [symbolisera] jusqu'à la mort [son] véritable drame : entre deux saules isolés un jeune assassin [...], une main dans la poche, braque un revolver et tire dans le dos d'un fermier »[383]. Nous ne trouverons pas dans l'énorme commentaire sartrien une phrase qui sonne aussi juste que celle-ci et dise, sur Genet, l'essentiel aussi simplement : « devant l'Univers je suis perdu mais le simple attribut d'une virilité puissante me rassure »[384].

381. MR., p. 85.
382. Qu'il associe étroitement dans son aveu, voir *Pompes funèbres*, *Œuvres complètes*, tome III, Gallimard, 1953, p. 145.
383. *Journal du Voleur*, Gallimard, 1949, p. 96.
384. *Ibid.*, p. 214.

CHAPITRE III

LE SEQUESTRE DE VENISE

On ne peut qu'admirer, de prime abord, la diversité des objets de la passion sartrienne : quelle distance de Genet au Tintoret ! Mais dès qu'on se met à lire les fragments parus de l'ouvrage inachevé, *Le Séquestré de Venise*[1], *Saint Georges et le dragon*[2], on a immédiatement l'impression de retrouver la matrice qui, de *Saint Genet* à *L'Idiot de la famille* en passant par *Les Mots*, sert à fabriquer les enfants selon le cœur de Sartre. Comme Genet, Le Tintoret est un réprouvé : « c'est la première fois qu'une enfance maudite figure dans la légende dorée des peintres italiens »[3] ; comme lui encore, il sent mauvais, il est la « mauvaise odeur » de ces artistes »[4]. Comme Genet et comme Flaubert, il a eu à souffrir de la froideur de sa mère : « La Cité des Doges [...] a pris en grippe le plus célèbre de ses fils »[5]. Comme Flaubert et comme Sartre, il a connu, après le paradis, la « chute »[6] et l'exil : « c'est pour mieux perdre l'homme qu'ils ont accordé leurs sourires à l'enfant »[7]. Le Titien, dit la légende, chasse l'apprenti de son atelier : « il était roi, il a froncé les sourcils : devant la brebis galeuse toutes les portes se sont fermées »[8].

« Bandit, voleur, voyou, chenapan !
C'est la meute des honnêtes gens
Qui fait la chasse à l'enfant »[9]

---

1. Paru dans *Les Temps Modernes*, n° 141, novembre 1957, p. 761 à 800, repris dans *Situations*, IV, p. 291 à 346.
2. Paru dans *L'Arc*, n° 30, octobre 1966, p. 35 à 50, repris dans *Situations*, IX, p. 202 à 226. Nous avons joint à ces deux textes *Venise, de ma fenêtre*, paru dans *Verve*, vol. VII, n° 27-28, 1953, p. 87 à 90, et repris dans *Situations*, IV, p. 444 à 459, bien qu'il fasse partie d'un ouvrage abandonné sur l'Italie (voir M. Contat et M. Rybalka, *Les Ecrits de Sartre*, p. 248-249) et non de l'ouvrage inachevé sur le Tintoret (voir *iidem ibid.*, p. 314-315). Nous donnons nos raisons *infra*, dans ce chapitre, p. 284.
3. S., IV, p. 292.
4. S., IV, p. 301.
5. S., IV, p. 291.
6. *Cf. infra*, 3e partie, chap. I, p. 329.
7. S., IV, p. 295.
8. S., IV, p. 292-293.
9. S.G., p. 7.

La citation de Prévert sert d'épigraphe à *Saint Genet.* « Un enfant sur une liste noire, cela ne se voit pas tous les jours »[10], écrit Sartre au début du *Séquestré de Venise* ; en effet, mais cela se voit dans les fantasmes de l'enfant des *Mots* : « ce hors-la-loi frénétique et traqué »[11], « ce pirate véloce »[12], ce « Tintoret-la-Foudre [qui] navigue sous pavillon noir »[13], semble directement sorti des illustrés qu'Anne-Marie Schweitzer achetait à son fils en se cachant du grand-père.

Nous allons essayer de mesurer à quel point Sartre s'est identifié au Tintoret non seulement à travers les accidents biographiques, le caractère et le style de vie du peintre, mais dans la manière même dont il a fait son portrait : l'abondance et la diversité des pastiches ainsi que la récurrence de certaines images accentuent la ressemblance entre le peintre et l'écrivain. Nous terminerons par l'étude de quelques « tableaux vénitiens » de Sartre dans lesquels les fantasmes s'épanouissent en de véritables poèmes en prose.

Biographies et autobiographie.

Ce qui frappe d'emblée, du point de vue biographique, c'est que le Tintoret a « la taille des Sartre »[14]. Dans la caricature, par le sculpteur Francesco Pianta il Giovane, de la Scuola di San Rocco, il ressemble, écrit Sylvie Béguin, « au milieu de ses toiles gigantesques, à un nain besogneux »[15]. Aucune allusion, dans le texte de Sartre, à ce défaut de prestance, mais il est à la fois rendu visible et effacé par la traduction affectueuse que Sartre donne du surnom de Jacopo Robusti : le Petit Teinturier ; c'est le plus souvent ainsi qu'il le désigne.

Comme l'enfant des *Mots,* le petit homme s'épuise à plaire. Comme Sartre écrivain, comme Flaubert, il se surmène, c'est un « bourreau de travail »[16]. Il est hanté par l'autre, mais se retranche par peur des comparaisons. La rivalité œdipienne, franche, lui est interdite : il accepte de concourir mais accroche sa toile avant tout le monde et l'impose en la donnant :

> « il lance sa foudre [...] un peu comme la seiche jette son encre. [...] Ou je me trompe fort ou c'est une dérobade ; on dirait qu'il a peur d'affronter ses adversaires »[17].
>
> « Cette rage de s'affirmer en se défilant [...] c'est son style, [...] le moindre rapprochement l'offusque [...]. En 1559, l'église San Rocco lui commande *La Guérison du paralytique* pour faire pen-

10. S., IV, p. 293.
11. S., IV, p. 295.
12. S., IV, p. 296.
13. S., IV, p. 296.
14. MT., p. 196.
15. *Tout l'œuvre peint de Tintoret,* Les classiques de l'art, Flammarion, Paris, 1971, p. 5.
16. S., IV, p. 310.
17. S., IV, p. 325.

> dant à une toile de Pordenone. [...] « Comparez, s'il vous plaît, le Pordenone au Pordenone ; moi, Jacopo Robusti, je suis de sortie »[18].

Sartre commente ainsi cette manière de s'esquiver en imitant :

> « qu'a-t-il besoin de jouer leur jeu, de se soumettre à leurs règles quand il suffirait d'être lui-même pour les écraser ? [...] « Le Véronèse vous plaît ? Eh bien, moi, je le surpasse quand je daigne l'imiter ; vous le prenez pour un homme et ce n'est qu'un procédé »[19].

Curieux commentaire. Pas un instant Sartre n'imagine que le Tintoret pourrait être lui-même sans écraser quelqu'un ou lui dénier sa qualité d'homme. Très vite, nous nous apercevons que, comme dans les autres « reconstitutions » sartriennes, le triangle œdipien est instable, postiche. Certes, il y a bien une touche de romanesque qui pourrait indiquer que le niveau œdipien positif est atteint : Venise « en aime un autre »[20], le Titien ; la traîtresse préfère l'intrus au « Vénitien pur sang »[21]. Mais en fait, ce qui s'instaure et concentre l'intérêt, c'est une relation duelle de soumission captatrice à une figure paternelle prestigieuse, le fils lui-même se confondant avec l'image maternelle. Cette structure, nous l'avons vue se dessiner dans *Les Mots*, dans *Saint Genet*, et nous la retrouverons dans *L'Idiot de la famille*. Il y aura là un Seigneur Tout-Puissant, le père Flaubert, un vassal « reçu », Achille, l'aîné, reflet du père, et un vassal « repoussé »[22] Gustave, le cadet, « seigneur latent qui ne peut devenir »[23]. Dans *Le Séquestré de Venise*, il y a Dieu, le Titien et Jacopo. Vassal reçu, Le Titien va se résorber dans le Père dont il partage la gloire et le vassal repoussé, le Tintoret, ne fera plus qu'un avec la figure maternelle. Nous reviendrons sur cette identification féminine qui interdit la conquête œdipienne. Elle est beaucoup plus archaïque que l'essai de captation des prestiges du père, elle apparaîtra à un autre niveau de notre analyse.

L'image paternelle, celle de l'artiste de génie reflet de la puissance divine, trahit la démesure de l'imaginaire enfantin avant le déclin du complexe d'Œdipe : « la gloire du trône tombe sur eux comme un rayon du soleil [...]. Voilà des barbouilleurs changés en surhommes. Que sont-ils, en effet, ces petits bourgeois qu'une main géante a saisis dans la foule [...], ces satellites qui éblouissent d'un

---

18. S., IV, p. 326.
19. S., IV, p. 326-327.
20. S., IV, p. 336.
21. S., IV, p. 308.
22. Voir *infra*, 3e partie, chap. II, p. 347.
23. La phrase de Mallarmé sur Hamlet (*Œuvres complètes*, Bibliothèque de la Pléiade, Gallimard, 1945, p. 300) hante les biographies de Sartre. Citée dans *Saint Genet* (p. 370), elle nous semble admirablement définir, outre le prince Hamlet, Mallarmé, Genet ou Flaubert, l'inconscient sartrien : castration imaginaire, prestige du père pré-œdipien supposé seigneur.

éclat emprunté, sinon des hommes élevés au-dessus de l'humanité ? [...]. Aujourd'hui encore, les républicains nostalgiques adorent en eux, sous le nom de génie, la lumière de cette étoile morte, la monarchie »[24]. L'analyse historique tente en vain de réduire et de rationaliser. L'ébahissement devant celui qui est censé posséder le pouvoir absolu est sensible dans l'image naïve de la main géante [25], tout comme l'éblouissement devant l'éclat, même emprunté, du Titien : « Le Titien vaut une flotte à lui seul : aux tiares, aux couronnes, il a dérobé des flammèches pour se tresser une auréole »[26]. Le Titien entre dans la série des pères imaginaires dont les prestiges ne feront que croître au fur et à mesure du développement de l'œuvre pour culminer dans le portrait du docteur Flaubert. Le Titien, qui vaut une flotte, annonce le Père des *Séquestrés d'Altona* qui fait « flotter l'acier sur les mers[27] », son auréole le rapproche du grand-père Schweitzer qui, avec sa « barbe solaire »[28], porte la sienne « autour du menton »[29]. La souffrance de ne pas posséder un tel père pour partager sa gloire s'exprime dans la jalousie à l'égard du rival heureux. D'où le caractère infantile de la rêverie que Sartre prête au Tintoret : après sa mort, il « entrera, bien sûr, dans la roue des âmes, il tournera autour du Tout-Puissant ; mais son voisin sera le Véronèse qui s'arrangera pour lui voler les sourires de Dieu »[30]. Même sentiment de frustration dans la répulsion de Sartre pour les « toiles béates »[31] du Titien : « Dans un grand geste à quatre branches, noble et mou, Dieu penché en avant, du haut du ciel, et l'Homme, renversé en arrière, se tendent les bras. L'ordre règne : domptée, asservie, la perspective respecte les hiérarchies »[32]. Ce qui polarise l'agressivité sartrienne ne nous semble pas être seulement ici le fait que la peinture du Titien rassure les puissants, mais l'image d'une « béatitude » dans les rapports du père avec son fils qui risque d'éveiller des représentations refoulées.

L'étude sur le Tintoret reproduit donc une relation à la figure paternelle que nous retrouvons dans les autres biographies. Elle

---

24. S., IV, p. 318. Ces « républicains nostalgiques » ont quelque parenté avec « ce vieux républicain d'Empire », le grand-père Schweitzer (MT., p. 16).
25. *Cf. supra,* 1re partie, chap. III, p. 117, la « main énorme » du père dans *L'Enfance d'un chef,* la « poigne » du « Mac » dans *Saint Genet* (1re partie, chap. II, p. 71), la « poigne de fer » qui étreint Oreste (1re partie, chap. II, p. 71) et la « main énorme » de Byron dans *L'Idiot de la famille* (*infra,* 3e partie, chap. II, p. 370).
26. S., IV, p. 336.
27. *Les Séquestrés d'Altona,* Gallimard, 1960, p. 20. L'œuvre de Sartre occulte avec soin un autre « constructeur de bateaux » (*ibid.,* p. 26) qui a la maîtrise de la mère, le beau-père directeur, à la Rochelle, d'usines de constructions navales.
28. MT., p. 16.
29. MT., p. 16.
30. S., IX, p. 218.
31. S., IV, p. 341.
32. S., IV, p. 339.

pose aussi, *mutatis mutandis,* la question, particulièrement brûlante alors dans la vie de Sartre, du « Qui perd gagne ».

Qui perd gagne.

Dans les années cinquante, en effet, la brusque célébrité de Sartre l'atteint dans l'un de ses fantasmes les plus chers, celui de l'écrivain méconnu dont l'obscurité pendant la vie garantit la gloire posthume. « Ce fut vraiment pour lui la mort de Dieu »[33], écrit Simone de Beauvoir, qui parle aussi de « totale catastrophe »[34]. « Loin que la diffusion de ses livres lui en garantît la valeur, tant de médiocres ouvrages faisaient du bruit que le bruit apparaissait presque comme un signe de médiocrité. Comparée à l'obscurité de Baudelaire, la gloire idiote qui avait fondu sur Sartre avait quelque chose de vexant »[35]. Constatons que cette mort de Dieu n'a rien de religieux mais qu'elle est le travestissement pudique et commode d'une atteinte à la toute-puissance narcissique. Aussi ne nous étonnerons-nous pas de voir Sartre centrer tout son essai sur les questions : Qui suis-je ? Qu'est-ce que je vaux ? Ai-je du génie ? Qu'est-ce que la gloire ? Que signifie ma notoriété suspecte ?, questions qu'il prête au peintre et où nous reconnaissons sans peine ses propres interrogations.

La question « Qui suis-je ? » et l'impossibilité d'y répondre qui signalent, nous l'avons vu, le complexe de castration, sont lisibles sous les analyses sociologiques : le Tintoret, mi-artisan, mi-bourgeois, est inclassable. L'identification apparente avec l'artisan, nous savons qu'elle est nécessaire à Sartre pour masquer la démesure de ses rêves de gloire. Aussi ne nous laisserons-nous pas égarer par l'opposition, dans *Le Séquestré de Venise,* du peintre, travailleur manuel, aux écrivains qui « ne suent pas »[36]. On apprendra, en lisant *Les Mots,* que l'écrivain sue[37] et que l'enfant a pu voir, certains jours, sa vocation épique se confondre avec le modeste métier du grand-père : « il m'avait montré, sur un rayon de la bibliothèque, de forts volumes cartonnés et recouverts de toile brune. « Ceux-là, petit, c'est le grand-père qui les a faits ». Quelle fierté ! J'étais le petit-fils d'un artisan spécialisé dans la fabrication des objets saints, aussi respectable qu'un facteur d'orgues, qu'un tailleur pour ecclésiastiques »[38]. D'ailleurs, Tintoret lui-même, comédien, se « [lamentant] en famille »[39] et « criant qu'on lui coupait la gorge »[40], semble parfois s'identifier au grand-père Schweitzer : ce dernier « quand il recevait, par man-

33. *La Force des choses,* Gallimard, 1963, p. 52.
34. *Ibid.,* p. 52.
35. *Ibid.,* p. 52.
36. S., IV, p. 319.
37. p. 136 : « mes livres sentent la sueur et la peine ».
38. MT., p. 32.
39. S., IV, p. 313.
40. S., IV, p. 313.

dat, le montant de ses droits d'auteur, [...] levait les bras au ciel en criant qu'on lui coupait la gorge ou bien il entrait chez ma grand-mère et déclarait sombrement : « Mon éditeur me vole comme dans un bois »[41].

Mais l'artisan ne s'oppose pas seulement au bourgeois, il s'oppose au demi-dieu. Là encore, Sartre brouille les pistes et affirme en même temps : Tintoret est un artisan, ce n'est pas un demi-dieu, et : Tintoret a du génie ; puis aussitôt : le génie n'existe pas. Essayons de démêler ces affirmations contradictoires qui indiquent, au niveau inconscient, la nécessité impérieuse de maintenir l'identification au phallus tout en affichant la castration. Reprenons chacune de ces oppositions : « Sont-ils des demi-dieux, les peintres de la Renaissance, ou des travailleurs manuels ? Eh bien, c'est selon, voilà tout. Cela dépend de la clientèle [...] ce sont des manuels *d'abord.* Après cela, ils deviennent des employés de cour ou restent des maîtres locaux. [...] Raphaël et Michel-Ange sont des commis ; [...] en revanche, le souverain se charge de leur publicité [...]. Le Tintoret, c'est l'autre espèce : il travaille pour des marchands, pour des fonctionnaires, pour des églises paroissiales »[42]. L'analyse historique sert à écrêter le génie : il n'y a pas de génies, il n'y a que des publics différents. Parallèlement le génie est restauré, mais il ne saurait se définir positivement par la maîtrise des formes, des couleurs, du sujet, etc., il consiste tout entier dans l'angoisse avec laquelle on se pose la question du génie : « qu'on ne vienne pas nous raconter qu'il a conscience de son génie : le génie, pari stupide, sait ce qu'il ose et ne sait pas ce qu'il vaut. Rien de plus misérable que cette témérité chagrine qui veut la lune et crève sans l'avoir obtenue : l'orgueil vient d'abord, sans preuves ni visa ; quand il s'affole, on peut l'appeler génie si l'on veut mais je ne vois pas trop ce qu'on y gagne »[43].

On n'y gagne rien, en effet : si l'on veut jouer à « Qui perd gagne » il faut ignorer qui l'on est. L'opposition du génie factice, reflet des rois, au génie véritable qui se nie (« Le génie n'est pas : c'est l'audace honteuse du néant »[44]), cristallise dans l'opposition du Tintoret au Titien. L'identification au Tintoret et la projection sur le Titien de tout ce qui est considéré comme un danger, permet, nous allons le voir, de rétablir fantasmatiquement le « Qui perd gagne » dangereusement menacé par le réel : Sartre est en train de voir fondre sur lui une « gloire idiote »[45]. L'étude sur le Tintoret est, comme le serait un rêve, accomplissement de désir. Par elle, Sartre se rassure, il affirme : je suis méconnu, comme le petit teinturier ;

---

41. MT., p. 32-33.
42. S., IV, p. 318.
43. S., IV, p. 303-304.
44. S., IV, p. 333.
45. Voir *supra*, dans ce chapitre, p. 267.

je ne suis pas un « Bien national »[46], comme l'est le Titien. Le Tintoret n'est pas « reçu »[47] par le « Tout-Venise »[48] : « Ce peintre boutiquier n'a rien d'un demi-dieu. Avec un peu de chance, il sera notoire, célèbre ; glorieux, jamais : sa clientèle profane n'est pas habilitée à le consacrer »[49]. Il importe aux fantasmes de Sartre, pour que l'identification puisse se faire, que le Tintoret soit notoire (ce qu'il est en effet : personne ne pourrait prétendre qu'il est inconnu à Venise), mais que cette notoriété s'accompagne d'une ombre d'infâmie et qu'en aucun cas elle ne puisse être appelée gloire, ce qui compromettrait l'apothéose *post mortem*. Rappelons-nous la dernière page des *Mots* : « ce n'est pas la gloire puisque je vis et cela suffit pourtant à démentir mes vieux rêves, serait-ce que je les nourris encore secrètement ? Pas tout à fait : je les ai, je crois, adaptés : puisque j'ai perdu mes chances de mourir inconnu, je me flatte quelquefois de vivre méconnu »[50]. *Le Séquestré de Venise* montre sur le vif ce travail d'adaptation. Le Tintoret n'est pas inconnu, il est méconnu. Il inquiète sa ville parce qu'il pressent la mort de Dieu. Sartre raconte la vie du Tintoret de telle façon qu'elle se présente à la fois comme le tableau inversé de la sienne et comme son miroir secret. Mais, que les signes soient semblables ou opposés, le schéma dynamique reste le « Qui perd gagne » sartrien.

A première vue, en effet, le Tintoret semble l'anti-Sartre. Avec « l'effrayante santé morale de l'ambitieux »[51], il paraît vouloir gagner tout de suite. Il a la modestie de chercher à se faire reconnaître par sa ville, de son vivant, en s'engageant dans des projets à courts termes. Mais, très vite, l'ambition se change en « arrivisme »[52], la santé en anxiété. Et l'on s'aperçoit que Sartre prête au Tintoret son propre « Qui perd gagne » adapté au seizième siècle : « plus tard il se trouvera des fous pour se réjouir de leur délaissement ; au milieu du XVIe siècle [...] Travailler seul et pour rien, c'est à mourir de peur »[53]. Le Tintoret

> « tiendra la réussite sociale pour l'unique signe évident de la victoire mystique. [...] s'il gagne ici-bas avec tous ces as qu'il sort de sa manche, il ose prétendre qu'il aura gagné là-haut ; s'il vend ses toiles, c'est qu'il y aura piégé le monde. [...] Qui donc oserait dire, à Venise : « Je peins pour moi-même, je suis mon propre témoin » ? Et ceux qui le disent aujourd'hui, est-on sûr qu'ils ne mentent pas ? Tout le monde est juge, personne n'est juge : allez donc vous arranger de cela[54]. Le Tintoret sem-

46. S., IV, p. 336.
47. S., IV, p. 319.
48. S., IV, p. 319.
49. S., IV, p. 321.
50. MT., p. 212.
51. Expression de Henri Jeanson citée par Sartre, S., IV, p. 332.
52. S., IV, p. 333.
53. S., IV, p. 333.
54. Même mouvement dans les dernières lignes des *Mots* : « Allez vous y reconnaître » (p. 212), lorsque Sartre se demande s'il ne joue pas à qui perd gagne.

> ble plus malheureux que coupable : son art déchire l'époque d'un trait de feu, mais il ne peut le voir qu'avec les yeux de son temps »[55].

On aura reconnu là un supplice proprement sartrien : l'impossibilité d'apercevoir sa propre image au fond des yeux de ses arrière-neveux. Et pour que l'identification soit parfaite, le « Qui gagne ici-bas gagne là-haut » se change bientôt en un « Qui perd gagne » occulte : malgré sa notoriété, le Tintoret s'épuise et meurt vaincu, « le tribunal est prévenu, la cause perdue, la sentence rendue »[56]. Tintoret-Grisélidis a perdu, donc gagné.

Du danger d'être un bien national.

Le Titien, lui, a gagné, c'est un « Bien national »[57], le voilà donc perdu. Si l'on veut mesurer le danger que représente, pour Sartre, le fait d'être considéré comme un bien national, il faut relire l'article paru dans la seconde livraison des *Temps Modernes*, le 1er novembre 1945 ; il s'intitule *La nationalisation de la littérature*[58]. Au niveau de l'argumentation consciente, l'auteur s'inquiète à juste titre, semble-t-il, d'une situation malsaine : la critique encense le moindre ouvrage pour compenser l'humiliation de la défaite : « Ils ne cessent de souhaiter en leur cœur que la France redevienne le pays de Turenne et de Bonaparte, mais pour assurer l'intérim, ils se rabattent sur Rimbaud ou Valéry »[59]. « Un personnage officiel me disait un jour de Dullin : « C'est un bien national ». Cela ne m'a fait point rire : j'ai peur qu'on ne cherche aujourd'hui par une manœuvre subtile à transformer les écrivains et les artistes en biens nationaux »[60]. Que cette peur tire son origine d'une hantise très personnelle, les images du texte et ses répétitions presque obsessionnelles, le disent en filigrane :

> « il n'est pas plaisant d'être traité de son vivant comme un monument public »[61].
>
> « [...] le critique lit aujourd'hui comme on relit. Cette pétrification qu'opère son œil de Méduse, je craindrais, si j'étais à sa place, qu'elle ne soit un signe avant-coureur de la mort de l'Art que prévoit Hegel »[62].
>
> « Tout se passe comme si la France avait un besoin éperdu de grands hommes »[63].

---

55. S., IV, p. 333-334.
56. S., IV, p. 335.
57. S., IV, p. 336.
58. Repris dans *Situations*, II, p. 33 à 53.
59. S., II, p. 50.
60. S., II, p. 34-35.
61. S., II, p. 43.
62. S., II, p. 44.
63. S., II, p. 45.

« [...] à présent que la guerre est finie, il est dangereux d'opérer la pêche aux grands hommes »[64] ;

« [...] les partis font une effroyable consommation de grands hommes »[65].

« Aujourd'hui on ramasse en hâte les jeunes auteurs et on les enfourne dans la couveuse artificielle pour en faire rapidement des grands hommes »[66].

« Il y a, aux confins des grandes villes, des usines destinées à la récupération des ordures : les vieux chiffons brûlent bien pourvu que la température soit assez élevée. Poursuivant son effort, la société veut récupérer ces matériaux jusqu'ici peu utilisables : les écrivains. Méfions-nous ; il y avait parmi eux des ordures assez superbes. Que gagnerons-nous à les laisser se perdre en fumée ? »[67].

« Il ne faut point [que l'écrivain] se retourne sur [l'œuvre] pour tenter de discerner ce qu'elle sera pour ses neveux »[68].

Tout l'article exprime l'angoisse d'être sacré avant l'heure. La critique inflationniste[69] châtre comme Méduse. En nommant prématurément le grand homme, elle le dissipe en fumée. L'origine anale de ce phallus caché se lit naïvement dans l'image des ordures superbes et Narcisse apparaît sous les traits d'Orphée[70], l'œuvre tenant lieu d'Eurydice.

Aussi pouvons-nous saisir pleinement maintenant ce que fait Sartre en instituant le Titien bien national : il le châtre. Relisons les lignes qu'il consacre aux sépultures des deux peintres rivaux : « Allez voir les deux tombes : vous saurez ce qu'il peut lui en coûter aujourd'hui encore d'avoir préparé sa patrie à tout. On a enseveli le cadavre [...] du Vieux sous une montagne de saindoux. [...] le corps du Tintoret repose sous une dalle, dans la confuse ténèbre d'une église de quartier. Pour ma part, je trouve cela fort bon ; au Titien [...] le sucre et le nougat : c'est son châtiment poétique[71] [...] ; à Jacopo, les honneurs de la pierre nue : son nom suffit »[72]. La comparaison des deux monuments est éclairante ainsi que le transfert de puissance qui s'y opère. La montagne est de sucrerie, comme les livres empruntés par la grand-mère à la bibliothèque, la dalle est de pierre comme les menhirs dans le bureau de Karl.

On voit tout ce qu'il entre de rêverie personnelle dans les ré-

---

64. S., II, p. 46.
65. S., II, p. 48.
66. S., II, p. 50.
67. S., II, p. 51.
68. S., II, p. 51.
69. *Cf.* S., II, p. 45.
70. *Cf. infra*, 2e partie, chap. IV, p. 311.
71. Voir *supra*, 2e partie, chap. II, p. 245, note 275, le châtiment moins poétique que la jalousie de Sartre destine au tombeau de Chateaubriand.
72. S., IV, p. 337-338.

flexions auxquelles Sartre se livre sur la vie et sur la mort du peintre. Mais l'écriture même de l'essai sur le Tintoret se lit comme un aveu.

Le pastiche ou « Je les vaux tous ».

Dans leur bibliographie commentée, M. Contat et M. Rybalka écrivent, à propos du *Séquestré de Venise :* « Il s'agit là d'un fragment d'un livre que Sartre avait presque achevé mais qu'il abandonna car il n'était pas satisfait de son style »[73]. Cette remarque est d'une grande importance. On ne peut pas, en effet, ne pas être frappé par une sorte d'affolement de l'expression dans ce texte. Le pastiche y tient une place énorme. On trouve Mallarmé dès le premier mot : « Rien »[74], et sa présence est constante, nous le verrons, dans les thèmes de la raréfaction de l'air à Venise, de la disparition vibratoire de pans entiers de la ville sous l'effet de la lumière, dans l'évocation du soleil liée à la décollation et, plus directement, dans des phrases comme celles-ci, à propos d'un arrière-plan de *Saint Georges et le dragon :* « Fuir là-haut, fuir ! Je sens que des anges sont ivres... »[75]. Les articulations du développement appartiennent à Bossuet : « pour l'essentiel, voilà sa vie. Nous la verrons toute, dans sa nudité sombre »[76]... « Laissez-le faire, il couvrira de ses peintures tous les murs de la ville »[77]... « Voyez plutôt où ce premier emportement va le mener »[78]... « Capricieux Vénitiens ! Bourgeois inconséquents ! »[79]... On va du panégyrique au sermon. Peu après, on écoute l'Annoncier du *Soulier de satin* : « la lance est là, à preuve qu'on en voit un petit bout ; si l'honorable assistance veut la percevoir tout entière avec la main qui l'étreint, il suffira qu'elle fasse demi-tour et qu'elle entre à reculons dans le tableau »[80]. Ailleurs, Saint-Just voisine avec Pascal : « Le génie, mot nouveau en Europe, conflit du relatif et de l'absolu, d'une présence bornée et d'une absence infinie »[81], et ces derniers avec Fourier : « les passions sont aussi diverses que les gens [...]. Celle du Tintoret, je la dirai pratique, soucieuse-récriminante et dévorante-précipitée »[82]. Il y a même Proust avec ce « Soudain lâcher de pigeons : c'est le ciel, fou de peur, qui s'envole »[83]. Si l'on conteste ce rapprochement, que l'on se reporte au texte

---

73. *Les Ecrits de Sartre*, Gallimard, 1970, p. 314.
74. *Cf.* S., IX, p. 197 : « Ce n'est pas par hasard que Mallarmé écrit le mot « Rien » sur la première page de ses *Poésies complètes.* Puisque le poème est suicide de l'homme et de la poésie, il faut [...] que le moment de la plénitude poétique corresponde à celui de l'annulation. » Sartre cite en note : « Rien, cette écume, vierge vers... »
75. S., IX, p. 212.
76. S., IV, p. 291.
77. S., IV, p. 304.
78. S., IV, p. 309.
79. S., IV, p. 338.
80. S., IX, p. 223.
81. S., IV, p. 332.
82. S., IV, p. 303.
83. S., IV, p. 457, voir *infra,* dans ce chapitre, p. 284, les raisons pour lesquelles nous annexons *Venise, de ma fenêtre* à l'étude sur le Tintoret.

de *Qu'est-ce que la littérature ?* : « Cette déchirure jaune du ciel au-dessus du Golgotha, le Tintoret ne l'a pas choisie pour *signifier* l'angoisse, ni non plus pour *la provoquer* ; elle est angoisse, et ciel jaune en même temps [...] une angoisse qui a tourné en déchirure jaune du ciel [...] empâtée par les qualités propres des choses, [...] c'est comme un effort immense et vain, toujours arrêté à mi-chemin du ciel et de la terre, pour exprimer ce que leur nature leur défend d'exprimer »[84]. Ici, Sartre rivalise avec Proust. Il se souvient du petit pan de mur jaune du tableau de Ver Meer et des trois arbres sur la route, habités d'un « sens [...] obscur »[85] où Proust reconnaît « le regret impuissant d'un être aimé qui a perdu l'usage de la parole »[86], comme il se souvient des variations du romancier sur Parme, lorsqu'il évoque un peu plus loin Florence, « ville-fleur et ville-femme et fille-fleur tout à la fois »[87].

Mais dans *Le Séquestré de Venise,* plus que partout ailleurs, Sartre papillonne d'un « génie » à un autre et ce faisant s'identifie au Tintoret pastichant le Titien, Pordenone ou Véronèse. Il affirme, comme son modèle : « Je les vaux tous », mais il ne peut être lui-même. Sartre met au jour dans la peinture du Tintoret un naïf « Regardez ce que je sais faire » qui se retrouve dans sa propre manière d'écrire, si bien qu'au bout de quelques pages tant de brillant inquiète : « l'arrivisme raisonnable de Jacopo devient une frénésie : il ne s'agissait que de parvenir, il faut *prouver* à présent »[88]. Sartre souligne le verbe et le construit absolument. On n'échappe pas à l'impression que Sartre prête au Tintoret sa propre angoisse. Nous verrons tout à l'heure en étudiant les métaphores d'où elle tire son origine. Notons encore, à propos du pastiche, une véritable surenchère chez Sartre. Il ne se contente pas de copier les maîtres, il peut véritablement *tout* faire, de la publicité : « un tableau signé Véronèse, c'est un tableau qui met à l'aise »[89], du slogan politique : « Le Véronèse à Vérone ! » [90], du commentaire sportif : « Le duel de l'Homme et de la Bête serait depuis longtemps terminé si le peintre n'avait arrondi les mouvements, remplacé partout les directs par des moulinets, obligé ses créatures à téléphoner leurs coups »[91] ; il peut passer de *l'Equipe* à *l'Auto-journal* : Robusti « fait savoir à ses pra-

84. S., II, p. 61.
85. *A la Recherche du temps perdu,* Gallimard, 1954, Bibliothèque de la Pléiade, tome I, p. 719.
86. *Ibid.*, p. 719.
87. S., II, p. 66. Si nous citons *Qu'est-ce que la littérature ?* pour appuyer notre interprétation du *Séquestré de Venise,* c'est que Sartre, comme dans l'essai sur le Tintoret, y joue à qui perd gagne en se livrant à un simulacre de suicide littéraire (voir *supra,* 1re partie, chap. II, p. 92) tout en s'identifiant aux maîtres.
88. S., IV, p. 334.
89. S., IV, p. 300.
90. S., IV, p. 308.
91. S., IX, p. 221.

tiques qu'il va reprendre point par point la composition du grand, du très pieux Carpaccio [...] Les clients le félicitent. La construction leur paraît triplement garantie : elle a cinquante ans d'âge, c'est l'ouvrage d'un mort, une autre paroisse l'a mise à l'essai et s'en déclare satisfaite ; les frais d'un rodage seront épargnés »[92], et de *l'Auto-journal* à la dissertation « khâgneuse » : « De la pesanteur à la grâce, bon : et montrer comment celle-ci n'est qu'une forme atténuée de celle-là »[93]. Pour nous ce « patchwork » culturel trahit une sorte de panique. Nous retrouvons en Sartre cet homme « traqué » [94] qu'il voit dans le Tintoret, s'épuisant comme l'enfant des *Mots* en une incessante *captatio benevolentiae,* et, faute de pouvoir répondre à la question « Qui suis-je ? », oscillant sans cesse de « Je les vaux tous » à « Tout le monde me vaut ». Nous avons vu[95] que cette hésitation sur l'identité et cette insistance sur le « valoir » signalent le complexe de castration et la fixation de la libido au stade anal. L'étude des images dans les fragments consacrés au Tintoret nous paraît confirmer cette hypothèse.

Le langage de la pulsion anale.

La thématique anale tient dans cet ensemble de textes autant de place que dans *Saint Genet.* Elle est d'emblée lisible dans la description de l'activité frénétique du Tintoret en termes de « *forcing* »[96], de « *sprint* »[97], de « *struggle for life* »[98], de « *dumping* »[99]. Sartre souhaite nous orienter vers l'explication sociologique : Le Tintoret « margoulin des Beaux-Arts »[100], mi-artisan mi-bourgeois, reflète l'univers de la concurrence. Cette affirmation souvent reprise fait l'effet d'une rationalisation. Le vocabulaire de la libre entreprise masque et révèle la névrose personnelle. L'époque seule peut-elle expliquer « cette violence diligente et presque sadique »[101] que Sartre appelle « le plein emploi de soi-même »[102] ? « Il sait qu'il a du don, on lui a dit que c'était un capital [...]. Le voilà mobilisé pour toute une longue vie, indisponible : il y a ce filon à exploiter, jusqu'à l'épuisement de la mine et du mineur. Vers le même temps, cet autre bourreau de travail, Michel-Ange [...] n'achève pas. Le Tintoret achève *toujours* [...] la mort même l'a attendu, à San Giorgo, elle lui a laissé donner son dernier coup de pinceau à son dernier tableau »[103]. Ce qui

92. S., IX, p. 224-225.
93. S., IX, p. 214.
94. S., IV, p. 295.
95. *Supra,* 1re partie, chap. II, p. 92.
96. S., IV, p. 296.
97. S., IV, p. 300.
98. S., IV, p. 314.
99. S., IV, p. 314.
100. S., IV, p. 322.
101. S., IV, p. 309.
102. S., IV, p. 309.
103. S., IV, p. 310.

se profile derrière ce texte, c'est un *Heautontimoroumenos* dont la rentabilité est bien le dernier souci, qui vit en peinture comme d'autres vivent en littérature. Ce surmené ressemble à Flaubert et à Sartre, qui va jusqu'à lire dans la vie du Tintoret une des exigences de sa propre névrose : ne pas finir à l'improviste : « pour ôter à la mort sa barbarie, j'en avais fait mon but et de ma vie l'unique moyen connu de mourir : j'allais doucement vers ma fin, n'ayant d'espoirs et de désirs que ce qu'il en fallait pour remplir mes livres, sûr que le dernier élan de mon cœur s'inscrirait sur la dernière page du dernier tome de mes œuvres et que la mort ne prendrait qu'un mort »[104]. Quant à la métaphore pseudo-économique du plein emploi, elle a partie liée chez Sartre avec un fantasme sado-masochiste auquel il se complaît[105]. C'est l'image latente du lien « sexuel »[106] unissant le bourreau et la victime qui induit, peu après, dans le texte, l'outrance baroque de cette phrase : Michel-Ange « tortura le marbre pour le forcer à parler »[107].

On retrouve le langage de la pulsion anale dans la façon dont Sartre met en scène les relations du peintre avec les siens : s'il doit s'épuiser à former des disciples, « ce tonnerre ne lâchera plus que des éclairs mouillés »[108]. Aussi lui faut-il fonder une famille :

> « Par la concurrence absolue vers l'exploitation familiale : voilà le chemin. Il épouse, en 1550, Faustina dei Vescovi, et, tout aussitôt, se met à lui faire des enfants. Comme il fait des tableaux : par d'infatigables coups de foudre. Cette bonne pondeuse [...] force un peu sur les filles [...] la foudre fécondera Faustine autant de fois qu'il sera nécessaire pour lui arracher deux fils [...]. Il ne les a pas attendus, d'ailleurs, pour enseigner le métier à son aînée [...]. Une femme peintre à Venise, [...] fallait-il qu'il fût pressé ! »[109].

On reconnaît, *mutatis mutandis*, la même dérision de la paternité dans le début des *Mots* : les enfants sont faits « au galop »[110] et l'on produit des peintres chez les Robusti comme on fabrique des pasteurs chez les Schweitzer. Le refus du génital et la fixation anale qui lui est corrélative sont cependant plus lisibles dans les fragments biographiques que dans l'autobiographie. Le père « lâche » des

---

104. MT., p. 164.
105. Voir *infra*, 3e partie, chap. III, p. 378. Dans *L'Idiot de la famille*, (tome I, p. 849), Sartre écrit : « le sadisme est [...] le projet de parvenir à la *praxis absolue* par le plein emploi de l'autre et par sa transformation en objet ». Le goût particulier de Sartre pour cette expression apparaît encore dans l'usage qu'il en fait à propos de Genet (« Il s'est délivré du Verbe, par le « full-employment » des termes », S.G., p. 521) et de Mallarmé (« [...] puisque le *fullemployement* des mots est impossible », S., IX, p. 199).
106. S., II, p. 246.
107. S., IV, p. 318.
108. S., IV, p. 314.
109. S., IV, p. 314-315.
110. MT., p. 8.

éclairs et la mère pond. « Dans ce petit lazaret, le pestiféré vivra en demi-quarantaine au milieu des siens »[111]. En dépit de l'étymologie, ce lazaret évoque Lazare dont nous verrons, en étudiant *L'Idiot de la famille*[112], qu'il participe, lui aussi, de la thématique anale.

La pulsion urétrale qui dit le désir d'« éclabousser » l'autre, est lisible dans l'image des projecteurs, du faisceau lumineux qui jaillit, aveugle et traque, annonçant l'image, dans *Les Mots*, du phare qui éblouit et des jets de lumière corrosifs[113] :

> « Pendant plus d'un demi-siècle, Tintoret-la-Taupe détale dans un labyrinthe aux murs éclaboussés de gloire ; jusqu'à cinquante-huit ans, cette bête nocturne est traquée par les sunlights, aveuglée par l'implacable célébrité d'un Autre »[114].

« Le Titien ne fait pas d'ombre »[115], c'est son éclat qui porte ombrage[116].

Une vesse de la Sérénissime.

Si la fixation urétrale, liée à l'expression de la rivalité, de la jalousie et de l'ambition[117], apparaît ça et là dans les biographies et dans l'autobiographie, il reste que c'est le langage de la pulsion anale qui, ici comme ailleurs, domine l'ensemble du texte. De ce point de vue, les fragments du *Tintoret* sont bien de la même veine que *Saint Genet comédien et martyr.* Et si l'on pouvait nous objecter que, dans l'essai sur Genet, la symbolique anale était imposée par le sujet, qui, parmi les amateurs du Tintoret, aurait pu imaginer le peintre comme une « vesse » de la Sérénissime ou découvrir, dans *Saint Georges et le dragon*, un « cul de poule » cosmique ? Il faut relire les textes et d'abord le portrait du Tintoret sur lequel se termine *Le Séquestré de Venise* :

> « Sur le passage du Tintoret, on s'écarte : il sent la mort. [...]. Mais qu'est-ce qu'elles sentent d'autre, les fêtes patriciennes et la charité bourgeoise, et la docilité du peuple ? les maisons roses aux caves inondées, aux murs zébrés par la course horizontale des rats ? Qu'est-ce qu'ils sentent, les canaux croupis avec leurs cressons de pissotière et ces moules grises, dans la gangue sous les quais d'un infâme mastic ? Au fond d'un rio, il y a une bul-

---

111. S., IV, p. 315.
112. *Infra*, 3e partie, chap. II, p. 357-358.
113. Voir *supra*, 2e partie, chap. II, p. 245.
114. S., IV, p. 336-337.
115. S., IV, p. 337.
116. Sur le « pas de place pour deux », que Sartre confond avec l'expression normale de l'Œdipe, voir *supra*, 1re partie, chap. II, p. 93, et *infra*, 3e partie, chap. II, p. 353, note 59.
117. Voir, entre autres textes, S. Freud, « Caractère et érotisme anal », dans *Névrose, psychose et perversion*, P.U.F., 1973, p. 148 ou encore M. Klein, *La Psychanalyse des enfants*, P.U.F., 1972, p. 143.

le[118], collée à l'argile, le remous des gondoles la détache, elle monte à travers l'eau terreuse, affleure à la surface, tourne, scintille, crève en lâchant une vesse et tout crève avec elle : les nostalgies bourgeoises, la grandeur de la République, Dieu et la peinture italienne »[119].

Il semble que l'on puisse voir jouer pleinement, dans ce texte, le lien du narcissisme et de l'analité. Venise est le miroir et le double du peintre. Somptueuse et fascinante, elle se décompose. Il y a dans ces lignes, une déploration nostalgique, l'impossibilité de faire son deuil d'un objet prestigieux auquel on s'identifiait, mais ce lyrisme est traversé d'éclats agressifs, sensibles dans le retournement de l'accusation : « il sent la mort. [...]. Mais [...]. Qu'est-ce qu'ils sentent, les canaux croupis » ... Notons d'autre part, qu'ici comme ailleurs, le lamento sur la fragilité des choses humaines masque l'espoir secret du contraire : Tintoret est une bulle, soit, mais, par sa peinture, il rêvera de « détruire tous les germes de la vie pour minéraliser intégralement la bourbe gélatineuse qui tremble entre les parois des canaux »[120].

Nous citerons assez longuement, en nous excusant du rapprochement brutal de la littérature et de la clinique, un texte du psychanalyste Serge Leclaire qui permet de comprendre cette genèse de l'« autre » comme « même » à partir de soi (ici Venise, miroir du peintre), et quelle expérience archaïque fait, finalement, de ce « même » un « mauvais » même, quels que soient ses prestiges imaginaires :

> « Les fèces, l'enfant, le pénis, écrit Freud, constituent ainsi une unité, *un concept inconscient — sit venia verbo — le concept d'une petite chose pouvant être détachée du corps* »[121]. Il souligne d'ailleurs, reprend S. Leclaire, à l'occasion de cette observation et dans le même passage, la contribution de l'érotisme anal à l'attachement narcissique que le sujet éprouve pour son pénis. Cette « contribution » de l'érotisme anal est typique de ce que nous appelons superposition ou confusion imaginaire. C'est ainsi que le concept d'un pénis symboliquement indépendant se

---

118. On mesurera la parenté fantasmatique de Sartre et de Genet en lisant ce passage de *Pompes funèbres* qui est sans doute à l'origine de la variation sartrienne sur la bulle dans la vase, mais on notera que ce qui est souffrance pour le névrosé est jouissance pour le pervers : « Je ne regrette ni Mettray [...] ni la Centrale. [...] ces années déposèrent une vase où éclosent des bulles. Chaque bulle [...] se développe, se déforme, transforme, seule et selon les autres bulles, pour former un ensemble irisé, violent, manifestant une volonté sortie de cette vase. Dans ma fatigue [...] je suis visité par tous ces personnages [...]. Ils ont l'air de sortir [...] d'une région où les corps sont imparfaits, mal formés, un peu malléables, comme les bonshommes de mastic entre les doigts des gosses... » *Œuvres complètes*, Gallimard, 1953, tome III, p. 144.
119. S., IV, p. 345.
120. S., IX, p. 214.
121. La citation est extraite de *L'Homme au loups, Cinq Psychanalyses*, P.U.F., 1967, p. 389.

trouve imaginairement altéré par l'expérience du rejet du bol fécal.
Il y a là, nous semble-t-il, quelque ambiguïté lorsque Freud décrit ce rejet comme un *don*, c'est-à-dire comme un acte primitivement symbolique ; car, si ce rejet est en effet symbolique, c'est dans la mesure où il représente l'expérience d'une sorte de bipartition, d'enfantement auto-érotique et non point (comme cela peut le devenir secondairement dans certaines circonstances) comme une médiation dérisoire entre une mère névrotique et son enfant.
Cette distinction nous paraît cependant capitale car c'est à son niveau, fidèlement traditionnel, que nous pouvons reconnaître le prototype expérimental de l'*altérité* profondément narcissique, *duelle*, purement imaginaire en fin de compte, née d'une expérience de création autogène sur le mode d'une bipartition, *qui aboutit au concept de l'autre comme partie de soi-même*, et, d'autre part, l'*altérité tierce*, primitivement symbolique, dont le modèle est l'image, hautement symbolique du pénis.
Nous pouvons remarquer en passant combien cette expérience de bipartition imaginaire contient en son entier, le mode, inépuisable par définition, de la structure obsessionnelle dans toute sa pureté, et qui s'illustre cliniquement dans les thèmes familiers des « séries » ou de l'image indéfiniment répétée dans un jeu de miroir.
Cette altérité imaginaire, purement narcissique est bien celle à laquelle s'arrête le futur obsédé. Contrairement à l'usage approximatif que l'on fait habituellement de la conception de l'organisation libidinale de type anal, il faut clairement reconnaître ici qu'il n'y a *pas d'échange* à strictement parler, au niveau de l'analité, mais une simple confrontation imaginaire par l'intermédiaire dérisoire de ce tiers objet narcissique que sont les fèces et qui ne sont *autres*, qu'en tant qu'elles sont en fait *le même*.
Quel que soit le revêtement symbolique secondaire dont on puisse parer cet objet excrémentiel, cet *autre*, partie de soi, restera fondamentalement ce qu'il est, le *mauvais même* pour ainsi dire.
Si nous nous sommes appesantis un peu laborieusement sur ces distinctions entre le caractère symbolique autant que réel de la possession du pénis d'une part, et l'apport imaginaire de l'érotisme anal d'autre part, c'est tout d'abord parce qu'ils se trouvent profondément intriqués dans le complexe de castration, c'est aussi parce qu'il nous semble essentiel de souligner que l'échange de type anal n'est qu'un leurre perpétuel »[122].

Un test projectif : Saint Georges et le dragon.

C'est aussi à partir de l'expérience archaïque du rejet du bol

---

122. *A propos de l'épisode psychotique que présenta « L'Homme aux loups »*, *La Psychanalyse*, P.U.F., n° 4, p. 92-93.

fécal que semble bâti le commentaire de *Saint Georges et le dragon,* et cela, à différents niveaux.

On voit tout d'abord reparaître le conflit avec la mère du dressage sphinctérien, tel qu'il se manifestait dans *L'Enfance d'un chef* et dans *Saint Genet.* Sartre cherche à expliquer pourquoi le Tintoret trahit, dans ses tableaux, la lumière de sa ville natale. Pour une fois, il renonce, après les avoir évoquées tour à tour, aux explications par la lutte de l'artisanat et de la bourgeoisie, par le puritanisme de la Contre-Réforme, ou par l'exigence du sujet :

> « Voyez un peu ce qui me gêne, écrit-il : la lumière vénitienne, [...] nous la retrouvons sur toutes ses toiles, même si le sujet requiert un intérieur pour décor. [...] des soleils frauduleux y font entrer la blondeur des crépuscules ou l'acier des petits matins. Pourtant le ciel reste bouché. [...] Jacopo [...] s'obstine : son firmament local, cette île claire au-dessus de sa ville, il l'embouteillera de parti pris par un trafic de poids lourds. Nuages d'encre, pesants, immobiles. Et quand il peut barrer les regards par un plafond, c'est mieux encore[123].
>
> [...] tout au fond, il perce une porte dans le mur, l'ouvre sur un vide lumineux : à l'horizon, [...] cet allègement impossible [...]. Le dragon, le militaire et la princesse se débattent sous un ciel de plomb [...] : l'homme doit gagner ou perdre son procès sous les bitumes d'un ciel fermé.
>
> D'où vient [...] ce macadam obstruant les avenues célestes [...]. Obsession et parti pris sont les raisons principales de cette composition. [...] Après avoir vidé comme une malpropre la lumière, esprit subtil de sa patrie, on trouvera plus étrange encore qu'il remplisse de goudron le trou qu'elle laisse au-dessus des têtes. Dira-t-on que le sujet l'exige ? Ce n'est pas croyable. [...] Un seul exige le poids du ciel, et que les nuées soient un plafond sur les têtes, c'est le Tintoret. Cette trahison systématique de sa Ville-Lumière, je ne peux m'empêcher d'y voir l'effet d'une secrète rancune, d'un ressentiment qui ne dit pas son nom »[124].

Le vocabulaire que Sartre emploie nous est maintenant familier : vider, remplir, alléger, alourdir, boucher, s'obstiner, poids lourds, goudron, bitume..., reste d'un temps où l'opposition à la mère se traduisait dans le langage du corps, par des troubles de la fonction d'excrétion.

Il y a, d'autre part, dans le commentaire de *Saint Georges et le dragon,* comme une obsession de la pesée. Le Tintoret fait peser un plafond sur les têtes. « Saint Georges, que fait-il ? Que peut-on faire, dans ce monde hémisphérique où il est assigné à résidence ? Il pèse »[125]. Quant au peintre, même au paradis, « il [lui] faudra bien

---

123. S., IX, p. 215.
124. S., IX, p. 216-217.
125. S., IX, p. 221.

porter sur sa nuque le poids d'un patricien portant un doge »[126]. On reconnaît là Enée portant Anchise, mais dédoublé, comme dans les jeux de miroirs où se complaît l'obsessionnel, puisque Anchise à son tour se mue en Enée portant Anchise. Lorsqu'apparaît la figure d'Enée dans un texte sartrien, et le couple d'opposés porter — être porté, on n'est pas loin de voir surgir un fantasme fondamental[127]. *Saint Georges et le dragon* ne fait pas exception. Il est au contraire exemplaire, puisqu'il donne à lire, dans la scène représentée, une autre scène.

Que sartre ait eu l'obscure conscience de livrer beaucoup de lui-même à travers les lignes que nous allons citer, nous en avons la preuve dans cette affirmation naïve : « un test projectif, en somme. Le Tintoret n'est pas plus responsable de ce que nous imaginons sur sa toile que Rorschach de ce que nous percevons sur ses planches »[128]. Nous disons « obscure » conscience et « naïveté », car ce n'est pas à propos de ce qu'il projette sur le tableau du Tintoret qu'il fait cette remarque. Elle est « déplacée »[129] : elle porte sur l'envers du tableau, sur ce que nous ne voyons pas, « le côté droit du capitaine »[130], la main qui tient la lance et que nous sommes bien contraints d'imaginer. Il va sans dire que, pour nous, le véritable test projectif se donne à lire dans le commentaire du côté gauche du capitaine. Le voici :

> « Ce n'est pas ce qu'il pense[131] ? D'accord : c'est ce qu'il peint. Avec ce résultat [...] de figurer au loin l'univers impossible de la station debout et, partout ailleurs, d'arracher à l'étendue les baleines rectilignes qui la corsettent. L'espace, sans axes ni tuteurs, s'affaisse sur lui-même, en rond. Il se gondole. Cloques, bouffissures, fluxions ; les êtres et les mouvements qu'on y introduit, aussitôt happés, sont soumis au cintrage de forces irrésistibles ; d'un point à un autre, la ligne courbe devient le plus court chemin »[132].

Sartre remarque alors que toute œuvre de cette époque impose dès l'abord un sens à travers son titre mais que peu à peu l'œil voit se former sur la toile « une ordonnance souterraine et non figurative » [133]. Ainsi conclut-il :

> « ce tueur collé à sa monture ne cesse pas un instant d'être clandestinement le dôme qui couronne, mais écrase une super-

---

126. S., IX, p. 218.
127. Voir *supra*, 1re partie, chap. II, p. 71-72.
128. S., IX, p. 223.
129. Au sens freudien ; sur le mécanisme défensif du « déplacement », voir *supra*, introduction, p. 21.
130. S., IX, p. 223.
131. Dans le développement qui précède, Sartre montre Tintoret rêvant d'échapper à « la servilité encore médiévale de l'artisan » (S., IX, p. 218). Une fois de plus, l'histoire véhicule le fantasme : la féodalité, c'est le cas de le dire, a bon dos.
132. S., IX, p. 219-220.
133. S., IX, p. 221.

> position d'arcades. [...] ce sauveteur providentiel, au lieu de saccager l'espace [...] se fait porter par toutes les voussures de la toile. Autour de ce vrai soldat, héroïque et fainéant, le monde s'arrondit en cul de poule ; pondu dans ce désert courbe, il s'adapte en faisant le gros dos et se laisse emporter au lieu du crime par une cavale »[134].

Reconnaissons que l'on peut difficilement qualifier de « non figurative » l'« ordonnance souterraine » que Sartre dessine dans le tableau. Nous y voyons, que l'on veuille bien nous en excuser, le bol fécal lui-même agrandi aux dimensions de l'univers, parfaite expression de la toute-puissance narcissique. La toile est un « désert » : plus de princesse, plus de cadavre, plus de dragon, plus d'ange dans la nuée, il reste un œuf cosmique béatement suspendu. Docilement, le temps imite l'espace : la durée s'épaissit, l'instant se fait « moelleux, fourré à lui-même comme les pruneaux de Tours »[135]. Contenant et contenu sont de même matière. C'est l'enfantine théorie cloacale qui ressurgit : « il n'est pas le fils de cette femme ; il en est l'excrément »[136]. Le ressentiment, les griefs, sensibles dans *Saint Genet* et ailleurs, dans les fragments sur le Tintoret, sont ici effacés : l'enfant fécal n'est pas encore né. Roi « fainéant », il pèse au creux du ventre maternel ; ou encore il mime la mère en faisant « l'expérience d'une sorte de bipartition »[137]. Nous atteignons là un domaine archaïque où la complaisance à soi prend sa source dans le plaisir que l'enfant éprouve à contempler ses premières productions[138].

Nous savons qu'être porté représente la face rassurante du fantasme. Mais nous connaissons aussi l'instabilité des représentations de l'inconscient toujours prêtes à s'inverser. Saint Georges est porté, mais il fait « le gros dos ». Assujettissant, il est assujetti. La « station debout » lui est « impossible ». Comme le Tintoret, il est contraint de « [courber] l'échine »[139]. Porté par son cheval, il a néanmoins la posture de celui qui porte et l'on peut se demander si cette superposition d'arceaux, de voussures et de corolles que Sartre trace sur la toile, n'a pas pour but de faire prendre au saint la position de celui qui est surpris à regarder par le trou de la serrure[140]. Dans l'« ordonnance souterraine » que Sartre découvre sur la toile du Tintoret, il y a, semble-t-il, surimpression du « cul de poule » cosmique et d'un

---

134. S., IX, p. 221-222.
135. S., IX, p. 220. Le pruneau de Tours, dans *Saint Genet*, c'est Genet lui-même (voir *supra*, 2ᵉ partie, chap. II, p. 232, note 265).
136. S.G., p. 15.
137. Voir *supra*, dans ce chapitre, p. 277-278.
138. *Cf. Les Mots*, p. 29, malgré la dénégation : « Après tout, ça ne m'amuse pas tant de faire des pâtés, des gribouillages, mes besoins naturels : pour leur donner du prix à mes yeux, il faut qu'au moins une grande personne s'extasie sur mes produits. Heureusement, les applaudissements ne manquent pas ».
139. S., IX, p. 218.
140. Voir *supra*, 2ᵉ partie, chap. II, p. 246.

fantasme pervers de possession anale. Etrange imagination, en effet, que celle qui conçoit la station debout comme impossible sans un corset à baleine ! La présence dans le texte sartrien de cet accessoire désuet n'est sans doute pas innocente. Le peintre, selon Sartre, « [arrache] à l'étendue les baleines rectilignes qui la corsettent »[141]. Il semble au contraire que le regard de Sartre, suivant les lignes de la toile, jouit de ce qu'elles corsettent un espace courbe qui contraint le héros à ployer l'échine[142].

« *Tout peut arriver, même la mort de Venise* ».

Le peintre porte sur sa nuque le poids d'un autre. Nous savons que l'image d'Enée éveille l'angoisse de castration, car celui qui porte n'est pas loin d'être possédé. Aussi ne nous étonnerons-nous pas de voir apparaître, dans le texte, les signes désormais familiers du complexe de castration : le Tintoret s'épuise à « prouver », nous l'avons vu ; il faut qu'il « montre » à l'œil du ciel : « Entre le tableau, fief du Soleil, et l'Œil suprême, des moines et des prélats glissaient parfois[143] leur transparence ; ils venaient sur la pointe des pieds regarder ce que regardait Dieu, et puis ils repartaient en s'excusant. Fini : l'Œil est clos, Ciel aveugle »[144]. Nous reconnaissons la cérémonie féodale de la montre évoquée dans *Saint Genet* et qui sera présente dans *Les Mots* où l'enfant est « fief du soleil »[145].

Nous retrouvons aussi, à propos du Tintoret, une petite phrase que Sartre avait prêtée à Roquentin[146] et qu'il mettra dans la bouche de l'enfant des *Mots* : « Tout peut arriver ! »[147]. Dans l'autobiographie, Sartre s'empresse de rationaliser : il en donne comme équivalent : « Je peux tout imaginer »[148] et rapporte cette angoisse au pouvoir du jeune écrivain. Mais l'exemple dont il l'assortit (« crever les yeux de Daisy »[149]) nous renvoie au complexe de castration et à l'épouvante que certaines images de cauchemar puissent, par le biais de l'écriture, acquérir un semblant de réalité. Le contexte du « Tout peut arriver » dans *Les Mots*, nous interdit de lui donner le seul sens historique ou métaphysique que Sartre lui accorde dans sa biographie du peintre. Le Tintoret déplait « aux patriotes parceque l'affole-

141. S., IX, p. 219.
142. Autrement dit, la proposition : on soumet un vassal, qui organise dans *Saint Genet*, dans *Le Séquestré de Venise* et dans *L'Idiot de la famille*, l'explication sociologique, paraît bien avoir pour origine un fantasme du biographe. Au dos courbé du peintre et de saint Georges correspond, dans le *Flaubert*, la génuflexion dont Sartre écrit : « Le symbole est coulé dans son corps » (I.F., tome I, p. 516).
143. Du temps de Giotto.
144. S., IV, p. 328.
145. Voir MT., p. 14-15 et *supra*, 1re partie, chap. II, p. 89, note 200.
146. Voir *supra*, 1re partie, chap. IV, p. 167, note 362.
147. MT., p. 123.
148. MT., p. 123.
149. MT., p. 122.

ment de la peinture et l'absence de Dieu leur découvrent, sous son pinceau, un monde absurde et hasardeux où tout peut arriver, *même* la mort de Venise »[150].

La gloire « idiote » qui a fondu sur Sartre dément, nous l'avons vu, ses rêves d'éternité. Pour la première fois, l'idée de la mort personnelle, soigneusement tenue à l'écart jusqu'ici par la névrose, fait irruption dans sa vie. L'illusion persistante de toute-puissance risque de s'évanouir, le phallus imaginaire est ébranlé. Une voix depuis longtemps réprimée se fait entendre ; elle dit : je suis petit, je suis laid, je vais mourir. Cette voix, qui est celle de la finitude refusée, nous la percevons sous les rationalisations sartriennes à propos de l'art sans Dieu : « Cet Art est laid, méchant, nocturne, c'est l'imbécile passion de la partie pour le tout, c'est un vent de glace et de ténèbres qui souffle à travers les cœurs troués »[151]. Ou encore : « La perspective est profane ; parfois même, c'est une profanation : voyez, chez Mantegna, ce Christ en long, les pieds devant, la tête au diable ; croyez-vous que le Père se satisfasse d'un Fils raccourci ? Dieu, c'est l'absolue proximité, l'universel enveloppement de l'Amour : peut-on Lui montrer *de loin* l'Univers qu'*Il* a fait et qu'*Il* retient à chaque instant de s'anéantir ? »[152]. « Et puis, si la peinture n'a d'autre fin que de prendre la mesure de notre myopie, elle ne vaut pas une heure de peine. Montrer l'homme au Tout-Puissant qui a daigné le tirer du limon, c'était un acte de grâces, un sacrifice. Mais le montrer à l'homme, pourquoi ? Pourquoi le montrer *tel qu'il n'est pas ?* »[153]. Autrement dit, l'homme n'a droit à la beauté que si Dieu le regarde. Que des artistes puissent montrer à leurs semblables l'homme dans sa grâce éphémère, cela n'intéresse pas Sartre. Pour lui, la beauté ne saurait être fragile :

> « ils veulent la Beauté, ces inquiets, parce qu'elle rassure. Je les comprends : j'ai pris l'avion deux cents fois, sans m'y habituer [...] de temps en temps la peur se réveille — tout particulièrement lorsque mes compagnons sont aussi laids que moi ; mais il suffit qu'une belle jeune femme soit du voyage ou un beau garçon ou un couple charmant et qui s'aime : la peur s'évanouit [...]. Le Beau paraît indestructible ; son image sacrée nous protège : tant qu'Il demeurera parmi nous, la catastrophe n'aura pas lieu »[154].

La confidence vient corroborer notre hypothèse : la mort de Dieu, dans le texte sur le Tintoret, est avant tout la métaphore de la mort personnelle, inacceptable ; la laideur de l'art sans Dieu est refus de la contingence ; la Beauté, reflet de la gloire divine, a le pouvoir magique du fétiche.

---

150. S., IV, p. 342.
151. S., IV, p. 332-333.
152. S., IV, p. 328.
153. S., IV, p. 330.
154. S., IV, p. 341-342.

Venise, de ma fenêtre ou l'inquiétante étrangeté.

La persistance, du *Saint Genet* aux *Mots,* de la cérémonie de la montre, la reprise, dans *Les Mots,* du « tout peut arriver » prêté au Tintoret, ont de nouveau attiré notre attention sur la castration imaginaire, liée au rejet de la castration symbolique[155]. A ces signes épars qui émigrent d'une biographie à l'autre, nous ajouterons, pour appuyer notre interprétation, l'étude d'un ensemble symptomatique qui structure entièrement cet admirable poème en prose qu'est *Venise, de ma fenêtre.*

A première vue, ce texte semblerait devoir être écarté de notre corpus. Il n'est pas biographique : il n'y est question que de Venise, non de son peintre. Il n'est pas non plus autobiographique au sens où nous l'avons défini : certes, il est écrit à la première personne, mais Sartre n'y analyse ni sa genèse, ni l'homme qu'il est devenu, il note seulement les impressions que suscite en lui la lumière vénitienne. Cependant nous sentons peu à peu, à le lire, que ce paysage est un état d'âme et que cet état d'âme n'est pas une humeur accidentelle[156]. On peut y découvrir un certain nombre de traits fondamentaux qui nous sont apparus, au fur et à mesure de notre lecture, comme constitutifs du psychisme sartrien. Nous verrons que la qualité de l'atmosphère vénitienne sert à Sartre de test projectif, comme l'avait fait le *Saint Georges* du Tintoret. Nous mettrons donc au nombre des textes autobiographiques ce « tableau vénitien » de Sartre. Mais nous le compterons aussi parmi les textes biographiques. En effet, s'il ne dit rien, explicitement, du Tintoret, l'ensemble de traits significatifs que nous allons y lire se retrouve dans les fragments de l'étude sur le peintre, confirmant ainsi notre hypothèse que Sartre projette dans les objets de sa passion biographique sa propre structure psychique.

L'impression dominante qui se dégage de *Venise, de ma fenêtre* est celle d'« inquiétante étrangeté »[157]. Les deux termes sont d'ailleurs présents dans le texte[158] pour caractériser la perception de l'autre à Venise. Un « tout peut arriver » implicite ordonne ces pages : le soleil peut disparaître, la terre se fendre, les îles s'engloutir, les continents aller à la dérive. Au début du texte, c'est le thème de la décollation[159] qui s'impose. Sartre raconte la légende du doge Marino Falero condamné à « la peine capitale pour avoir tenté d'enrayer la

155. Voir, là-dessus, *supra,* 1re partie, chap. II, p. 94.
156. Simone de Beauvoir dit de l'ouvrage dont ce fragment est extrait : « *La reine Albemarle et le dernier touriste* devait être en quelque sorte *La Nausée* de son âge mûr » (*La Force des choses,* Gallimard, 1963, p. 217).
157. Voir l'étude de Freud intitulée « L'inquiétante étrangeté » reprise dans les *Essais de psychanalyse appliquée* », Gallimard, 1933, réédition « collection Idées », 1973, p. 163 à 210.
158. « Etrangeté » à la page 450 (S., IV) et « inquiétant » à la page 451.
159. *Cf.* Freud « L'inquiétante étrangeté », *Essais de psychanalyse appliquée,* p. 197.

marche du Processus historique »[160], alors que ses confrères « étroitement surveillés, se résignaient à n'être plus que les hommes de paille du capitalisme commercial »[161]. Fallero subit son supplice « en louant la justice qui allait être faite »[162], mais lorsque les « commerçants vindicatifs ordonnèrent de couvrir son image d'un voile [...] le pauvre agneau se fâcha pour de bon [...]. Brusquement son chef coupé se leva sur l'horizon et se mit à tourner au-dessus de la ville »[163].

> « Par le fait, poursuit Sartre, à Rome, grosse bourgade terrestre, je suis toujours heureux d'assister à la naissance d'un roi paysan ; mais quand j'ai tourné longtemps au fond des canaux vénitiens [...] ce n'est pas sans gêne que je reprends pied sur le quai des Esclavons pour voir errer, sur les miroitements subtils de la cité, la grosse tête fruste de Marino Fallero.
>
> Donc, pas de soleil ce matin ; il joue Louis XVI à Paris ou Charles Ier à Londres. Cette boule a rompu l'équilibre en disparaissant ; [...] le paysage tourne et je tourne avec lui, tantôt pendu par les pieds au-dessus d'une absence et sous les fresques du Canal, tantôt debout sur un promontoire au-dessus d'un ciel en perdition. Nous tournons, plafond, plancher et moi, l'Ixion de cette roue, dans la plus rigoureuse immobilité ; ça finit par me donner le mal de mer, ce vide est insupportable »[164].

Notons que le promeneur se substitue à ce soleil tournoyant. Axe de la roue en feu, il est à la fois le soleil, cou coupé, et l'homme pendu par les pieds. Dans un article contemporain sur l'Italie, Sartre évoque le cadavre de Mussolini « pendu par les pieds »[165]. Le supplice d'Ixion semble ici polariser les fantasmes sartriens : il satisfait son masochisme et dit son identification au phallus tout en affichant la castration : cette tête coupée est celle d'un doge, ce pendu bafoué reste le Duce.

Quand le persécuté apparaît, le persécuteur n'est pas loin :

> « A Venise, il suffit d'un rien pour que la lumière devienne regard. [...] ce matin, je lis Venise dans les yeux d'un autre, un regard vitreux s'est fixé sur le faux bosquet, il fane les roses en sucre candi, les lys en mie de pain trempée dans du lait, tout est sous globe, j'assiste à l'éveil d'un souvenir maussade. [...] Une *autre* mémoire hante la mienne »[166].

Nous avons déjà rencontré, dans *Saint Genet*[167], ce regard qui possède, cette atmosphère de mauvais rêve. « L'eau de Venise donne à la

160. S., IV, p. 445.
161. S., IV, p. 445.
162. S., IV, p. 445.
163. S., IV, p. 446.
164. S., IV, p. 447.
165. S., IV, p. 441.
166. S., IV, p. 455.
167. Voir *supra*, 2e partie, chap. II, p. 244.

ville entière une très légère couleur de cauchemar »[168]. Nous savons que le délire de persécution résulte de la transformation d'un « je l'aime » en un « il me hait »[169] et que les fantasmes dont il se nourrit sont de nature homosexuelle, donc narcissique. On peut rattacher à ce courant narcissique, l'obsession du double qui apparaît tout au long du texte :

> « la gauche et la droite du Canal ne sont pas si dissemblables. Oui, bien sûr, le Fondouque des Turcs est d'un côté, la Ca' d'Oro de l'autre. Mais en gros ce sont toujours les mêmes coffrets [...]. Quelquefois, quand ma gondole glissait entre ces deux fêtes foraines, je me suis demandé laquelle était le reflet de l'autre. [...] Imaginez que vous vous approchiez d'une glace : une image s'y forme, voilà votre nez, vos yeux, votre bouche, votre costume. C'est vous, ce *devrait* être vous. Et pourtant, il y a quelque chose dans le reflet [...] qui vous fait dire brusquement : on en a mis *un autre* dans le miroir à la place de mon reflet[170]. Voilà à peu près l'impression que font, à tout heure, les « Venise d'en face ». [...] Tout à l'heure, en ouvrant ma fenêtre, j'ai fait s'ouvrir une fenêtre pareille au troisième étage du Palazzo Loredan qui est le double de celui-ci. [...] A Paris, quand je le regarde de ma fenêtre, il me paraît souvent incompréhensible, le manège des petits personnages étincelants qui gesticulent à la terrasse des *Deux Magots* [...]. N'importe [...] je n'ai besoin que d'une minute [...] pour les rejoindre [...]. Ce n'est même pas exact de dire que je les *regarde*. Car au fond, je ne les ai jamais vus. Je les *touche*. La raison : il y a entre nous [...] la croûte rassurante de cet astre ; les *Autres* sont au-delà des mers »[171].

Notons qu'il n'y a pas tant de différence entre la vision de Venise et celle de Paris. Le piéton de Paris n'est pas plus « rencontré » que celui de Venise : l'un est le même, l'autre est l'*Autre*. Ils sont tous deux derrière une vitre[172] et le plus proche n'est pas le moins étranger. Revenons à Venise : de l'autre côté du canal, un homme contemple Santa Maria della Salute :

> « C'est, horreur, mon semblable, mon frère, il tient un guide Bleu dans sa main gauche et porte un Rolley-Flex en bandoulière. Qui donc est plus dépourvu de mystère qu'un touriste ? Eh bien, celui-ci figé dans son immobilité suspecte, est tout aussi inquiétant que ces sauvages des films d'épouvante qui écartent les joncs des marais, suivent l'héroïne d'un regard brillant

---

168. S., IV, p. 452.
169. Voir notamment « Remarques psychanalytiques sur l'autobiographie d'un cas de paranoïa » (le Président Schreber) dans *Cinq Psychanalyses*, P.U.F., 1967, p. 308.
170. Ces lignes semblent l'illustration des remarques de Serge Leclaire sur l'expérience de la bipartition imaginaire qui se fonde sur l'érotisme anal et qui « contient en son entier, le mode, inépuisable par définition, de la structure obsessionnelle » (voir *supra*, dans ce chapitre, p. 277-278).
171. S., IV, p. 449-450.
172. Sur la vision à travers une vitre, voir *infra*, dans ce chapitre, p. 291.

et disparaissent. C'est un touriste de l'Autre Venise et je ne verrai jamais ce qu'il voit »[173].

Curieux destin du double : né de la hantise de la mort[174], il est fait pour rassurer l'homme sur sa survie. Mais très vite, il inquiète, car il menace le narcissisme dont il procède ; j'ai besoin de me voir pour être sûr de mon existence, mais je ne puis tolérer de n'être pas unique : « déjà je sens que le sol s'entrouvre, le Canal n'est qu'une vieille branche pourrie sous sa mousse [...] ; j'enfonce, je m'engloutis en levant les bras et ma dernière vision sera le visage indéchiffrable de l'Inconnu de l'Autre bord, à présent tourné vers moi, mesurant avec angoisse son impuissance ou jouissant de me voir tomber dans ce piège »[175]. La prolifération du double témoigne de l'échec de la relation à l'autre et de l'impossibilité d'investir affectivement le monde extérieur. Venise menace à tout instant de se dissiper dans l'irréel. C'est un jeu de miroir : « A l'ordinaire, je me contente plutôt de ce que j'ai ; mais à Venise, je suis la proie d'une espèce de folie jalouse ; si je ne me retenais pas, je serais tout le temps sur les ponts ou sur les gondoles, cherchant éperdument la Venise secrète de l'autre bord. Naturellement, dès que j'aborde, tout se fane ; je me retourne : le mystère tranquille s'est reformé de l'autre côté. Il y a beau temps que je me suis résigné : Venise, c'est là où je ne suis pas »[176].

Cette espèce de folie jalouse n'a que l'apparence de la vie. Elle s'épuise à saisir un fantôme et trahit l'impossibilité de ressentir : « C'est un touriste de l'Autre Venise et je ne verrai jamais ce qu'il voit ». Supplice de Tantale, où celui que ses conflits ont conduit à s'anesthésier, envie à l'autre ses émotions. Cette castration affective produit dans le texte tous les effets de fin du monde : « Un soir que je revenais de Murano, ma barque s'est trouvée seule à perte de vue : plus de Venise ; à l'emplacement du sinistre, l'eau poudroyait sous l'or du ciel »[177]. Ou encore :

> « Entre les deux quais il n'y a *rien* : une écharpe transparente hâtivement jetée sur le vide. Ces cottages sont séparés des nôtres par une lézarde qui traverse toute la terre. Deux moitiés de l'Europe sont en train de se séparer [...] comme dans *Hector Servadac* c'est le moment d'agiter les mouchoirs. [...] dans une heure, une bonne se mettra à quelque balcon [...] et elle verra, terrorisée, le vide au-dessous d'elle et une grosse boule jaune et grise en train de tourner, à dix mille lieues. [...] Petit monde si limité, clos sur soi-même, qui se dresse, définitif comme une pensée au milieu d'un désert. *Je ne suis pas dedans.* L'île flot-

---

173. S., IV, p. 451.
174. *Cf.* Freud, « L'inquiétante étrangeté », *Essais de psychanalyse appliquée*, p. 185 et suivantes.
175. S., IV, p. 452.
176. S., IV, p. 447-448.
177. S., IV, p. 448.

> tante, c'est la terre tout entière, ronde et surchargée d'hommes, elle s'éloigne et je reste sur le quai. A Venise et en quelques autres lieux on a le temps de voir le destin des hommes du dehors avec les yeux d'ange ou de singe. On a raté l'Arche de Noé. [...] cet été, au large du cap Nord, [...] j'avais fini par me croire dans l'espace interstellaire, satellite tournoyant d'une terre inaccessible. A Venise ca n'est pas si angoissant, et pourtant l'Humanité s'éloigne, glissant sur un lac calme. L'espèce humaine — ou, qui sait, le Processus historique — se rétracte, petit pullulement limité dans l'espace et dans le temps. Je la vois tout entière, de quelque lieu situé hors du temps et de l'espace et je sens très doucement, très perfidement mon abandon »[178].

Ces lignes, qui reflètent l'ensemble du texte comme en abyme, disent la castration et la nient dans l'illusion de la toute-puissance : la fascination du rien, du vide que masque une écharpe, de la lézarde, la réapparition du soleil cou coupé, le sauve-qui-peut hors de ce monde promis à la mort et trop petit, le point de vue de l'ange ou du singe, montrent la tentation de fuir la condition d'homme, sexué et sachant qu'il doit finir. La rêverie de satellisation trahit le vœu d'échapper à la mort, tout comme le « *Je ne suis pas dedans* » souligné par Sartre. Mais cette dernière affirmation dit aussi le sentiment d'être étranger au monde. Le désir du sujet se détourne des objets extérieurs, il revient tout entier vers sa source.

Aussi n'est-il pas étonnant que *Venise, de ma fenêtre* se termine par une évocation nostalgique :

> « le *vaporetto* passe, [...] long cigare beige [...] souvenir de Jules Verne [...]. Sur un petit toit de zinc [...] des couronnes mortuaires [...] peut-être qu'on les jette à l'eau [...] pour commémorer des noyades. A la proue, une victoire en manteau de fourrure [...]. Personne en vue, sinon cette morte qui connut Wagner et Verdi. Un vaisseau fantôme en modèle réduit transporte, entre deux fêtes anciennes, une comtesse italienne qui trouva la mort dans la catastrophe du *Titanic* »[179].

Nous connaissons cette comtesse : elle est russe dans *Les Mots*, c'est la gloire et la mort ; elle descend de son coupé pour baiser les doigts du vieil écrivain perdu dans la steppe[180]. Elle surgit ici comme le fétiche des morts illustres. Elle mène triomphalement le deuil d'on ne sait qui. Relisons les dernières lignes du *Séquestré de Venise* : « Le Tintoret a mené le deuil de Venise et d'un monde ; mais, quand il est mort, personne n'a mené son deuil [...], des mains hypocritement pieuses ont tendu ses toiles de crêpe. Arrachons ce voile noir, nous trouverons un portrait, cent fois recommencé. Celui de Jacopo ? Celui

---

178. S., IV, p. 453-454.
179. S., IV, p. 457-458.
180. MT., p. 159-160.

de la Reine des mers ? Comme il vous plaira : la ville et son peintre n'ont qu'un seul et même visage »[181]. Il y a décidément en Sartre un amateur de pompes funèbres. Son *Séquestré de Venise* est un « tombeau » du Tintoret. Mais mener le deuil du Tintoret est une opération interminable : car le deuil est impossible quand l'endeuillé identifie au Phallus l'objet perdu[182]. Venise permet de ne pas faire son deuil et de chanter indéfiniment le lamento des splendeurs défuntes. « Musée flottant »[183], c'est une ville d'élection pour les fantasmes nostalgiques : la cérémonie fantôme qui hante la rêverie sartrienne est un simulacre d'enterrement : le mort est introuvable, les couronnes mortuaires dériveront au fil de l'eau. La victoire qui mène le deuil et connut Wagner et Verdi, est morte. Quelques lignes après le passage que nous avons cité, on trouve cet écho bizarre : « cette fausse morte verdit entre les quais »[184]. Il s'agit cette fois de l'eau du canal et non de la comtesse. Mais la répétition du nom célèbre sous le vocable commun, et la feinte attribuée à l'un des éléments fondamentaux du paysage vénitien, semblent significatives : il y a quelqu'un qui fait le mort et qui s'apprête à ressusciter en illustre défunt. Un qui perd gagne informulé sous-tend le texte sur Venise. Le site de la ville, son architecture, l'atmosphère de l'archipel permettent à Sartre, sous le couvert du pittoresque, le jeu avec ses pulsions. La réalité épouse ici la forme du fantasme. La thématique phallique peut s'épanouir pour se nier aussitôt, obéissant à la fois aux exigences de l'inconscient sartrien et aux caprices du ciel vénitien :

> « les palais du Grand Canal, on les regarde de bas en haut et ça suffit pour qu'on découvre en eux une espèce d'élan figé qui est, si l'on veut, leur densité retournée, l'inversion de leur masse. Un rejaillissement d'eau pétrifié : on dirait qu'ils viennent d'apparaître et qu'il n'y avait rien avant ces petites érections têtues »[185].

Ou encore, à propos de l'eau : « on dirait qu'elle jalouse la rigidité cadavérique des palais qui la bordent »[186]. Nous savons[187] que le cadavre est une des images du phallus anal. N'oublions pas le *vaporetto,* « long cigare beige », et les dernières lignes de *Venise, de ma fenêtre :* « J'ai besoin de lourdes présences massives, je me sens vide en face de ces fins plumages peints sur vitre. Je sors »[188]. Vide, allègement, ténuité, raréfaction, dématérialisation reviennent inlas-

---

181. S., IV, p. 345-346.
182. Voir Mustapha Safouan, *De la structure en psychanalyse,* dans *Qu'est-ce que le structuralisme ?* Seuil, 1968, p. 294, et S. Freud, *Deuil et mélancolie,* dans *Métapsychologie,* Gallimard, collection Idées, 1972, p. 147 à 174.
183. S., IV, p. 458.
184. S., IV, p. 459.
185. S., IV, p. 448.
186. S., IV, p. 458.
187. Voir *supra,* 2e partie, chap. II, p. 238, 247, 258-259 et *infra,* 3e partie, chap. I, p. 340-341.
188. S., IV, p. 459.

sablement pour évoquer le climat de Venise. Sartre écrit dans son commentaire du *Saint Georges* : « De la pesanteur à la grâce, bon : et montrer comment celle-ci n'est qu'une forme atténuée de celle-là »[189]. On retrouve ici le lien organique du vide au plein, du lourd au léger. Le bonheur vénitien de Sartre repose sur les jeux archaïques de la pulsion anale : quelle autre ville pourrait faire éclore, dans l'imagination sartrienne, les notions baroques de « densité retournée » ou d'« inversion de [la] masse » ?

Le gel affectif.

Lisant les deux fragments consacrés au Tintoret, *Le Séquestré de Venise* et *Saint Georges et le dragon,* nous y avons perçu le langage de la pulsion anale et celui du complexe de castration. L'analyse de *Venise, de ma fenêtre* nous a montré leur lien avec le sentiment d'« inquiétante étrangeté », le désinvestissement du réel, l'impression de fin du monde et la hantise du double qui fait de l'autre un mauvais même. Sans être aussi présents que dans le paysage vénitien, ces derniers traits symptomatiques sont néanmoins repérables dans le texte biographique et dans le commentaire du tableau.

Dans *Saint Georges et le dragon,* Sartre transforme le Tintoret en touriste et lui prête sa propre expérience de Venise : « si l'artiste a du goût pour la raréfaction de l'être, il n'a qu'à faire un tour sur les Fondamenta Nuove au crépuscule du soir ou du matin [...] nulle part au monde [le soleil] ne ronge autant : il peut escamoter une île, désintégrer un quartier, tomber dans un canal »[190]. Dans *Le Séquestré de Venise,* Tintoret souffre à la fois d'inexistence et de dédoublement :

> « Sur une avenue romaine deux friperies se font face [...] d'un côté une glace barrée par des faire-part endeuillés : *Prezzi disastrosi !* de l'autre, une vitrine couverte d'affichettes multicolores : *Prezzi da ridere ! da ridere ! da ridere !* Voilà des années que ça dure, et je ne puis voir ces boutiques sans qu'elles me fassent, toutes deux ensemble, penser au Tintoret »[191].

Ou encore :

> « le Tintoret aurait écrit sur les murs de son atelier : « La couleur du Titien et le modelé de Michel-Ange ». [...] La couleur, c'est Jean qui rit ; le modelé, Jean qui pleure. [...] Le Tintoret apparaît aux contemporains comme un Titien devenu fou, dévoré par la sombre passion de Buonarroti, secoué par la danse de Saint-Guy. Un cas de possession, un curieux dédoublement. En un sens, Jacopo n'existe pas, sinon comme champ de bataille ; en un autre sens, c'est un monstre, une malfaçon »[192].

---

189. S., IX, p. 214.
190. S., IX, p. 212-213.
191. S., IV, p. 313.
192. S., IV, p. 343-344.

Laissons pour le moment le champ de bataille de vampires que nous retrouverons en étudiant *Des Rats et des hommes.* Constatons simplement que, comme le paysage de Venise, le Tintoret a tendance à la scissiparité. Cet homme, qui a tant de mal à exister par lui-même, est conduit, par le pressentiment de la mort de Dieu, à se désintéresser du monde : il est lui aussi tenté par l'évasion interstellaire : « Aspiré par le vide, Jacopo s'engouffre dans un voyage immobile dont il ne reviendra jamais »[193]. Et dans le commentaire du *Saint Georges* : « tout au fond, il perce une porte dans le mur, l'ouvre sur un vide lumineux : à l'horizon, le ciel est un appel d'air, on s'y engouffre, on y vole »[194].

L'impossibilité d'une rencontre de l'autre, d'une relation d'objet, n'est évidemment pas indépendante de cet ensemble symptomatique. Quelle autre image que celle de la vitre pourrait mieux rendre l'impression de gel affectif ? *Venise, de ma fenêtre* se termine sur le vœu de renouer avec le monde : « J'ai besoin de lourdes présences massives, je me sens vide en face de ces fins plumages peints sur vitre. Je sors »[195]. La peinture sur verre est une « spécialité » vénitienne comme le sulfure, « petit bouquet trop net dans le cristal d'un presse-papiers »[196]. L'image est employée par Sartre, à propos du Tintoret, pour qualifier le peu d'ouverture de son avenir social. Nous pensons qu'elle dit bien autre chose. Le Tintoret est « prisonnier d'une transparence »[197], Sartre aussi. Relisons la page 210 des *Mots* : « *J'étais* Roquentin [...] en même temps j'étais *moi,* l'élu, annaliste des enfers, photomicroscope de verre et d'acier [...] J'étais prisonnier de ces évidences mais je ne les voyais pas : je voyais le monde à travers elle(s)[198]. [...] Je raconterai plus tard quels acides ont rongé les transparences déformantes qui m'enveloppaient ». Le Tintoret est prisonnier d'un « destin tracé d'avance »[199], Sartre l'est de sa névrose. Ces explications nous semblent pécher par trop de généralité. Le « sous-verre », c'est d'abord l'image de l'absence de relations humaines vivantes, comme le montre, dans *Les Mots,* le portrait de Bénard dont la mort a endeuillé la classe de sixième :

> « La vérité, c'est que Bénard ne vivait qu'à demi ; [...] on lui avait défendu de se mêler à nos jeux. Pour ma part, je le vénérais d'autant plus que sa fragilité nous séparait de lui : *on l'avait mis sous verre* ; il nous faisait des saluts et des signes *derrière la vitre* mais nous ne l'approchions pas : nous le chérissions de loin parce qu'il avait, de son vivant, l'effacement des symboles »[200].

193. S., IV, p. 333.
194. S., IX, p. 216.
195. S., IV, p. 459.
196. S., IV, p. 309.
197. S., IV, p. 309.
198. Le « elle » du texte nous paraît être une faute.
199. S., IV, p. 309.
200. MT., p. 188, c'est nous qui soulignons.

Notons que Bénard permet à Sartre enfant ces mêmes opérations défensives que le paysage vénitien actualise chez l'adulte : dévitalisation, négation de la mort par son constant rappel, naissance du double : « Bénard vivait si peu qu'il ne mourut pas vraiment : il resta parmi nous, présence diffuse et sacrée »[201]. « Quelques semaines plus tard [...] pendant le cours de latin la porte s'ouvrit, Bénard entra [...]. J'étais le plus frappé de tous »[202]. Ce « simulacre satanique »[203] s'appelait Paul-Yves Nizan.

Le dernier avatar du double, au cœur du Tintoret, c'est sans doute sa duplicité :

> « il accepte des scénarios imbéciles, écrit Sartre, pour les charger en douce de ses obsessions. Il faut duper l'acheteur, [...] il aura sa Catherine, sa Thérèse ou son Sébastien ; pour le même prix on le mettra sur la toile, avec sa femme ou ses frères, s'il y tient. Mais [...] derrière la façade somptueuse et banale de cette *réalisation,* il poursuit ses expériences ; toutes ses grandes œuvres sont à double sens : son utilitarisme étroit masque une interrogation sans fin »[204].

Le séquestré de Venise trompe son monde : la première partie de l'étude que Sartre lui consacre s'intitule « Les fourberies de Jacopo »[205]. Dans le commentaire du *Saint Georges,* Robusti est traité d'« escroc »[206], de « faisan »[207] : « payé pour peindre une action [...] il se garde d'en rien faire »[208], car « Georges, c'est l'ennemi personnel du peintre, le protagoniste de tous les drames, l'aventurier qu'on nomme, dans les traités de morale, *agent.* Le pinceau exilera ce capitaine qui trouble l'univers du *pathos,* par cette incongruité, l'acte »[209]. Agissant ainsi, Tintoret « se défend »[210]. Défense légitime, somme toute, selon Sartre. Il pourrait dire du Tintoret ce qu'il dit de Flaubert : « Gustave est un passif contrarié — comme il y a des gauchers contrariés »[211]. A considérer les obsessions très particulières dont l'écrivain charge et les tableaux du peintre et le paysage vénitien, il nous semble que le Sartre engagé, agent, se contrarie lui-même et que cette contrariété est à mi-chemin, elle aussi, de la duplicité et de la défense au sens psychanalytique du terme. Sans nier pour autant la validité de ses motivations conscientes, on peut voir dans l'engagement sartrien, à la lumière de ce que fait affleurer l'étude sur Tintoret (narcissisme, retrait des investissements du monde extérieur, fantasme de satellisation), tous les caractères d'une formation réactionnelle. L'intérêt forcené pour le siècle, chez Sartre, nous paraît à la mesure de son détachement profond.

---

201. MT., p. 189.
202. MT., p. 189-190.
203. MT., p. 190.
204. S., IV, p. 311-312.
205. S., IV, p. 291.
206. S., IX, p. 224.
207. S., IX, p. 224.
208. S., IX, p. 224.
209. S., IX, p. 202-203.
210. S., IX, p. 202.
211. I.F., tome II, p. 2050.

Chapitre IV

DES RATS ET DES HOMMES

En 1957, Sartre préface *Le Traître* d'André Gorz[1] et intitule son texte, pour des raisons sur lesquelles nous reviendrons, *Des rats et des hommes.* Cette préface[2] est, pour notre propos, d'une extrême importance. Sartre l'écrit alors qu'il porte en lui *Les Mots*[3] et il salue dans l'entreprise de Gorz un modèle d'auto analyse :

> « nous avons suivi pas à pas ce Cuvier fantastique qui trouve un os, recompose l'animal à partir de ce vestige minuscule et s'aperçoit, pour finir, que la bête reconstituée n'est autre que lui-même. [...] Quel est donc cet objet qui se fait sujet sous le nom de méthode ? Gorz ou vous et moi ? Vous n'êtes pas des Indifférents, vous aurez d'autres questions à vous poser sur vous-même ; Gorz, en s'inventant, ne vous a pas déchargés du devoir de vous inventer. Mais il vous a prouvé que l'invention totalisante était possible et nécessaire »[4].

Nous étions au spectacle, nous voilà au sermon. Une fois de plus Sartre impose au genre humain ses propres exigences, nous donne, sous couvert de morale, un jumeau à admirer, magnifie, « sous le nom de méthode », un art de se méconnaître et prend un symptôme, « l'invention totalisante », pour une panacée. Avant d'examiner ce qui différencie profondément l'entreprise de Sartre de celle de Gorz, nous nous attacherons à souligner à quel point Gorz a pu mobiliser l'affectivité sartrienne : tous les thèmes de la préface entrent en résonance avec l'ensemble des textes que nous avons étudiés jusqu'ici.

---

1. Paru aux éditions du Seuil, en 1958.
2. Reprise dans *Situations,* IV, p. 38 à 81.
3. « C'est vers 1953 que Sartre semble avoir conçu le projet d'écrire une autobiographie. Le gros de l'ouvrage a été écrit en 1954, repris plusieurs fois, puis retouché et nuancé au début de l'année 1963 », (M. Contat et M. Rybalka, *Les Ecrits de Sartre,* Gallimard, 1970, p. 385).
4. S., IV, p. 78-79.

Un type lézardé.

Ce qui frappe d'emblée, c'est l'abondance des images qui disent le complexe de castration : Gorz est « coupé en deux »[5] et ses « problèmes de soudure »[6] doivent intéresser tout le monde[7]. Il est loin encore d'être « tout un homme »[8]. Il porte en lui un « petit infirme »[9], un « nain difforme »[10]. C'est un « type lézardé »[11], expression admirable de condensation : l'homme lézardé n'a pas de pénis, il n'affronte pas les risques de stade génital. A la place, il a une lézarde[12], mais en même temps il renferme un zar[13]. C'est un rat « en proie à l'Homme »[14], un « [rongeur fou] en proie aux Vampires »[15], un « loup »[16] au sens technique et mallarméen, un chien « [décérebellé] »[17], un « [grand mutilé] en période de rééducation »[18]. Avec cette image employée pour qualifier l'homme dans *Erostrate*[19] et réservée ici à l'intellectuel, nous voyons reparaître celui qui ne peut pas ressentir, l'impuissant émotionnel, l'interdit de désir.

Gorz est zélé[20] mais indifférent, il est même « l'Indifférent »[21]. Sartre enfant l'était aussi et enviait les goûts déclarés de M. Simonnot. Jeune homme à l'Ecole Normale, il souhaitera « passionnément [...] ressembler »[22] à Maheu et à Nizan, en vain : « Je regardais aussi mais avec plus de zèle que de convoitise »[23]. Gorz, lui, est un homme « appliqué » [24] au sens où Paulhan, écrit Sartre, « s'est nommé « guerrier appliqué » dans un excellent petit livre où il racontait sa guerre »[25]. N'oublions pas la connotation de ce terme dans *Les Mots* : « j'étais une femme froide dont les convulsions sollicitent puis tentent de remplacer l'orgasme. La dira-t-on simulatrice ou juste un peu

---

5. S., IV, p. 47.
6. S., IV, p. 47.
7. S., IV, p. 47.
8. S., IV, p. 42. Sur cette expression, voir *supra*, 1re partie, chap. II, p. 85.
9. S., IV, p. 54.
10. S., IV, p. 54.
11. S., IV, p. 57.
12. S., IV, p. 57. Sur la lézarde, liée à l' « inquiétante étrangeté », voir *supra*, 2e partie, chap. III, p. 287.
13. S., IV, p. 57. Sur le Zar comme métaphore du phallus, voir *supra*, 2e partie, chap. II, p. 234. « Lézardé » comprend aussi lézard : sur l'apparition de cet animal en rêve, pour conjurer l'angoisse de castration, voir S. Freud, *L'Interprétation des rêves*, P.U.F., 1967, p. 306-307.
14. S., IV, p. 60.
15. S., IV, p. 81.
16. S., IV, p. 68.
17. S., IV, p. 65.
18. S., IV, p. 64.
19. Voir la lettre de Paul Hilbert aux écrivains célèbres : « Vous aimez aussi la chair de l'homme, son allure de grand blessé en rééducation » (MR., p. 87).
20. « Cet imposteur est démasqué par son zèle » (S., IV, p. 59).
21. S., IV, p. 59.
22. MT., p. 163.
23. MT., p. 164.
24. S., IV, p. 59.
25. S., IV, p. 59.

trop appliquée ? »[26]. Gorz est « immunisé [...] contre les violences [...] de la concupiscence »[27]. Pour cet anesthésié, l'intelligence est une compensation vitale : « il faut qu'il ait eu grand besoin de cet outil pour l'avoir si bien affûté »[28]. Outil tranchant comme on le voit ; le châtré châtre. Sartre rend totalement lisible le complexe de castration mais ne le perçoit pas. Pourrait-il autrement ne faire aucune réserve sur la qualité d'un instrument intellectuel dont le caractère défensif est si patent. Il est vrai que, s'il ne met pas en question la manie raisonnante de Gorz, l'exemple qu'il donne a tout de même l'air d'un lapsus : il lui faut, écrit-il, « tout fonder en raison, même le geste d'ouvrir un parapluie »[29]. Dans ce geste anodin, la langue populaire lit le désir de se mettre à l'abri[30].

Les deux cités.

L'impression de gel affectif lié à l'exercice de l'intelligence est particulièrement sensible dans l'allégorie des deux cités. Pour Sartre, elle illustre simplement la difficulté de se comprendre par le marxisme :

> « Lorsqu'il vient à considérer à la fois qu'il est « né d'un Juif » et qu'il a une « conscience aiguë de la contingence de tout », il admire l'isolement, l'opacité, l'irréductibilité hautaine de ces deux faits si différents : à les regarder naïvement on dirait deux cités en miniature, ceintes de remparts et de fossés ; chacune est peinte sur une vieille toile enfermée dans un cadre, toutes deux sont accrochées à la cimaise : entre elles *il n'y a pas de chemin visible* puisqu'elles n'existent pas dans le même monde. Il n'ignore pas, cependant, que les gens vont et viennent dans leur petit musée personnel, qu'ils passent d'une Circoncision à une Flagellation, sans même chercher le nom des auteurs, et qu'ils disent : *Cela* est cause de *Ceci*, je suis l'infortuné produit de ma race, du judaïsme de mon père, de l'antisémitisme de mes camarades, comme si le lien véritable entre ces mystérieuses images de lui-même, c'était tout simplement le mur où l'on avait suspendu les tableaux qui les enferment »[31].

Cette évocation peut se lire aussi bien comme une admirable figuration des mécanismes de la névrose obsessionnelle. Tout le travail de l'obsédé consiste en effet à *isoler*[32] les représentations interdites qui

---

26. MT., p. 172.
27. S., IV, p. 62.
28. S., IV, p. 66.
29. S., IV, p. 62.
30. L'entreprise autobiographique de Gorz est censée rompre avec l'usage de l'intelligence comme parapluie, puisque Sartre écrit, à la fin du texte : « il est en train de se défaire par la parole pour pouvoir un jour se faire par des actes, [...] il s'est enfin « mouillé », mis « dans le bain » (S., IV, p. 77).
31. S., IV, p. 73.
32. Sur l'isolation, voir J. Laplanche et J.-B. Pontalis, *Vocabulaire de la psychanalyse,* P.U.F., 1968, p. 215 à 217.

peuvent alors rester conscientes, puisqu'elles sont séparées de l'affect qui les accompagnait. Les deux cités sont « ceintes de remparts et de fossés », de l'une à l'autre, « *il n'y a pas de chemin visible* ». Comme dans les rêves, les images se superposent : les deux cités deviennent des tableaux de la vie du Christ. Cette Circoncision et cette Flagellation, tenues à distance par la rumination intellectuelle, ne risquent pas d'éveiller l'émotion : le sujet est à l'abri, il va et vient devant elles ; ce sont de vieilles toiles, enfermées dans un cadre et accrochées à un mur ; « ces mystérieuses images de lui-même » sont inoffensives : l'obsédé est un voyeur, il a son « petit musée personnel », il se dédouble, se projette sur un mur et se regarde. Son musée imaginaire est strictement privé ; lorsqu'on pense à l'usage que Genet fait de la Passion[33] et aux Passions « douteuses »[34] du jeune Flaubert, on peut s'attendre à ce que les grandes scènes du Nouveau Testament ne soient ici que les prête-noms de la complaisance à la castration et du sado-masochisme. Ce qui nous incline encore davantage à cette interprétation, c'est la présence, quelques pages plus haut, à propos des vampires que nous abritons, de cet étrange avatar du petit musée personnel : « on ne nous demandera pas compte des garnis, des salons de Vénus aux cent miroirs que nous louons à nos clients de passage »[35]. Dans *Les Mots,* le salon de Vénus perd son caractère pervers. Il ne reste qu'un « palais de glace désert où le siècle naissant [mire] son ennui »[36]. Le miroir n'est plus que l'impossibilité d'exister vraiment qui se nie dans l'écriture : « avant elle, il n'y avait qu'un jeu de miroirs ; dès mon premier roman, je sus qu'un enfant s'était introduit dans le palais de glaces »[37].

Palais de glaces et salon de Vénus.

L'image du palais de glaces, deux fois présente dans *Les Mots,* semble, au premier abord, bien anodine et n'évoquer que des lieux conçus pour le divertissement des enfants. Mais nous avons vu, au chapitre précédent, l'importance des jeux de reflets et Venise tout entière en proie à une sorte de folie miroitante. La préface du *Traître* attribue à chacun de nous salon de Vénus et petit musée personnel. Aussi vaut-il sans doute la peine de s'arrêter à rechercher l'origine de ces salles curieuses.

Elles renvoient à deux rencontres — l'une dans la vie, l'autre dans les livres — qui ont dû solliciter fortement l'imaginaire sartrien. Simone de Beauvoir raconte la première : à Naples, en 1936, comme Sartre

33. Voir *supra,* 2e partie, chap. II, p. 235.
34. Voir *infra,* 3e partie, chap. III, p. 379.
35. S., IV, p. 52.
36. MT., p. 89-90.
37. MT., p. 127.

« rôdait seul, la nuit, un jeune homme [...] lui avait proposé un spectacle de choix : des tableaux vivants, inspirés par les fresques qui décorent la *Villa des Mystères*, à Pompéi ; Sartre l'avait suivi jusqu'à une maison spécialisée ; [...] une maquerelle l'avait introduit dans un salon rond, aux murs recouverts de glaces ; tout autour courait une banquette en velours rouge ; il s'y était assis, tout seul [...]. Deux femmes étaient apparues ; la plus âgée, tenant dans sa main droite un phallus en ivoire, jouait le rôle de l'homme ; elles avaient mimé avec nonchalance les positions amoureuses illustrées par les fresques. [...] Ce qui avait charmé Sartre, me dit-il, c'est l'impression de *dépaysement* qu'il avait éprouvée en se voyant assis, seul, au milieu de ses reflets, dans ce salon rutilant, où deux femmes se livraient pour lui à un travail à la fois burlesque et routinier. Il intitula *Dépaysement*[38] la nouvelle où il tenta, l'année suivante, de raconter cette aventure »[39].

La seconde rencontre se trouve dans le *Journal du Voleur :*

« Stilitano [...] était pris, *visiblement* égaré dans les couloirs de verre. Personne ne pouvait l'entendre mais à ses gestes, à sa bouche, on comprenait qu'il hurlait de colère. Rageur il regardait la foule qui le regardait en riant. [...] n'en pouvant plus de hurler, de se cogner aux glaces, résigné à être la risée des badauds, Stilitano venait de s'accroupir, indiquant ainsi qu'il refusait la poursuite »[40].

L'amant pénètre dans le labyrinthe pour sauver le « Mac » de l'humiliation :

« Décidé, Roger entra. Nous crûmes qu'il se perdrait dans les miroirs. Nous aperçûmes ses brusques et lents retours, sa marche sûre, ses yeux baissés pour se reconnaître au sol moins hypocrite que les glaces. La certitude le guidant il aboutit à Stilitano. Nous vîmes ses lèvres murmurer. Stilitano se releva et, reprenant peu à peu son aplomb, ils sortirent dans une sorte d'apothéose »[41].

Comme Sartre, comme Genet, comme le Tintoret et comme Gorz, Stilitano est « prisonnier d'une transparence »[42] : « Ainsi Stilitano, dans le Palais de glace, veut gagner la sortie et se cogne partout à son image »[43], écrit Sartre dans *Saint Genet* où l'incident de la baraque foraine est appelé à figurer l'idiosyncrasie de Genet : « Transi par le regard des hommes, [...] défini et transformé par l'homme dans sa perception et jusque dans son langage intérieur, il rencontre

---

38. Sur le sort de ce texte, voir *supra*, 2e partie, chap. II, p. 243, note 262.
39. *La Force de l'âge*, Gallimard, 1960, p. 280.
40. Jean Genet, *Journal du Voleur*, Gallimard, 1949, p. 282.
41. *Op. cit.*, p. 283.
42. Voir *supra*, 2e partie, chap. III, p. 291.
43. S.G., p. 49.

partout, entre lui et les hommes, entre lui et la nature, entre lui et lui-même, la transparence trouble des significations humaines »[44].

Il y a bien des points communs entre le salon de Vénus et le palais des Miroirs. Laissons de côté les oppositions manifestes : burlesque de la nuit napolitaine, caractère émouvant du geste de Roger. Dans les deux cas, il y a un spectateur isolé (par la vitre : Genet, par la multiplication des miroirs : Sartre); la scène qui se joue est une « Passion » homosexuelle dont la fin est le déni de la castration : abaissement et exaltation du « Mac » (« ils sortirent dans une sorte d'apothéose ») d'un côté ; prostituées, humbles servantes d'un culte phallique, de l'autre. La négation de la féminité est sensible dans les deux cas[45].

L'homme et le déchet.

Revenons à l'Indifférent dont nous ne nous sommes éloignés qu'en apparence. Nous le retrouvons en proie à un nouvel avatar de l'expérience de « bipartition imaginaire »[46] : « Ils sont deux, écrit Sartre, à vivre de ce malheureux : il y a l'homme universel, ce tyran insaisissable et bien armé, et puis il y a l'autre, le déchet »[47]. Cet indifférent semble bien être d'abord un indifférencié. Il veut tout de suite être « l'Homme »[48] avec une majuscule pour éviter, semble-t-il, d'être un être humain au masculin, ce qui l'entraînerait à percevoir un être humain au féminin. Nulle trace d'hommes et de femmes dans le texte de Sartre. L'espèce humaine n'existe pas encore : il y a des rats et des anges[49]. L'Homme n'est que le parasite du rat. L'humanité naîtra d'une curieuse opération : si le rat « attrape » et « mange [...] ce parasite qu'il a si longtemps nourri de ses angoisses et de ses fatigues, s'il le résorbe dans sa propre substance, notre espèce est possible »[50]. Théorie cloacale (il faut digérer son parasite), narcissique et homosexuelle, car le rat semble bien fasciné par « l'Homme, notre tyran »[51]. La scène primitive est contournée : Gorz n'est pas né d'un homme et d'une femme ; comme Genet, comme Sartre lui-même, il est né de l'écriture. Avec l'ouvrage qu'il vient d'écrire, il « efface tout et se recommence »[52]. Son livre est « *radical* »[53]. La métaphore qui dit cet auto-engendrement parle le langage de la pulsion anale :

---

44. S.G., p. 49.
45. A propos des accessoires des baraques de foires, Genet précise : « Les femmes n'y touchent pas. Ce sont des gestes d'hommes qui les animent. Les fêtes foraines dans le Nord sont dédiées aux grands gars blonds. Eux seuls les hantent. A leurs bras les filles s'accrochent péniblement. C'est elles qui riaient du malheur de Stilitano » (*Journal du Voleur*, p. 283).
46. Voir *supra*, 2e partie, chap. III, p. 277-278.
47. S., IV, p. 70.
48. S., IV, p. 70.
49. S., IV, p. 60.
50. S., IV, p. 60.
51. S., IV, p. 60.
52. S., IV, p. 75.
53. S., IV, p. 75.

> « Elle va vivre dans vos oreilles, [...] cette voix qui mue : [...] ni tiède, ni molle, ni fluide, elle nous découvre l'ordre inflexible de l'*enrichissement* ; chaque phrase ramasse en elle toutes celles qui l'ont précédée [...] ou plutôt il n'y en a qu'une, roulant sur tous les terrains, nourrie de toutes les glaises, toujours plus épaisse, plus ronde, plus dense, qui s'enflera jusqu'à crever[54], jusqu'à devenir un homme »[55].

« Ni tiède, ni molle, ni fluide », bizarres notations pour qualifier une voix. Il semble plutôt que l'on s'efforce de nier qu'il s'agisse d'une autre matière. L'analité censurée reparaît d'ailleurs dans la mise en italique du mot « enrichissement ». Rappelons-nous que Gorz est fait de la juxtaposition d'une intelligence et d'un déchet et que celui-ci, semble-t-il, contamine celle-là : « Quelqu'un disait à notre traître : « Tu pues l'intelligence comme on pue des aisselles. » Et c'est vrai : l'intelligence pue. Mais pas plus que la bêtise : il y a des odeurs pour tous les goûts. Celle-ci sent le fauve, celle-là sent l'homme »[56]. Nous ne prendrons pas parti dans ce débat, nous nous contenterons de noter que, comme le Tintoret et comme Genet, Gorz a mauvaise odeur.

N'importe qui mais pas cet individu-là.

Le complexe de castration est donc méconnu, tout comme ce qui en découle : le sujet n'a pas accès au stade génital et la libido se replie sur des positions anales, la relation à l'autre est manquée. Gorz, écrit Sartre, passe du *il* au *je* et quand sa propre voix émerge, à la fin du livre, il est prêt à dire *nous*[57]. Mais ce *nous* n'est qu'un *je* multiplié. Ce qui manque ici, c'est le *tu.* C'est pourquoi nous ne sommes pas aussi optimiste que Sartre sur le changement qu'il dit s'être opéré en Gorz. L'évolution de l'universel au singulier, où il voit le résultat positif de l'auto-analyse, annonce, *mutatis mutandis,* l'évolution du « comme personne » au « comme tout le monde » jugée achevée à la fin des *Mots.* Mais ces deux cheminements paraissent l'un et l'autre plus postulés qu'accomplis ; l'humble idéal poursuivi dans les deux cas — être un unique n'importe qui — semble une chimère destinée à masquer l'impossibilité de répondre à la question « qui suis-je ? ». Car le vœu d'être n'importe qui peut trahir celui d'être indéfinissable et l'indéfinissable se prête à tout, même à recéler le phallus. Gorz, en effet, veut bien être n'importe qui, mais pas cet *individu là,* cet « avare au long cou »[58] si déplaisant. Une « succession d'accidents lui a donné une individualité définie qui se distingue

---

54. *Cf. supra,* 2e partie, chap. III, p. 276, notre commentaire à propos du Tintoret, bulle au fond d'un rio, « collée à l'argile », traversant « l'eau terreuse » pour venir à la surface « [crever] en lâchant une vesse » (S., IV, p. 345).
55. S., IV, p. 45.
56. S., IV, p. 64.
57. *Cf.,* S., IV, p. 80.
58. S., IV, p. 70.

des autres par des naiseries »[59], écrit posément Sartre en pur esprit : détails oiseux, sans doute, que mon corps et mon caractère. Cet individu étant écarté, il reste tous ceux qui « détestent qu'on veuille dissoudre leurs différences et leurs haines dans l'harmonie toute formelle de l'assentiment »[60]. Ces gens-là sont « lestés par leurs particularités, par des intérêts bien denses, par des passions »[61] et s'agacent de l'intellectuel qui, « poursuivant la folle image de l'unanimité »[62], « réclame [...] un consentement universel »[63]. Ces individus dont on veut dissoudre le lest sont des Simonnot. Ils ne se prennent pas pour n'importe qui mais pour quelqu'un. Cependant, l'aspirant au n'importe qui s'irrite de leur consistance ou de la consistance qu'il leur prête ; c'est qu'il se leurre sans doute sur sa propre modestie. Bref, être un homme quelconque mais qui ne ressemble ni à moi ni à ceux qui m'entourent, quelle étrange entreprise !

> « *On* se fait un *certain Gorz* en essayant de n'être que l'Homme ; et, pour dire toute la vérité, on peut devenir *tout l'homme* parce qu'on refuse d'être un certain Gorz. [...] Si l'on *acceptait* d'être, autrement dit d'avoir été l'avare au long cou qui veut préserver sa vaine universalité, si l'on parlait de lui sans cesse, si l'on dénombrait toutes ses obstinations particulières, si [...] le regard intellectuel le *perçait à jour*, est-ce que cet « original » ne disparaîtrait pas avec la négation butée qui faisait son originalité ? Certes, ce n'est pas l'Homme futur qui viendrait occuper sa place, mais un autre particulier dont les obstinations fondamentales risqueraient seulement d'être plus positives »[64].

Dans un premier temps, Sartre reconnaît le déni de la particularité qui se cache sous l'universalisation hâtive, mais dans un second temps, il méconnaît à nouveau ce déni : accepter d'être l'avare au long cou, c'est le faire disparaître à force d'en parler et de braquer sur lui un regard « intellectuel ». Nous ne nions pas, précisons-le, que son livre ait pu changer Gorz, mais s'il l'a fait, c'est par d'autres voies que celle de l'introspection[65]. Ce que nous voulons simplement souligner, c'est l'impossibilité de répondre à la question « qui suis-je ? » autrement que par un faux-fuyant : « n'importe qui » dit Sartre dans *Les Mots*, et ici, à la place de Gorz : « un autre particulier ».

---

59. S., IV, p. 66.
60. S., IV, p. 64.
61. S., IV, p. 64, tout comme l'avare au long cou que particularise — mais il l'ignore — sa passion raisonnante et son « intérêt idéologique » (I.F., tome III, p. 264) passé ou à venir.
62. S., IV, p. 64.
63. S., IV, p. 64.
64. S., IV, p. 70.
65. Nous pensons, bien sûr, à tout ce que suppose, comme transfert affectif agissant, le fait pour un disciple de s'interroger avec les instruments du maître et de produire un livre où le maître, non content de reconnaître le disciple, salue en lui son propre précurseur.

Comprachicos et moules à nain.

L'une des conséquences du complexe de castration est, nous l'avons vu, l'impossibilité de se prononcer sur le sexe et le repli de la libido sur des positions prégénitales, d'où la perception de soi comme déchet lié à une intelligence qui pue et le fantasme anal d'auto-engendrement. Nous allons maintenant revenir plus longuement sur cette thématique prégénitale, qui est à la fois orale, anale et urétrale, car il nous semble que c'est de cette humble origine que naissent les métaphores les plus constantes de Sartre et ses schèmes d'explication fondamentaux. A ces stades archaïques, le désir et les conflits s'expriment, dans le langage du corps, par le fait de sucer, de mordre, d'avaler, d'expulser, par la sensation de détruire à l'intérieur de soi avec ses matières. Ainsi est-ce de la pulsion urétrale que tire sa force le désir de se percer à jour[66] et de « dissoudre »[67] son propre « ramas de déchets »[68] et les « particularités »[69] qui « [lestent] »[70] les autres. N'oublions pas, en effet, l'ensemble métaphorique dont ces mots font partie dans l'œuvre de Sartre : dissoudre dans le bain d'acide sulfurique de la lucidité[71], ronger l'os jusqu'à ce qu'on voit le jour au travers[72], être transpercé par les feux d'un phare[73]. Notons que, dans ce texte-ci, l'intrication des pulsions orale et urétrale est réalisée par l'image des rats, « rongeurs fous en proie aux Vampires »[74]. Avec cette image, nous mesurons sans doute mieux qu'avec les expressions précédentes qu'il n'y a pas seulement, dans toutes ces métaphores, de simples traces d'un langage qui fut le nôtre avant que nous puissions nous dire par les mots. D'ailleurs la passion avec laquelle Sartre s'exprime dans l'ensemble de cette préface montre bien qu'il ne s'agit pas de survivances, mais de conflits encore en activité dans l'inconscient.

Comme dans l'étude sur Genet, les conflits avec la mère archaïque nous paraissent ici prévaloir. C'est le petit vampire que nous avons été qui projette sur l'autre son vampirisme, si bien que la genèse de l'enfant reconstituée par Sartre doit sa cruauté mythique aux fantasmes du stade oral et du stade anal :

> « Il paraît, en effet, qu'on trouve encore sur terre des sauvages assez stupides pour voir dans leurs nouveau-nés des ancêtres réincarnés. On agite au-dessus du nourrisson [...] les colliers des vieux morts ; qu'il fasse un mouvement, tout le monde se récrie : le grand-oncle est ressuscité. Ce vieillard va téter, con-

66. S., IV, p. 70.
67. S., IV, p. 64 et p. 76.
68. S., IV, p. 76.
69. S., IV, p. 64.
70. S., IV, p. 64.
71. *Cf.*, S.G., p. 303.
72. *Cf.*, S.G., p. 20.
73. Voir *supra*, 2e partie, chap. II, p. 245.
74. S., IV, p. 81.

> chier sous lui la paille, on l'appellera par son nom ; [...] dès qu'il saura parler, [...] un dressage sévère lui restituera son ancien caractère [...]. Quelle barbarie : on prend un môme bien vivant, on le coud dans la peau d'un mort, il étouffera dans cette enfance sénile [...] sans autre espoir que d'empoisonner après sa mort des enfances futures.
> Ces aborigènes arriérés, on les trouve aux îles Fidji, [...] à Vienne, à Paris, [...] partout où il y a des hommes : on les appelle des parents »[75]. « [...] nous avons tous été contraints de réincarner *au moins un* défunt, en général un enfant victime de ses proches, tué en bas âge et dont le spectre désolé se survit sous la forme d'un adulte : notre propre père ou notre propre mère, ces morts vivants. A peine sorti d'un ventre, chaque petit d'homme est *pris pour un autre* ; on le pousse, on le tire pour le faire entrer de force dans son personnage, comme ces enfants que les *comprachicos*[76] tassaient dans des vases de porcelaine pour les empêcher de grandir »[77].

L'horrible moule à nain n'est finalement qu'une version propre du « sac d'excréments »[78] ; dans ce sac de peau, on a fantasmatiquement enfermé l'autre pour le détruire, et d'abord cet autre premier qu'est la mère. La crainte des rétorsions entraîne la projection : c'est l'autre qui m'emprisonne et m'empoisonne. Le ton choisi dans *Les Mots* ne permet pas que le sac d'excréments y apparaisse ; il persistera cependant sous la forme du poison : à travers le grand-père, ce sont les « vieilles biles »[79] de Flaubert et des Goncourt qui « [empoisonnent] »[80] le petit Jean-Paul. Quand celui-ci perd, puis retrouve sur les rayons de la bibliothèque, *L'Enfance des hommes illustres*[81], qui l'emprisonne définitivement dans le culte de l'art, il avale son « poison »[82] « avec l'anxieuse austérité des drogués »[83]. A l'image cruelle de l'enfant cousu dans la peau d'un mort correspond, dans *Les Mots*, celle des commandements « cousus sous la peau »[84]. Le perpétuel renversement du contenant et du contenu est un signe de l'archaïsme du fantasme : l'enfant est cousu dans un sac ; occupant, il est

---

75. S., IV, p. 54-55.
76. Que la fable hugolienne des *comprachicos*, présente dans l'œuvre de Sartre depuis *Saint Genet*, donne naissance, dans la préface au *Traître*, à une véritable parabole, nous ne saurions nous en étonner : le texte d'André Gorz ne peut que féconder l'imagination sartrienne, témoin ces lignes citées par Sartre : « Ils ont guéri son strabisme avec des lunettes, son zozotement avec une boucle de métal, son bégaiement par des exercices mécaniques » (S., IV, p. 38), où la « surprotection », réelle sans doute, semble cependant masquer un fantasme de persécution. A propos de la « surprotection », voir *infra*, 3e partie, chap. I, p. 335.
77. S., IV, p. 56.
78. Voir *supra*, 2e partie, chap. II, p. 226.
79. MT., p. 148.
80. MT., p. 148.
81. MT., p. 167.
82. MT., p. 168.
83. MT., p. 168.
84. MT., p. 136.

lui-même occupé. Celui qui l'enferme est celui-là même qu'il renferme. L'agressivité qui se libère dans ces opérations fait naître une culpabilité sensible d'un bout à l'autre du texte, culpabilité retournée contre l'agressé d'abord (c'est le perpétuel « c'est la faute à... », la recherche du coupable étant devenue l'une des constantes de la pensée et de l'action chez Sartre), contre l'agresseur ensuite (Gorz-Sartre, bourreau et victime, se soumettra à la question ; l'auto-analyse est conçue comme un interrogatoire) :

> « C'est un certain Gorz qui est sur la sellette [...] Que faisait-il à Vienne, un certain jour de l'hiver 1936 ? et plus tôt, dans sa petite enfance ? et plus tard, au moment de l'Anschluss ? [...] Muets, gênés, nous assistons à l'interrogatoire et [...] au moment où nous démontrons aux gardiens que notre présence dans la chambre de torture s'explique par un simple malentendu, il y a beau temps que nous sommes passés aux aveux »[85].

Revenons aux lignes sur l'enfant cousu dans la peau d'un mort ; les figures autour desquelles la personnalité de Sartre s'est constituée y sont présentes : le grand-père sous les traits du grand oncle de la tribu[86], le père et la mère en spectres désolés, l'un parce qu'il est réellement mort, l'autre parce qu'elle a survécu à une triste enfance ; « ces morts vivants », ajoute Sartre, décrivant ainsi sa propre structure psychique et la nécessité pour lui d'être déjà mort pour échapper à la castration. Notons enfin que ce passage reprend la fable sur laquelle repose toute la préface et qui lui donne son titre. A l'origine de l'affabulation, une nouvelle de science-fiction[87] : des colons débarquent sur Vénus, s'imaginent être les occupants et découvrent bientôt que les occupés les manœuvrent et les soumettent à des tests. Pour Sartre, c'est une image de la condition humaine, nous sommes des rats en proie à l'homme, manipulés par les exigences de nos ancêtres. On voit nettement ici comment ce qui peut être décrit comme le fonctionnement de l'appareil psychique avec les processus de l'identification, de la formation du surmoi, etc., ou, en d'autres termes et d'un point de vue plus large qui ne s'oppose pas forcément au premier, comme l'acceptation d'une identité et d'un héritage, est dévié par la névrose au point de ressembler fort à un fantasme de paranoïaque : les parents sont des persécuteurs, vampirisons nos vampires.

Les vampires.

La clinique psychanalytique et la théorie qui s'en dégage soulignent les relations de la paranoïa et de l'homosexualité : l'une est la

---

85. S., IV, p. 53.
86. Comme le Grand-père du musée de Bouville (N., p. 112), il parle de lui-même à la troisième personne (S., IV, p. 55).
87. *Le Labyrinthe*, de Frank M. Robinson, « traduite par Boris Vian dans *Les Temps Modernes* d'octobre 1951 » (M. Contat, M. Rybalka, *Les Ecrits de Sartre*, Gallimard, 1970, p. 319).

répudiation de l'autre, l'objet poursuivi avec amour devient celui qui vous poursuit de sa haine, si bien que la fable de l'enfant cousu dans la peau du grand-oncle est susceptible de plusieurs explications qui ne s'excluent pas, car elles font intervenir des niveaux différents de la psyché. Le niveau le plus archaïque est celui du corps à corps de l'enfant et de la mère, où le dedans et le dehors sont encore indifférenciés et où les mauvais objets partiels persécutent le sujet à cause de sa propre agressivité : en ce sens, le sac d'excréments ou de pourriture dans lequel on est enfermé ou bien dans lequel on rêve d'enfermer l'autre, correspond aux fantasmes de la position paranoïde[88]. A un autre niveau, de formation plus récente, où l'objet est une personne totale, l'enfant dans la peau du grand-oncle peut être le renversement d'un fantasme homosexuel de soumission à la figure grand-paternelle et de captation subreptice du phallus. Aussi, l'image du rat en proie à l'Homme et qui vampirise son occupant, exprime-t-elle parfaitement pour nous ces deux aspects de la relation : « l'Homme » auquel Sartre attribue pour la circonstance une majuscule, est un « tyran »[89], comme le grand-père en face de ses femmes soumises. Que le rat « le mange »[90] et il savourera du même coup sa vengeance et son désir[91].

Deux autres éléments dans le texte de la préface viennent appuyer notre interprétation. Tout d'abord, l'identification féminine, passive, y est clairement repérable : « Enfant, quand je faisais le bavard, on me disait : « Tais-toi, filet d'eau tiède ». Un filet d'eau tiède va couler en vous »[92] ; « il y a ce petit tumulte de paroles qui s'effiloche dans la nuit vide et qui ne s'entend pas »[93]. Nous verrons « un désordre babillard dans ce qui nous apparaîtra plus tard comme un ordre en construction »[94]. On reconnaît, projeté dans la voix de Gorz, le babil de l'enfant des *Mots* (« Ça parle dans ma tête »[95]), reprenant celui de la mère : dans l'atmosphère tiède de la salle de bain, une voix soliloque : « je me plaisais à ses phrases inachevées, à ses mots toujours en retard, à sa brusque assurance, vivement défaite et qui se tournait en déroute pour disparaître dans un effilochement mélodieux et se recomposer après un silence »[96].

L'autre signe qui, comme l'identification féminine, s'accorde avec l'homosexualité latente, c'est le narcissisme. Ici, il nous faut distinguer à nouveau Gorz et Sartre. Ce dernier sait bien que si l'entreprise

---

88. *Cf.* J. Laplanche et J.-B. Pontalis, *Vocabulaire de la psychanalyse*, P.U.F., 1968, p. 318-319.
89. S., IV, p. 60.
90. S., IV, p. 60.
91. Sur l'incorporation de l'objet convoité, voir *supra*, 2e partie, chap. II, p. 238 et *infra*, 3e partie, chap. III, p. 356.
92. S., IV, p. 42.
93. S., IV, p. 42.
94. S., IV, p. 44.
95. MT., p. 181.
96. MT., p. 34.

de Gorz a quelque parenté avec la sienne (notamment le désir de changer son rapport à soi-même), le livre de Gorz est à la fois « en deçà et au-delà »[97] de la littérature. Au contraire, l'auto-analyse qu'il est en train d'achever est celle d'un écrivain reconnu et se veut un adieu à la littérature, mais par la littérature. Au fond, il s'agit de congédier ses vampires en se faisant l'un d'entre eux :

> « dès que j'ai pris la plume, un petit carrousel invisible s'est mis en mouvement juste au-dessus du papier : c'était l'*avant-propos comme genre littéraire* qui requérait son spécialiste, un beau vieillard apaisé [...] ; *il* a écrit ce qui précède du bout d'une longue main pâle que manœuvrait ma main courtaude, il plonge en moi ses tentacules, il aspire mes mots et mes idées pour en tirer ses grâces un peu surannées [...]. Il gardera la plume jusqu'à la fin de cet exercice et puis il s'envolera. Mais, quoi que j'entreprenne par la suite, pamphlet, libelle, autobiographie, d'autres vampires m'attendent, intermédiaires futurs entre ma conscience et ma page d'écriture »[98].

Et là nous avons droit aux portraits savoureux de deux malheureux naïfs qui ne sont pas aussi habiles au jeu de la personne et du personnage, qui ne sauront pas devenir comme tout le monde, après avoir écrit une autobiographie qui les situe dans la lignée de Rousseau et de Chateaubriand. Vercors[99] se dédouble en Jouvence et Mirandole : « l'ouvrage de Mirandole, en se refroidissant, a créé Jouvence, son véritable auteur. Aujourd'hui, Jouvence est reconnu d'utilité publique, [...] il fait partie de nos biens nationaux[100] [...] il vit de Mirandole, et Mirandole meurt de lui. L'autre jour, à je ne sais quelle générale, on ne leur avait réservé qu'un méchant strapontin ; Mirandole est modeste, presque timide : il prit sur lui pourtant et fit un esclandre en tremblant : « Personnellement, je n'aurais rien dit, expliqua-t-il à la sortie, mais je ne *pouvais pas* les laisser faire *ça* à Jouvence »[101]. Second portrait, Arthur Koestler, en peintre : « tantôt, pour oublier cette vieille blennorragie mal soignée, sa Trahison, il se laissait tout entier dévorer par l'être prestigieux qu'il représentait pour autrui, alors il ne restait plus de lui qu'un insecte rutilant ; et tantôt, la peur, la tendresse et la bonne foi le changeaient en lui-même, en un homme quelconque qui peignait »[102]. L'homme quelconque qui écrit, c'est le grand écrivain guéri, le quidam de la fin des *Mots*. La façon dont Sartre réagit à la phrase de Flaubert : « Je suis tout bonnement un bourgeois qui vit retiré à la campagne, m'occu-

---

97. S., IV, p. 41.
98. S., IV, p. 48-49.
99. Nous suivons ici M. Contat et M. Rybalka (*Les Ecrits de Sartre*, Gallimard, 1970, p. 318), qui identifient dans le texte de la préface, sous les « portraits allusifs », Vercors (p. 49-50) Koestler (p. 50-52) et Cocteau (p. 62-63).
100. Sur le danger que représente cette appellation, voir le chapitre précédent, p. 270.
101. S., IV, p. 49-50.
102. S., IV, p. 51.

pant de littérature »[103], montre, nous y reviendrons[104], que ce « choix de la finitude »[105] n'est qu'une apparence.

Curieusement, cette préface où Sartre est censé présenter un simple particulier multiplie les références aux monstres sacrés, témoin ce développement superbe :

> « Quant au style, ce grand paraphe d'orgueilleux, c'est la mort. [...] le style est un marteau qui écrase nos résistances, une épée qui déchire nos raisonnements ; tout y est ellipse, syncope, saut de puce, fausse connivence : la rhétorique s'y fait terreur [...]. Le grand écrivain, ce fou furieux, se lance à l'assaut du langage, le soumet, l'enchaîne, le maltraite, *faute de mieux* ; seul dans son cabinet, c'est un autocrate : s'il sabre son papier d'un trait de foudre qui éblouira vingt générations, c'est qu'il cherche dans cet *oukaze* verbal le symbole de la respectabilité et des humbles pouvoirs que ses contemporains s'obstinent à lui refuser. Vengeance de mort : il y a beau temps que le mépris l'a tué ; derrière ces fulgurations se cache un enfant défunt qui se préfère à tout : l'enfant Racine, l'enfant Pascal, l'enfant Saint-Simon, voilà nos classiques »[106].

Le narcissisme, innommé, est décrit, mais prêté à autrui ; Sartre, lui, ne s'aime pas. *Les Mots* poseront la question : suis-je un Narcisse ?, mais la réponse sera négative[107]. Notons que le grand écrivain, ce tyran, a quelques traits du grand-père « sabrant » de traits rouges les épreuves du *Deutsches Lesebuch*[108], mais une féminité secrète et douteuse apparaît dans la façon dont il cherche à plaire : « si l'on veut être lu, il faut s'offrir, pincer les mots sournoisement pour qu'ils vibrent, s'enrouer de tendresse »[109] ; Gorz n'a pas le loisir de ces « putasseries »[110]. Bref, si la rhétorique est terreur, cette terreur est le signe d'une étrange faiblesse. Sartre s'est emparé de l'opposition faite par Jean Paulhan, dans *Les Fleurs de Tarbes,* entre la terreur et la rhétorique en déviant d'ailleurs le sens du premier terme : dans *Le Séquestré de Venise,* la terreur était « une maladie de la Rhétorique »[111]. Glissant à notre tour du sentiment que l'on fait régner à celui que l'on éprouve, nous nous demandons si la rhétorique qui se déploie dans la préface du *Traître* n'est pas un effet de terreur : terreur de perdre vraiment[112], comme Gorz, ce « garçon sans impor-

---

103. Lettre à Maxime Du Camp, début juillet 1852 ; la citation est répétée trois fois de façon inexacte et différente (I.F., tome I, p. 836 ; tome II, p. 1588 ; tome III, p. 581).
104. Voir *infra,* 3e partie, chap. IV, p. 427.
105. E.N., p. 551.
106. S., IV, p. 40.
107. Voir là-dessus, *infra,* dans ce chapitre, p. 309.
108. MT., p. 32.
109. S., IV, p. 47.
110. S., IV, p. 47.
111. S., IV, p. 331.
112. *Cf.* les questions : « Est-ce la peine de crier victoire ? Qui est Gorz, après tout ? » (S., IV, p. 78).

tance sociale »[113], ce « raté de l'Universel qui a lâché les spéculations abstraites pour se fasciner sur son insignifiante personne »[114], terreur que le destin ne le prenne au mot, qu'à force de proclamer qu'aujourd'hui la littérature n'existe plus[115] et qu'il est devenu un homme comme tout le monde, il ne le devienne en effet. Chaque figure de style *Des rats et des hommes* le rassure secrètement. Ne nous y trompons pas en effet. Gorz est célébré dans la préface comme un double et comme un précurseur, mais il est aussi un repoussoir. Il a gagné[116], écrit Sartre : « Les grandes tueries du siècle ont fait de Gorz un cadavre ; il ressuscite en écrivant une Invitation à la vie »[117]. Soit, mais nous savons que cela vaut pour les autres, Sartre, lui, est déjà mort. Et puis, qui gagne perd au jeu de qui perd gagne :

> « [Gorz] ne peut pas être ce monstre sacré qu'on nomme l'Ecrivain ; s'il se trouve, au bout de son effort, ce sera n'importe qui, un homme comme les autres : car la voix cherche un homme et non pas un monstre. Donc, n'attendez pas ce *geste* qu'est le style : tout est en acte. Mais si vous aimez, chez nos grands auteurs, une certaine saveur des mots, un air particulier de la phrase, [...] lisez *Le Traître* : d'abord vous perdrez tout, mais tout vous sera rendu [...] ; en cette écriture sans sujet, l'impossibilité radicale du style devient à la longue un dépassement de tous les styles connus ou, si l'on préfère, le style de la mort fait place à un style de vie »[118].

Humble et généreux, Sartre semble accepter, tout en imitant, par ses tours de phrase, Pascal et Bossuet, que vivre vaille la peine, même sans promesse de gloire, et que, de surcroît, la grâce d'un style (mais non *du* style), puisse vous être accordée. Une note vient cependant corriger ce premier mouvement : « Je ne prétends pas établir la *supériorité* de Gorz mais son originalité. J'aime la mort autant que la vie, comme tout le monde, puisque l'une et l'autre font partie de notre lot »[119]. L'obsession du comme tout le monde fait sourire et cette balance égale maintenue entre la vie et la mort. Le texte des *Mots*, plus véridique, montrera que, pour Sartre, « l'appétit d'écrire enveloppe un refus de vivre »[120].

---

113. S., IV, p. 78 ; l'expression est entre guillemets dans le texte de Sartre ; cette curieuse résurgence de la citation de Céline mise en épigraphe au début de *La Nausée :* « C'est un garçon sans importance collective, c'est tout juste un individu » (N., p. 7), souligne presque naïvement la différence qui sépare la modestie tactique de Roquentin (voir *supra,* 1re partie, chap. IV, p. 124) de la modestie sincère de Gorz.
114. S., IV, p. 78.
115. S., X, p. 114.
116. S., IV, p. 78.
117. S., IV, p. 81.
118. S., IV, p. 46.
119. S., IV, p. 46, note 1.
120. MT., p. 159.

Comment peut-on n'être que soi ?

Nous venons de voir se multiplier les évocations de grands hommes dans un texte dont le but initial était de célébrer l'accession d'un « raté de l'universel » au statut modeste d'un unique n'importe qui. C'est que Sartre, invitant tout un chacun et soi-même à suivre l'exemple de Gorz en tordant le cou à ses occupants, fait revenir, malgré le ferme propos conscient de s'en défaire, ses vampires familiers. Que le volontarisme soit impuissant à exorciser le désir du Tout, c'est ce que montre le court récit autobiographique que Sartre inclut dans sa préface. L'expérience de Brooklyn ressemble à celle de Venise. Le promeneur solitaire joue avec les éléments d'un paysage urbain :

> « Je prenais à droite, à gauche, je tournais, je fonçais devant moi, pour retrouver les mêmes maisons de briques, les mêmes marches blanches devant les mêmes portes, les mêmes enfants jouant aux mêmes jeux. Au début, cela me plaisait, j'avais découvert la cité des équivalences absolues ; universel et quelconque, je n'avais pas plus de raison de marcher sur *ce* trottoir que sur *le même,* cent blocks plus loin »[121].

Peu à peu, l'euphorie se dissipe et l'inquiétude apparaît :

> « mes mouvements, ma vie, ma pesanteur elle-même me parurent illégitimes [...]. Ni tous ni quelqu'un, ni tout à fait quelque chose : une détermination de l'espace, un rêve coupable et contagieux qui hantait, par places, l'asphalte surchauffé, un défaut de l'être, un loup. [...] l'ubiquité m'eût sauvé ; il fallait être légion, arpenter cent mille trottoirs à la fois : cela seul m'eût permis d'être n'importe quel promeneur dans n'importe quelle rue de Brooklyn. Faute de pouvoir me quitter ou me multiplier, je me jetai dans le métro. [...] je retrouvai, dans mon hôtel, mes ordinaires raisons d'être »[122].

On voit clairement, dans ce texte, le dessous du vœu d'être comme tout le monde ; jeu de cache-cache avec soi, il ne signifie pas l'acceptation de la finitude, mais sa négation. Comment pourrais-je n'être que moi ? « Nous nous pensions universels parce que nous jouions avec des concepts et puis, tout d'un coup, nous voyons notre ombre à nos pieds; nous sommes *là,* nous faisons *ceci* et rien d'autre »[123], c'est à en « perdre la tête »[124] ; comme Gorz, nous ne pouvons nous « empêcher de vivre et de rétrécir à l'usage »[125], insupportable peau de chagrin. L'expérience de Brooklyn explique *a contrario,* pour nous, l'acharnement de Sartre à *se situer* et à *situer* les autres. Dans ce travail, qui a fini par absorber la majeure partie de ses énergies,

121. S., IV, p. 67.
122. S., IV, p. 67-68.
123. S., IV, p. 66.
124. S., IV, p. 66.
125. S., IV, p. 66.

nous voyons une conduite réactionnelle dont l'opiniâtreté est à la mesure de son horreur pour l'*hic et nunc*, comme nous avons vu dans l'engagement l'envers de son goût pour la satellisation. La promenade dans « la cité des équivalences absolues » commence par réaliser le désir fondamental de Sartre : se quitter, ne pas se voir, ne pas se définir, refuser l'autre, multiplier le même à l'infini ; puis le rêve tourne au cauchemar, ce monde où je n'ai rien à faire me renvoie à mes occupations familières, me repousse, me *situe* malgré moi ; il me faut prendre la mesure de ma petitesse, accepter que tant d'espaces soient « vides de moi »[126]. La panique qui en résulte montre que le souhait d'être l'universel quelconque masque la terreur d'être un simple particulier et l'envie d'être l'unique incomparable. Le complexe de castration, sous son aspect de refus de la mort et de la différence, est lisible dans le texte : obsession du même, rêverie de pétrification, vœu de participer à l'« inerte recommencement » de « cette vague de pierre »[127], qui se change très vite en angoisse : on court sur place, on craint d'être paralysé. Deux signes opposés et complémentaires de la castration imaginaire se retrouvent dans ce passage : l'homme, unique objet pourtant de la quête du rat, est ici doublement manqué, par excès, dans le souhait d'être « légion », comme Satan, par défaut, dans la hantise d'être moins qu'un homme, un « loup », une tumeur de l'asphalte, comme Tintoret était une bulle dans la boue. Nous allons retrouver avec le cadet Flaubert, lui aussi « loupé »[128], d'autres exercices de « dé-situation »[129]; ils finiront par produire cet être unique : l'auteur de *Madame Bovary*.

Suis-je donc un Narcisse ?

Après les biographies et les portraits que nous venons d'étudier, Sartre termine et fait paraître *Les Mots*. Commençant notre travail par l'autobiographie de Sartre, nous avons laissé de côté la question du narcissisme. Il semble possible d'y revenir avec plus de fruit et sans trop se laisser impressionner par la réponse un peu précipitée que Sartre lui donne, dès lors que l'on a vu se multiplier, au fil des œuvres, les références aux miroirs, les expériences de dédoublement et la recherche du même sous le couvert de l'autre.

Au début des *Mots* Sartre pose la question directement :

> « Suis-je donc un Narcisse ? Pas même : trop soucieux de séduire, je m'oublie [..]. Heureusement, les applaudissements ne manquent pas : qu'ils écoutent mon babillage ou l'Art de la Fugue, les adultes ont le même sourire de dégustation malicieuse et de connivence ; cela montre ce que je suis au fond :

---

126. S., IV, p. 67.
127. S., IV, p. 67.
128. I.F., tome II, p. 1142.
129. I.F., tome II, p. 1560.

un bien culturel. La culture m'imprègne et je la rends à la famille par rayonnement, comme les étangs, au soir, rendent la chaleur du jour »[130].

On a déjà signalé le premier escamotage[131], c'est une opération de diversion : le lecteur acquiesce à la logique apparente de la réponse (« trop soucieux de séduire, je m'oublie ») et se laisse prendre à l'opposition rhétorique de la nature et de la culture, d'autant plus que l'image de l'étang est suivie typographiquement d'un blanc important et que le paragraphe suivant débute par : « J'ai commencé ma vie comme je la finirai sans doute : au milieu des livres »[132]. Accroché par ce thème majeur, discrètement mais savamment associé à celui de la destinée, le lecteur en oublie Narcisse humblement lié, lui, aux pâtés, aux gribouillages et aux besoins naturels.

Le second escamotage est dans la réponse elle-même : l'erreur sur le narcissisme est si énorme qu'elle peut passer inaperçue : « Après tout, ça ne m'amuse pas tant de faire des pâtés, des gribouillages, mes besoins naturels : pour leur donner du prix à mes yeux, il faut qu'au moins une grande personne s'extasie sur mes produits. » On doit prendre un certain recul pour s'apercevoir que l'enfant qui éprouve un vrai plaisir à faire des pâtés n'est pas Narcisse. Au contraire celui qui gribouille pour que les autres s'extasient est le captif d'une image idéalisée. Contraint de soutenir le rôle de « l'enfant merveilleux »[133], il ne s'oublie jamais. Sartre refuse le mot, mais il décrit constamment la chose tout au long de son autobiographie.

Il semble bien que, pour le puritanisme de Sartre, le narcissisme soit une tare : Sartre, comme Flaubert[134], ne supporte pas qu'on s'aime. Seuls trouvent grâce à ses yeux ceux qui ne s'aiment pas, Gustave, le Tintoret, Gorz. S'il tolère le narcissisme chez Genet, c'est que ce dernier est un mal aimé. D'ailleurs, il a tôt fait de le laver de ce péché : « Narcissisme ? Sans doute : mais, pas plus que l'orgueil ou la pédérastie, le narcissisme n'est premier : « Il faut d'abord être coupable » ; Narcisse est d'abord ensorcelé ; on lui a volé son être. Le miroir c'est les yeux des Autres »[135]. Nous voyons reparaître le « c'est la faute à... » Narcisse est une victime des Autres ; comme le voleur, comme l'homosexuel, « Genet, dans un mouvement de désespoir, dans un narcissisme de l'horreur cherche à se nier dans la servitude ; il se soumet à un objet sacré qui figure sa propre nature, visible sous les espèces d'un Autre »[136].

---

130. MT., p. 29.
131. Voir *supra*, 1re partie, chap. II, p. 72, note 34.
132. MT., p. 29.
133. MT., p. 210.
134. *Cf.* I.F., tome III, p. 559 : « il ne s'aime guère et [...] déteste les gens qui ne se détestent pas ».
135. S.G., p. 77.
136. S.G., p. 141-142.

Par un étrange aveuglement, Sartre ne voit pas que la haine de soi (« je déteste mon enfance »[137]) peut être l'expression d'un narcissisme morbide. Celui qui ne s'accepte pas n'a pas fait son deuil de « l'enfant merveilleux », du « chérubin »[138] « adorable »[139]. Nous avons vu Sartre acharné, dans *La Nausée*[140], à tuer le « petit fat » en Rollebon. Or le petit fat est celui qui a déçu, qui n'a pas réussi à rester le bambin « à croquer »[141]. La figure de l'enfant idéal reparaît dans les écrits biographiques : c'est

> « [...] l'enfant mélodieux
> mort en moi bien avant que me tranche la hache. »[142]

c'est « l'enfant défunt qui se préfère à tout » et que le mépris a tué[143]. Ces petits morts parés de toutes les grâces reviennent dans *Les Mots* avec Bénard[144], disparu à onze ans et Bercot, qui devait mourir à dix-huit ans : « Fils de veuve, c'était mon frère. Il était beau, frêle et doux ; je ne me lassais pas de regarder ses longs cheveux noirs peignés à la Jeanne d'Arc »[145].

Sartre ne perçoit le narcissisme que s'il surprend Narcisse « penché » [146] sur sa propre image, Baudelaire en dandy par exemple. S'il essaie de se « réaliser »[147], de se saisir comme les autres le verront, il n'est plus Narcisse mais Orphée : « par impatience Orphée perdit Eurydice ; par impatience, je me perdis souvent »[148]. S'il charge le monde entier de l'aimer *post mortem*, il pense qu'il échappe à la tentation de s'aimer.

Avec Flaubert, Sartre ressuscite une dernière fois et sans l'identifier davantage la tragédie de Narcisse. De nouveau un petit martyr agonise[149] de n'avoir pu éterniser la « merveille »[150] qui hante les rêves d'un *pater familias*.

---

137. MT., p. 137.
138. MT., p. 89.
139. MT., p. 19.
140. *Supra*, 1re partie, chap. IV, p. 148.
141. MT., p. 86.
142. Hémistiche et vers du *Condamné à mort* (Jean Genet, *Œuvres complètes*, Gallimard, 1951, tome II, p. 180), dont Sartre a fait le titre du premier chapitre de *Saint Genet*.
143. S., IV, p. 40.
144. Voir *supra*, 2e partie, chap. III, p. 291.
145. MT., p. 187.
146. « L'attitude originelle de Baudelaire est celle d'un homme penché. Penché sur soi, comme Narcisse » B., p. 25.
147. MT., p. 204.
148. MT., p. 203.
149. *Cf.*, I.F., tome I, p. 562 : « il est tout simplement immense, le petit martyr qui agonise ».
150. MT., p. 15.

TROISIEME PARTIE

SARTRE ET SON DOUBLE

CHAPITRE PREMIER

QUESTIONS DE METHODE

« Une vie, c'est une enfance mise à toutes les sauces »[1]. « Une enfance manquée [...] ça se recommence »[2]. Une fois de plus, avec *L'Idiot de la famille,* Sartre remet sur le métier la sienne et la travaille[3]. On retrouve en Gustave l'enfant des *Mots* : « surprotégé », élevé contre la mort, grandissant dans le malaise, âme sans corps ou corps sans âme, s'ennuyant comme un chien, prenant les mots pour des choses. La structure familiale est semblable : un patriarche, une mère soumise. Il ne manque ni l'amitié d'hommes pour torturer le petit jaloux — le frère aîné faisant fonction de Simonnot —, ni la petite fille à qui s'identifier — ici, la sœur cadette —, ni le tourment de déplaire après avoir été adoré, ni le traumatisme de l'école où l'incomparable est comparé. Même dichotomie du sentir et de la montre, même choix de l'imaginaire, même sacralisation de la littérature. On n'en finirait pas de relever les échos des enfances sartriennes dans le *Flaubert* et nous aurons, maintes fois encore, l'occasion de rapprocher textes biographiques et autobiographiques[4]. Avant d'étudier, dans ce chapitre, le modèle psychanalytique construit par

1. I.F., tome I, p. 156.
2. I.F., tome I, p. 90.
3. Nos analyses, dans les trois premiers chapitres de cette dernière partie, porteront sur les deux premiers tomes de *L'Idiot de la famille,* parus en 1971 et qui essaient de montrer *de l'intérieur* la genèse de Flaubert. Nous réservons le dernier chapitre de notre travail au troisième tome de *L'Idiot de la famille* ; paru après les deux premiers, en 1972, il intéresse, à première vue, moins directement notre propos (voir là-dessus *infra,* 3e partie, chap. IV, p. 409) puisque Sartre y étudie « en extériorité » la « névrose générale » de l'époque et les rapports de Flaubert, homme « fait », avec le Second Empire.
4. Les dénégations mêmes de Sartre y invitent : ainsi, il déclare à Michel Contat et Michel Rybalka (*Le Monde,* 14 mai 1971, repris dans *Situations,* X, p. 97) : « En ce qui concerne mon inimitié pour la mère de Flaubert, ce serait une erreur d'en induire que c'est à ma propre mère que je m'en prends à travers elle. Ma mère était [...] totalement pleine de tendresse. L'enfant dont je trace implicitement le portrait en opposition à l'enfant Gustave, ce petit garçon sûr de lui, [...] c'est moi. De ce point de vue je suis totalement à l'opposé de Flaubert. Au fond, j'en veux à Caroline parce que j'ai été bien aimé, moi ». On ne peut dire plus clairement l'identification du biographe à son objet.

Sartre pour rendre compte de « la constitution »[5] de Flaubert, il nous paraît indispensable de mesurer jusqu'où peut aller l'« empathie »[6] du biographe dans *L'Idiot de la famille.* Choisissons un exemple parmi bien d'autres, Madame Flaubert.

Un personnage sartrien : Caroline Flaubert.

Dès le début, on sent qu'elle fait partie de la famille de l'auteur : il l'imagine commérant avec sa petite fille : « elles déchirent à belles dents le locataire du premier »[7] (l'une des grands-mères de Sartre appelait son mari « mon pensionnaire »[8]). Sartre paraît fasciné par « ce couple de solitaires blessés dont chacun se terrait loin des hommes dans la maison du bord de l'eau et prétendait n'y rester que pour secourir l'autre »[9]. Madame Flaubert « devait priser l'aîné de ses fils plus que le cadet. [...] Son cœur penchait vers l'autre [...]. Mais elle s'imaginait qu'elle restait à Croisset par devoir : Gustave était malade, il fût mort ou fou sans les soins maternels »[10], comme Frantz, le malade, qui se séquestre au premier étage de la maison du Père et que couve Leni sa sœur épouse, comme Pierre, le fou, que veille dans sa chambre une épouse maternelle. Nous savons par les mémoires de Simone de Beauvoir la longue cohabitation de Sartre avec sa mère[11]. « Mme Flaubert fut une mère abusive parce qu'elle était veuve abusée : elle exaspéra « l'irritabilité » de son fils cadet en reprenant à son compte, par piété, tous les jugements que l'Epoux adorable avait portés sur lui »[12] ; « veuve d'une grosse tête, les grosses têtes seules avaient droit à son estime »[13]. Il semble que sous le médecin-chef de l'Hôtel-Dieu, perce le peau-père polytechnicien[14].

Mais si la mère de Flaubert peut faire penser à celle de son biographe, elle est, avant tout, fille de l'imaginaire sartrien et par là, comme les figures de nos rêves, elle rassemble en elle des traits divers.

---

5. C'est le titre de la première partie de *L'Idiot de la famille,* tome I, p. 13 à 648.
6. I.F., tome I, p. 8.
7. I.F., tome I, p. 18.
8. MT., p. 8.
9. I.F., tome I, p. 17.
10. I.F., tome I, p. 17.
11. *Tout compte fait,* Gallimard, 1972, p. 105. Voir aussi *supra,* 1re partie, chap. II, p. 66. Plusieurs pages de *L'Idiot de la famille* (tome II, p. 1878 à 1880) montrent comment Gustave s'est toujours arrangé pour avoir *sa* chambre chez quelqu'un d'autre, ce qui le préserve d'être « *chez lui* » comme un bourgeois, lui évite les tracas de la propriété, lui permet de s'identifier au saint ou au moine par « l'amère jouissance du dénuement » (p. 1879), tout en profitant des commodités du lien « féodal ». « Ainsi, d'un bout à l'autre de sa vie, il n'aura jamais été *chez lui* » (p. 1879), comme l'enfant des *Mots* et le petit Genet (voir *supra,* 2e partie, chap. II, p. 220), comme Sartre jusqu'à un âge avancé.
12. I.F., tome I, p. 18.
13. I.F., tome I, p. 17.
14. « Marquée par les opinions de son mari, [Mme Mancy] avait souvent avec son fils des désaccords qu'il ne soulignait pas mais dont elle s'agaçait », Simone de Beauvoir, *Tout compte fait,* Gallimard, 1972, p. 105.

Simone de Beauvoir rapporte que Sartre « s'est amusé »[15] en écrivant *L'Idiot de la famille* et que c'est sans doute pour cette raison qu'elle y a pris, lectrice, tant de plaisir. Le chapitre du *Flaubert* intitulé « La mère » respire le bonheur d'écrire : Sartre vieilli s'accorde la jouissance légèrement perverse de se peindre en Grisélidis sous les traits de Madame Flaubert, « fille du docteur Fleuriot et d'Anne-Charlotte-Justine née Cambremer de Croixmare »[16]. Délices du troisième prénom soigneusement caché, qui est aussi pour Sartre un des prénoms de Flaubert : « Gustave, c'est Justine : comme elle, il verra ses vertus rigoureusement punies et l'ampleur du châtiment sera proportionnée à son mérite »[17].

Caroline Flaubert perd sa mère à sa naissance et son père dix ans plus tard. Ce père « inconsolable, sinistre comme tous les veufs »[18] « ne l'aima pas assez pour vouloir survivre »[19]. Elle l'« adora » ; « ses futures exigences se gravèrent dès lors dans son cœur : elle n'épouserait que son père »[20]. Comme l'enfant des *Mots* « cette enfant n'est à personne : elle passe de main en main, on préfère mourir que la garder ; [...] légère, elle ne l'est que trop : qu'on l'allège encore, elle s'envole. Ce qu'elle demande, *c'est du lest* ; [...] se chargeant du fret le plus lourd, de la vertu, elle sera *pondérée* et parfois rigide ; faute d'avoir une ancre à jeter, elle tentera de retrouver un axe : ce sera la verticale absolue. [...] l'Orgueil »[21]. Cet axe, c'est celui de Genet, de Flaubert et de Sartre (son « altimètre [...] détraqué »[22], il a pu rêver parfois d'un lest définitif).

Peignant les fiançailles et le mariage de Caroline Fleuriot, Sartre se laisse aller à évoquer les charmes de la soumission au père qu'il décrit en termes de féodalité et qui, pour nous, traduisent la composante homosexuelle de son affectivité. Ce fut le « coup de foudre », « un homme fort qui pesait lourd : le père ressuscité »[23] ; « contre la fragilité d'un amour égalitaire », elle rêve de « hiérarchie rigoureuse »[24] : « l'époux est seul maître à bord »[25]. Cette femme est « une éternelle mineure, la fille de son mari »[26] (Anne-Marie Schweitzer, veuve, « redevint mineure »[27]; « soumise à tous », c'est une « vierge en résidence surveillée »[28]). Lorsque son fiancé, le futur docteur Flaubert, renvoya en pension cette « vierge sage », « ce coup de

15. *Ibid.*, p. 55.
16. I.F., tome I, p. 82.
17. I.F., tome I, p. 390.
18. I.F., tome I, p. 82.
19. I.F., tome I, p. 82.
20. I.F., tome I, p. 82.
21. I.F., tome I, p. 83.
22. MT., p. 48.
23. I.F., tome I, p. 84.
24. I.F., tome I, p. 84.
25. I.F., tome I, p. 85.
26. I.F., tome I, p. 85.
27. MT., p. 10.
28. MT., p. 13.

force eut l'effet d'une première possession : elle sentit qu'elle avait un maître et cette certitude enivrante retentit jusque dans son sexe. [...] dans sa cellule presque monacale, elle attendit, patiente et soumise, que fût enfin sonnée l'heure de coucher avec son père. Plus tard, veuve et vieillie, elle évoquait encore avec fatuité cette mesure de rigueur »[29]. Sartre romancier et metteur en scène de ses propres fantasmes la fait parler : « j'ai d'abord protesté contre la décision qu'il voulait prendre, j'ai boudé, et puis j'ai reconnu délicieusement mes torts ; il avait raison comme toujours »[30]. « Délicieusement » serait de trop si nous étions dans la fiction, mais Sartre a passé l'âge d'écrire des romans ; il se préfère, en toute simplicité ! Suivons-le dans ses rêveries de prédilection : « Elle possédait tout : le Bien l'avait prise et mise dans son lit, elle avait porté cet ange écrasant, elle s'était pâmée ; au grand jour, les sévérités paternelles du docteur la troublaient : elle y trouvait la promesse de nouvelles pâmoisons ; docile et maniable, son obéissance lui semblait le voluptueux prolongement de ses soumissions nocturnes »[31]. Porter, être écrasé, maniable, soumission, nous retrouvons là les mots inducteurs de trouble chez Sartre. A l'arrière-plan, il y a aussi, érotisée, la lutte avec l'Ange.

Revenons à notre héroïne. Sartre nous la montre, telle Grisélidis, « se brisant les os par l'exercice constant de la docilité »[32], s'appliquant à « *ratifier* »[33] tout ce que lui impose son mari, à prendre tous les « virages »[34] qu'exige d'elle le régime de « stalinisme privé »[35] sous lequel elle vit, « semblable à cette paysanne d'un conte populaire qui répète en toute occasion : « Ce que le vieux fait est bien fait »[36]. « Orpheline et respectueuse »[37], écrit Sartre à son propos. Savourons au passage en les lisant, comme il a dû le faire en les écrivant, ces deux adjectifs. Toute son enfance, il a joué à l'orphelin et sauvé des orphelines qui lui ressemblaient. Quand à la « respectueuse », on sait quelle place elle tient dans sa mythologie personnelle[38].

---

29. I.F., tome I, p. 85.
30. I.F., tome I, p. 85.
31. I.F., tome I, p. 89.
32. I.F., tome I, p. 97.
33. I.F., tome I, p. 98.
34. I.F., tome I, p. 98.
35. I.F., tome I, p. 98.
36. I.F., tome I, p. 98.
37. I.F., tome I, p. 98.
38. Ce n'est évidemment pas la prostitution qui rapproche Lizzie et Madame Flaubert, mais leur commune soumission aux valeurs de ceux qui « ont fait » leur pays (comme les notables de *La Nausée* « ont fait Bouville » N., p. 118), le sénateur américain d'une part, le chirurgien-chef de l'Hôtel-Dieu de Rouen de l'autre. Il n'empêche que Sartre n'ignore pas la connotation que le titre de sa pièce a donné à l'épithète « respectueuse ». Il semble jouer ici, comme Baudelaire et comme Flaubert (*cf.* son commentaire des œuvres de jeunesse de ce dernier, notamment *Le joueur de vielle*, I.F., tome I, p. 700-701), à ravaler la figure maternelle.

Mais il faut aller plus loin dans l'analyse des résonances qu'éveille, chez le lecteur de Sartre, le personnage de Caroline Flaubert. Elle a la religion d'Anne-Marie Schweitzer, puis un athéisme aussi suspect que l'était sa croyance et qui fait vibrer chez Sartre d'étranges harmoniques :

« Mme Flaubert, déiste, avait gardé sa foi bien qu'elle se fût donnée à un médecin mécréant [...]. Elle était de ces femmes qui disent : « J'ai ma religion à moi » ou « J'ai mon Bon Dieu » et qui se bornent à vampiriser un peu la religion catholique : elles en prennent les conforts, les encens, les vitraux, l'orgue et laissent les dogmes »[39]. Sartre écrivait, dans *Les Mots* : « Ma mère [...] avait « son Dieu à elle » et ne lui demandait guère que de la consoler en secret »[40]. « Le dimanche, ces dames [Anne-Marie Schweitzer et sa mère] vont parfois à la messe, pour entendre de bonne musique, un organiste en renom ; [...] elles croient en Dieu le temps de goûter une toccata »[41].

A la mort de son mari, Caroline Flaubert perd la foi : « [...] La première fois que son père l'abandonna, Caroline avait dix ans : elle [...] consolida sa religion. La seconde fois, elle en avait plus de cinquante : c'eût été le moment de tomber entre les mains des prêtres ; [...] la veuve eut cette réaction peu commune : elle rompit avec Dieu. [...] A première vue Dieu semble irréprochable ; il a poussé la bonté jusqu'à ne pas liquider le père avant que le fils aîné fût en âge de le remplacer »[42]. Nous connaissons ce ton. C'est celui dont Sartre use dans *Les Mots*, à mi-chemin de la comédie sentimentale et du marivaudage, lorsqu'il s'agit d'évoquer ses relations avec Dieu (« Il y a cinquante ans, sans ce malentendu, sans cette méprise, sans l'accident qui nous sépara »[43]...) ou la mort de son père (« [Il] avait eu la galanterie de mourir à ses torts »[44]). Dans le texte du *Flaubert*, le mélange détonnant de la convention bourgeoise (« il a poussé la bonté ») et de l'argot (« jusqu'à liquider ») montre que persiste une agressivité dont on aurait pu croire que l'âge l'avait éteinte[45]. Bref, Caroline ne se résigne pas :

> « elle se convertit à l'athéisme comme d'autres le font à la religion révélée : par fidélité au mort ; pour le reprendre en soi tout entier, pour *être* lui. Elle acceptait de ne plus jamais le revoir à condition de le porter en son ventre comme un nouvel

---

39. I.F., tome I, p. 87.
40. MT., p. 81.
41. MT., p. 18.
42. I.F., tome I, p. 87-88.
43. MT., p. 83.
44. MT., p. 11-12.
45. Sur Dieu comme prête-nom du père, voir *infra*, 3e partie, chap. III, p. 377. L'ambivalence de la relation à Dieu chez Sartre semble refléter sa propre division interne à l'égard de la figure paternelle : soumission captative d'une part, dont l'origine est à chercher dans la relation au grand-père (voir *supra*, 1re partie, chap. II, p. 93), vœu de mort inconscient d'autre part, qui se nourrit de la mort réelle du père (voir *supra*, 1re partie, chap. II, p. 94).

> enfant en reprenant à son compte les fières et dures doctrines qui avaient tant fait pour la gloire de son mari »[46].

La surdétermination du personnage est patente. Caroline Flaubert tient, nous l'avons vu, de Grisélidis et d'Anne-Marie Schweitzer. Elle émeut aussi comme la sirène qui bouleversa Simone de Beauvoir enfant : « pour l'amour d'un beau prince, elle avait renoncé à son âme immortelle »[47]. Mais surtout, elle permet à Sartre de faire apparaître pour la première fois, dans *L'Idiot de la famille,* le scénario fantasmatique auquel il se complaît et que l'on pourrait traduire par la phrase : un cadavre est ingéré[48]. Caroline « recrache les bonbons lamartiniens »[49] pour s'incorporer un mort réduit aux *fières* et *dures* doctrines qui ont fait sa *gloire.* L'image est plus rassurante que celle d'Enée portant son père sur son dos, que celle de Genet possédé par son Zar ou digérant son amant. La captation masque la castration, lisible cependant : possédant son mari, elle le tue « pour toujours »[50].

Mère, Caroline Flaubert redevient Anne-Marie Schweitzer et le triangle œdipien tel que l'imagine Sartre comporte les mêmes anomalies que celui qu'il décrit dans *Les Mots* : « elle était, plus que mère, fille incestueuse. [...] En vérité, c'est la sœur cachée de ses fils : une sœur aînée[51], on les confie à sa garde, elle est responsable d'eux devant le *pater familias,* elle les aime en lui comme les chrétiens s'aiment en Dieu, mais la seule relation directe de ses enfants avec Caroline, c'est la *cohabitation* »[52] (« Dans *ma* chambre, on a mis un lit de jeune fille »[53]). Comme Anne-Marie, Caroline voulait une fille pour recommencer son enfance manquée. Comme Jean-Paul en nourrice « [s'appliquant] »[54] à mourir, Gustave, pour sa mère, « fut mort de naissance : on le soigna contre la mort, en attendant qu'elle vînt, inflexible »[55]. Anne-Marie « se déchirait entre deux moribonds inconnus »[56] (le père et l'enfant), Caroline mettait au monde des « *morituri* »[57]. En treize ans, « Achille-Cléophas lui fit cinq garçons. [...] Il y eut quatre déceptions : Gustave fut la troisième »[58] ; « l'objet de ces soins minutieux n'avait que deux façons de lui apparaître : ou

---

46. I.F., tome I, p. 88.
47. *Mémoires d'une jeune fille rangée,* Gallimard, 1958, p. 51.
48. Sur les rééditions multiples de ce fantasme dans *L'Idiot de la famille,* voir *infra,* dans ce chapitre, p. 341 et au chapitre suivant, p. 356. Pour nous, ce cadavre, qui ailleurs « sent déjà » (*cf. infra,* 3e partie, chap. II, p. 358), est l'emblème du phallus anal.
49. I.F., tome I, p. 88.
50. I.F., tome I, p. 89.
51. *Cf.*, MT., p. 13 : « on me dit que c'est ma mère. [...] je la prendrais plutôt pour une sœur aînée ».
52. I.F., tome I, p. 95.
53. MT., p. 13.
54. MT., p. 9.
55. I.F., tome I, p. 134.
56. MT., p. 9.
57. I.F., tome I, p. 92.
58. I.F., tome I, p. 91.

comme *son* échec de femme et de mère — cela veut dire comme singularité détestable et toute négative — ou dans sa pure généralité de nourrisson. Elle préféra ne voir qu'une existence avide qui *n'était pas* la fille souhaitée et, à part cette négation bien définie, restait dans la pure indétermination. Une vie sexuée, rien de plus »[59]. On a envie d'écrire : rien de trop ! L'enfant des *Mots* était lui de sexe « indéterminé mais féminin sur les bords »[60]. Cette impossibilité de définir le sexe renvoie au complexe de castration.

Parfois, en particulier lorsque Sartre évoque la mère, l'empathie le cède à l'antipathie : la fixation anale du romancier, son agressivité, son refus d'accepter la scène primitive et sa conséquence, la naissance, se lisent, dans *L'Idiot de la famille,* comme dans les biographies précédentes. Les *morituri* « [pètent] au nez »[61] de Caroline Flaubert « meurtrière de sa propre mère »[62]. Cette mère lui disait : « tu m'as tuée, je te maudis, les fruits de ton ventre *pourriront* parce que tes entrailles sont pourries. [...] pour la *ponte* proprement dite, ça pouvait aller »[63] ; « il n'est pas le fils de cette femme : il en est l'excrément »[64], lisait-on déjà à propos de Genet. Dans d'autres passages, la défense contre l'image de la naissance tourne à la bouffonnerie : Sartre évoque « les petits mâles indiscrets qui se trompaient de ventre »[65], ou bien il accuse, comme dans cette note au bas de la page 723 : Caroline n'est plus seulement la meurtrière de sa mère, mais celle de ses fils : « Certes, la mortalité, à l'époque, était sévère. Pourtant la disparition de ces trois jeunes mâles m'a toujours paru suspecte [...]. Peut-on imaginer que la vertueuse et « glaciale » Caroline *senior* a été la cause de leur retraite précipitée ? Pour Gustave, [...] elle aurait fait un effort [...]. Mais au suivant, elle se serait écriée : « Encore un ! » Le nouveau-né, devant cet accueil, se serait hâté de rentrer sous terre ». Sartre semble oublier qu'il a écrit, six cents pages plus haut, il est vrai : « quand elle tenait un poupon dans ses bras, elle admirait en lui cette source de vie qui l'avait fécondée : le sperme du géniteur devenu chair »[66].

Nous allons revenir sur la reconstitution, par Sartre, de la préhistoire de Flaubert. Mais nous voulions souligner, dès le début, à propos d'un des personnages de *L'Idiot de la famille,* jusqu'où peut aller la familiarité de Sartre avec ses créatures et à quel point il a fait de la famille Flaubert sa propre famille. La dernière phrase du chapitre sur la mère est remarquable à cet égard par l'usage qui y est fait du « nous » : le « sombre logis [l'appartement qu'occupait, à

59. I.F., tome I, p. 134.
60. MT., p. 84.
61. I.F., tome I, p. 92.
62. I.F., tome I, p. 361.
63. I.F., tome I, p. 131 ; souligné par nous.
64. S.G., p. 15.
65. I.F., tome I, p. 132.
66. I.F., tome I, p. 95.

l'Hôtel-Dieu de Rouen, le chirurgien-chef et que sa femme jugeait sinistre] est, depuis un demi-siècle, désaffecté : personne ne l'habite plus, nous avons acquis, nous, les hommes, la sensibilité de nos arrière-grand-mères »[67].

Le modèle psychanalytique sartrien.

Ce qui manque à l'enfant, d'après Sartre, dans *Les Mots,* c'est le père, dans *L'Idiot de la famille,* c'est l'amour de la mère. De sa théorie, Sartre écrit :

> « Je l'avoue, c'est une fable. Rien ne prouve qu'il en fut ainsi. [...] l'explication *réelle,* je peux m'imaginer, sans le moindre dépit, qu'elle soit exactement le contraire de celle que j'invente ; *de toute manière* il faudra qu'elle passe par les chemins que j'indique et qu'elle vienne réfuter la mienne sur le terrain que j'ai défini : le corps, l'amour »[68].

Soit, mais nous verrons que le corps, passée la phase orale, est le plus souvent absent de la reconstruction sartrienne. Le petit Gustave est donc transformé par l'indifférence de sa mère en objet passif :

> « On lui demande d'être un tube digestif en bon état : rien de plus. [...] la chair est là, on la touche, on la mange et puis on s'endort, amant lassé, dîneur repu. On la retrouvera quand il faudra, à heure fixe. Bref, on dort, on attend, on jouit : mais l'attente, inerte sécurité, et la jouissance, à peine distincte de la nutrition [...] définissent, par leurs relations particulières, un *pathétique* de la sexualité »[69].

Un mot, que Sartre a soigneusement évité d'employer dans son autobiographie, apparaît, non sans précautions oratoires, sept cents pages plus loin : « Il est permis ici d'utiliser le vocabulaire de la psychanalyse et d'appeler castration la constitution par les soins maternels d'une activité passive qui empêchera pour toujours le cadet Flaubert de montrer — en quelque domaine que ce soit — une agressivité « virile »[70]. C'est châtrer Gustave dès sa relation avec la « chair satinée »[71] du sein maternel, théorie bien commode pour l'interprétant. Elle permet d'ignorer, dans le « roman *vrai* »[72] qu'est *L'Idiot de la famille,* la phase anale[73] complaisamment évoquée dans le roman (faux ?) qu'est *L'Enfance d'un chef.* Elle permet aussi de passer sous silence l'entrée dans la phase phallique et de faire l'économie de l'affrontement œdipien. Et, de fait, nulle part dans les deux mille

67. I.F., tome I, p. 102.
68. I.F., tome I, p. 139.
69. I.F., tome I, p. 140.
70. I.F., tome I, p. 875.
71. I.F., tome I, p. 140.
72. « *Sur L'Idiot de la famille* », dans S., X, p. 94.
73. Nous verrons, dans ce chapitre, *infra,* p. 335, comment Sartre expédie « La belle explication de la *fameuse* constipation » et le goût de la scatologie chez Flaubert.

pages du *Flaubert* il n'est question d'angoisse ou de complexe de castration[74]. La castration est donnée d'emblée, au berceau. L'avantage d'une telle théorie, c'est d'éviter ce point délicat : la relation de l'enfant à sa mère lorsque celle-ci est perçue comme un objet total et non plus réduite à un objet partiel, le sein.

D'ailleurs la fable psychanalytique forgée par Sartre ne va pas sans contradictions : dans les lignes citées plus haut le désir diffère, si peu que ce soit, du besoin (« [...] la jouissance, à peine distincte de la nutrition [...] »). Dans un autre passage, Sartre écrit : « A l'âge où la faim ne se distingue pas du désir sexuel [...], le besoin arrache le nourrisson aux violences passives et aux pâmoisons du « pathétique » ; première négation et premier projet, l'agressivité représente tout ensemble, la transcendance, sous son aspect le plus élémentaire, la relation primitive avec l'autre et la forme préhistorique de l'action »[75]. La puériculture sartrienne passe, on le voit, par la *Critique de la raison dialectique* : le désir est méconnu, le besoin seul permet d'accéder à la praxis : « un besoin poussé à bout [...] engendre son propre droit ; mais un enfant Flaubert n'est jamais affamé : l'enfant, gavé par une mère diligente et sèche, n'aura pas même cette occasion de rompre par la révolte le cercle magique de la passivité [...] il tétera, bien sûr, jusqu'à la dernière goutte mais s'il s'obstine à sucer un sein tari, deux mains irrésistibles l'écarteront, sans violence, fermement »[76]. Ces deux dernières lignes du romancier démolissent l'édifice du théoricien. Le désir se distingue de nouveau du besoin. Mais comment cet enfant à qui l'on refuse le plaisir de sucer ne serait-il pas frustré ? Et n'est-ce pas là pour lui l'occasion de manifester sa colère, de sortir de sa passivité ?

En fait, on assiste tout au long du *Flaubert* à une étrange dérive des concepts psychanaytiques. Ainsi l'activité de la mère est, nous venons de le voir, une première castration : « précautionneusement manié »[77], langé « en un tournemain »[78], « cet enfant sans amour et sans droits, sans agressivité ni angoisse, sans affres mais sans valeur, s'abandonne aux mains diligentes qui le triturent et aux remous subjectifs d'une sensibilité « pathétique »[79] ; « la conduite maternelle absorbée par le nouveau-né et le réduisant à *souffrir* sans *exprimer*, voilà le sens psychique du trouble aveugle et sourd, cul-de-jatte et manchot qui ne peut que *pâtir* »[80]. Une telle description permet de

---

74. Rappelons que la première est liée à la découverte, par l'enfant, de la différence des sexes, qu'elle est consciente et « riche de conséquences heureuses pour la sexualité » (Françoise Dolto, *Psychanalyse et pédiatrie*, Bonnier-Lespiaut, 3e édition, 1965, p. 81). Le second au contraire est inconscient, lié à l'Œdipe non résolu et « source de souffrance » pour le sujet (*ibid.*, p. 81).
75. I.F., tome I, p. 58.
76. I.F., tome I, p. 138.
77. I.F., tome I, p. 136.
78. I.F., tome I, p. 136.
79. I.F., tome I, p. 138.
80. I.F., tome I, p. 139.

faire remonter le masochisme à la mère qui le constitue de l'extérieur, sans que le sujet y contribue. Elle évite, contrairement à ce qu'elle prétend, d'avoir à passer *par le corps* : la fixation au stade anal dans le cas du masochisme. Le complexe de castration n'est jamais nommé ni reconnu dans ses signes majeurs, pourtant présents tout au long du texte : impossibilité d'être homme, identification au sous-homme, à l'herbe, à la vermine, à la bête, au chien, à la femme, mélopée du manque, parade phallique de l'écriture ou de la geste. La « castration » n'est pas non plus un fantasme qui peut aider l'enfant à se construire, elle est toujours un méfait, perpétré par les parents[81]. C'est elle qui est à l'origine du complexe innommé, si bien que le sujet n'a aucune part à sa propre « constitution ». Sartre rattache cette opération castratrice à une phase du développement de l'enfant, qu'il situe très tard, quand c'est le père qui la pratique, et très tôt, quand c'est la mère. En aucun cas, le sexe des parents n'entre en jeu. En faisant de l'activité de la mère une première castration, on évite de lier le malaise de l'enfant à la frigidité[82] de la mère et à son refus du sexe réel du nouveau-né. Le désir d'avoir une fille au lieu d'un garçon est souligné dans *Les Mots*[83] comme dans le *Flaubert*. Mais Sartre a fait de Caroline une amoureuse tandis qu'il écrit à propos de sa mère : « Anne-Marie [...] soignait [son mari] avec dévouement, mais sans pousser l'indécence jusqu'à l'aimer. Louise l'avait prévenue contre la vie conjugale : après des noces de sang, c'était une suite de sacrifices, coupée de trivialités nocturnes. A l'exemple de sa mère, ma mère préféra le devoir au plaisir »[84]. Nous avons vu à quel besoin de la fantasmatique sartrienne répond le portrait de Caroline en amante passionnée. Il reste que le cas est étrange de cette jeune femme qui jouit entre les bras de son mari, alors que celui-ci représente pour elle un père mort, et mort pour rejoindre une mère qu'elle a tuée en naissant. Second sujet d'étonnement : que cette femme si miraculeusement « génitale » soit une mère sans amour. Il était sans doute difficile que Caroline répondît à la fois aux fantasmes de Sartre, au vraisemblable psychanalytique et aux contraintes de la rationalisation théorique.

Il faut en effet que Caroline soit une « excellente mère, mais non pas délicieuse »[85], qu'elle soit « épouse par vocation » et « mère par devoir »[86], comme Anne-Marie Schweitzer est mère par vocation et

81. L'analyse, nous l'avons déjà constaté (*cf.*, *supra*, 1re partie, chap. I, p. 53), consiste essentiellement pour Sartre dans la recherche du coupable.
82. Frigidité en tant que femme, bien sûr. Caroline est une mère « frigide » (I.F., tome I, p. 340). L'expression montre, chez celui qui l'emploie, que l'interdit de l'inceste n'est pas intériorisé ; voir là-dessus, dans ce chapitre, *infra*, p. 325.
83. Voir MT., p. 84 ; Anne-Marie écarte l'enfant des « jeux violents », essaie de faire durer le plus longtemps possible ses boucles de fillette.
84. MT., p. 8.
85. I.F., tome I, p. 136.
86. I.F., tome I, p. 136.

épouse par devoir[87], car il faut expliquer, dans l'un et l'autre cas, la passivité de l'enfant, son manque d'agressivité. Pour l'enfant des *Mots* la cause est toute trouvée, c'est l'absence du père : « En vérité, la prompte retraite de mon père m'avait gratifié d'un « Œdipe » fort incomplet : pas de Sur-moi, d'accord, mais point d'agressivité non plus. Ma mère était à moi, personne ne m'en contestait la tranquille possession : j'ignorais la violence et la haine, on m'épargna ce dur apprentissage, la jalousie »[88]. Pour l'idiot de la famille, étant donné le poids du *pater familias,* il faut inventer une carence maternelle : « si au temps de sa protohistoire, Flaubert avait été violemment aimé par Caroline Flaubert, s'il avait aimé profondément et physiquement sa mère, cet amour jaloux eût développé son agressivité »[89].

Cette rêverie rétrospective permet à Sartre de tracer *a contrario* le portrait de la vraie mère ; on s'aperçoit alors que cette mère selon son cœur ou selon ses fantasmes est une mère incestueuse et qu'il décrit comme la norme cela même qui conditionne la genèse du pervers ou du névrosé : « Si ces dispositions se sont formées au cours de sa protohistoire, il faut qu'elles traduisent un trouble de la relation originelle qui unit l'enfant, chair en train d'éclore, à Génitrix, femme se faisant chair pour nourrir, soigner, caresser la chair de sa chair »[90]. On sait, depuis *L'Etre et le Néant,* que la « chair » est liée chez Sartre à l'érotisme. L'enfant est ici la cause du désir de Génitrix et non le témoin du désir de ses parents. Même rejet de l'interdit dans le passage suivant : « dans les familles bourgeoises d'aujourd'hui, la mère la plus amoureuse aime son fils, en partie, contre son mari : [...] à peine né, elle s'empresse d'adorer les traits individuels de ce géniteur futur [...]. Caroline, en 1830, ne pouvait rien reprocher au médecin-philosophe [...] pour avoir décidé, avant même le mariage, de trouver bon tout ce qu'il ferait ; il manquait à cette épouse l'ombre de révolte qui en eût fait une mère »[91]. Dans *L'Idiot de la famille,* comme dans *Les Mots,* il n'y a que des « Œdipe » fort « incomplets ». Si, comme Alfred Le Poittevin, on a le malheur d'avoir à la fois un père vivant et une mère aimante, il ne reste plus qu'à opérer, comme le père des *Mots,* une « prompte retraite »[92].

Castration originelle et castration renouvelée.

« La castration originelle, écrit Sartre, s'est deux fois répetée : il y a eu la Chute puis la vocation contrariée »[93]. On trouve dans *Les Mots* l'équivalent de la « Chute » de Flaubert enfant, lorsque

87. Voir *supra,* 1re partie, chap. III, p. 103, note 78.
88. MT., p. 17.
89. I.F., tome I, p. 396.
90. I.F., tome I, p. 57.
91. I.F., tome I, p. 95.
92. MT., p. 17.
93. I.F., tome I, p. 900.

Poulou connaît « les affres d'une actrice vieillissante »[94], à force d'« en [faire] trop »[95]. Dans *L'Idiot de la famille,* Gustave redoute d'être chassé « du doux monde servile de l'enfance »[96] : « ce petit cancre de sept ans s'aperçoit qu'il agace son père »[97] ; « ce Moïse n'aimait guère les démonstrations : [...] il devait trouver le petit trop lécheur »[98] ; « il plaisait hier, pourquoi déplaît-il aujourd'hui ? [...] Il aggrave son cas. [...] il « fait le singe » [...] si ses parents ne l'aimaient pas ? Il se jette dans leurs bras pour se rassurer, mimant la tendresse pour la susciter en même temps chez eux et chez lui »[99]. « Le médecin-chef [...] aimait les nouveau-nés contre les adultes [...]. Mais il ne fallait pas qu'ils s'avisassent de grandir. Après cinq ou six ans, c'était la disgrâce [...]. Il mettait les bons sentiments en déroute : d'un mot mais choisi pour déplaire. Le petit, quel qu'il fût, rougissait de honte, allait se cacher sous la table, marqué »[100]. Comme la mère, le Moïse « marque » l'enfant de l'extérieur. Ce que nous lisons ici, plutôt qu'une seconde castration, ce sont les effets du complexe de castration, l'aliénation au désir de l'autre, qui s'expriment dans les deux biographies par l'indentification au chien.

Le grand-père Schweitzer aime son petit-fils contre ses fils : « A défaut d'enfant, qu'on prenne un caniche : au cimetière des chiens, l'an dernier, dans le discours tremblant qui se poursuit de tombe en tombe, j'ai reconnu les maximes de mon grand-père : les chiens savent aimer ; ils sont plus tendres que les hommes [...]. Un ami américain m'accompagnait : outré, il donna un coup de pied à un chien de ciment et lui cassa l'oreille. Il avait raison : quand on aime *trop* les enfants et les bêtes, on les aime contre les hommes »[101]. On aime surtout le bambin contre le petit-garçon-qui-ne-peut-pas-grandir. Et le coup de pied rageur s'adresse au grand-père qui ne sait pas aimer et à ce chien minable, éperdu d'amour, qui, comme le chien de Jules dans la première *Education sentimentale,* représente la « tentation du pathétique »[102]. Dans *Les Mots,* c'est le cabotin qui apparaît surtout : « je suis un caniche d'avenir ; je prophétise. J'ai des mots d'enfant, on les retient, on me les répète »[103] ; c'est lui qui connaît « les vanités d'un chien de salon »[104]. Mais le chien de Jules n'est jamais loin : « que la toupie butât sur un obstacle, [...] le petit comédien hagard retombait dans la stupeur animale. De bonnes amies dirent à ma mère que j'étais triste [...] « Toi qui es si gai, toujours à

94. MT., p. 85.
95. MT., p. 86.
96. I.F., tome I, p. 49.
97. I.F., tome I, p. 396.
98. I.F., tome I, p. 461.
99. I.F., tome I, p. 365.
100. I.F., tome I, p. 366.
101. MT., p. 20-21.
102. I.F., tome II, p. 1928.
103. MT., p. 21.
104. MT., p. 90.

chanter ! Et de quoi de plaindrais-tu ? Tu as tout ce que tu veux. » Elle avait raison : un enfant gâté n'est pas triste ; il s'ennuie comme un roi. Comme un chien »[105].

Nous retrouvons le chien dans *L'Idiot de la famille* où d'admirables passages montrent que l'empathie sartrienne s'étend au règne animal : « J'ai vu la peur et la rage monter chez un chien »[106]... Comme le petit Gustave par son père, le chien est « arrêté dans le 'processus d'hominisation'. Recalé »[107]; « il semble évident, écrit Sartre, que les animaux de maison s'ennuient ; ce sont des homoncules, reflets douloureux des maîtres ; la culture les a pénétrés, ruinant la nature en eux sans la remplacer, le langage est leur frustration majeure »[108] ; « cette implantation de l'humain comme possibilité refusée se traduit par une jouissance : le chien *se sent vivre,* il *s'ennuie* ; l'ennui, c'est la vie dégustée comme impossibilité de devenir homme »[109]. « Je suis un chien : je baîlle, les larmes roulent, je les sens rouler »[110]. « Sans la culture, l'animal ne s'ennuierait pas : il vivrait, c'est tout. Hanté par une absente, il vit l'impossibilité de se dépasser comme rechute oublieuse dans l'animalité [...]. L'ennui de vivre [...] c'est la nature se saisissant comme terme absurde d'un processus limitatif »[111]. Nous reconnaissons cet homoncule, ces « petits monstres forgés par le Roi de la Nature »[112] : « on a pris un enfant et on en a fait un monstre »[113], écrivait déjà Sartre dans *Saint Genet,* surenchérissant en atrocité baroque à la suite du Hugo : « Il y avait autrefois en Bohême, une industrie florissante qui paraît avoir périclité : on prenait des enfants, on leur fendait les lèvres, on leur comprimait le crâne, on les mettait jour et nuit dans une boîte pour les empêcher de grandir »[114]. Cette fabrique de monstres ressemble aux fantasmes sartriens[115]. L'adulte agit directement pour châtrer l'enfant.

Tout cela ne va d'ailleurs pas sans approximation ni confusion : le drame du petit Gustave c'est « l'acculturation sans amour »[116],

---

105. MT., p. 75.
106. I.F., tome I, p. 144-145.
107. I.F., tome I, p. 189.
108. I.F., tome I, p. 144.
109. I.F., tome I, p. 145.
110. MT., p. 75.
111. I.F., tome I, p. 146.
112. I.F., tome I, p. 145.
113. S.G., p. 29.
114. S.G., p. 29.
115. *Cf., supra,* 2e partie, chap. IV, p. 302. Notons que le thème de l'homoncule, déjà présent dans *Baudelaire* et dans *Saint Genet,* satisfait sans doute profondément l'imaginaire sartrien. Il permet la plainte inépuisable contre la figure paternelle, l'ostentation masochiste de la castration et, brusque renversement, la complaisance secrète : le petit homme est « tout un homme », poupée phallique. De plus, créature artificielle, il flatte le vœu d'annuler la scène primitive : « la femme devient inutile », comme l'écrit Gœthe dans *Le second Faust.*
116. I.F., tome I, p. 147.

celui du chien, c'est l'amour sans acculturation. Sartre le voit bien : « Il *est parlé,* déjà, comme nos bichons de sofa, mais *trop tard* : on *lui parle peu,* distraitement et sans sourire. En ce sens, il reste au-dessous du chien qui, du moins, intériorise l'amour dont il fait l'objet »[117]. Pourtant, avec la seconde castration, lorsque Gustave est jugé « *insuffisant* »[118] (il a des difficultés à apprendre à lire), l'acculturation est faite par un père maladroit, certes, mais aimant. Dans *Les Mots,* le caniche parle tant qu'il finit par déplaire. Dans *L'Idiot de la famille,* au contraire, « l'enfant trouve un mythe pour expliquer ses premières résistances à l'acculturation : il est une bête, les bêtes ne parlent pas. [...] Il dit sa faim de caresses ; l'avenir est nié : le chien de salon naîtra, sera chiot puis adulte puis un vieux cabot fatigué sans quitter le salon natal »[119].

Peu importe finalement que le chien soit le support d'identifications ou de projections contradictoires, qu'il soit le cabot qui fait le pitre pour qu'on l'aime et parce qu'on ne l'aime pas, ou au contraire, celui dont on est jaloux parce que lui, au moins, est aimé sans qu'on lui demande rien. Ce qui importe, c'est l'analyse, qu'à travers ces identifications, Sartre nous donne du malaise de Gustave :

> « Il ne s'agit pas ici du « complexe » ni même du sentiment d'infériorité : comment serait-il inférieur ? à qui ? en quoi ? [...] *cette* existence [...] n'est manque de rien en particulier. [...] c'est l'amour qui manque ; présent, la pâte lève ; absent, elle s'alourdit [...]. L'ennui est peine d'amour qui s'ignore : [...] ne pas être aimé, cela se ressent et se réalise comme impossibilité de s'aimer ; [...] il se *déplaît* »[120].

Ce qui manque à Jean-Paul, qui se déplaît aussi, c'est un père, à Gustave l'amour maternel, au chien la parole. La recherche des causes ne convainc pas. Ce qui frappe au contraire, c'est l'insistance sur ce manque indéfinissable, c'est l'image de cette pâte qui ne peut pas lever, c'est que Sartre se risque à écrire (entre guillemets cependant) le mot « complexe » (d'infériorité bien sûr — nous chercherions en vain, nous l'avons dit, la moindre allusion au complexe de castration), même si c'est pour le refuser.

Castration originelle donc, dans l'image du chien, mais aussi castration renouvelée : « L'homme [que Flaubert] décrira dans ses premières nouvelles est historique et pascalien : mais ce n'est pas un ange déchu, c'est une bête acculturée ; la culture, c'est la Chute, il le pressent : il aura dans les yeux, comme plus tard le singe de Kafka, cette autre victime d'un père abusif, « l'égarement des bêtes dressées »[121]. La seconde castration, la chute, la disgrâce, dont Sartre

117. I.F., tome I, p. 148.
118. I.F., tome I, p. 371.
119. I.F., tome I, p. 358.
120. I.F., tome I, p. 148-149.
121. I.F., tome I, p. 357.

nous dit qu'elle fut un véritable traumatisme, recouvre à la fois le fait que l'enfant commence à jouer « faux » et ses difficultés à apprendre à lire. Nous sommes loin de l'enfant des *Mots* qui apprit à lire tout seul ou presque. En apparence, seulement. Car l'enfant prodige et l'idiot sont deux victimes de l'acculturation. « Je vivais au-dessus de mon âge, écrit Sartre dans *Les Mots,* comme on vit au-dessus de ses moyens : avec zèle, avec fatigue, coûteusement, pour la montre »[122]. Si l'apprentissage de la lecture s'est fait sans mal, le premier contact avec l'école est indéniablement une *chute* : « J'étais le premier, l'incomparable dans mon île aérienne ; je *tombai* au dernier rang quand on me soumit aux règles communes »[123]. Il faut relire les lignes qui évoquent le retour du grand-père « convoqué en hâte » par l'administration après la première dictée : « il revint enragé, tira de sa serviette un méchant papier couvert de gribouillis, [...] et le jeta sur la table [...]. Devant « lapen çovache » ma mère prit le fou rire ; mon grand-père l'arrêta d'un regard terrible. Il commença par *m'accuser* de *mauvaise volonté* et par me *gronder pour la première fois de ma vie,* puis il déclara qu'on m'avait méconnu ; dès le lendemain, il me retirait du lycée et se brouillait avec le proviseur »[124]. Sartre dit n'avoir « rien compris à cette affaire » et n'en avoir pas été « affecté »[125]. Nous ne sommes pas sûre qu'il n'y ait pas, dans cette anesthésie étonnante, une défense contre une émotion trop forte. La réaction si vive et si vivante de Sartre à ce qu'il imagine des relations entre le docteur Flaubert et Gustave nous paraît garder la trace d'une ancienne blessure : il « prit en main le petit cancre. [...] humilié par son fils, il l'humilia pour toute la vie »[126]. « En décidant de lui ouvrir l'esprit, le médecin-philosophe se condamnait à partager la commune condition des pères-professeurs. Ces gens sont d'exécrables pédagogues : « Si tu m'aimais, si tu avais le moindre sentiment de tes devoirs envers moi, envers ta mère, [...] il y a beau temps que tu saurais tes lettres, tes départements, ta table de multiplication. Tiens, je te pose une seule question : qui a gagné la bataille de Poitiers ? Tu ne veux pas répondre ? Quel ingrat ! » [...] l'exigence paternelle est doublement déraisonnable ; en surface, elle s'appuie sur cette idée proprement absurde : pour rattraper son retard [...] le petit élève n'a besoin que de *bonne volonté*; en profondeur elle se base sur ce principe théologique qui reste informulé : toute création est une créance du Créateur sur la créature ; le fils doit rehausser la gloire du Géniteur qui l'a produit »[127]. « Gustave est *insuffisant* ; [...] la folie criminelle du père fut de présenter à son fils ce caractère relatif comme une réalité absolue. [...] Cent vingt-

---

122. MT., p. 55.
123. MT., p. 61 ; souligné par nous.
124. MT., p. 61 ; souligné par nous.
125. MT., p. 62.
126. I.F., tome, p. 367.
127. I.F., tome I, p. 369, souligné par nous.

cinq ans plus tard, mieux instruits sur l'enfance, nous accusons le médecin-chef d'avoir visé trop haut, trop vite et d'avoir effaré son malheureux élève en laissant voir son exaspération »[128].

Un autre exemple nous montrera, sous l'opposition superficielle, une même attitude chez l'un et l'autre enfants à l'égard de l'« acculturation » : Jean-Paul apprenant à lire est « zélé comme un catéchumène »[129], alors que Gustave renâcle devant l'abécédaire : « l'universalisme égalitaire du langage commun scandalise sa pensée, reflet d'un ordre hiérarchique et singulier »[130]. Même recul chez Jean-Paul, lorsqu'Anne-Marie lui lit *Les Fées* qu'elle lui racontait jusque-là : « il me semblait que j'étais l'enfant de toutes les mères, qu'elle était la mère de tous les enfants. Quand elle cessa de lire, je lui repris vivement les livres et les emportai sous mon bras sans dire merci »[131]. La réaction première est de déplaisir, de peur même, devant cette intrusion de l'autre avec sa « voix de plâtre »[132], devant cette menace qui risque de rompre la relation duelle.

La seconde castration, c'est aussi, selon Sartre, la vocation théâtrale refusée. Aucun refus formulé d'ailleurs : simplement, le milieu social des Flaubert, trop bourgeois, n'offre pas cette possibilité à l'enfant. Pour qu'il y songeât, il lui eût fallu au moins un « commencement d'investiture »[133], que le *pater familias* s'écriât dans l'horreur : « Ce garnement va déshonorer la famille, je sens en lui l'étoffe d'un comédien »[134]. Nous reviendrons à loisir sur la relation du fils au père décrite par Sartre, sur le fait qu'elle est invariablement de soumission pré-œdipienne, que tout ce qui n'est pas offert au fils sans qu'il ait à le demander, lui apparaît comme refusé ; mais nous voudrions nous arrêter un moment sur cette vocation théâtrale étouffée dans l'œuf, car il nous semble que, là encore, à travers l'enfant Flaubert, Sartre dit beaucoup de lui-même. Etre acteur n'est pas non plus de l'ordre des possibles pour le petit-fils d'un professeur au début de ce siècle. Ecrire même, ne saurait être, pour le grand-père, qu'un second métier. Il vit entouré de grands morts, mais se méfie des écrivains professionnels, ces « thaumaturges dérisoires qui demandent un louis d'or pour faire voir la lune et finissent par montrer, pour cent sous, leur derrière »[135]. On imagine facilement son mépris envers les comédiens dont l'exhibitionnisme est moins détourné. Mais nous savons la place que tient l'acteur dans la vie et dans l'œuvre de Sartre : Sartre aime jouer, il a été un excellent comédien amateur ; si Kean est un acteur professionnel, Goetz et

---

128. I.F., tome I, p. 371.
129. MT., p. 36.
130. I.F., tome I, p. 363.
131. MT., p. 35.
132. MT., p. 34.
133. I.F., tome I, p. 874.
134. I.F., tome I, p. 874.
135. MT., p. 129.

Frantz, comme le cadet Flaubert, font « du *théâtre dans la vie* »[136]. Jean-Paul enfant joue son rôle dans la « comédie familiale »[137]. Du *Flaubert* aux *Mots*, les textes se répondent :

> « Il n'agit — comme au théâtre — qu'en infectant de passion les spectateurs. Les gestes provoquent les gestes : l'enfant court vers le père et le père ouvre les bras »[138].
>
> « Du plus loin qu'il nous voyait, il se « plaçait », pour obéir aux injonctions d'un photographe invisible [...] j'allais buter contre ses genoux avec un essoufflement feint, il m'enlevait de terre, me portait aux nues, à bout de bras, me rabattait sur son cœur en murmurant : « Mon trésor ! ». C'était la deuxième figure, très remarquée des passants »[139]. « La comédie familiale [...] ne m'agitait qu'en surface et le fond restait froid, injustifié »[140].
>
> « L'ordre expressif et l'ordre émotionnel seront [...] séparés chez l'enfant [...] il est *en représentation*. [...] Etrange contraste de l'homme social avec cette herbe, au fond de lui, folle et patiente, qui languissamment, passivement, tente de distiller — comme un suc — le langage de la vie nue »[141].
>
> « La présence de ses congénères l'agite énormément : ils ont des exigences qu'il connaît mal ; il faut y céder sous peine de dévoiler l'imposture et que Gustave n'est pas homme tout à fait : [...] Il s'arrache d'un coup aux léthargiques mélancolies, saute à l'étage supérieur — rayon des mimiques, [...] — et là, par une crise de nerfs dirigée, se transforme en gai luron tonitruant »[142].

Gustave est une « herbe », il « n'est pas homme tout à fait », l'acteur est « *persona*, masque jeté sur un vide »[143]. Gustave « monte dès huit ans sur les tréteaux et n'en veut plus descendre »[144] parce qu'il « *souffre son irréalité* comme un insaisissable manque d'être »[145] ; « protégé par une armure invisible [le rôle qu'il interprète], il s'offre aux coups, exhibe, irresponsable, la transposition préétablie de ses ridicules et de son malheur »[146]. Sartre lit la castration dans la vocation contrariée (« Gustave, à qui l'on vient, à la lettre, de *couper le souffle* »[147]..., le « conformisme imbécile de ces bourgeois qui lui ont *coupé* les ailes »[148]...) mais, contrariée ou non, lorsque Sartre décrit la vocation théâtrale, c'est le complexe de castration qu'il

136. I.F., tome I, p. 876.
137. MT., p. 92.
138. I.F., tome I, p. 173.
139. MT., p. 16-17.
140. MT., p. 92.
141. I.F., tome I, p. 157.
142. I.F., tome I, p. 157-158.
143. I.F., tome I, p. 173.
144. I.F., tome I, p. 665.
145. I.F., tome I, p. 665.
146. I.F., tome I, p. 782.
147. I.F., tome I, p. 910.
148. I.F., tome I, p. 875.

peint sans le nommer et qui s'affirme en se niant dans le métier d'acteur : « Un acteur [...] c'est d'abord un enfant volé, sans droit, sans vérité, sans réalité, en proie à de vagues vampires [...] son être lui est venu par la socialisation de son impuissance à être »[149]. Dit autrement : « Kean bande pour Juliette avec la verge de Roméo »[150], ou encore : « l'acteur se tient volontiers pour un Seigneur ; écoutez-le traiter le public de femme [...]. Quelle erreur ! »[151] ; « s'offrir pour fasciner » est un « travail de courtisane »[152] ; « c'est le public qui est mâle, acceptant ou refusant les femelles en sueur qui lui prodiguent sur la scène leur activité passive »[153].

Un autre passage de *L'Idiot de la famille* montre comment Sartre théoricien élude l'angoisse et le complexe de castration. Il s'agit des pages qu'il intitule « le miroir et le fétiche »[154] : elles constituent une version très personnelle de l'interprétation donnée par Freud à la perversion fétichiste.

Le fétichisme selon Sartre.

Dès qu'il s'empare de la théorie freudienne[155] qu'il estime ici adéquate pour expliquer la « vie sexuelle imaginaire » de Flaubert, Sartre en fait autre chose. Qu'on en juge par les lignes suivantes :

> « Elle n'avait rien d'un homme, pourtant, la timide épouse d'Achille-Cléophas : si l'enfant l'a dotée d'une masculinité secrète, c'est en raison de son impérieuse et froide efficacité. Tout se passa dans l'ombre : [...] cette austère activité se dérobait sans cesse inexplicablement, faisant de l'enfant comme la moitié d'un androgyne amputé de son autre moitié : c'était le vouer pour toujours à une *vie sexuelle imaginaire* ; il a cherché dans l'onanisme et, plus tard, dans les étreintes amoureuses, [...] à retrouver l'androgynie primitive. Sans autre résultat que de se faire, en toute circonstance — tantôt mâle, tantôt femelle — un androgyne imaginaire à demi. Quand il tient le rôle de la femme, devant sa glace, et qu'il appelle un partenaire masculin, il ne peut comprendre qu'il réclame en vérité d'être possédé par sa mère pourvue en la circonstance d'un phallus imaginaire »[156].

Notons que Sartre supporte mal l'homosexualité latente de son dernier double. Il l'accueille au contraire chez Genet parce que celui-

149. I.F., tome I, p. 790.
150. I.F., tome I, p. 767, note 1.
151. I.F., tome I, p. 793.
152. I.F., tome I, p. 794.
153. I.F., tome I, p. 794. Cette distribution du masculin et du féminin, selon que l'on est voyeur tout-puissant ou exhibitionniste contraint, renvoie à la nuit de Naples (voir *supra*, 2e partie, chap. IV, p. 297) et aux « habitudes » d'Erostrate (MR., p. 82-83).
154. I.F., tome I, p. 684 à 721.
155. Voir *La vie sexuelle*, P.U.F., 1969, chap. X, « Le fétichisme », p. 133 à 138.
156. I.F., tome I, p. 696.

ci est manifestement autre. Gustave est bien davantage le même. En écartant le « partenaire masculin » et en voulant à tout prix que la « vérité » du désir de Flaubert soit d'être possédé par sa mère pourvue d'un phallus imaginaire, Sartre assigne à sa théorie la fonction du fétiche, dont Freud écrit qu'« il épargne au fétichiste de devenir homosexuel en prêtant à la femme ce caractère par lequel elle devient supportable en tant qu'objet sexuel »[157]. Sartre conclut ainsi son analyse :

> « sa mère, mâle par imposture, femme par trahison, l'a ainsi constitué qu'il ne cesse de réclamer d'elle une forme de retotalisation sexuelle dont elle l'a frustré dès le berceau et qu'elle s'est ensuite révélée incapable *par nature* de lui donner. Cet assouvissement qu'il exige, il sent obscurément qu'il n'est point réalisable puisque personne — homme ou femme — ne peut le lui donner »[158].

Si l'on se rapporte à Freud, le phallus maternel est affirmé par le petit garçon pour nier la différence sexuelle qui l'angoisse. S'il imagine sa mère phallique, c'est qu'il ne peut, dans son narcissisme, concevoir l'objet de son amour dépourvu des prestiges du pénis. « L'horreur de la castration s'est érigé un monument en créant ce substitut, écrit Freud. La stupeur devant les organes génitaux réels de la femme [...] ne fait défaut chez aucun fétichiste »[159]. Nous sommes loin du mythe de l'androgyne. D'autre part, le fantasme de la mère phallique suppose que l'enfant ait accès au couple d'opposés avoir le phallus-être châtré, ce qui est exclu au stade de développement (maniement du nourrisson) où Sartre situe son origine. De ce fait, Sartre vide le mot phallique de son contenu imaginaire précis : « si l'enfant l'a dotée d'une masculinité secrète, c'est en raison de son impérieuse et froide efficacité ». Finalement la théorie freudienne vient nourrir la rêverie sartrienne de possession par le père : « elle l'avait dupé, la nouvelle déesse [il s'agit d'Elisa Schlésinger en qui Sartre reconnaît une figure maternelle] : ce n'était qu'un castrat que son maître possédait chaque soir [...]. Quand Schlésinger entrait en elle, la femme forte s'ouvrait au plaisir de se laisser déviriliser et devenait entre les mains de son mari la passivité heureuse que Gustave eût souhaité devenir *pour* et *par* elle »[160]. Mais ce phallus maternel que Sartre escamote dans sa théorie alors qu'il croit l'affirmer, reparaît curieusement alors qu'il croit le nier : reprenant les commentaires d'O. Mannoni dans son article intitulé : « Je sais bien, mais quand même... »[161], Sartre écrit : « tout se passe comme si le fétiche était à la fois l'incarnation et la négation du phallus maternel —

---

157. *Op. cit.*, p. 135.
158. I.F., tome I, p. 719-720.
159. *Op. cit.*, p. 135.
160. I.F., tome I, p. 697.
161. *Clefs pour l'Imaginaire ou l'Autre Scène*, Seuil, 1969, p. 9 à 33.

à ceci près que la négation est ici beaucoup plus forte qu'elle ne serait s'il était né dans une famille coujugale »[162]. Décidément il semble bien que quelque chose en Sartre répugne à la perception d'une certaine différence anatomique.

La censure de l'érotisme anal.

Une des choses qui frappe le plus lorsqu'on examine le montage psychanalytique fabriqué par Sartre pour rendre compte de la névrose de Flaubert, c'est, avec l'absence de toute référence à l'angoisse ou au complexe de castration, l'absence de toute allusion à cette phase, si importante dans le développement de l'enfant : la phase anale. Sartre risque, une fois, l'expression « phase orale de la sexualité »[163], à propos du nourrisson. Lorsqu'elle reparaît, deux fois au cours du livre[164], elle désigne l'aliénation de Flaubert à sa propre voix et le langage que Sartre parle alors, à propos de la voix de Flaubert, est, en réalité, celui de la pulsion phallique : « le matériau originel de son art a été cet « arbre de vie » enraciné dans ses poumons, la colonne respiratoire »[165] ; « la communication par le Verbe symbolise la pénétration ; l'*organe*, chez Gustave, c'est sa voix de bronze, qu'il saisit comme phallus érigé »[166]. Fort de son savoir analytique, Sartre proclame la nécessité d'enraciner dans le corps les traits fondamentaux du caractère : ainsi la sexualité « rêveuse »[167] de Flaubert se comprend, nous l'avons vu, à partir des manipulations maternelles. Il va bien jusqu'à accorder au bébé le plaisir de sucer, mais sur les stades suivants règne un silence pudique. Et pourtant Sartre consacre plusieurs chapitres à la veine scatologique de Flaubert, à la geste du Garçon. Mais la « merde », nous y reviendrons, c'est le bourgeois : l'explication sociologique prévaut.

La manière dont Sartre biaise pour ne pas reconnaître une fixation de la libido au stade anal chez Flaubert, ressemble au jeu de cache-cache des encyclopédistes du XVIIIe siècle avec la censure. Tout ce qui touche à cette période de l'enfance, où plaisir et douleur

---

162. I.F., tome I, p. 720.
163. I.F., tome I, p. 140.
164. *Cf.* le « stade oral », I.F., tome I, p. 673 et la « phase orale », p. 877.
165. I.F., tome I, p. 872.
166. I.F., tome II, p. 1274. Gustave ressemble à Olivier Blévigne dont la « voix de rainette [...] avait fait, plus d'une fois, pâmer la Chambre » (N., p. 120-121). Rappelons que le député de Bouville « raide comme une trique et [jaillissant] de la toile comme un diable de sa boîte » (N., p. 120) est un petit homme-phallus et que ce phallus-là, comme l'organe de bronze, semble bien, par ce qu'il suppose de toute-puissance imaginaire, recevoir la « contribution » de l'érotisme anal (*cf.*, *supra*, 2e partie, chap. III, p. 277). Dans *L'Enfance d'un chef*, Lucien, honteux de sa nuque, est glorieux de sa voix : il s'efforce de la « gonfler » (MR., p. 164). « Avec sa voix il faisait ce qu'il voulait » (MR., p. 165). *Cf.* aussi, à ce propos, dans *Saint Genet*, p. 269 : « La voix mâle, colonne d'air, verge debout [...] », cité *supra*, 2e partie, chap. II, p. 241.
167. I.F., tome II, p. 1319 ; c'est-à-dire essentiellement solitaire et nourrie de fantasmes.

sont intimement liés aux fonctions d'excrétion, est soigneusement disjoint des chapitres où Sartre analyse la geste du Garçon. Ainsi, on trouve une allusion aux lavements dans une remarque sur l'attention excessive dont l'enfant dut être l'objet ; elle fait partie des pages qui soulignent le vœu de mort inconscient des parents à l'égard de leur progéniture, dans une section du début de l'ouvrage qui s'intitule « Naissance d'un cadet » : « Le chirurgien volontariste et son épouse stalinienne voulurent lutter pied à pied contre le destin ; ils exercèrent sur l'enfant cette tyrannie que les médecins nomment aujourd'hui surprotection. Pour un frisson, [...] le lit. Le gavage, peut-être [...]. Et, cela va de soi, des lavements »[168]. Sartre commente en note, sept cents pages plus loin, « La belle explication de la *fameuse* constipation »[169] et s'ingénie, sans d'ailleurs y parvenir tout à fait, à en minimiser la portée : « Je tends à n'y voir qu'une « blague », écrit-il, [...]. Elle souligne pourtant l'horreur puritaine de Gustave pour les fonctions naturelles et, contrepartie nécessaire de son dégoût, son inclination sadique et masochiste pour l'ignoble *scatologique* »[170]. La fixation anale est reconnue et méconnue immédiatement : l'adjectif « puritain » renvoie aux analyses sociologiques de la « distinction » bourgeoise dans la *Critique de la raison dialectique* (le bourgeois nie en lui les besoins pour refuser, à l'ouvrier qui y consent, la condition d'homme). Qu'elles puissent être vraies « dans leur ordre » ne les empêche pas de servir de défense. Notons aussi que le sadisme et le masochisme, soigneusement disjoints dans le reste de l'ouvrage, sont ici réunis. Mais c'est qu'il s'agit du caractère sado-masochiste du goût pour la scatologie. Lorsqu'il sera question de la pulsion sadique proprement dite, Sartre refusera d'y voir le renversement de la pulsion masochiste. S'il accouplait en effet sadisme et masochisme, il lui faudrait reconnaître leur lien avec la pulsion anale et son scandaleux objet[171]. Il préfère renvoyer le masochisme au « fondamental »[172] (le maniement du nourrisson) et le sadisme à la « surface »[173], au niveau de l'« orgueil négatif et des songeries de [la] rancune exaspérée »[174], bref éviter, lorsqu'il théorise sur la genèse de Gustave, toute rencontre avec l'érotisme anal.

« [...] nous retrouverons, poursuit Sartre dans sa note sur « La belle explication [...] », cette attirance vers le « sublime d'en bas » dont la merde reste à ses yeux le meilleur symbole [l'excrément n'est là qu'à titre d'illustration d'un penchant plus élevé]. L'influence de

168. I.F., tome I, p. 135-136.
169. Ces quelques lignes de Flaubert enfant sont reproduites par Jean Bruneau dans *Les débuts littéraires de Gustave Flaubert 1831-1845*, Armand Colin, 1962, p. 41.
170. I.F., tome I, p. 856, note 1.
171. Voir là-dessus, dans ce chapitre, *infra*, p. 339, note 202.
172. I.F., tome I, p. 841.
173. I.F., tome I, p. 715.
174. I.F., tome I, p. 849.

Molière n'est pas douteuse : c'est un Diafoirus qui parle »[175]. Sartre sait pourtant qu'il n'y a pas d'influence de ce qui nous est extérieur. Quant à Diafoirus, son nom affiche son tube digestif. Dans le reste de la note, Sartre signale le ressentiment contre le père médecin et contre la mère : nulle part « la symbolisation réciproque de « mère » et de « mer » n'est plus manifeste, mais il faut y ajouter ici un troisième terme qui est la merde car l'enfant maudit se venge en assimilant le *noble* enfantement à l'*ignoble* défécation. Et, bien entendu[176], lui-même à un étron qu'on « fait » et qu'on abandonne »[177]. Voilà une « blague » qui en dit long. Une seule fois dans toute l'œuvre, la fixation anale est indiquée, en note, à propos de ce qui se passe à l'Hôtel des Farces[178] : « la relation du coït anal et de la coprophagie est claire : elle renseigne sur certaines fixations infantiles de Gustave. Il faut ajouter qu'on en trouve un écho lointain dans *A rebours* de Huysmans. Tout est à rebours, ici : la femme prend l'homme, l'anus devient entrée, l'excrément nourriture »[179]. On ne saurait mieux escamoter le problème : « bien entendu », tout est limpide ; on s'empresse de reconnaître « certaines fixations infantiles » sans oser trop préciser tout de même, on leur trouve immédiatement des parentés littéraires pour qu'elles ne paraissent pas incongrues à l'excès. Comment Sartre articule-t-il cette petite note au contenu de la centaine de pages qui explique la veine scatologique du Garçon par le refus de se faire bourgeois ? Comment une fixation anale si manifeste peut-elle s'accompagner d'une solution au complexe d'Œdipe puisque, rappelons-le, Gustave « a fait son Œdipe »[180].

D'ailleurs, sitôt la parenthèse de la note refermée, la scatologie du Garçon va de soi. Sartre, emporté par l'empathie, prend fait et cause pour lui : « *au nom de quoi,* moi qui suis un sac de puanteurs, pourrais-je me désolidariser de cet autre sac d'immondices ? »[181]. Décidément Odon de Cluny n'a pas fini de hanter l'œuvre et Marie Alacoque n'est pas loin : « s'ils [les hommes] osaient aller jusqu'au bout d'eux-mêmes, ils mangeraient leur merde avec jubilation »[182] ; « nous sommes des merdiers »[183]. L'homme est un « cycle fécal »[184]. C'est Flaubert qui est censé tenir ce discours à travers les faits et gestes du Garçon. Mais il semble que Sartre participe pleinement à

175. I.F., tome I, p. 856, note 1.
176. Le « bien entendu », « tout le monde sait cela », est aujourd'hui une des formes les plus courantes de résistance à la psychanalyse. On peut consciemment bien entendre et être sourd inconsciemment.
177. I.F., p. 856, note 1.
178. L'Hôtel des Farces est, comme le Garçon qui le hante, une création imaginaire de Flaubert collégien et de ses condisciples.
179. I.F., tome II, p. 1319, note 1.
180. I.F., tome I, p. 334.
181. I.F., tome II, p. 1268.
182. I.F., tome II, p. 1324.
183. I.F., tome II, p. 1316.
184. I.F., tome II, p. 1317.

sa vision du monde[185]. Et si l'on peut à la rigueur soutenir que Sartre ne fait que traduire les propos implicites du Garçon quand il écrit : « nous sommes, [...] des mange-merde *au figuré,* lorsque, dans notre avarice et dans notre égoïsme, nous nous obstinons à récupérer et à réemployer tous les déchets de notre activité. La coprophagie, c'est donc *aussi* l'utilitarisme bourgeois : l'homme pratique retourne sans cesse à soi sous forme excrémentielle »[186], dans ce passage sur le « penser utile » de la bourgeoisie, le fameux « de trop » ne laisse aucun doute sur l'identité de celui qui parle : « En tant qu'individu de classe, le fils peut faire l'objet d'un devis rationnel et calculé. En tant que singularité (vésanies, infirmités, troubles du développement physique et mental, etc.), [...] il est constitué par son père comme une occasion permanente de dépenses superflues. [...] Il est, par définition — et même s'il sent qu'on l'aime — l'homme de trop »[187]. Lorsque Sartre imagine le chirurgien-chef se mettant au lit avec sa femme et lui disant : « Viens-là, que je te fasse un notaire »[188], ce qui apparaît encore, outre la dérision de la scène primitive, c'est la pulsion anale mal intégrée : les acquis de ce stade d'organisation de la libido, prévision, devis, calculs, maîtrise du réel, sont rejetés avec horreur ; l'homme pratique est « fécalisé »[189].

Le Garçon n'affronte pas l'Œdipe, il l'évite. Comme Flaubert selon Sartre, il ne reconnaît pas son rival, il le supprime : il veut « *détruire* l'homme », « *démasquer* » en lui « la bête humaine, le porc »[190]. Lorsque Gustave « a découvert en nous les puanteurs de la charogne, il s'en délecte : non qu'il aime ces odeurs faisandées pour elles-mêmes ; il lui plaît que notre espèce sente mauvais »[191]. Il faut qu'il « ruine l'humanité, cette illusion volontairement maintenue par tous. [..] il n'a qu'un but : désacraliser l'homme, « cette merveille de la civilisation » qu'Achille-Cléophas incarne si bien »[192]. On peut aussi démasquer le porc en soi-même pour atteindre son père et

---

185. Quand Gustave « pantagruélise », écrit Sartre, « la merde coule à flots », (I.F., tome II, p. 1316). L'expression est à peu près la même dans *Saint Genet :* « la merde coule à profusion dans ses œuvres » (S.G., p. 163). Si l'on se reporte aux textes, on verra que le commentateur paraît soutenir l'ardeur vengeresse de cet épanchement anal. Dans le *Flaubert* Sartre va jusqu'à imaginer, pour illustrer l'idée de l'homme comme « cycle fécal », l'ingestion réitérée du même bol alimentaire (voir I.F., tome II, p. 1317). La pulsion anale qui n'a pu trouver place dans la fiction théorique de *L'Idiot de la famille,* parle en d'innombrables gloses familières.
186. I.F., tome II, p. 1317.
187. I.F., tome II, p. 1348-1349, note 1.
188. I.F., tome II, p. 1480.
189. Nous retrouvons ici une structure psychique qui a été analysée par André Stéphane dans *L'Univers contestationnaire,* Petite Bibliothèque Payot, 1969. Ce n'est sans doute pas un hasard si l'un des chapitres passionnés que Sartre consacre à la révolte des collégiens rouennais porte en épigraphe cette inscription de Mai : « Celui qui dépose un chiffre sur une copie est un con », I.F., tome II, p. 1121.
190. I.F., tome I, p. 443.
191. I.F., tome I, p. 443.
192. I.F., tome I, p. 443.

jouir de « l'aigre et délicieux plaisir de rendre cet honorable savant le fameux géniteur d'une illustre immondice. « Oui, s'exclame Gustave par la bouche de Sartre, [...] on crie à la chienlit sur mon passage et j'en suis fier »[193]. La lettre de Flaubert à Ernest Chevalier, substitut du procureur à Calvi (« Je voudrais... tomber un beau matin dans ton parquet pour casser et briser tout, roter derrière la porte, renverser les encriers, chier devant le buste de Sa Majesté, faire enfin l'entrée du Garçon »[194]), montre bien que ce qui se cache sous cette parade d'affrontement œdipien c'est l'agressivité à l'égard de la mère archaïque, de la grande Déesse du dressage sphinctérien. Sartre n'a-t-il pas d'ailleurs à propos du Garçon possédant son public, cette image révélatrice : « il enferme, gigantesque mère gigogne, tous ses camarades en ses flancs »[195]. Sartre propose évidemment une tout autre lecture de la lettre à Ernest Chevalier : le Garçon, c'est

> « un diable dans une bouteille, un Gargantua féroce, fou de rage, à l'étroit dans une outre en peau humaine, ridiculisant les Lilliputiens qui le tiennent captif ; et c'est, en même temps, un homme, immense commis voyageur intentionnellement vulgaire par la raison que la Nature, dans « sa haute et pleine majesté » quand elle se fait voir en un homme qui tousse, crache, éternue, rote, pète, chie et copule, comme tous les mammifères « supérieurs », ne peut être que le triomphe de la vulgarité. [...] Et surtout, c'est le sublime d'en bas, l'ignoble, allusion indirecte au sublime d'en haut, hors d'atteinte : quand Gustave dénonce la jeune importance et l'esprit de sérieux qu'il prête au substitut de Calvi, c'est au nom du Grand Désir, de l'insatisfaction, de l'horreur d'être homme et, finalement d'un obscur « instinct religieux » : il n'en souffle pas mot et charge le Garçon, farceur et rigolard, d'aller chier sous le buste de Sa Majesté ; l'ignoble est l'exécuteur des basses œuvres du sublime »[196].

Curieux passage où Sartre rend lisible, comme en abyme, sa propre structure psychique à l'intérieur de celle du Garçon. La Mère-Nature est omni-présente et le dégoût qu'elle inspire projeté sur la distinction bourgeoise. Le père tourné en dérision, c'est Pascal : le pastiche des classiques traduit souvent, chez Sartre, nous l'avons vu [197], la possession par les « grands hommes » et l'ambivalence des sentiments à leur égard. Ici, la couleur « anale » de l'exercice de style semble imposée par le sujet, mais un passage des *Mots* montrait déjà le petit garçon qui-a-bien-500-pages-dans-le-ventre, oublié par sa grand-mère au fond d'un magasin de porcelaine entre le mas-

---

193. I.F., tome I, p. 845.
194. Lettre du 13 juillet 1847, cité dans I.F., tome II, p. 1221.
195. I.F., tome II, p. 1329.
196. I.F., tome II, p. 1250.
197. *Supra*, 2e partie, chap. III, p. 272.

que mortuaire de Pascal et un pot de chambre représentant la tête du président Fallières[198]. Quant au Garçon farceur et rigolard « chiant » sous le buste de Sa Majesté, il évoque irrésistiblement Sartre « pissant » sur le tombeau de Chateaubriand[199]. Nous laisserons de côté pour le moment l'idéalisation de l'agressivité anale en « Grand Désir ». Ailleurs, le commentaire fait entrevoir des motivations moins désintéressées : le substitut de Calvi « a quitté depuis longtemps le parti des rieurs — qui sont des enfants *sans pouvoir* — pour se mettre du côté des *puissants* — ceux que l'on moque et qui n'en n'ont cure »[200]. Contentons-nous de signaler le recours « finalement » à un « obscur instinct religieux ». Nous reviendrons sur ce passage constant, dans *L'Idiot de la famille,* d'une langue à une autre. Nous nous demanderons alors pourquoi le « psychanalyste », le sociologue, le philosophe que Sartre porte en lui s'effacent « finalement » devant le poète biblique pour évoquer certaines grandes scènes de la vie de Flaubert[201].

Du masochisme, théorie et métaphores.

Le goût de Flaubert pour la scatologie n'a donc rien à voir, pour Sartre, avec les mésaventures de la pulsion anale : il s'explique par le refus de se faire bourgeois. Le masochisme n'est pas lié davantage au langage du corps ni aux démêlés du sujet avec le phallus[202]. Sartre propose un modèle de compréhension plus éthéré qui, malgré les apparences, refuse les « trivialités »[203] de la chair. Reprenons une formulation parmi bien d'autres de son schème d'explication : « le défaut d'amour l'a constitué de telle manière qu'il est incapable de réclamer des autres ce dont on l'a réellement frustré. Ce qu'il désire, en fait, c'est le recommencement de la scène primitive avec ceci en plus que sa mère prenne un plaisir sexuel à le transformer en objet maniable et ductile »[204]. Peut-être faut-il nuancer ce que nous écrivions quelques lignes plus haut. Certes, Sartre néglige complètement les zones érogènes orale, anale et phallique, mais est-ce à dire que nous n'ayons là, comme une première lecture pourrait le faire croire, qu'une pen-

---

198. MT., p. 202.
199. Voir *supra,* 2e partie, chap. II, p. 245, note 275.
200. I.F., tome II, p. 1222; souligné par nous.
201. Voir *infra,* 3e partie, chap. II, p. 351-352.
202. Rappelons que l'origine du sado-masochisme se situe, pour la psychanalyse, dans le plaisir pris par l'enfant à retenir le boudin fécal ou à subir son passage (voir, par exemple, Françoise Dolto, *Psychanalyse et pédiatrie,* Bonnier-Lespiaut, 1965, p. 37-38). S'il rejette la castration symbolique (l'interdit de l'inceste), le sujet, imaginairement châtré, assurera sa toute-puissance en mettant à contribution l'érotisme anal : il sera le phallus anal, narcissique. Névrosé ou pervers, dans ses fantasmes ou dans ses mises en actes, il s'exercera à subir ou à faire subir des sévices, en mesurant l'étendue de son pouvoir à sa capacité d'être simultanément, à sa place et à celle de l'autre, celui qui endure et celui qui fait endurer.
203. MT., p. 8.
204. I.F., tome I, p. 846.

sée abstraite soucieuse de faire descendre après coup ses schémas dans le corps ? Bien sûr, le nourrisson Flaubert n'a ni bouche (si l'allaitement est évoqué, c'est le « maniement » qui l'emporte dans la genèse de la passivité), ni tube digestif. Mais c'est son corps entier qui est érotisé et ces mains qui manipulent reparaissent tout au long de *L'Idiot de la famille* comme un fantasme obsédant. Qui veut faire l'ange fait la bête. Sartre censure l'analité, mais elle influence profondément sa théorie. Nous reprendrions volontiers ici les remarques de Gérard Mendel sur l'obsessionnel : pour ce dernier, la figuration de la toute-puissance « serait à la fois l'*étron* [...] et l'*acte* de contenir, de retenir, de contrôler, de maîtriser, de manipuler, ainsi que toutes les images d'une prise sur l'Objet (une main qui serre, un appareillage qui enserre [...] ou encore toute loi [...] qui limite et interdit : le point important est qu'il s'agit toujours d'un pouvoir sur l'autre à sens unique »[205]. Ce « néo-sphincter »[206] peut être projeté sur le père, et nous verrons que c'est souvent le cas dans *L'Idiot de la famille* ; mais son origine est la mère omnipotente du dressage anal, celle qui a frustré le sujet de sa propre maîtrise.

Sartre n'a donc pas réussi à mettre hors-jeu la pulsion anale et son objet imaginairement magnifié, l'étron phallique : ce sont eux qui animent la théorie fantasmatique des manipulations maternelles. D'ailleurs, ce que les constructions intellectuelles cherchent à écarter fait retour par les métaphores. Ainsi, pour prendre un exemple parmi bien d'autres, ce développement baroque sur la science du docteur Flaubert comme mortisection : le fantasme sado-masochiste de possession anale et le dégoût fasciné pour le « sac d'excréments » s'y expriment à travers un lyrisme douloureusement somptueux qui fait perdre toute crédibilité à l'explication par la vassalité :

> « il reçoit comme un choc le spectacle de son père courbé sur une charogne [...]. Passivement constitué, Gustave n'est attentif qu'à l'obscène abandon des cadavres qui lui reflète sa propre passivité. [...] c'est cela, le cadavre qu'il a sous la peau. [...] par les ignobles chimies de ses digestions, par la puanteur de ses excréments, par la fétidité de son haleine, de ses transpirations, par les raisinés qui tournent sous sa peau, par ses sucs, par le pus qui, sans raison apparente, s'amasse en gonfles rougeâtres et pointe, jaunes abcès, furoncle, phlegmon, pour gicler, enfin, liquéfaction de sa chair, n'est-il pas de son vivant la charogne qu'il sera *post mortem* ? »[207].

On croirait entendre Odon de Cluny[208]. Sartre poursuit :

---

205. *Anthropologie différentielle*, Petite Bibliothèque Payot, 1972, p. 261. Gérard Mendel semble décrire ici le fantasme qui est à l'œuvre dans le récit de *La Colonie pénitentiaire*, *cf. supra*, 1re partie, chap. II, p. 88.
206. *Ibid.*, p. 261.
207. I.F., tome I, p. 474.
208. *Cf. supra*, 2e partie, chap. II, p. 228.

> « le *pater familias* n'aurait-il pas créé Gustave pour observer, vivant, son pourrissement et, mort, pour le disséquer tout à l'aise ? [...] l'objet du savoir pue.
> La conséquence de cela, curieusement, c'est qu'il n'a jamais eu grand peur de mourir. Que pouvait-il craindre puisque *c'était déjà fait ?* Il y a cette fièvre qui s'empare d'un trépassé, cette danse macabre, la vie ; et puis la fièvre tombe [...]. Ce qui a garanti Gustave contre l'angoisse immédiate de se sentir mortel, c'est ce que j'appellerai son aliénation idéologique. [...] il aliène son obscur sentiment d'exister à la connaissance objective du cadavre des autres par l'Autre absolu, le *pater familias* ; il s'ensuit [...] que son *Alter Ego* se présente à lui comme feu Gustave Flaubert, ce qui est une façon mythique de ressentir son occupation par le Seigneur noir qui le pétrifie »[209].

Avouons qu'il est bien difficile d'appeler « idéologique » cette étrange aliénation. Des gelées s'épaississent, une mayonnaise prend, un étron puant mais pétrifié est façonné. Le scalpel du père se substitue ici aux mains de la mère. L'angoisse de castration est éludée, comme dans le suicide à la Gribouille de l'enfant des *Mots* : « Que pouvait-il craindre puisque *c'était déjà fait ?* » Le cadavre n'est ni mâle ni femelle, il est « tout un homme » phallique. A la fin de l'opération, les rôles se renversent. Gustave devient néo-sphincter et le père est ingéré.

Le soubassement imaginaire est exactement le même dans ce texte sur le masochisme de Flaubert : on peut le lire comme une variante de l'énoncé « un cadavre est ingéré »[210] qui se formule alors : « un cadavre est exhibé » :

> « il rêve d'être acteur et risible parce que le rire est un châtiment sexuel : [...] Gustave sera tout nu, à la renverse, manipulé par les rieurs [...] on fera publiquement violence à son intimité secrète, [...] réduit à l'impuissance, il sentira l'aigre volupté de faire la joie, lui, sous-homme, des hommes qui le regardent gigoter en vain [...]. En ce sens, on reconnaîtra, au fond de « sa vocation » un fantasme exhibitionniste. Rousseau montrait aux lavandières l'« objet ridicule » [...] l'objet ridicule n'est autre, ici, que sa personne toute entière, [...] il jouit de s'exhiber, femme ridicule, de se livrer à ces témoins impitoyables et de se pâmer sous leurs poignes de soudards. [...] Sans aucun doute, quant il se fait ignoble, [...] pour que ses compagnons se désolidarisent de sa scandaleuse charogne, la laissant pourrissante et nue mais encombrante encore, il vise à satisfaire sa pulsion masochiste en radicalisant son exhibitionnisme »[211].

---

209. I.F., tome I, p. 475-476.
210. Voir *supra*, dans ce chapitre, p. 320.
211. I.F., tome I, p. 848-849.

Le rire remplace les mains de la mère ou le scalpel du père : les rieurs « manipulent », ils ont des « poignes » de soudards. Ce qui est exhibé, c'est la personne « tout entière », « réduite à l'impuissance » et châtrée. Femme ridicule, elle n'a pas de pénis, mais sous son misérabilisme affiché, elle est le phallus imaginaire[212] dont l'origine anale se trahit dans la métaphore de la charogne pourrissante. Sans doute Sartre pense-t-il faire ici la part belle à la psychanalyse, avec les termes de masochisme, de pulsion, d'exhibitionnisme, mais il semble ignorer que ce qu'il donne à lire dans ce texte, c'est avant tout l'un des signes majeurs du complexe de castration.

En effet, se moquer de son sexe, le dévaloriser, c'est se châtrer d'avance pour éviter l'angoisse de castration (castration anticipée aussi, dans la vie « posthume », *ante mortem*, de Gustave et de l'enfant des *Mots*). Chaque fois que Sartre rencontre ce trait chez Flaubert, il n'interprète pas, il semble même abonder dans son sens. Ainsi, glosant sur une phrase de *Madame Bovary* (Léon visite avec Emma la cathédrale de Rouen) : « Son amour qui depuis deux heures bientôt s'était immobilisé dans l'église, comme les pierres... » [C'est l'érection, note Sartre : voilà deux heures qu'il bande] « ...allait... s'évaporer par cette espèce de tuyau tronqué, de cage oblongue, de cheminée à jour qui se hasarde si grotesquement sur la cathédrale »[213], Sartre commente le déplacement de l'adverbe « grotesquement » : il n'a « d'autre office que de révéler les ridicules de l'organe dont les mâles de notre espèce ont été affublés : Gustave porte à son pénis — et par suite à ceux des autres — la même haine rageuse que le sexe féminin inspire à beaucoup de femmes »[214]. A propos de l'imaginaire Hôtel des Farces, où l'on célébrait, au dire des Goncourt, « une fête de la Merde, lors de la vidange et où l'on entendait résonner dans les couloirs les commandes suivantes : « Trois seaux de merde au 14. Douze godemichets au 8 ! »[215], Sartre écrit : « Des attrapes, en somme : si quelque convive non prévenu venait à en toucher un sous une robe, il se troublerait, comme l'homme au sucre flottant [...]. Et tout le monde de s'esclaffer : « Il est en bois ! » [...] Gustave opère ici la réification de l'homme qu'il achèvera plus tard dans la scène du fiacre ; notre virilité dont nous sommes si vains, qu'est-ce sinon le pouvoir d'accrocher entre nos cuisses une verge de bois qui ne fleurira pas ? Et, si ce n'est que cela, pourquoi la femme n'aurait-elle pas le droit de s'en servir comme nous ? »[216].

Généreux, le féministe prête à la femme un phallus de bois mais ignore qu'elle a un sexe ! Pas plus que dans *Saint Genet*, il n'y a

---

212. Voir *supra*, 2e partie, chap. II, p. 235, comment on passe de « réduit à l'impuissance » à la poupée phallique.
213. I.F., tome II, p. 1279, note 1.
214. I.F., tome II, p. 1279, note 1.
215. I.F., tome II, p. 1316.
216. I.F., tome II, p. 1319.

dans *L'Idiot de la famille* d'homme ni de femme ; l'homme est sous-homme, la femme, qui ne se connaît que châtrée, châtre à son tour ; et Flaubert est femme : nulle trace en tout cela, pour Sartre, de complexe de castration, mais simple reflet d'une « situation particulière »[217] qui est celle d'un « être relatif, vivant en connivence avec ses oppresseurs »[218]. Flaubert, observant dans un salon, est peint en « femme de ressentiment »[219] : « pour les autres boutonné, elle se réjouit qu'il [son mari] soit, pour elle, nu comme un ver »[220] ; « Tel est le secret de certains fous rires féminins »[221]. Il semble aller de soi, pour Sartre comme pour Flaubert, que l'homme nu est risible. Car sa nudité est « nudité de nourrisson », « impotente nudité »[222]. Visibilité égale risibilité ; et si, selon Sartre, Flaubert convie le Garçon « farceur et rigolard »[223] à regarder tressauter le fiacre où sont enfermés Léon et Emma, c'est que le fiacre de Louise est « entré dans *Madame Bovary* »[224] et que devant cette femme qui n'est ni une « intouchable » comme les amies de sa mère ou de sa sœur, ni une « créature »[225], Flaubert est intimidé. « L'inquiétude de Léon, dans la cathédrale, écrit Sartre, traduit un souci majeur de Gustave. De fait la baisade ne fut qu'*ébauchée* dans le fiacre du mois d'août 46 et, la première fois qu'il dût s'exécuter, nous avons la preuve formelle que son aiguillette resta nouée »[226].

Le cannibalisme.

Nous donnerons un dernier exemple, avant de clore ce chapitre, de la façon dont Sartre ruse avec les concepts psychanalytiques, bâtit à grands frais des constructions rationalisantes, pour finir par livrer directement, dans la passion qu'il met à démontrer, dans les discours qu'il fait tenir à ses personnages et dans les métaphores dont il use, ses obsessions fondamentales.

Au livre II de *L'Idiot de la famille,* Sartre peint Gustave au collège. Il analyse alors un rêve raconté par le narrateur des *Mémoires d'un fou.* Le voici, tel que Sartre le cite : « Ma porte s'ouvrit, on entra : ils étaient peut-être sept ou huit, tous avaient une lame d'acier entre les dents... ils s'approchèrent en cercle autour de mon berceau leurs dents vinrent à claquer et ce fut horrible... Ils soulevèrent tous mes vêtements et tous avaient du sang ; ils se mirent à manger et le

217. I.F., tome I, p. 445.
218. I.F., tome I, p. 445.
219. I.F., tome I, p. 446.
220. I.F., tome I, p. 445.
221. I.F., tome I, p. 446.
222. I.F., tome I, p. 846.
223. I.F., tome II, p. 1250.
224. I.F., tome II, p. 1287.
225. I.F., tome II, p. 1290.
226. I.F., tome II, p. 1290-1291.

pain qu'ils rompirent laissait échapper du sang qui tombait goutte à goutte... Quand ils n'y furent plus, tout ce qu'ils avaient touché... était rougi par eux. J'avais un goût d'amertume dans le cœur, il me sembla que j'avais mangé de la chair... »[227]. L'étonnant, dans les dix pages de commentaire qui suivent, c'est la façon dont Sartre refuse et l'existence de l'inconscient et le signifié majeur du texte ; il l'indique au passage : « Le thème de la castration frappe d'abord et nous en reparlerons »[228], puis il l'oublie. Il oublie aussi de rapprocher ce rêve de celui qui le suit immédiatement dans les *Mémoires d'un fou* : « j'étais avec ma mère qui marchait du côté de la rive ; elle tomba. Je vis l'eau écumer [...] »[229]. Toute son analyse est orientée vers la situation actuelle du rêveur en proie aux affres de la compétition scolaire avec des condisciples bourreaux, eux-mêmes « martyrs d'un système édifié par leurs parents »[230]. Que cette situation permette à une angoisse plus archaïque de s'exprimer, Sartre n'en a cure. Le cannibalisme, c'est la relation des collégiens entre eux : « Pour le cadet Flaubert, un collégien qui le regarde est nécessairement l'agresseur. [...] l'orgueil est carnivore, [...] l'agresseur fait à sa victime la suprême injure de la bouffer et de la chier »[231]. Sartre relève les traits caractéristiques du cauchemar : « la localisation spatiale (Gustave est au-dessous de ses persécuteurs), la position du corps ([...] couché sur le dos), l'impuissance (que peut faire un nouveau-né [...]), l'attente sadique *des autres* (le regard des barbus [...]) et, pour finir, l'atroce supplice (on le mange tout vif) »[232]. Nous retrouvons, sous-jacente, l'image du nourrisson froidement manipulé qui, pour Sartre, polarise la sexualité de Flaubert. L'érotisme sado-masochiste constamment présent dans le commentaire sartrien est réduit à signifier le conflit actuel :

> « les élèves sont des bêtes fauves, Gustave, chrétien, leur est livré. Au moment qu'ils le dévorent [...] le martyr [...] n'hésite pas à se glisser dans la peau de l'empereur distrait qui [...] regarde sans les voir les derniers soubresauts de cette chair mutilée [...]. On sait bien ce que c'est, ce gars-là : de la chair à souffrance, de la graine de vaincu, *rien.* » Mais ce *rien,* mutilation suprême [...] Gustave en fait une lacune infinie [...]. Du

227. I.F., tome II, p. 1168.
228. I.F., tome II, p. 1169.
229. *Mémoires d'un fou,* chap. IV, p. 284, *Premières Œuvres,* édition du centenaire, 1923. Sur la femme qui se noie, dans les fantasmes du jeune Flaubert, et sur sa place dans le triangle œdipien, voir la lettre à Ernest Chevalier du mardi 8 août 1834 : « Nous avons pris quelques bains de mer... pendant trois jours. Se baignait alors une dame, oh une jolie dame, candide quoique mariée, pure quoiqu'à vingt-deux ans. [...] Ne sachant point nager elle disparut sous les eaux et son mari resté sur le rivage à la voir baigner la vit disparaître. C'était mourir », Flaubert, Correspondance, tome I, Gallimard, Bibliothèque de la Pléiade, 1973, p. 14.
230. I.F., tome II, p. 1176.
231. I.F., tome II, p. 1168. Le dernier détail n'apparaît pas dans le rêve. Le commentateur ressuscite le Garçon.
232. I.F., tome II, p. 1173.

coup, pantelant et sacré, le supplicié s'élève au-dessus de ses tortionnaires »[233].

Finalement le but du rêve serait, par « la technique de l'orgueilleuse humilité »[234], de panser l'amour-propre du petit Gustave. Mais qui ne voit que cette interprétation laisse échapper le caractère troublant du rêve que Sartre traduit quand il imagine et qu'il trahit quand il rationalise : chair mutilée..., chair à souffrance..., mutilation suprême..., supplicié pantelant. Litanie perverse, inductrice de trouble, qui dément l'interprétation trop intellectuelle. Sartre parle de castration à propos de ce rêve mais il se refuse à voir[235] qu'elle est érotisée et il méconnaît en cela la dimension homosexuelle du fantasme : le patient analysé par Freud avait lui aussi rêvé, dans son enfance, que six ou sept loups le regardaient et il avait éprouvé la terreur (et le désir inconscient) d'être mangé : « les grands fauves se lèveront — premier, Bouilhet ; second, Baudry[236] — et viendront flairer sans hâte leur futur déjeurner »[237]. « Ses condisciples — les impitoyables, les invincibles, les prestigieux — l'ont battu et terrassé, hier, avant hier »[238]. Le père, le frère aîné, sont aussi d'impitoyables, d'invincibles, de prestigieuses figures, pour l'inconscient de l'enfant.

Il y aurait beaucoup à dire sur les variations sartriennes à propos du cannibalisme dans *L'Idiot de la famille*. Chez Gustave enfant, Sartre y voit « un thème affectif, né de la rancune et du regret, qui circule entre chair et cuir sans avoir reçu tous ses développements. L'enfant ne dit pas encore « Tue-moi, toi qui m'as fait tel », mais ses rêveries moroses se nourrissent d'un vague désir : les pères, comme Ugolin, mangent les enfants ; mange-moi puisque je te fais honte »[239]. Le « puisque » rationalise et détruit ce que le mot « désir » cherchait à reconnaître. Dans une note sur un passage inédit de *Madame Bovary*, qui suggère de façon ambiguë qu'Emma « goûte » Léon, Sartre écrit : « la maîtresse dévorante qui bouffe son amant, boit ses larmes et son sang [...] devient du coup l'*homme*, selon la conception du couple qui prévaut dans toute société où la femme est du deuxième sexe. C'est Doña Prouhèze qui dit, désolée, après avoir renoncé à Rodrigue : « Il ne connaîtra pas ce goût que j'ai. » Ainsi pour Gustave le cannibalisme est l'aboutissement de la « possession sexuelle », [...] et c'est la femme, mante religieuse, qui mange, c'est l'homme qui est mangé »[240]. Deux lignes plus haut, *lapsus calami* qui fait

233. I.F., tome II, p. 1177.
234. I.F., tome II, p. 1177.
235. Même s'il le donne à sentir. On retrouve dans son commentaire la castration « mutilation suprême », comme paravent du vœu d'omnipotence. Sur le « rien » servant d'appeau au « tout », voir *infra*, 3e partie, chap. III, p. 403.
236. « premier, Winckelmann, second Fleurier », MR., p. 167.
237. I.F., tome II, p. 1172.
238. I.F., tome II, p. 1177.
239. I.F., tome I, p. 326.
240. I.F., tome I, p. 708, note 2.

la joie du chercheur, Sartre écrit *Lucien* pour *Léon* (« Emma goûte-t-elle l'amour de Léon ou Léon lui-même ? Dans la même phrase « il était rare » s'applique à l'affection (Lucien n'est pas rare) et à l'homme (les joues, les larmes, le regard sont à lui) »), *Lucien,* le héros indécis de L'*Enfance d'un chef*... Une fois de plus nous remarquons que Sartre fait ressurgir en note ce qu'il refoule hors de son texte. Il ne veut pas voir la signification homosexuelle du cannibalisme dans le rêve de Flaubert, mais il la souligne indirectement ici avec l'interversion des rôles au sein du couple. On rencontre, dans l'œuvre de Sartre, des personnages qui « [mangent] de l'homme »[241] : Frantz dans *Les Séquestrés d'Altona* et ce père anonyme d'un de ses premiers textes, qui mord comme du pain les fesses de sa petite fille[242]. Nous ne nous étonnerons pas de découvrir que le cannibale, c'est aussi l'écrivain quand il se transforme en biographe : « Dans le mouvement de sympathie, d'empathie ou d'antipathie qui le rapproche ou l'éloigne de *Madame Bovary* le lecteur se situe par rapport à un homme, c'est-à-dire à un style de vie infiniment condensé dans la vitesse d'une phrase [...] : cet homme, il ne le *comprend* pas encore mais déjà il le *goûte* et devine qu'il est *compréhensible* ; [...] cette *saveur* qui se donne immédiatement, c'est cela même qu'il faudrait restituer au terme d'une longue fréquentation ou d'une étude biographique »[243].

Genet déglutissait son ami mort avant de le rendre en littérature. Sartre, reconstituant Flaubert, savoure et s'incorpore « [son] grand homme »[244]. Ecrivant *La Nausée,* il voulait communiquer au lecteur le goût « saumâtre »[245] de son existence. Tout son malaise ne vient-il pas de ce que, brûlant comme Prouhèze du désir inassouvissable que l'autre le goûte, il est hanté, comme Genet, par sa « mauvaise odeur »[246].

---

241. *Cf. Les Séquestrés d'Altona,* Gallimard, 1960, p. 175.
242. Voir *Nourritures,* dans *Les Ecrits de Sartre* de Michel Contat et Michel Rybalka, Gallimard, 1970, p. 556. Rappelons que ce texte où Sartre veut dire la vérité sur la nourriture (*cf. supra.* 2e partie, chap. II, p. 243, note 262), dévoile en fait l'inconscient de l'écrivain : l'interdit de l'inceste n'y est pas reconnu : le père mange sa fille, comme la « bonne » mère dans *L'Idiot de la famille* satisfait sexuellement l'enfant en faisant sa toilette (*cf.* I.F., tome I, p. 691, 846).
243. I.F., tome I, p. 658.
244. I.F., tome I, p. 55.
245. MT., p. 209.
246. L'expression est reprise dans *L'Idiot de la famille* : « de toute manière, l'auteur, dans la mesure où il invente, reste en commerce avec soi : ses fictions ne sont pas toujours lui-même en tant qu'autre mais elles ne cessent d'être *siennes* et il ne cesse, quant à lui, de sentir, en créant, la « mauvaise odeur » de son imagination », tome I, p. 894.

CHAPITRE II

LE PERE, LES FILS ET L'ECRITURE

Nous avons, dans le chapitre précédent, essayé de suivre Sartre théoricien ; nous nous attacherons maintenant, dans les deux chapitres qui viennent, à Sartre metteur en scène. Curieusement, passer du théoricien au metteur en scène, c'est passer du discours sur la mère au discours sur le père. En effet, les relations avec la mère sont surtout matière à spéculations, dans *L'Idiot de la famille,* même si, comme nous l'avons souligné, on peut y lire le fantasme. C'est d'elles que naissent, pour Sartre, la passivité de Flaubert, son masochisme, son fétichisme[1]. Au contraire, le lien à la figure paternelle, sous-analysé mais interminablement glosé, donne lieu à de multiples scènes où se célèbre, nous le verrons, une étrange Passion, qu'il s'agisse des sentiments du père envers son fils aîné, de la maladie du cadet, de sa vocation d'écrivain ou de son rapport à Dieu.

« La « relation d'objet » — pour parler comme les analystes — qui lie le fils au père est, en profondeur, pathogène, c'est même la source principale de sa névrose »[2]. Cette relation fait naître chez Sartre de tels échos, qu'elle va l'amener à représenter son propre désir à travers les personnages du père et des deux fils. L'ambivalence de ses sentiments à l'égard de la figure paternelle, qui masque souvent une image maternelle archaïque, trouvera un matériau de choix dans l'opposition de l'aîné au cadet, du « vassal reçu »[3] au « vassal repoussé »[4], de celui qui vit une identification « dévastatrice »[5], à celui qui

1. Rappelons que tous les écrits biographiques de Sartre effacent le triangle œdipien, pour ne laisser subsister que des relations duelles. L'enfant n'est jamais confronté à la différence des sexes ni au désir que ses parents éprouvent l'un pour l'autre. Quand le père intervient dans la vie de Gustave, c'est pour le « châtrer » doublement en lui apprenant à lire et en lui refusant, sans même le savoir, l'accès au métier de comédien, ce n'est pas pour lui interdire la mère.
2. I.F., tome II, p. 1830. Sartre semble oublier, à la fin du tome II, qu'il nous a d'abord montré le caractère de Flaubert comme « pétri » par la mère.
3. I.F., tome I, p. 114.
4. I.F., tome I, p. 114.
5. *Cf.* « l'identification au père, tout en dévastant ce fils soumis [...] », I.F., tome I, p. 122.

ne peut inventer cette « folle issue »[6], de celui qui ne pourra jamais accomplir le meurtre du père à celui qui l'accomplira, de celui pour qui se joue en vain la Passion du Père à celui qui joue la Passion du fils, de l'objet de la « bénédiction »[7] à l'objet de la « malédiction »[8] paternelle. Le caractère très archaïque de ces oppositions apparaît dans l'identité en laquelle elles se résolvent finalement. Des deux côtés, on retrouve les mêmes images : le nourrisson, la momie, le sépulcre avec son cadavre qui sent, le ressuscité, l'occupant, le vampire. Ce qui varie c'est l'affectivité du metteur en scène, tantôt ému, attendri même, tantôt violemment agressif. Nos précédentes analyses nous permettent de supposer que ce qui se trahit là, c'est le désir et l'angoisse de posséder le phallus anal. Nous examinerons d'abord la façon dont Sartre décrit la relation du père avec le fils aîné.

Le fils aîné.

L'empathie sartrienne va, semble-t-il, jusqu'à épouser la jalousie de Gustave envers Achille. Comment expliquer autrement son acharnement et sa constante dévalorisation d'un homme dont il reconnaît qu'il fut « bon professeur et bon médecin »[9] ? Il est vrai qu'il n'y a pas de degré du médiocre au pire pour la démesure sartrienne : seuls comptent les « mutants »[10] : Gustave, Achille-Cléophas ; Achille est « comme tout le monde », Gustave, « comme personne ». Achille est « une image gommée »[11] d'Achille-Cléophas, un « adulte »[12] donc un « trompe-l'œil »[13], engagé « sur la voie sans retour de l'autodomestication »[14]. Son père voulait « *découvrir* », lui ne veut que « *se tenir au courant* »[15]. « Fils dévot »[16], « son menton, dès qu'il le pourra, se cachera sous la barbe paternelle »[17]. C'est une « montre morte »[18] qui marquera jusqu'à la fin l'heure du

6. I.F., tome I, p. 339.
7. I.F., tome I, p. 107.
8. I.F., tome I, p. 107.
9. I.F., tome I, p. 106.
10. I.F., tome I, p. 800.
11. I.F., tome I, p. 106.
12. Sartre semble mal supporter le mot « adulte » : « pour parler comme un analyste, écrit-il, Achille est un « adulte », soit, mais pas un *vrai*, par la raison que les adultes sont faux par essence », I.F., tome I, p. 106. Peut-être suffit-il de baptiser l'adulte « homme de la praxis » pour que Sartre convienne de son existence : « les plus hautes valeurs de la praxis, écrit-il, sont la décision et la responsabilité » qui supposent « aperception claire des fins, recensement méthodique des moyens, refoulement du vain désir de l'impossible, ferme détermination de régler les options sur les possibilités données, etc. », I.F., tome II, p. 1699. Un « analyste » souscrirait sans doute à cette définition plus volontiers qu'à la première, à condition bien sûr qu'il ne s'agisse pas de « refouler » le vain désir de l'impossible.
13. I.F., tome I, p. 106.
14. I.F., tome I, p. 106.
15. I.F., tome I, p. 106.
16. I.F., tome I, p. 128.
17. I.F., tome I, p. 117.
18. I.F., tome I, p. 129.

décès de son père, une « carcasse vide »[19], un « grand dadais funèbre »[20]. Nous reconnaissons là l'agressivité sartrienne vis-à-vis de l'héritier, de l'« hoir ineffable »[21]. C'est le sentiment qui l'anime lorsqu'il parle dans *Les Mots* de ce petit garçon, fils du propriétaire d'un restaurant, qui « criait à la caissière » : « Quand mon père n'est pas là, c'est moi le Maître » et qu'il ajoute : « Voilà un homme ! A son âge, je n'étais maître de personne et rien ne m'appartenait »[22]. Achille, comme le petit garçon du restaurant, possède béatement le père. Du moins Sartre traduit-il ainsi, en langage pré-œdipien, ce qui peut se lire en terme d'identification post-œdipienne réussie. Sartre ne semble pas même concevoir cette possibilité. Il écrit à propos d'Achille : « Il eût fallu dépasser le stade[23] de l'identification, accomplir le meurtre rituel du Père. Le dispositif extérieur ne le permettait pas[24] : [...] dès la petite enfance, l'orgueil du père et l'humilité de l'enfant ne laissent aucun doute : jamais la créature n'égalisera (sic) le Tout-Puissant »[25]. Coquille ou lapsus ? admirable condensation, en tous cas, de deux propositions : je suis châtré. Je châtrerai. Quoi qu'il en soit, l'identification n'est jamais conçue par Sartre qu'en termes de possession et d'occupation : le jeune héritier, écrit-il dans *Les Mots,* « se touche sur *son* gravier, sur les vitres losangées de sa véranda et fait de leur inertie la substance immortelle de son âme »[26]. Tel le docteur Flaubert pour son fils aîné : « le Père réside en lui, inerte pesanteur, comme la somme de ses impuissances. Achille n'est pas un homme, ce « creux toujours futur » puisqu'il s'est contraint d'être une plénitude toujours passée [...]. Il voulait être son père tout vif ; il sera jusqu'au bout son père défunt »[27]. Ce qu'il admire chez Caroline Flaubert, qui porte en elle jusqu'au bout son père-époux défunt[28], Sartre le tourne en dérision chez Achille. Il est vrai que l'épouse est Grisélidis, le fils aîné vassal reçu[29]. Significative aussi d'une position pré-œdipienne, la façon dont Sartre interprète le fait qu'Achille n'ait pas produit d'inventions en son domaine comme

---

19. I.F., tome I, p. 129.
20. I.F., tome I, p. 128.
21. A propos d'Alfred Le Poittevin, I.F., tome I, p. 1075.
22. MT., p. 70.
23. Rappelons que l'identification n'est pas un « stade » mais un « processus psychologique par lequel un sujet assimile un aspect, une propriété, un attribut de l'autre et se transforme, totalement ou partiellement, sur le modèle de celui-ci. La personnalité se constitue et se différencie par une série d'identifications », J. Laplanche et J.-B. Pontalis, *Vocabulaire de la psychanalyse,* P.U.F., 1968, p. 187.
24. Une fois de plus, le sujet est « réduit à l'impuissance » par un mécanisme « extérieur ».
25. I.F., tome I, p. 119.
26. MT., p. 70.
27. I.F., tome I, p. 128.
28. Voir *supra,* 3e partie, chap. I, p. 320.
29. Ajoutons que recéler en soi le cadavre, image du phallus anal, est un privilège que Sartre n'accorde qu'à ceux qui affichent la castration : Caroline est femme, comme Gustave ; Achille au contraire, époux et père, est porteur de pénis. Il ne peut gagner sur les deux tableaux.

son père l'avait fait. Pour inventer le positivisme, « il s'agissait de châtrer le mécanisme en douce »[30]. Pas vu, pas pris : castration subreptice et dolosive. Le moins qu'on puisse dire est qu'il ne s'agit pas là de ce que Sartre croit être un affrontement œdipien.

A bien y regarder, celui-qui-possède-le-Père est une figure surdéterminée. Il est, bien sûr, le contraire du vassal « repoussé », « débouté de chacun »[31]. Mais il est aussi, *mutatis mutandis,* le petit garçon des *Mots* sur les genoux de son grand-père, « [marqué] »[32] par « cette religion féroce »[33] de l'œuvre d'art dont Sartre dit : « Sales fadaises : je les gobai sans trop les comprendre, j'y croyais encore à vingt ans. [...] j'absorbai des rancunes et des aigreurs qui ne m'appartenaient point, pas davantage à mon grand-père, les vieilles biles de Flaubert, des Goncourt, de Gautier m'empoisonnèrent »[34]. « Abandonner *mes* idées, cela me coûte, écrit Sartre dans *L'Idiot de la famille* à propos d'Achille ; mais je les lâcherai, *miennes,* avec moins d'effort que si l'Autre, quel qu'il soit, les a gravées en moi »[35]. Comme le condamné de *La Colonie pénitentiaire,* comme l'écrivain des *Mots,* Achille a sa sentence gravée dans sa chair, ses commandements « cousu(s) »[36] sous la peau. Le tort d'Achille, c'est d'être un homme-lige heureux, tel l'enfant des *Mots* avant la disgrâce; il possède son père et jouit de lui, il en est possédé, il est « son propre seigneur sans jamais sortir de la vassalité. Il ne faut presque rien, poursuit Sartre, pour émerger dans les gaz pauvres, dans les ténèbres interstellaires de l'angoisse : en fait, il suffit même de ne pas se baisser ; Achille évitera cette angoisse trop humaine : nouvel Enée, il courbe la tête et porte Anchise sur son dos »[37]. Admirons une fois de plus, au passage, la déformation, par la fantasmatique sartrienne, de l'image d'un homme « adulte » prenant en charge son vieux père. La réaction d'orgueil où Sartre voit sans doute l'affrontement œdipien est, en fait, l'envers de la soumission, elle n'en est pas le dépassement.

C'est pourquoi Sartre ne peut s'empêcher de se laisser aller à rêver sur cette union du père et du fils. « Achille-Cléophas *l'aime*-t-il ? Ce qu'on peut dire, c'est que dans ses dernières années, il se préparait doucement à prendre un nouveau départ [...]. Peu à peu : Achille prendrait les charges une à une, le Père se *reposerait sur lui* [...]. Entre les deux hommes, nulle démonstration : l'intimité, c'est tout »[38]. « Cette relation du père au fils est-elle de l'amour ? Comme

---

30. I.F., tome I, p. 127.
31. MT., p. 89; I.F., tome I, p. 562, 729, 905, etc.
32. MT., p. 135.
33. MT., p. 148.
34. MT., p. 148.
35. I.F., tome I, p. 127-128.
36. MT., p. 136.
37. I.F., tome I, p. 119.
38. I.F., tome I, p. 119-120.

il vous plaira. Mais il est rare qu'une passion rapproche autant deux amants »[39].

Curieuse insistance de la question, écho, semble-t-il, d'une autre question depuis longtemps enfouie chez Sartre mais dont on trouve la trace dans *Les Mots.* Son grand-père l'aimait-il vraiment ?[40] — Non, c'était un cabotin. Il l'appelait sa merveille parce qu'il souhaitait mourir émerveillé et se masquer notre « fin miteuse »[41]. Gustave lui aussi se leurre lorsqu'il se croit aimé par son père : « vers sept ans, après la Chute, il a tenté, pendant quelque temps, d'imaginer que l'indifférence agacée d'Achille-Cléophas n'était qu'une écorce qui cachait une infinie tendresse »[42]. Seul Achille est réellement aimé, et, pour peindre la jalousie du cadet, Sartre a cette image issue de ses fantasmes[43] : « le praticien-philosophe pour lui insuffler son propre génie a été jusqu'au bouche à bouche, il s'est couché contre son fils comme Julien contre le lépreux et, par une lente cémentation, lui a cédé ses forces vives, son infatigable puissance »[44]. Mise en scène du désir, comme dans l'expression, soulignée par Sartre, *se reposer sur lui,* comme dans l'image d'Enée à la fois honnie et secrètement choyée.

La Passion du père.

Ce même désir, présenté de telle façon que le maître des cérémonies puisse s'y complaire, nous le retrouverons dans l'interprétation (au double sens herméneutique et musical) que Sartre donne de la mort du docteur Flaubert. Achille-Cléophas, malade, a tenu à être opéré par son fils :

> « abattu par le phlegmon, il ressuscite [...] le danger mortel l'a renversé sur son lit, réduit à l'impuissance : au même instant il se redresse, rajeuni, se penche, debout, sur son vieux corps et va l'arracher à la mort. Un en deux : il reste jusqu'au bout son propre maître [...]. Quelqu'un mourra, une dépouille mortelle sera ensevelie : le docteur Flaubert survivra »[45].

Au-delà de cette « réciprocité d'identification »[46], Sartre va déceler une intention plus profonde :

> « cet homme offre à son fils son vieux corps usé ; c'est par son fils qu'il a décidé de souffrir. Minutieusement; il *ressentira,*

---

39. I.F., tome I, p. 123.
40. Le doute traduit l'ambivalence des sentiments, le « Est-ce qu'il m'aime ? » masquant un « Est-ce que je l'aime vraiment ? ». Sur l'ambivalence de Lucien à l'égard de sa mère voir *supra,* 1re partie, chap. III, p. 101, de Poulou à l'égard de son grand-père, 1re partie, chap. II, p. 93 et chap. III, p. 116.
41. MT., p. 20.
42. I.F., tome II, p. 2085.
43. C'est l'inverse du vampire.
44. I.F., tome I, p. 378.
45. I.F., tome I, p. 123.
46. I.F., tome I, p. 123.

> passif, dans sa chair, l'action incisive du bistouri. On dirait qu'il veut payer une dette de sang [...] comme si cette impuissance réelle et consentie était le prix et le reflet d'une autre impuissance, de celle du nouveau-né entre les mains de son jeune père, trente-deux ans plus tôt »[47].

Le dernier acte de la vie du père est un « sacrifice »[48]. Sartre retrouve le rythme de phrase du canon de la messe pour célébrer cette étrange liturgie (« *Per Ipsum, et cum Ipso et in Ipso est tibi Deo Patri...* ») :

> « C'est par son fils et pour lui mais surtout *en lui* qu'il éprouve sa générosité seigneuriale comme une maladie, bref comme une Passion. Mais celle-ci, à son tour, comment la concevrions-nous sinon comme une passion chauffée à blanc »[49].

Notons que Sartre, lorsqu'il n'est pas requis par la scène dont il se repaît, sait parfaitement démasquer les faux Christs ou les Christs « guère catholique(s) »[50] sous leur déguisement de sauveurs ou de victimes : parlant des lectures romantiques de Gustave au collège, il écrit : « parmi les Christ de l'époque, on trouve de nombreux pervers et quelques Antéchrists »[51]. Mais ici, il n'est pas analyste. Tantôt père, tantôt fils, il participe au spectacle qu'il évoque et le langage religieux — c'est une de ses fonctions tout au long du livre — lui permet l'émoi sentimental purifié de la composante érotique. Le donné chrétien subit d'ailleurs une élaboration qui n'est pas sans rappeler le travail du rêve avec ses mécanismes de déplacement et de condensation. La Passion selon Sartre simplifie le scénario originel : des trois éléments, le Père, le Fils, les hommes, il n'en garde que deux qui dès lors n'arrivent plus à différer : « Il éprouve, cire molle et sensible, écrit Sartre du fils aîné, les coups de pouce qui le métamorphosent insensiblement en ce Dieu même qui, après lui avoir cédé un à un ses terribles pouvoirs, disparaîtra, Phénix, pour renaître *le Père* en son fils »[52]. Dans la tradition chrétienne, la Passion est acceptation totale de la mort, elle ne comporte pas de calcul sous-jacent. Ce qui s'exprime ici, c'est, au contraire, le refus de finir : « brusque renversement des rôles, comme dans les Saturnales, note Sartre, le père devenant le fils dans ses langes pour un fils qu'il métamorphose en son propre père »[53]. Le schéma sartrien condense dans une même image mort et résurrection, le récit évangélique de la Passion ne donne à voir que la mort. La signification originelle est totalement déviée. La Passion sartrienne n'est une fois de plus qu'un « Qui perd gagne » (« je sens [...] que le *mana* me fuit et qu'il entre

47. I.F., tome I, p. 123.
48. I.F., tome I, p. 124.
49. I.F., tome I, p. 124.
50. I.F., tome II, p. 1416.
51. I.F., tome II, p. 1385.
52. I.F., tome I, p. 112.
53. I.F., tome I, p. 124.

en ton corps »[54]) qui se réduit finalement à un scénario narcissique. C'est une castration qu'on affirme pour la nier dans l'instant même où on la dit : « le père se fait nourrisson »[55] pour porter le fils à « l'être absolu »[56]. Que ce scénario, si présent dans l'œuvre entière, tire sa force de la pulsion anale, il suffit pour s'en convaincre d'être attentif aux réseaux d'images. Le sujet (ou l'objet) de la scène est « renversé », « réduit à l'impuissance », c'est un « nourrisson » : il ne manque que le verbe manier. Le lien sado-masochiste du bourreau à la victime est présent dans la phrase : « Minutieusement ; il *ressentira,* passif, dans sa chair, l'action incisive du bistouri ». On le marque, comme il a marqué : « la soumission paiera, écrit Sartre d'Achille, elle permet à la victime d'acquérir progressivement les mérites du Dieu qui la fait panteler »[57]. « Panteler » vient tout droit de l'érotique baudelairienne où il est, comme chez Sartre, inducteur de trouble. Mais dans ce passage, où Sartre a choisi la tendresse (le matériau utilisé par le fantasme — l'anecdote réellement émouvante de l'opération du chirurgien-chef — refoule *de facto* la sensualité), « maniable » et « pantelant » n'ont pu trouver place. « Le plus surprenant résultat de cette relation, écrit Sartre, c'est que le Vieux, s'offrant de lui-même au couteau, ôta à son aîné jusqu'à la possibilité de se délivrer par le classique *meurtre du père* : certes, Achille l'a tué mais il s'est fait, en tremblant, jusque dans l'opération, le docile instrument d'un suicide sacré »[58]. Une fois de plus Sartre affirme naïvement sa méconnaissance de l'affrontement œdipien[59]. Le père accède au mythe[60] et l'alexandrin (« le docile instrument... ») se glisse dans la prose.

La Passion du fils.

Gustave, lui, contrairement à ce « navet »[61], à ce « mollusque »[62] d'Achille, réussit, avec l'attaque nerveuse sur la route de Pont-l'Evêque en 1844, le meurtre du Père selon Sartre. Mais nous verrons que la passion du Fils met finalement en jeu les mêmes fantasmes que

---

54. I.F., tome I, p. 124.
55. I.F., tome I, p. 123.
56. I.F., tome I, p. 123.
57. I.F., tome I, p. 112.
58. I.F., tome I, p. 124.
59. Remarque doublement « surprenante », en effet, que celle que nous venons de citer ; d'une part, le fait qu'Achille ait pu accepter d'opérer son père est signe que le conflit œdipien est depuis longtemps éteint en lui : cela, Sartre ne le perçoit pas ; d'autre part, malgré l'expression défensive « le classique *meurtre du père* » (« tout cela est bien connu »...), on voit, semble-t-il, reparaître l'idée « folle » que l'Œdipe est le meurtre *réel* du père. Là-dessus, voir *supra,* 1re partie, chap. II, p. 94.
60. Ce père, qui maîtrise sa propre mort en l'élevant à la dignité de « suicide sacré », est voisin fantasmatiquement des criminels de Genet qui appellent l'exécution capitale ; voir *supra,* 2e partie, chap. II, p. 226 et la note 119 de cette page.
61. I.F., tome I, p. 378.
62. I.F., tome I, p. 378.

la Passion du Père. Au commencement, il y a la possession tranquille du Père : « La vassalité n'étant pas contestée [...], il n'y avait pas alors le moindre motif d'inventer cette folle issue : l'identification. [...] [Le petit garçon] connaissait trop [...] la distance infinie qui sépare un représentant inutile et hasardeux de la faune mondiale et un homme de droit divin. Annulé par cet hommage mystique, Gustave restait pure différence abstraite sans rien qui différât de la plénitude rencontrée sinon la conscience vide d'être néant et de vampiriser la plénitude de l'Homme[63], c'est-à-dire la puissance infinie d'Achille-Cléophas »[64]. Malgré les apparences, Gustave restera jusqu'au bout ce vampire. Notons que l'identification est conçue par Sartre comme un moyen de garder le Père et non comme un moyen de conquérir la mère. La relation qu'il décrit est une relation duelle, an-œdipienne : « à l'âge d'or, il fuyait sa mère, amante sévère et frigide, vers son père ou le lieu infini de ses exploits »[65]. Vient la chute, la disgrâce. L'identification n'est toujours pas réalisable puisque c'est la solution choisie par le rival abhorré : « quand le consentement et la révolte sont également impossibles, le ressentiment paraît chez le mal-aimé »[66]. Sartre représente ainsi la conduite de ressentiment : « Un système d'impératifs-vampires, nourri de sa vie subjective, l'aliène à la *praxis* d'un autre qui le condamne et prétend l'affecter d'un être-relatif : la seule issue pour l'*ipséité*, c'est de vampiriser son propre occupant »[67]. De la mort du père, mainte fois rêvée par l'enfant, il écrit : « ce meurtre rituel est aussi, par un certain côté, une tentative d'identification : père et fils, cousus dans la même peau, meurent ensemble »[68] ; « l'occupant est emprisonné »[69]. Ou encore : « Gustave n'a jamais eu, sauf pendant sa petite enfance, la possibilité de se dissoudre en son père : il le porte en lui comme une plaie »[70]. Toutes ces images montrent que le meurtre du père n'est pas un fantasme œdipien[71], mais qu'il exprime le désir et le tourment de posséder le père et d'être possédé par lui : « la névrose de Gustave, c'est le Père lui-même, cet Autre absolu, ce Super-surmoi installé en lui, qui l'a constitué en impuissante négativité (elle ne peut se changer en négation et ne dispose que de conduites *positives* — obéissance, respect, empressement[72] — pour parvenir à ses fins, c'est-à-dire pour

63. Gustave semble bien, comme Gorz, être un rat en proie à l'Homme ; voir *supra*, 2e partie, chap. IV, p. 298.
64. I.F., tome I, p. 339.
65. I.F., tome I, p. 340.
66. I.F., tome I, p. 399.
67. I.F., tome I, p. 407.
68. I.F., tome I, p. 464.
69. I.F., tome I, p. 464.
70. I.F., tome I, p. 499.
71. Rappelons que l'entrée dans l'Œdipe suppose l'accès à la phase phallique. La thématique ici est uniquement orale, anale et urétrale (vampiriser, être cousus dans la même peau, dissoudre...), comme dans la parabole de l'ancêtre-sac ou du moule à nain (*cf. supra*, 2e partie, chap. IV, p. 301-302).
72. *Cf.* « il ne peut agir sans en remettre, sans *se réfugier dans l'empressement* » (I.F., tome II, p. 1824). Gustave ressemble en cela à Lucien dans *L'Enfance*

nier le Destin imposé). [...] la chute de Pont-l'Evêque *dit quelque chose* au Géniteur. [...] voilà ce que tu as fait de moi »[73]. En tombant, le fils se tue symboliquement et atteint le père.

Peignant cette Passion du Fils, Sartre retrouve les images qu'il employait pour la Passion du Père : le fils malade se fait « nourrisson »[74] entre les mains paternelles, « *maniable* »[75] comme les cadavres disséqués par le médecin-chef et comme eux « objet de cérémonies »[76]. Il faut nous arrêter sur cette équivalence qu'établit Sartre entre le nourrisson et le cadavre. Elle va favoriser un glissement ou plutôt un renversement dans le contraire, qui renvoie aux mécanismes de l'inconscient. Etre manipulé comme un cadavre devient renfermer en soi le cadavre et Gustave, possédé par un mort, n'est pas loin d'Achille « grand dadais funèbre »[77], à ceci près que ce qu'il déprécie quand il s'agit de l'aîné, Sartre le valorise lorsqu'il est question du cadet : la mort d'Achille-Cléophas en janvier 1846 persuade « Gustave que le suicide mimé de janvier 44 est, comme tant de suicides réels, un meurtre déguisé. Est-ce-à-dire que Moïse, mort, cesse d'être ? Au contraire : il subit, comme la vie passionnée de son fils, une transmutation ontologique. [...] feu Gustave junior et son père, victimes d'un double assassinat[78], accèdent ensemble, inséparablement, à la dignité suprême de l'En-Soi. Le père sera toujours l'*Autre* dans ce jeune cœur disparu. Mais un autre impuissant [...]. Enchaîné, muet, incapable d'agir sur l'éternel présent qui le contemple, Moïse n'est plus qu'un diable dans une bouteille »[79]. La Passion du père était une opération (chirurgicale) manquée. Le « mana » du père passait en vain dans le corps du fils. Avec la Passion du Fils, l'opération réussit. Le père est châtré « en douce » bien sûr : il suffisait de se laisser tomber, puis d'attendre sa mort.

Rien ne confirme mieux notre hypothèse qu'il s'agit là d'un fantasme d'incorporation du phallus vécu sur le mode anal que la manière dont Sartre commente la réaction de Flaubert à la mort d'Alfred Le Poittevin. Ce dernier peut être valablement considéré comme un substitut du père. La relation de Gustave avec son ami, de cinq ans plus âgé que lui, reproduit le lien de « vassalité » qui unissait le fils à son père. Flaubert, annonçant à Maxime Du Camp la mort d'Alfred, écrit : « Quand le jour a paru, vers 4 heures, *moi et la*

---

d'un chef, à Poulou dans *Les Mots*, qui se « [jettent] dans une attitude » (MT., p. 67) pleine de prévenances à l'égard de la mère (MR., p. 155) ou du grand-père (MT., p. 67), pour échapper au malaise.

73. I.F., tome II, p. 1883.
74. I.F., tome II, p. 1865.
75. I.F., tome II, p. 1864.
76. I.F., tome II, p. 1867.
77. I.F., tome I, p. 128.
78. Sartre ajoute en note : « Le père a tué le fils dont la mort tue le père : voilà un des sens que Gustave donne à sa chute », I.F., tome II, p. 1909, note 1.
79. I.F., tome II, p. 1908-1909.

garde[80], nous nous sommes mis à la besogne. Je l'ai soulevé, retourné, enveloppé. L'impression de ses membres froids et raidis m'est restée toute la journée au bout des doigts. Il était affreusement décomposé. Nous lui avons mis deux linceuls. Quand il a été ainsi arrangé, il ressemblait à une momie égyptienne serrée dans ses bandelettes et j'ai éprouvé je ne puis dire quel sentiment énorme de joie et de liberté pour lui »[81]. Sartre commente :

> « *après* l'avoir ligoté comme une momie — et comme un nourrisson dans ses langes —, *après* avoir symboliquement réduit ce cadavre encore trop vivant à l'impuissance, à l'inertie inorganique de la *chose,* Gustave éprouve tout à coup un « énorme sentiment » de liberté *pour* Alfred. Il est donc libre, ce macchabée qu'il vient de saucissonner ? »[82].
>
> « Gustave, en l'entourant de bandelettes l'a consacré, [...] la liberté a fait irruption dans son cœur : il est délivré de sa jalousie, sinon de ses rancœurs, [...] Gustave a *gagné,* l'esclave triomphant ensevelit son maître : la preuve est faite que le véritable Artiste, c'était lui »[83].

Laissons, pour le moment, la question de l'Art et soyons attentifs aux métaphores qui traduisent cette curieuse sépulture :

> « il a englouti et digéré le Maître mort au point de ne plus savoir très bien se distinguer de lui. [...] deux hommes en un seul, lui : une seule vie pour deux, la sienne »[84].
>
> « [...] en s'incorporant l'être d'Alfred, [...] n'aura-t-il pas la chance de transformer l'être-de-trop en être-de-luxe ? [...] Ce tâcheron des lettres se prend à ses heures pour un prince. Il ne l'est point, Dieu merci. Mais il y a des moments où il faut qu'il le croie ou qu'il crève. Alfred, *incorporated,* favorise ses illusions »[85].

On voit que l'on peut superposer rigoureusement un certain nombre de scènes-clés de *L'Idiot de la famille* et qu'elles se ramènent toutes, avec la monotonie qui caractérise les fantasmes, à un même signifié : une mère manie un nourrisson, un père manipule des cadavres, Gustave « saucissonne »[86] un « macchabée » ; un étron phallique est façonné[87] et manier la momie aboutit à incorporer la momie.

On ne s'étonnera pas, connaissant les connotations de l'adjectif « maniable », de voir figurer les mêmes éléments dans un contexte érotique : Flaubert, lors de son voyage en Orient, écrit à Louis Bouilhet à propos des bains turcs :

---

80. Souligné par Sartre.
81. Lettre du 7 avril 1848, citée par Sartre, I.F., tome I, p. 1095.
82. I.F., tome I, p. 1096.
83. I.F., tome I, p. 1097.
84. I.F., tome I, p. 1099.
85. I.F., tome I, p. 1102-1103.
86. Sur les connotations de ce verbe, voir *supra,* 2e partie, chap. II, p. 235.
87. Voir là-dessus, *supra,* 3e partie, chap. I, p. 340.

> « C'est très voluptueux et d'une mélancolie douce, perdu dans ces salles obscures... tandis que les kellak nus s'appellent entre eux et qu'ils vous manient, et vous retournent comme des embaumeurs qui vous disposeraient pour le tombeau »[88].

Sartre commente :

> « On notera que soigneurs et clients sont également nus mais que les premiers ont la nudité des corps, les autres celle de la chair. Entre les mains des kellak, Gustave se sent l'impuissance d'un cadavre : on remodèle sa passivité et il l'intériorise *dans la volupté* »[89].

Et il conclut :

> « dans les bras des soigneurs, il a obscurément senti que la providence *réalisait* un fantasme érotique de son enfance. Aussi, quand le kellak pétrit son corps abandonné, comme une mère fait de celui de son nourrisson, on pourrait presque dire que la chair de Gustave attend l'offre finale »[90].

Lazare.

A propos de la Passion du Fils, nous avons cru bon de faire un détour par Alfred *incorporated* et par le hammam, c'est-à-dire par les délices d'être sépulcre de la momie ou momie au sépulcre. Ces rapprochements n'ont rien de gratuit. Il nous conduisent à l'une des figures qui hantent le livre, lorsqu'il s'agit de la crise de 44 ou de l'écriture : Lazare. « L'attaque, prévue de loin, est un aboutissement, un symbole et un rite de passage : mort et transfiguration. Mais *qui* va ressusciter ? »[91]. « Lazare est un vieillard : mémoire exacte mais froide, cœur assassiné, lucidité lasse sans autre passion que celle de connaître »[92]. Là encore, comme dans la Passion du Père, la castration affichée (Lazare est un vieillard anesthésié) cache le phallus anal momifié et tout-puissant : « ce Lazare qui sentait déjà on lui ôte ses bandelettes, il se lève et quitte la fosse où on allait l'ensevelir »[93]. Qui perd gagne. Il faut mourir pour être transfiguré. Un passage de *L'Idiot de la famille* sur le désir de gloire chez Flaubert ne laisse aucun doute sur la nature de l'opération : il s'agit de châtrer le père pour s'approprier sa puissance : « mort et embaumé, il trouve au royaume des ombres le génie, les portes du Sépulcre sont arrachées, il revient, terrible et doux, vers son maître bien-aimé. [...] Achille-Cléophas [...] assiste éberlué à la résurrection d'un géant, au regard insoutenable, qui le foudroie en se penchant pour l'embrasser »[94]. Cette interversion des rôles nous est désormais familière :

88. Lettre du 15 janvier 1850, citée dans I.F., tome I, p. 689.
89. I.F., tome I, p. 689.
90. I.F., tome I, p. 690-691.
91. I.F., tome I, p. 187.
92. I.F., tome I, p. 188.
93. I.F., tome I, p. 229.
94. I.F., tome I, p. 799-800.

le géant paternel retombe en enfance, on se penche sur lui. L'enfant mort sort du tombeau, momie géante, terrible et douce. Il faut revenir sur ces deux adjectifs curieusement accolés : « je suis un grand fétiche maniable et *terrible* »[95], écrit Sartre de son « corps de gloire »[96], c'est-à-dire du livre qu'il sera *post mortem*. Le terrible, c'est le sacré et le sacré n'est rien d'autre, ici, que la toute-puissance du phallus. Mais ce phallus ne peut s'affirmer qu'en se cachant. Lazare est terrible et *doux* quand il revient vers son maître ; il en a « vampirisé » la puissance, mais « en douce ». « *Doux* comme un mauvais ange », « *doux* comme une fille », ces expressions, qu'elles viennent de Genet ou de la langue commune, Sartre les reprend souvent[97]. « Terrible et doux »[98], c'est l'affirmation contradictoire et constamment maintenue : « Je suis châtré, j'ai le phallus ». L'origine anale du fantasme se signale par l'attention particulière de Sartre au détail du récit évangélique : « Il sent déjà ». Lazare est rarement évoqué (comme Genet) sans son odeur : « Un grand écrivain, c'est toujours un peu Lazare : il subit le sort commun, meurt et commence à sentir ; à cet instant quelqu'un survient qui claque les doigts, le temps se renverse comme un sablier, il ressuscite génial »[99].

Nous allons revenir sur les fantasmes qu'éveille l'acte d'écrire. Soulignons simplement ici l'impossibilité pour Sartre d'imaginer la relation d'un père et d'un fils autrement qu'en termes archaïques d'incorporation : momie au sépulcre, occupant emprisonné, diable dans une bouteille ; c'est pourquoi d'ailleurs l'affrontement œdipien n'a jamais lieu. Sartre le dit sans le reconnaître. Gustave ne parvient pas à tuer le père œdipien. Il tâche de vampiriser un vampire qu'il a installé en lui, ce qui est bien différent. Et ce vampire cruel n'est pas le père réel mais le mythe du grand homme, c'est-à-dire une image narcissique. Sartre souligne l'inaptitude de Flaubert à ranger le « Seigneur noir [...] au magasin des accessoires »[100]. Ses maladresses mêmes ou ses erreurs de diagnostic, sont interprétées et tournées à sa gloire pour lui permettre d'entrer dans la légende :

> « le vieux Seigneur, méconnaissable, sera dans tous les livres futurs de son fils : et par là, je n'entends pas seulement qu'il est exploité comme *personnage* [...], mais qu'il représente pour chacun des héros la malédiction d'Adam, le destin, le temps implacable et mou de la déchéance, l'analyse, qui ridiculise leurs élans [...]. Mais dans la mesure où chaque individu, obscu-

---

95. MT., p. 162 ; souligné par nous.
96. MT., p. 161.
97. La citation de Genet « Et moi, plus doux qu'un mauvais ange » sert de titre à un chapitre du livre IV de *Saint Genet* (p. 415) ; « doux comme un mauvais ange » est appliqué à Flaubert (I.F., tome I, p. 956), « doux comme une fille » à Sartre enfant (MT., p. 23).
98. Lucien se voit « terrible et doux » dans la rêverie qu'il prête à sa future femme, voir *supra*, 1re partie, chap. III, p. 119.
99. I.F., tome II, p. 2073.
100. I.F., tome II, p. 1908.

rément [...] le dépasse en silence [...] il est chaque fois vaincu dans sa victoire même. Ainsi, désormais, chaque ouvrage de Gustave [...] a l'office de renouveler dans l'imaginaire la crise originelle, c'est-à-dire la Passion du fils et le meurtre du père »[101].

Ce père est un Phénix comme celui qui offrait son corps à son fils aîné. Mais seul le fils cadet, parce qu'il a choisi l'écriture, a su le faire revivre.

Ecrire : Jean-Paul et Gustave.

Ecrire, en effet, mobilise les mêmes fantasmes que la relation du fils avec son père. Même castration apparente, même désir masqué de toute-puissance. Avant d'en venir aux images de la colonne, du gisant, de l'arbre mort ou de la spirale, qui illustrent ce double mouvement d'une façon superbe et naïve, nous voudrions souligner une fois encore la parenté du biographe et de son héros.

Pour *L'Idiot de la famille* comme pour l'enfant des *Mots*, l'écriture est « la revanche du châtré »[102], le « choix d'une mutilation imposée »[103] : Gustave s'est vu interdire l'accès au théâtre. Les marionnettes de Rouen furent pourtant son premier amour : « la marionnette, morceau de bois mort hanté par un rêve de vie, écrit Sartre, a des mouvements saccadés d'automate et parle avec une voix d'homme[104] [...] il aimerait donner la comédie pour acquérir la dignité du bois mort »[105]. Finalement, nous le verrons, c'est la littérature qui changera Flaubert en arbre mort couronné de flammes et Sartre en colonne au chapiteau de lumière. Mais au commencement est la déception. Gustave « *tombe de haut* dans la littérature »[106] et en conçoit « une sourde animosité contre sa propre entreprise »[107]. Poulou doit choisir Cervantès contre Pardaillan à un moment où son grand-père lui dépeint l'écriture comme une charge de greffier. Même recul des deux Moïse devant l'écrivain professionnel : sans doute le docteur Flaubert « eût-il accepté l'idée que son fils, devenu médecin, sous-préfet, procureur ou notaire dût publier un jour à frais d'auteur quelque plaquette de poésies »[108], comme le grand-père Schweitzer eût admis que son petit-fils voulût se distraire plus tard de sa « solitude provinciale en composant des poèmes, une traduction d'Horace en vers blancs », en donnant « aux journaux locaux de courts billets littéraires »[109]. Et Sartre aurait pu écrire de l'enfant

---

101. I.F., tome II, p. 1909.
102. I.F., tome I, p. 946.
103. I.F., tome I, p. 901.
104. « N'est-ce pas ainsi qu'il voit la *vie* ? » ajoute-t-il en note.
105. I.F., tome I, p. 775.
106. I.F., tome I, p. 902.
107. I.F., tome I, p. 903.
108. I.F., tome I, p. 904.
109. MT., p. 130.

des *Mots* ce qu'il écrit de Flaubert : « au début, [...] il se borne à vivre en concubinage avec la littérature sans décider s'il est fait pour elle [...] la littérature est un jeu morne et solitaire, il y joue faute de mieux, sans plaisir vraiment pur mais sans ignorer que, tandis qu'il feint d'écrire, quelqu'un ou quelque chose, au fond de lui, est en train de le prendre au sérieux »[110].

A partir du moment où il se convertit à la littérature, il se « prédit un destin d'écrivain raté »[111]. Même précaution contre la démesure de ses fantasmes chez Sartre enfant : longue souffrance, vie solitaire et méconnue puis brusquement, juste avant, ou juste après sa mort, reconnaissance éclatante : la comtesse dans la steppe, les belles dames au Balzar[112]. « Une chose me frappe dans ce récit mille fois répété : du jour où je vois mon nom sur le journal, [...] je suis fini [...] que je meure pour naître à la gloire, que la gloire vienne d'abord et me tue, l'appétit d'écrire enveloppe un refus de vivre »[113]. Sartre reviendra longuement dans *L'Idiot de la famille* sur ce « Qui perd gagne » qu'il a seulement reconnu dans *Les Mots* sans essayer de l'analyser. Il y verra finalement une traduction religieuse du désir d'être aimé du père. Nous discuterons cette interprétation au chapitre suivant. Soulignons simplement, pour l'instant, que l'un et l'autre vivent l'écriture de la même façon : la gloire exige la mutilation, le papillon passe par la larve. Dans le quotidien, écrire a quelque chose de féminin. Sartre se rappelle ses convalescences heureuses, « un cahier noir à tranche rouge [qu'il prenait et quittait] comme une tapisserie »[114]. Flaubert, avant qu'il n'ait renoncé à « prendre un état », envie l'existence protégée de sa sœur « qui sent plus son gentilhomme »[115]. Le privilège du gentilhomme, de l'enfant malade, de la femme entretenue, de Flaubert après sa chute, c'est le droit d'être servi, et de n'avoir pas, comme le bourgeois, à travailler.

Peut-être sommes-nous à même de mieux comprendre, maintenant, après les analyses de *L'Idiot de la famille*, l'origine première de l'horreur du bourgeois chez Sartre. Elle n'est pas d'abord négation des siens par refus des privilèges, mais déception de celui qui se croyait « né », lorsqu'il s'aperçoit qu'être bourgeois, c'est être comme tout le monde. En face d'Alfred Le Poittevin, « homme du superflu »[116], grand bourgeois qui pourra vivre, sans travailler, des revenus de l'entreprise paternelle, Gustave est un « homme du nécessaire »[117]. « Cet homme *a le nécessaire*, écrit Sartre. Mais [...] il trouve dans le social sa nécessité. [...] Il ne s'arrête jamais à jouir [...].

110. I.F., tome I, p. 904.
111. I.F., tome I, p. 976.
112. MT., p. 158-159.
113. MT., p. 158-159.
114. MT., p. 121.
115. Lettre à Caroline, 1842, citée dans I.F., tome II, p. 1675.
116. I.F., tome I, p. 1057.
117. I.F., tome I, p. 1057.

C'est l'homme-moyen par excellence : l'homme des moyens, l'homme des moyennes. [...] il est moyen de moyens »[118]. Dans sa vie, pas « un souffle de liberté [...] son impératif majeur : « Agis de telle sorte que tu traites l'humanité en ta personne et en celle d'autrui comme un moyen, et jamais comme une fin »[119]. La morale d'Achille-Cléophas n'est pas loin de celle du beau-père de Sartre et de ces familles où l'on est polytechnicien de père en fils. « Que l'orgueil de connaître, poursuit Sartre, la curiosité des recherches singulières et passionnées l'aient tiré de cette fange [on sent, au terme employé, la répulsion de Sartre pour l'être bourgeois : danger d'être quelqu'un, qui ôte la possibilité d'être tout] et qu'il ait, savant, connu des fins absolues, telles que le savoir, et des jouissances de luxe, telles que la découverte, j'en suis sûr. Mais sa réalité profonde restait conditionnée par la *médiocrité* de l'improductif »[120]. Quant à Gustave enfant « Pourvu qu'il arrachât un sourire à son père, le petit garçon ne demandait pas mieux que de devenir le moyen le plus décidé, le plus dépourvu de fins [...] Le drame vint du « droit d'aînesse », des « sarcasmes » familiaux, du collège : Gustave eut la révélation amère qu'*il n'était pas un bon moyen* »[121]. Cet « outil mal fait »[122] « découvre l'inutilité mais non pas, à la manière d'Alfred, comme une arrogante gratuité ; comme un moindre être, comme un refus objectif de l'utiliser »[123]. Sartre lui prête « le sérieux profond d'un garçon qui rêve de devenir un moyen notoire, un notable de sa bonne ville de Rouen »[124] et conclut : c'est « un utilitariste perdu »[125] au sens où l'on dit « soldat perdu » depuis le putsch d'Alger »[126]. Mais, une centaine de pages plus haut, il n'en était pas aussi sûr : « Résumer le monde dans un livre, que peut-il rêver de mieux, le petit histrion affamé de gloire ? [...]. En dehors de cela, en effet, toute occupation humaine est misérable ; l'ingénieur, le savant même, visent à obtenir des résultats finis et par là se déterminent eux-mêmes comme des êtres finis ; mais le vrai créateur — ou contre-créateur — ne veut rien d'autre que tout. Par là même, on réclame de lui qu'il ne soit rien de particulier »[127].

Etre un « moyen notoire », être « quelqu'un » ou n'être rien de particulier, être un « homme sans qualités »[128] pour se ménager « en douce » la possibilité d'être tout. Gustave, comme Sartre, choisira le « Qui perd gagne » : « on ne l'a pas assez aimé, pour qu'il se sente le

118. I.F., tome I, p. 1058.
119. I.F., tome I, p. 1059.
120. I.F., tome I, p. 1059.
121. I.F., tome I, p. 1059.
122. I.F., tome I, p. 1060.
123. I.F., tome I, p. 1060.
124. I.F., tome I, p. 1061.
125. I.F., tome I, p. 1062.
126. I.F., tome I, p. 1062.
127. I.F., tome I, p. 974.
128. I.F., tome II, p. 1464.

droit d'être modeste »[129]. Le choix du Néant, c'est « la carte forcée [...]. L'Art ne serait que l'humble passe-temps des *minus habentes* qui n'ont pas la tête assez grosse pour devenir des « capacités » ? [...] la Littérature est un refuge pour les sous-hommes inconscients de leur sous-humanité ou qui se truquent pour ne pas la voir : tu connaîtras ta douleur puisque tu as choisi de te faire reconnaître par ces gamins réalistes, qui sont *avec ton père, avec Achille, contre toi,* et que, malgré tes grands airs, tu ne peux t'empêcher de leur donner raison »[130] ; « on nous avait fait savoir depuis longtemps que mes cousins Schweitzer, de Guérigny, seraient ingénieurs comme leur père : il n'y avait plus une minute à perdre »[131]. Sartre a sans doute connu les affres de Gustave, non pas dans sa petite enfance lorsque la présence du grand-père assurait la prééminence du clerc sur l'ingénieur, mais plus tard, pendant « les trois ou quatre plus mauvaises années de [sa] vie » entre 1916 et 1920 lorsqu'il est « sous la coupe d'un polytechnicien » et, comble du déshonneur, « élève médiocre »[132].

C'est lorsque Gustave tombe amoureux d'Alfred qu'il découvre son être bourgeois et qu'être prince n'est pas, comme il l'avait cru jusque-là, être le fils aîné du docteur Flaubert et médecin soi-même. Pour Sartre enfant, conformément à la vision des choses qu'a le grand-père, le « prince »[133], c'est le professeur de lettres. Mais il ne doit pas en être si sûr puisque le graffiti « infâme » : « le père Barrault est un con »[134], assimilant « Monsieur l'instituteur », le collègue de son grand-père, aux « vieux pauvres » comme le jardinier ou le père de la bonne, manque de le rendre fou. Passé « sous la coupe » du polytechnicien, l'enfant apprendra sans doute à « situer », qu'il le veuille ou non, sur l'échelle bourgeoise, l'instituteur au-dessous du professeur et ce dernier au-dessous de l'ingénieur. Il devient d'autant plus nécessaire, alors, de sauver l'écrivain de « l'ignoble promiscuité bourgeoise »[135], en ruminant les mythes du salut par l'écriture pieusement recueillis sur les genoux du grand-père. C'est sans doute pourquoi les pages de *L'Idiot de la famille* sur les lectures romantiques de Gustave au collège, ont l'allure d'un règlement de compte personnel.

« *Une maladie honteuse* », *la bourgeoisie.*

La lecture, pour ces jeunes bourgeois, c'est un « certificat de noblesse »[136] et c'est aussi (à peu de frais) le « meurtre du père »[137].

---

129. I.F., tome II, p. 1200.
130. I.F., tome II, p. 1199.
131. MT., p. 127.
132. Michel Contat et Michel Rybalka, *Les Ecrits de Sartre,* Gallimard, 1970, p. 22.
133. MT., p. 129. Voir là-dessus *supra,* 1re partie, chap. III, p. 104.
134. MT., p. 63.
135. I.F., tome I, p. 600.
136. I.F., tome II, p. 1392.
137. I.F., tome II, p. 1386.

Sainte-Beuve, rappelle Sartre, a défini René comme « une sorte d'incube aux funestes étreintes ». [...] un incube, une goutte de sperme par le dormeur répandue [...]. Chateaubriand, Vigny sont des dormeurs, leurs héros des incubes qui posséderont de jeunes mâles endormis et les engrosseront d'un rêve »[138]. Nous ne nous arrêterons pas au fantasme de la possession par un père imaginaire qui flatte le narcissisme du rêveur, mais à cette « terrible infortune que de tant aimer René et d'en être aimé si peu »[139] ; « quelque chose leur dit qu'ils « ne sont pas le personnage », [...]. On ne laisse pas jouer un petit bourgeois avec les enfants du châtelain »[140]. La lecture des romantiques est un « piège » ; « l'occasion d'un anoblissement temporaire et secret »[141]. Les collégiens « vont faire à leurs dépens l'expérience de ce que Flaubert nomme [...] la « démoralisation »[142]. Nous savons que Sartre, au moment où il écrivait *La Nausée,* sacralisait encore la littérature. Il ne fut « désabusé » que très tardivement. L'ampleur de sa démoralisation se mesure à l'agressivité qu'il déploie contre Vigny par exemple. Comme Vigny, Sartre a longtemps pris sa « plume pour une épée »[143]. « [...] traquée, exilée, plus que décimée et toujours dévouée, tantôt au prince qui la ruine... tantôt au peuple qui la méconnaît... toujours saignante et souriante, comme les martyrs [...] »[144], les fantasmes masochistes de l'enfant des *Mots* se retrouvent dans la tirade de *Stello* sur la noblesse. Aussi est-ce sans doute en partie contre lui-même que Sartre écrit ces lignes vengeresses : « [Vigny est] une abstraction de soldat : sa majesté funèbre pue la mort [...] une sinistre comédie l'obligeant, loup blessé, à souffrir-et-mourir-en-public-sans-parler »[145]. « Ces militaires vouent une haine féroce à la classe ennemie qui les a changés en littérateurs »[146]. Ou encore : « le barde a le cœur pourri de rancune, il veut traîner la bourgeoisie dans la merde ; et sur ce point il est sincère »[147]. « Vigny [...] tient [la bourgeoisie] pour une race. [...] ses livres [...] sont des attrape-cons [...]. Ce racisme, les collégiens l'absorbent comme un venin mortel, il réveille en eux [...] le jansénisme de leurs ancêtres : tous les bourgeois sont damnés *par la nature* et *par leur faute* [...] seul le Tout-Puissant [...] peut choisir d'accorder à un enfant de la roture un salut parfaitement immérité : il ne *peut s'agir que d'un miracle* ; l'annonce faite à quelque Marie-Salope, épouse d'épicier : « Tu accoucheras d'*un noble* » apparaît à celle-ci comme une malédiction. Quant au monstre élu, ses malheurs passeront l'ima-

138. I.F., tome II, p. 1420.
139. I.F., tome II, p. 1406.
140. I.F., tome II, p. 1406.
141. I.F., tome II, p. 1408.
142. I.F., tome II, p. 1408.
143. MT., p. 211.
144. Cité dans I.F., tome II, p. 1399-1400.
145. I.F., tome II, p. 1399.
146. I.F., tome II, p. 1400.
147. I.F., tome II, p. 1403.

gination la plus sadique jusqu'à ce que la bourgeoisie, écœurée d'avoir donné le jour à un ennemi de classe, mette fin par un lynchage à sa brève existence »[148]. Mystifié, Flaubert tient son être bourgeois pour une « maladie honteuse »[149] et les rouennais, l'être-de-province masquant ici l'être-de-classe, pour sa « mauvaise odeur »[150].

La laideur même devient une « extériorisation de [l]'être-de-classe »[151]. Sartre cite un passage d'une lettre de Flaubert à Louise Colet : « Il y a encore des moments où, quand je me regarde je me semble bien ; mais il y en a beaucoup où je me fais l'effet d'un fameux bourgeois. Sais-tu que, dans mon enfance, les princesses arrêtaient leurs voitures pour me prendre dans leurs bras... ? »[152] et il commente : « la pensée affective qui chemine sous l'écriture passe ingénument de *distinction* à *bourgeois :* il devient bourgeois parce qu'il n'est plus distingué. [...] On n'est distingué que par un supérieur »[153]. Rappelons-nous comment Sartre qualifie, dans *Les Mots,* la découverte de sa laideur : acide rongeur, « chaux vive où l'enfant merveilleux s'est dissous »[154] ; une « pensée affective » ne cheminerait-elle pas aussi sous l'analyse que Sartre fait de la « distinction » bourgeoise dans la *Critique de la raison dialectique ?*[155] Le bourgeois aura beau tyranniser son corps pour se distinguer de l'ouvrier, rien n'y fera : il n'est pas *né.* Sans réduire l'engagement sartrien à son seul aspect de « racisme » anti-bourgeois, on peut néanmoins être attentif aux raisons du cœur qui se cachent sous une petite note comme celle-ci : « La laideur d'un agent pratique et engagé dans une entreprise collective n'intervient guère — ou pas du tout — dans ses motivations. Réciproquement ses camarades ne la notent pas — ou l'oublient. C'est que la *praxis* a d'autres critères »[156]. L'écrivain d'avant la démystification, comme le prolétaire pris dans la lutte des classes, est un homme sans visage. Il échappe au bourgeois qu'il a sous la peau. « Ce n'est pas le visage de l'Artiste, ce microcosme, qui affleure à chaque page lue, c'est la figure du macrocosme tel qu'il serait s'il avait été créé. [...] le travailleur se perd tout entier dans l'œuvre et y reste méconnaissable. [...] Voilà Gustave débarrassé de lui-même : son anomalie est justifiée puisqu'elle fait de lui le moyen essentiel de l'œuvre ; mais elle est, en même temps, allégée : la fin absolue la consomme et l'on n'en parle plus »[157]. « L'Artiste, créateur de l'Universel, est étouffé dans l'œuf par la particularité de ses conditionnements. [...] qu'elle

---

148. I.F., tome II, p. 1405.
149. I.F., tome II, p. 1352.
150. I.F., tome II, p. 1357, note 1.
151. I.F., tome I, p. 603.
152. I.F., tome I, p. 603.
153. I.F., tome I, p. 603.
154. MT., p. 210.
155. C.R.D., p. 717 et suivantes.
156. I.F., tome I, p. 311.
157. I.F., tome II, p. 1597.

s'abatte aux pieds d'Achille, [...] la demi-portion : bon débarras ! Du coup, c'est la fête des images »[158].

La délivrance de l'homme sans qualités n'est pas loin du triomphe maniaque. Sartre a choisi l'explication sociologique : un écrivain, c'est un bourgeois manqué qui se déclasse par le haut. Mais lorsqu'il nous décrit Gustave reproduisant Alfred, l'analyse de classe s'estompe et les métaphores disent autre chose :

> « Ton immobile et superbe impassibilité, je l'intériorise non comme mon essence mais comme celle des objets inutiles qui sortiront de mes mains ; ton « organisation singulièrement fine et délicate », je ne l'ai point, puisque je suis un Flaubert, mais [...] elle sera [...] la matrice d'où sortiront mes œuvres. Tu as le goût, moi non ; mais je l'acquerrai : *labor improbus vincit omnia ;* je me perds pour que tu sois *ad aeternum.* C'est peut-être ce qui explique l'insistance de Flaubert à présenter l'invention artistique sous forme d'érection ; l'amante dédaignée prend sa revanche en se faisant le géniteur de son aimé : l'écriture est la virilité de Gustave »[159].

Encore une Passion douteuse, une mutilation qui masque une affirmation triomphante, une captation déguisée en oblation, un « pour que *je* sois *ad aeternum* » caché par un « pour que *tu* sois... ». La joie de « dépasser » Alfred que perd sa nonchalance, annonce celle qu'il éprouvera à la mort de l'ami impossible. Impossibilité, en effet, de s'approprier Alfred autrement qu'en le tuant puisqu'Alfred, dans son impassible Beauté, est le phallus. Comment supporter de voir à côté de soi ce que l'on n'a pas ? « Impassible immobilité d'Alfred », rigidité cadavérique d'Alfred « momifié »[160], aliénation « rigide »[161] de l'Artiste à l'Art. « J'ai dû être statue dans une vie passée »[162], disait Alfred. La statue c'est la personne tout entière érigée en phallus ; « ces statues de chair, les bourgeois »[163], écrit Sartre, et l'expression semble garder encore quelques reflets de l'éblouissement de l'enfant devant les grandes personnes. A propos de Gustave devant Alfred, Sartre parle de « l'enivrement du mal-aimé qui voit venir vers lui un prince de ce monde, un *homme* »[164]. Alfred est le « Maître adorable »[165], « fascinant et décevant, chaleureux et glacé »[166]. Mais la statue de chair recouvre une autre image, plus archaïque : elle est tout ensemble le phallus paternel et idole maternelle : « la Beauté se dévoile à [Alfred] comme n'étant autre que sa mè-

158. I.F., tome II, p. 1935.
159. I.F., tome I, p. 1089.
160. Voir *supra,* dans ce chapitre, p. 356.
161. I.F., tome II, p. 1488.
162. I.F., tome I, p. 1001.
163. I.F., tome II, p. 1152.
164. I.F., tome I, p. 1046.
165. I.F., tome I, p. 1067.
166. I.F., tome I, p. 1067.

re »[167], écrit Sartre ; « elle a été, comme toutes les bonnes mères, une présence charnelle et sexuelle qui, parfois, lui semblait d'une telle proximité qu'il ne faisait plus qu'un avec elle [...] quand il a découvert *par les autres* que sa mère était belle, il a dû rester douloureux et ébloui, tout ensemble : cette adorable beauté, c'était la première trahison maternelle »[168]. Sartre reprend et cite, trente ans après, dans *L'Idiot de la famille,* les remarques sur lesquelles se termine *L'Imaginaire.* N'oublions pas qu'il a été, lui aussi, un enfant identifié à sa mère au point de ne plus faire qu'un avec elle, et qu'Anne-Marie, comme Mme Le Poittevin, était belle.

> « Je l'ai écrit ailleurs : « [...] L'extrême beauté d'une femme tue le désir qu'on a d'elle. En effet nous ne pouvons à la fois nous placer sur le plan esthétique où paraît cet « elle-même » irréel que nous admirons et sur le plan réalisant de la possession physique... car le désir est une plongée au cœur de l'existence dans ce qu'elle a de plus contingent »[169]. La véritable « distanciation », c'est donc Alfred qui l'opère, poursuit Sartre, quand il contemple sa mère esthétiquement : disons qu'il s'arrache au désir. [...] il va tenter tout ensemble de s'identifier à sa mère et aux bibelots qu'elle a choisis, où elle mire sa beauté. Dans un effort désespéré pour retrouver l'amour perdu, il devient l'objet d'art qu'elle est *et* celui qu'elle a produit comme la chair de sa chair. [...] Il *est* sa mère »[170].

Les analyses de *L'Idiot de la famille* éclairent ce que l'on pouvait pressentir en lisant *L'Imaginaire :* que cette Beauté, à la fois si frustrante et si cruellement indésirable, traduit non pas la relation d'un homme à une femme, mais celle, pré-œdipienne ou an-œdipienne, d'un enfant, qui se perçoit comme asexué, à ce qu'il imagine être « la Puissance et la Gloire », qu'elles s'incarnent dans la beauté d'une femme ou dans le prestige d'un homme. « Quand [Flaubert] écrit : « Qu'est-ce que le Beau sinon l'impossible ? » sa phrase est à double sens : le Beau, c'est ce qu'on ne peut faire, mais c'est aussi ce qu'on ne peut avoir »[171]. Nous retrouvons le lamento du manque, commun à Sartre et à Flaubert. Alfred a du goût, Gustave n'en a pas. M. Simonnot a des goûts, Poulou n'en a pas : « L'heureux homme ! il devait, pensais-je, s'éveiller chaque matin dans la jubilation, recenser, de quelque Point Sublime, ses pics, ses crêtes et ses vallons, puis s'étirer voluptueusement en disant : « C'est bien moi : je suis M. Simonnot tout entier »[172]. Poulou, lui, n'est même pas « sûr de préférer le filet de bœuf au rôti de veau »[173]. Au contraire, « les cailloux

167. I.F., tome I, p. 1024.
168. I.F., tome I, p. 1025.
169. I., p. 246, cité dans I.F., tome I, p. 1025.
170. I.F., tome I, p. 1025-1026.
171. I.F., tome I, p. 1084.
172. MT., p. 72.
173. MT., p. 72.

du Luxembourg, M. Simonnot, les marronniers, Karlémami, c'étaient des êtres. Pas moi : je n'en avais ni l'inertie, ni la profondeur, ni l'impénétrabilité. J'étais *rien :* une transparence ineffaçable »[174]. Seule l'œuvre pourra réaliser ce que Simonnot est supposé être : « massif granitique »[175], « bloc monolithique »[176].

Ecriture et Phallus.

« Ecrire, oh ! écrire, c'est s'emparer du monde, de ses préjugés, de ses vertus et le résumer dans un livre, s'exclame Flaubert à quatorze ans ; c'est sentir sa pensée naître, grandir, vivre, se dresser debout sur son piédestal et y rester toujours »[177]. Sartre reprend la même image, mais, la définissant davantage, lui donne une légère incohérence qui en renforce le côté fantastique et fantasmatique : le gisant se dresse, formidable érection, toute-puissance du phallus associée à la mort, castration anticipée qui est refus de la castration : « ne plus rien *sentir* sauf qu'on ne sent plus rien, tout imaginer et déposer les mots-images dans l'éternelle matérialité du livre [...] : on y voit la pensée, d'abord *organique,* se transformer en un être public qui ressemble aux gisants de pierre en ceci qu'en se totalisant elle s'est pétrifiée et qu'elle survit à tout, dressée sur un socle, dans l'inerte insolence de sa minéralité »[178]. Le livre-fétiche reparaît, tel qu'il était dans *Les Mots.* Et l'on comprend quelles affinités unissent Sartre et Flaubert en lisant le commentaire de Sartre sur la nouvelle que Flaubert écrivit à l'âge de quinze ans et qui s'intitule *Bibliomanie.*

Giacomo le libraire n'a pas trente ans, mais c'est déjà un vieillard. Comme Sartre et comme Flaubert, il est mort d'avance. Une passion unique lui interdit tout autre jouissance : « il aimait un livre parce que c'était un livre, il aimait son odeur, sa forme, son titre. [...] A cet âge, écrit Sartre, je lisais les ouvrages de Jules Verne sans trop d'engouement, mais j'étais foudroyé par la beauté de la reliure rouge et or, par les images, par les pages dorées sur tranche. Devant cet objet prestigieux, on hésite : n'est-il qu'un moyen de communication ? Si c'était la fin, au contraire ? »[179] Giacomo « vole les livres, même lorsqu'il les achète honnêtement, puisqu'il les détourne de leur office véritable et les collectionne comme des papillons »[180]. Il rêve « qu'il possède la bibliothèque d'un roi »[181]. « Il y a, poursuit Sartre, je ne sais quelle force sombre dans cette évocation ; on ima-

174. MT., p. 73.
175. MT., p. 72.
176. MT., p. 73.
177. Fin de *Un parfum à sentir,* citée dans I.F., tome I, p. 905.
178. I.F., tome I, p. 969.
179. I.F., tome I, p. 285.
180. I.F., tome I, p. 287.
181. I.F., tome I, p. 288.

gine ces « immenses galeries » *désertes* : un colombarium ; les livres en sont les urnes ; un cataclysme aura sans doute englouti l'humanité ; infiniment seul, le roi Gustave exerce sa toute-puissance sur des choses vaguement ensorcelées »[182]. Sartre, fasciné, laisse se prolonger en lui la rêverie de Gustave. La bibliothèque du grand-père était aussi un colombarium avec ses deux Colomba, l'une pure, l'autre violée, avec ses petits cercueils-menhirs refermés sur leurs morts illustres[183]. En surimpression, l'image de la malade cloîtrée dans sa chambre d'hôtel avec sa collection d'étrons[184]. C'est un héros sartrien, ce moine méchant. Sartre le cajole comme un fantasme qui serait sien. Il prévient par l'insulte une agression imaginaire : « le moine aime les livres contre les hommes »[185]. Il a des « goûts, à la fois infantiles et séniles, [...] Gustave [...] souhaite que nous le condamnions : c'est qu'il prend souvent ses lecteurs pour des adultes sérieux, pondérés, savants, pour des philanthropes, bref pour des cons : c'est à ces gens-là qu'il confie — sûr de les scandaliser — que le moine est presque analphabète et ne fait jamais l'aumône »[186]. Ces détails paraissent d'abord exigés par la cohérence interne du personnage : l'analphabétisme renforce l'idolâtrie du livre-objet et l'avarice du collectionneur va de soi. Que Sartre y voie d'abord une provocation est significatif.

Parlant de l'amour de Gustave enfant pour les livres, Sartre retrouve ses mots familiers : « le livre s'affirmait, c'était un objet maniable, une petite architecture qui se suffisait presque. [...] beaucoup plus tard, [...] l'objet de son artisanat se présentera comme une architecture de paroles »[187] ; « je dresserais des cathédrales de paroles sous l'œil bleu du mot ciel »[188], écrivait-il dans *Les Mots*. Le livre est « grimoire sacré »[189], « stèle où les mots sont gravés »[190]. Voir son nom inscrit au dos d'un livre, c'est posséder éminemment le phallus paternel. La façon dont Sartre commente la lettre que Flaubert envoie à son oncle Parain, le 6 octobre 1850, depuis « la quarantaine de Rhodes », corrobore, semble-t-il, notre interprétation : « Avez-vous réfléchi quelques fois cher vieux compagnon, écrit Flaubert, à toute la sérénité des imbéciles ? [...] A Alexandrie, un certain Thompson, de Sunderland, a sur la colonne de Pompée, écrit son nom en lettres de six pieds de haut »[191]. « Aux yeux des voyageurs, observe Sartre, Thompson se métamorphose continuellement en colonne : il

---

182. I.F., tome I, p. 288.
183. Voir *supra*, 1re partie, chap. II, p. 83 et 87.
184. Voir *supra*, 2e partie, chap. II, p. 242.
185. I.F., tome I, p. 290.
186. I.F., tome I, p. 290.
187. I.F., tome I, p. 286.
188. MT., p. 152.
189. I.F., tome I, p. 744.
190. I.F., tome II, p. 2046.
191. Citée dans I.F., tome I, p. 626.

suffit qu'ils lisent son nom pour ressusciter l'opération initiale, autrement dit l'*écriture*, crime parfait, acte pur de bêtise, inerte et virulent, dont Flaubert ne sait, pour finir, s'il change Thompson en monument ou la colonne de Pompée en Thompson »[192]. Flaubert, lui, jubile. Il traverse une période de désespoir : Maxime Du Camp et Louis Bouilhet ont été consternés par la lecture du premier *Saint Antoine*. Aussi « [change] » -t-il « le signe »[193] de son vœu le plus cher : il rêve maintenant de ne pas laisser de trace. « Et voici justement que cette colonne s'érige et qu'elle porte un nom : Thompson a volé l'œuvre d'un autre, il a volé la gloire, il vit en parasite d'une éternité étrangère »[194]. Cette colonne, c'est Achille « l'usurpateur », celui qui « a confisqué à son profit la gloire de son père »[195], mais c'est aussi « ce que l'adolescent de Rouen osait à peine rêver : la minéralisation de l'homme »[196] ; « la gloire est une minéralisation supérieure [...]. La gloire n'est qu'un caillou ou — ce qui revient au même — c'est mon cadavre aux mains des autres. S'il en est ainsi, comment condamner Thompson ? C'est un barbare ? D'accord. Un usurpateur ? Bien sûr. Mais qu'a-t-il fait sinon prendre un raccourci ? [...] l'un veut laisser un nom sur une colonne et l'autre au dos d'un livre ; il n'y a pas tant de différence »[197]. Ne nous fions pas trop à la modestie de Sartre ni à la reconnaissance de sa démesure. Il reste que, même s'il en méconnaît la signification inconsciente, il établit une équivalence entre le monument, livre, colonne ou stèle, et la gloire du *père :* l'objet convoité est celui qu'on n'a pas et que l'autre est supposé avoir.

Cet homme-colonne, nous le retrouvons au château de Chillon où Byron a écrit son nom[198]. Gustave « se fascine » sur le pilier-relique qui symbolise le poète et qui permet « d'en jouir *imaginairement* »[199] ; « il veut [...] garder [...] le souvenir [...] d'un geste qui a traversé le temps comme la foudre et qui fut, un instant, *tout* Byron. Donc il *observe* : le nom est gravé de côté, déjà noirci mais brillant [...]. Toutes ces déterminations de la matérialité [...] sont, dans leur inertie, le *contraire* de l'homme vivant qu'elles doivent livrer à son intuition ; et pourtant elles sont *lui*, tout ce qui reste de lui, l'enkystement d'un geste. Elles perpétuent sa gloire et la minéralisent »[200]. « Tout Byron », c'est l'homme-phallus-pétrifié-auquel-il-ne-manque-rien, le « *contraire* de l'homme vivant », celui qui a échappé

192. I.F., tome I, p. 627.
193. I.F., tome I, p. 628.
194. I.F., tome I, p. 628.
195. I.F., tome I, p. 627.
196. I.F., tome I, p. 628.
197. I.F., tome I, p. 629.
198. Voir la lettre de Flaubert à Alfred Le Poittevin, écrite de Genève le 26 mai 1845. *Correspondance*, Gallimard, Pléiade, 1973, tome I, p. 232 et suivantes; citée partiellement dans I.F., tome II, p. 1952-1953.
199. I.F., tome II, p. 1953.
200. I.F., tome II, p. 1953.

à la castration parce qu'il est déjà mort, « l'image brillante mais rageusement biffée que Gustave se fait de soi »[201], « l'homme-image en personne »[202], « l'Ego-fantasme de celui qui observe »[203]. Gustave contemple la colonne, Roquentin le galet[204] : l'examen du moindre détail est d'autant plus minutieux que ces objets « signifient jusque dans leur texture autre chose qu'eux-mêmes »[205], si bien que le réel se déréalise à force d'être regardé de trop près ; l'étrange apparaît, signe d'« autre chose ». Cette « autre chose » est encore et toujours pour nous ce qui est censé manquer à qui n'accepte pas de n'être pas tout. L'illustration la plus naïve en est fournie par Gustave décrivant la trace laissée par Byron : « Au-dessous du nom la pierre est un peu mangée comme si la main énorme qui s'est appuyée là l'avait usée de tout son poids »[206]. Cette énorme main[207] imaginaire, c'est vraiment « l'Ego-fantasme de celui qui observe ». Que cet Ego-fantasme vive dans la terreur de la castration, le commentaire de Sartre le dit à sa manière : Gustave rêverait d'écrire son nom à côté de celui du grand homme : « Le nom lui semble une promesse, une invite à oser se croire un génie et presque en même temps, c'est une *menace*, un *interdit*[208] ; il serait sacrilège qu'un petit-bourgeois sans destinée, qu'un malade osât imiter ce prince-poète. Gustave adore cet homme et son geste : et l'homme, avec son geste d'inimitable insolence, achève de le détruire »[209]. Tout ou rien, pas de place pour deux, « l'un de nous deux était de trop »[210], fait dire Sartre à Flaubert à propos de son père.

Nous pouvons maintenant laisser parler deux textes, l'un de Sartre, l'autre de Flaubert, où surgissent deux avatars de l'homme-colonne : «Une idée [...] c'est en moi, la colonne des phrases qui l'expriment, chapiteau ensoleillé, socle dans les ténèbres, et qui me définit *dans le temps* comme la raison — à moi-même cachée — des mots choisis et *dans l'instant* par le choix souverain d'*une* expression dans l'entortillement infini de toutes [...]. Et la guirlande en spirale des mots, il faut y voir aussi *moi dans l'Autre* »[211]. Ce moi-colonne qui pénètre l'autre, cet Autre-colonne qui pénètre en moi, cette colonne creuse puisqu'elle est voix, souffle, dessinée par « l'entortillement des expressions », par « la guirlande en spirale des mots », c'est un emprunt. Sartre n'est pas si maniéré. Les festons, les guirlandes, c'est Genet en Sartre. Rappelons-nous le troisième vers du *Condamné à mort* :

201. I.F., tome II, p. 1952.
202. I.F., tome II, p. 1954.
203. I.F., tome I, p. 1955.
204. Voir *supra*, 1re partie, chap. IV, p. 129.
205. I.F., tome II, p. 1954.
206. Cité dans I.F., tome II, p. 1952.
207. Sur la présence de cette grosse main d'un bout à l'autre de l'œuvre de Sartre, voir *supra*, 1re partie, chap. III, p. 117 et 2 partie, chap. III, p, p. 266.
208. Souligné par nous.
209. I.F., tome II, p. 1952.
210. I.F., tome II, p. 1910.
211. I.F., tome I, p. 22.

« La colonne d'azur qu'entortille le marbre »

dont Sartre écrit qu'il y reconnaît les thèmes favoris de Genet : « la transfiguration de la prison en palais, l'entortillement des tantes-filles autour des Macs, c'est-à-dire finalement de la plénitude autour du vide « fier et dressé comme une digitale »[212], ou encore : « un enroulement en spirale autour d'une rigidité dressée »[213]. Cette image de Genet passe dans le texte de Sartre parce que, comme le « Qui perd gagne » ou comme le scénario remanié de la Passion, elle organise sa fantasmatique. Elle est repérable dans les lignes des *Mots* que nous avons déjà citées plusieurs fois et qui sont fondamentales du point de vue de l'imaginaire sartrien : « au centre d'un anneau tumultueux, je vis une colonne : M. Simonnot lui-même »[214].

Pour être soi-même ce phallus imaginaire, l'écrivain, plus tard, en dessinera le contour avec la spirale des phrases. Une vie, c'est « une spirale à plusieurs centres qui ne cesse de s'en écarter ni de s'élever au-dessus d'eux en exécutant un nombre indéfini de révolutions autour de son point de départ »[215]. Qu'il s'agisse d'une histoire personnelle ou de l'« histoire » collective, la totalisation se met en branle, « *défense*[216] contre notre détotalisation permanente »[217], « entreprise intentionnelle et orientée »[218] : « c'est le vécu lui-même qui s'unifie dans un mouvement de circularité, avec les moyens du bord »[219]. Totalisation, personnalisation, révolution personnalisante, temporalisation historique, tous ces mouvements vécus ou décrits épousent la forme de la spirale. Que cette belle totalité, si satisfaisante pour l'esprit, puisse appartenir au domaine de l'illusion, Sartre ne saurait s'y résigner, lui qui parle pourtant de « pulsion totalisatrice »[220] à propos de Gustave enfant découvrant Molière auteur-acteur dans « l'éblouissement »[221]. Optimiste impénitent, Sartre fait surgir de chaque cercle une spirale : sur Gustave au collège, il écrit : « N'ayant d'yeux que pour les retours cycliques, il n'a pas voulu remarquer l'aventure qui, passant à travers les cercles de la répétition, les tord et les transforme en *une seule spirale*, symbole de la temporalisation historique »[222]. « Tourniquets », « carrousels », cercles de la « rumination » sont aussi des spirales qui s'ignorent. Sartre, essayant d'en analyser un en détail « pour faire entendre clairement comment nous vivons nos opinions », écrit : « c'est un de ces sentiers circulai-

212. S.G., p. 402.
213. S.G., p. 105.
214. MT., p. 73.
215. I.F., tome I, p. 657.
216. Souligné par nous.
217. I.F., tome I, p. 653.
218. I.F., tome I, p. 653.
219. I.F., tome I, p. 653-654.
220. I.F., tome I, p. 865.
221. I.F., tome I, p. 865.
222. I.F., tome II, p. 1331.

res, mille fois parcourus et ramenant chaque fois — *en apparence du moins*[223] — au point de départ que j'ai voulu décrire : le mouvement intérieur de Flaubert, passant et repassant dans les mêmes lieux sans cesse, *notre* mouvement à propos de Dieu, peut-être ou, pour les athées dont je suis, à propos de tout autre chose »[224]. On comprend mieux que *L'Idiot de la famille* soit une entreprise interminable : la guirlande des mots n'en finit pas de parcourir les spires que le biographe trace autour de la statue de son grand homme ; ce faisant il s'incorpore la colonne-fantasme dont le socle baigne « dans les ténèbres » mais dont le chapiteau émerge « ensoleillé ».

Nous ne sommes pas loin de la « flamme céleste » qui couronne l'arbre mort dans la lettre de Flaubert à Mlle Leroyer de Chantepie : « Acharné contre moi-même, je déracinais l'homme à pleines mains, deux mains pleines de force et d'orgueil. De cet arbre au feuillage verdoyant, je voulais faire une colonne toute nue pour y poser tout en haut, comme sur un autel, je ne sais quelle flamme céleste... Voilà pourquoi je me trouve à trente-six ans si vide et parfois si fatigué ! »[225]. « Tout est dit, reprend Sartre, [...] le refus des passions et des fins humaines, la tentative pour transformer la vie en matière inorganique, éternelle et lisse, conservant, de l'arbre originel, la seule verticalité [...]. Et [...] toutes ces négations obstinées n'ont d'autre but que de *perdre Gustave* pour que naisse, au sommet du poteau *mort* qui le remplace « je ne sais quelle flamme céleste »[226]. « Les mots « autels » et « flamme céleste », commente Sartre, sont là pour rappeler le caractère « *sacrificiel* » du refus de vivre et que l'Art est un rite religieux dont le but est de produire son propre mythe dans des textes sacrés »[227]. Si la création artistique est substitut[228] du sacré, le sacré, pour Sartre qui n'y croit pas, de quoi est-il la métaphore ?

223. Souligné par nous.
224. I.F., tome I, p. 587.
225. Cité dans I.F., tome II, p. 2096.
226. I.F., tome II, p. 2096.
227. I.F., tome II, p. 2096-2097.
228. *Les Mots* disent « ersatz », p. 207.

CHAPITRE III

LE DESIR ET LA RELIGION

« On ne « liquide » pas le catholicisme : s'il arrive qu'on s'en arrache, c'est à demi-mort et marqué pour toujours »[1] ; « morceau par morceau notre vie s'est arrachée à la religion »[2] ; « l'athéisme est une entreprise cruelle et de longue haleine »[3]. Chacune de ces phrases dit à quel point Sartre a « investi »[4] dans le domaine religieux. Avant d'essayer d'apercevoir la façon dont sa fantasmatique est ici à l'œuvre, nous reprendrons le parallèle biographique.

« *L'incroyant malgré lui* »

Dans *Les Mots*, comme dans *L'Idiot de la famille*, même présence d'un Moïse adoré, à la fois gratifiant et frustrant : « Caroline, [...] avait laissé son cadet comme un poisson sur le sable, [...] quand Achille-Cléophas s'intéressa à lui, l'enfant se jeta sur cette raison d'être ; [...] il était né pour adorer son père ; celui-ci l'avait fait pour refléter cette gloire dont il rayonnait à la façon dont Dieu, paraît-il, nous a créés »[5]. Les scènes d'adoration entre le grand-père et le petit-fils abondent dans *Les Mots*. Jean-Paul et Gustave, enfants, sont de petits vassaux : la génuflexion, écrit Sartre à propos de Flaubert, est un symbole « coulé dans son corps »[6]. Dieu est « inscrit dans sa chair, c'est un autre nom pour le vert paradis des amours enfantines »[7]. On ancre au plus profond des deux enfants le besoin de Dieu : « Je pressentais la religion, je l'espérais [...] Me l'eût-on refusée, je l'eusse inventée moi-même »[8] ; « si le nom de Dieu n'eût jamais été prononcé devant Gustave, il l'eût inventé ou du moins pressenti

1. S.G., p. 215.
2. S.G., p. 240.
3. MT., p. 210.
4. Au sens psychanalytique de « mettre son énergie psychique dans un objet » (dictionnaire Robert).
5. I.F., tome I, p. 334.
6. I.F., tome I, p. 516.
7. I.F., tome I, p. 558.
8. MT., p. 78.

comme une lacune essentielle : il fallait bien fonder l'adorable autorité du *pater familias* »[9]. (Dans *Les Mots*, il « faut bien » pallier l'absence du père : la dissymétrie des « explications » trahit leur caractère de rationalisation). Chez les Flaubert comme chez les Schweitzer, on baptise pour ne pas peiner les femmes et pour ne pas marquer l'enfant : « en me refusant le baptême, on eût craint de violenter mon âme ; catholique inscrit, j'étais libre, j'étais normal : « Plus tard, disait-on, il fera ce qu'il voudra »[10] ; « en chemise, à genoux sur le lit, mains jointes, je faisais tous les jours ma prière »[11] ; « un des personnages du romancier Gustave Flaubert se souvient du temps où, tout enfant, sa mère le prenait sur ses genoux pour lui faire dire sa prière. Quelle prière ? [...]. J'incline à penser qu'elle crut devoir enseigner les oraisons catholiques à son fils [...] : l'enfant était chrétien, il fallait lui donner les moyens de s'intégrer à la communauté des fidèles ; plus tard, il choisirait »[12].

Mais le grand-père Schweitzer, comme le docteur Flaubert, retire d'une main ce qu'il donne de l'autre : « Dans le privé, par fidélité à nos anciennes provinces perdues, à la grosse gaîté des antipapistes, ses frères, il ne manquait pas une occasion de tourner le catholicisme en ridicule »[13]. Le docteur Flaubert, lui, « dut démolir sans peine, par un sourire, par un ton d'ironie voltairienne, les fables de l'Histoire sainte. Il n'attaquait pas directement — par courtoisie conjugale — la religion privée de sa femme mais cette foi abstraite disparut d'elle-même : si Caïn n'a pas tué Abel, si Jonas n'a pas été englouti par une baleine, si Abraham n'a pas été arrêté par un ange à l'instant qu'il immolait son fils, que reste-t-il ? »[14]. Sartre fait parler l'enfant : « sans doute est-ce la vérité ; il le faut puisque le Père le dit : mais cette vérité-là n'était pas bonne à dire. Gustave réagit comme un cancéreux qui ne pardonnerait pas à ses proches de lui avoir révélé son état »[15]. A travers les personnages de *Rêve d'Enfer*, « Gustave s'adresse en douce à Achille-Cléophas et lui dit : Vous avez voulu faire de moi votre disciple et votre émule, un savant impassible et froid. Grand merci mais, voyez-vous, je n'étais pas digne de ce projet grandiose : j'étais passion, j'étais instinct, ma constitution me portait à croire plutôt qu'à connaître et, par cette raison, j'inclinais à devenir croyant. Vous avez refoulé, bridé ma nature religieuse »[16]. Et Sartre enchérit sur ce discours imaginaire : « En faisant baptiser Gustave, le docteur Flaubert a commis un crime qui serait impardonnable s'il avait été délibéré [...]. Baptisé, communiant,

9. I.F., tome I, p. 505.
10. MT., p. 80.
11. MT., p. 82.
12. I.F., tome I, p. 509.
13. MT., p. 80.
14. I.F., tome I, p. 509.
15. I.F., tome I, p. 260.
16. I.F., tome I, p. 246.

Gustave est *institué chrétien* »[17]. Il devient « sinon un élu du moins un éligible »[18]. Le père « jette son fils à genoux »[19] et lui interdit de croire. Réfléchissant sur ce tourment de Flaubert, Sartre écrit : « on ne sortira jamais de cette pensée illogique et profonde : je ne peux pas croire au Dieu auquel je crois »[20]. Ou encore : « Je dirai qu'on *l'a fait pour croire* et qu'on lui en a, au dernier moment, ôté les moyens. C'est sa *constitution* qui réclame Dieu, c'est la Raison d'un Autre qui, en lui, le refuse »[21]. L'empathie qui caractérise ces textes signale peut être un très ancien grief. Certes, Sartre, dans *Les Mots,* se félicite des « bourdes » de son grand-père sur Lourdes ou sur saint Labre : elles lui ont « rendu service »[22]. Et lorsqu'il évoque aujourd'hui ce « malentendu » qui les sépara, Dieu et lui, c'est « avec l'amusement sans regret d'un vieux beau qui rencontre une ancienne belle »[23]. Sartre ne peut pas « regretter » ce rendez-vous manqué : sous la forme qu'appelait son désir, il fallait qu'il eût lieu au XIIIe siècle : « si j'avais vécu au siècle d'or du christianisme, [...] j'aurais eu la tête ainsi faite que je n'aurais pas pu ne pas croire à ces fantasmagories naïves. Autrement dit : je suis né trop tard pour être la dupe heureuse du mensonge vital dont j'avais tant besoin »[24]. Jean-Paul fait parler Gustave; mais peut-être leurs deux voix se mêlent-elles comme dans cette phrase douloureuse et parodique : « il doit y avoir quelque chose de pourri dans l'homme ou dans le monde pour que l'*Homo sapiens* ne puisse pas supporter le Savoir qu'il a produit »[25].

Un des résultats de l'inconséquence du *pater familias* pour l'un et l'autre enfants, c'est l'anticléricalisme : « je ne détestais pas les prêtres : [...] c'était mon grand-père qui les détestait par moi »[26] ; Flaubert, lui, « mange du curé avec appétit »[27]. Mais son anticléricalisme est « suspect »[28] aux yeux de Sartre : d'abord parce qu'il est « forcené »[29], ensuite parce qu'il « l'introjette en Homais, [...] pour pouvoir *s'en moquer* »[30]. Aussi conclut-il : « derrière les sarcasmes d'un incroyant qui reproche aux prêtres de vouloir imposer leurs momeries, il y a la rancune très personnelle d'un homme qui *veut croire* et qu'ils ne cessent de décourager. [...] ils n'ont pas eu la force d'esprit nécessaire pour réfuter le voltairianisme [...]. En un mot, ils

---

17. I.F., tome I, p. 508.
18. I.F., tome I, p. 508.
19. I.F., tome I, p. 508.
20. I.F., tome I, p. 588.
21. I.F., tome I, p. 513.
22. MT., p. 81.
23. MT., p. 83.
24. I.F., tome I, p. 610.
25. I.F., tome I, p. 532.
26. MT., p. 82.
27. I.F., tome I, p. 526.
28. I.F., tome I, p. 527.
29. I.F., tome I, p. 527.
30. I.F., tome I, p. 527.

se sont montrés incapables de l'arracher aux mains de son père »[31]. Chez Sartre enfant, ce qui domine, en face du prêtre, c'est le malaise : « Mon grand-père avait si bien fait que je tenais les curés pour des bêtes curieuses ; bien qu'ils fussent les ministres de *ma* confession, ils m'étaient plus étrangers que les pasteurs, à cause de leur robe et du célibat. [...] ils prenaient pour me parler le visage tendre, massé par la spiritualité, l'air de bienveillance émerveillée, le regard infini que j'appréciais tout particulièrement chez Mme Picard et d'autres vieilles amies musiciennes de ma mère »[32]. Nous sommes loin des « vitupérations ordurières et vaines »[33] de Flaubert. Mais le portrait du prêtre en vieille dame distinguée n'est pas dépourvu de ressentiment, au moins pour le passé : « dans le Dieu fashionable qu'on m'enseigna, je ne reconnus pas celui qu'attendait mon âme »[34]. On y lit cependant, outre la déception, sensible à travers l'ironie, une gêne d'un autre ordre : cette « bête curieuse » qui porte robe et ne prend point femme, est-ce un homme ou une vieille dame ? Dans ces lignes sur le prêtre, l'anticléricalisme du grand-père (où Sartre voit l'origine de son embarras) masque la quête, par l'enfant, de sa propre identité sexuelle.

Même confusion dans *L'Idiot de la famille* lorsque Sartre analyse l'une des plaisanteries douteuses de Gustave au collège : faire croire à un « petit cagot »[35] que « son saint directeur cache sous sa robe un sexe que des doigts experts [...] pourraient peut-être animer [...] Le petit catholique admirait sans doute le célibat des prêtres [...] il oubliait leurs corps parceque leur sainte chasteté [...] était elle-même oubli [...] celle-ci n'est qu'un mensonge inefficace puisque de toute manière le « brave organe génital » demeure [...] si le père Eudes n'est pas un Priape, reste qu'il a de quoi le devenir et qu'il ne s'en empêche qu'en rêvant à des priapées imaginaires qu'accompagne un onanisme bien réel[36]. Et Sartre de conclure : « qu'est-elle, au fond, sa « raillerie », dans ce cas particulier ? Rien d'autre que son incroyance désolée se retournant contre les autres et se faisant négation cynique de la foi. L'incroyant-malgré-lui interprète en public ce personnage : le fanfaron d'incrédulité »[37]. Rien d'autre que ?... Voire ! Il semble difficile de réduire ces inventions de collégiens à de l'anticléricalisme. Sur le mode comique ou sur le mode respectueux, dans *L'Idiot de la famille* ou dans *Les Mots*, le désir de voir ce qui se cache sous la robe du prêtre signale le complexe de castra-

31. I.F., tome I, p. 527.
32. MT., p. 82.
33. I.F., tome I, p. 527.
34. MT., p. 78-79.
35. I.F., tome II, p. 1206.
36. I.F., tome II, p. 1207.
37. I.F., tome II, p. 1208.

tion[38]. Une fois de plus, il nous faut abandonner les rapprochements biographiques pour découvrir une parenté plus profonde au niveau des structures même de l'imaginaire.

« Ce Bel Indifférent, l'absolu » ...

« Dieu, pseudonyme d'Achille-Cléophas »[39], écrit Sartre ; disons plutôt de ces puissances archaïques qui sont toujours à l'œuvre dans l'inconscient de l'enfant. La relation à Dieu chez Flaubert est le terrain d'élection des fantasmes sado-masochistes. Lorsque Sartre, pour décrire cette relation, a cette phrase (entre cent autres du même type) : « la victime se faisant bourreau de soi-même pour se réaliser par ses bourreaux et contre eux en radicalisant leur travail »[40], il décrit « l'essence profonde »[41] de Gustave, certes, mais aussi celle de Frantz dans *Les Séquestrés d'Altona,* c'est-à-dire l'un des schèmes de sa propre affectivité. Pour s'en convaincre, il suffit de laisser parler les textes ; en voici un parmi bien d'autres où Sartre cite une des improvisations du Garçon rapportée par les Goncourt : « L'un disait aussitôt [en passant devant la cathédrale de Rouen] : « C'est beau, cette architecture gothique, ça élève l'âme. » Aussitôt celui qui faisait le Garçon pressait son rire et ses gestes : « Oui, c'est beau... et la Saint-Barthélemy aussi ! Et l'Edit de Nantes et les Dragonnades, c'est beau aussi »[42]. Sartre enchaîne :

> « Oh ! oui, dirait le Garçon tout excité, c'est beau, le sang de l'homme quand d'autres hommes le font couler [...]. Mais massacrer au nom de Dieu, [...] c'est beaucoup plus farce ! [...] Epernon qui massacrait pour jouir est moins « hénaurme » que Torquemada, [...] cet hypocrite qui, lorsqu'il fait souffrir, bande sous sa robe de bure et ne veut pas le savoir. [...] En ce sens l'histoire sanglante des guerres religieuses ne fait que dévoiler la férocité secrète des extases — celles de Gustave, et, selon lui, celles de tous les grands mystiques ; ce qui pousse à l'extrême son hilarité, c'est que les massacreurs qui se réclament de Dieu ont raison : en s'exterminant pieusement, notre espèce ne fait qu'exécuter la sentence portée sur elle d'en haut : pour ce Bel Indifférent, l'*absolu,* nous n'existons *absolument* pas »[43].

Qui aurait cru que ce *Bel Indifférent* pouvait « condenser » en lui tant de rêveries perverses ? Sous son détachement apparent, il est le Néron des fantasmes masturbatoires de Gustave, qui caresse

38. Il s'agit de vérifier névrotiquement que l'on peut porter robe et être pourvu d'attributs masculins, rêverie qui soutient la négation de la différence des sexes et le fantasme de la mère phallique.
39. I.F., tome I, p. 282.
40. I.F., tome I, p. 560.
41. I.F., tome I, p. 560.
42. I.F., tome II, p. 1258.
43. I.F., tome II, p. 1262-1263.

une femme pendant qu'à côté de lui « on torture *en son nom* »[44], mais aussi le « massacreur distrait »[45] des *Mots*. Dans son autobiographie, Sartre glisse pudiquement et esthétiquement — nous avons déjà noté son parti-pris classique — sur ses fantasmes sadiques. Dans *L'Idiot de la famille*, la présence, à l'intérieur d'une même phrase, du mot « massacreurs » et du Bel Indifférent, révèle que la « distraction » du petit massacreur des *Mots* est peut-être d'inspiration néronienne. Le Bel Indifférent, notons-le, c'est aussi Caroline Flaubert, qui manipule si distraitement ses *morituri*. Quant à Frantz, le bourreau qui torture des maquisards pour l'honneur de son pays, il y a sans doute du Torquemada en lui : il jouit sous son uniforme de drap et ne veut pas le savoir ; Sartre lui, le sait, qui a décrit ailleurs le lien « sexuel »[46] du bourreau et de sa victime et, dans la pièce même, la genèse « accidentelle »[47] du tortionnaire. Frantz s'adresse à son père dans cette grande scène d'aveu qui clôt la tragédie avant le double suicide :

> « [...] Vous m'avez fait Prince, mon père. Et savez-vous ce qui m'a fait Roi ?
>
> *Le Père.* — Hitler.
>
> *Frantz.* — Oui. Par la honte. Après cet... incident, le pouvoir est devenu ma vocation. Savez-vous aussi que je l'ai admiré ?
>
> *Le Père.* — Hitler ?
>
> *Frantz.* — Vous ne le saviez pas ? Oh ! je l'ai haï. Avant, après. Mais ce jour-là, il m'a possédé. Deux chefs, il faut que cela s'entretue ou que l'un devienne la femme de l'autre. J'ai été la femme de Hitler. Le rabbin saignait et je découvrais, au cœur de mon impuissance, je ne sais quel assentiment »[48].

Nous ne sommes pas loin ici du fantasme décrit par Freud sous le titre « un enfant est battu »[49] (ou puni, ou humilié) et qui traduit un désir de possession homosexuelle par le père. L'aveu du fils est l'équivalent du « Père, j'ai mal, prends-moi dans tes bras, console-moi ! »[50], en quoi Sartre résume, nous le verrons, la signification ultime de la « Chute » de Flaubert, mais il est aussi un « Père, possède-moi et tue-moi », ce que réalise la dernière promenade du père et du fils, dans la Porsche, le long de l'Elbe, à 180 kilomètres à l'heure. Le tendre père de la Chanson du Roi des Aulnes et le terrible Roi des Aulnes ne font plus qu'un[51].

---

44. I.F., tome I, p. 715, note 1.
45. MT., p. 109.
46. S., II, p. 246.
47. L'histoire permet ici, une fois de plus, la projection du fantasme dans le « réel » imaginé; ce qui est désir est ainsi méconnu : la « contingence » décide.
48. *Les Séquestrés d'Altona*, Gallimard, 1960, p. 206.
49. Dans *Névrose, psychose et perversion*, P.U.F., 1973, p. 219 à 243.
50. I.F., tome II, p. 2084.
51. Voir *supra*, 1re partie, chap. II, p. 75.

Des Christs douteux.

Ne nous étonnons pas, dès lors, que *L'Idiot de la famille* fourmille de Christs douteux. Et d'abord, parmi eux, tous les héros romantiques auxquels s'identifient les collégiens rouennais : « Le héros romantique considère sa vie comme la Passion du Christ recommencée : il est Jésus, revenu sur terre, condamné par la volonté de l'Autre (un Autre qui est lui-même et son père tout à la fois) à expier un péché qu'il n'a pas commis [...] né en exil, Dieu bafoué, il *endure son humanité provisoire* et se laisse flageller et meurtrir par ceux-là mêmes qu'il est venu sauver »[52]. Pris au piège, les collégiens « célèbrent dans la solitude [...] une messe noire, [...] puisque, dressée derrière l'autel, révérée comme un symbole de puissance et de vie, la croix [...] est en réalité l'emblème du châtiment, des souffrances physiques, du sang versé, de la méchanceté humaine et du délaissement des martyrs, de la mort, enfin, sens et but suprême de la vie. C'est une vie toute entière, en effet, la vie brève et fastueuse de Chatterton, de Werther, qui se prête à l'adolescent chaque nuit et se fait vivre d'un bout à l'autre »[53].

Sartre trouve ces Christs « suspects »[54], « pervers »[55], parfois même « répugnants »[56]. Leur génèse, néanmoins, lui paraît d'ordre purement social : « c'est le portrait de Gustave en jeune aristocrate »[57] ; « la lecture est pour lui un certificat de noblesse »[58]. Certains adjectifs, pourtant, conduisent ailleurs, du côté de Genet, par exemple. Chez lui aussi, on célèbre de curieuses messes « noires » où la victime est « somptueuse » et le sacrifice « fastueux ». La fixation anale, masquée dans le scénario narcissique des « Passions » romantiques, est lisible en clair, même si Sartre, qui la dit, ne la voit pas, dans l'histoire de saint Julien l'Hospitalier, cette « matrice d'images »[59] si longuement « [caressée] »[60] par Flaubert, qu'« elle devient ce qu'il souhaitait qu'elle fût : une catégorie de sa pensée et de sa sensibilité »[61]. Drôle de saint que ce Julien, dont la sainteté consiste à triompher de la pourriture en s'y enfonçant, dont les massacres de chasseurs ont la monotonie d'un schème masturbatoire[62], qui ne connaît ni l'amour de Dieu, ni la charité[63], ni la réversibilité des mérites (Flaubert supprime le personnage de la femme qui, dans la lé-

52. I.F., tome II, p. 1384.
53. I.F., tome II, p. 1386.
54. I.F., tome II, p. 1402.
55. I.F., tome II, p. 1385.
56. I.F., tome II, p. 1402.
57. I.F., tome II, p. 1392.
58. I.F., tome II, p. 1392.
59. I.F., tome II, p. 2127.
60. I.F., tome II, p. 2127.
61. I.F., tome II, p. 2127.
62. Voir I.F., tome II, p. 2019.
63. Voir I.F., tome II, p. 2107.

gende, l'accompagne et partage son expiation[64]). Julien, pour qui l'existence est « ordure »[65], s'engloutit dans l'ordure en s'étalant sur le lépreux avec un dégoût que démentent les métaphores employées[66]. Ce triste saint, qui confond sainteté et « horreur de soi »[67], semble bien être un Narcisse qui s'ignore[68].

Comme Ignace et comme Jean Genet[69], Julien est un soldat manqué : son père voulait en faire un homme d'épée, sa mère un homme de robe. Pas plus que pour Genet, l'explication sociologique n'est convaincante. D'ailleurs, pour Gustave-Julien, Sartre hésite entre l'ontologie et la sociologie : il s'agit avant tout d'échapper à la « détermination ». Mais cette détermination est « sociologique » quand on est le fils du docteur Flaubert et « ontologique » lorsqu'on est Julien : « tout le malheur de l'homme vient de sa *détermination.* Le *réel* est un appauvrissement des infinis possibles »[70]. Refus de la condition bourgeoise chez Gustave, de la condition humaine chez Julien. Au crime de faire sortir un enfant d'un ventre bourgeois, correspond le « crime ontologique que fut la Création »[71]. Julien étant un jeune noble, Sartre ne peut en effet, lorsqu'il le fait parler, porter plainte contre le père réel ; car Julien n'est pas soumis, comme le fils de bourgeois, à la nécessité d'être quelqu'un. Le fils de noble est d'emblée, pour Sartre, l'égal de son père, aliéné comme lui à son nom et « comme lui inessentiel »[72]. Ce qui transparaît une fois de plus, dans ce cas, sous l'explication sociologique, c'est le désir de faire l'économie de l'affrontement œdipien : « le *pater familias* de l'aristocratie ne se juge pas aujourd'hui supérieur à celui de demain ; d'une génération à l'autre le passage du titre et des devoirs crée, à travers le temps qui coule, une égalité profonde qui permet, dans la sévérité même, toutes les formes d'affection »[73]. Comme si le petit aristocrate n'avait pas, lui aussi, à vivre ce temps où les parents sont des divinités puis à l'abandonner pour « maîtriser le complexe d'Œdipe »[74]. Du reste, le fantasme du père chevauchant le fils est si profondément ancré en Sartre, que, lorsqu'il laisse parler son imagination au lieu de rationaliser, il nous montre le jeune aristocrate avec sa famille « sur le dos », tout comme le jeune bourgeois : c'est le sens de la séquence burlesque du film *Les Jeux sont faits* où l'on voit un jeune

---

64. Voir I.F., tome II, p. 2111.
65. I.F., tome II, p. 2107.
66. Voir I.F., tome II, p. 2114 et *supra*, 1re partie, chap. II, p. 72.
67. I.F., tome II, p. 2108.
68. Sur le narcissisme morbide, voir *supra*, 2e partie, chap. IV, p. 311 et sur son lien avec l'analité, chap. III, p. 277-278.
69. Voir *supra*, 2e partie, chap. II, p. 232.
70. I.F., tome II, p. 2116.
71. I.F., tome II, p. 1191.
72. I.F., tome I, p. 80.
73. I.F., tome I, p. 80.
74. S. Freud, *Trois essais sur la théorie de la sexualité*, Gallimard, 1962, collection Idées, p. 187, note 82.

noble vivant et débauché, perpétuellement escorté de ses ancêtres morts, qui le regardent avec douleur dégénérer[75].

Foi et incorporation.

Dieux sadiques, Christs et saints masochistes (« il est tout simplement immense, le petit martyr qui agonise, débouté de chacun »[76] écrit Sartre dans *L'Idiot de la famille* à propos de Gustave et dans *Les Mots* à propos de Jean-Paul : « martyr indolent »[77], « débouté de chacun »[78]) nous ont ramenés à une structure fondamentale de l'affectivité de Flaubert et de son biographe : la fixation anale, l'homosexualité latente, l'impossibilité d'affronter l'Œdipe, la castration affichée pour masquer la captation, si bien que la Passion devient magie et la croix « couple de planches sacrées »[79], « symbole de puissance ». Aussi retrouvons-nous, lorsqu'il s'agit de religion, les images qu'employait Sartre pour peindre la possession du Père par le Fils ou du Fils par le Père : « la Foi, pour lui, c'est le supplice de Tantale [...] baptisé, catéchisé, Gustave est *propriétaire* d'une chaise au milieu des autres chaises, dans la nef de la cathédrale, avec tous les privilèges qui s'y attachent, en particulier celui de posséder Dieu. [...] Chaque fois la déception revient l'enrager [...] il aura l'impression que « ça y est ! » qu'il va jouir, qu'il jouit et, à l'instant, tout s'écroulera, il retrouvera le vide, la sécheresse du cœur et la frigidité »[80]. Les croyants sont fils du Père, comme le frère aîné : « il les hait ces propriétaires de Dieu [...] qu'ont-ils donc que je n'aie pas ? Mais surtout il les épie. Il entre dans les temples, se cache derrière un pilier et les *regarde croire*. [...] la jalousie le ronge. [...] Encore une fois, on lui préfère Achille. [...] Pourquoi comble-t-il ces crétins aux cils battants : ce ne sont après tout que des épiciers rouennais »[81] ; « Quand l'hostie leur fond sur la langue et qu'ils retournent à leur banc, chavirés, sûrs d'avoir mangé le Christ, ce sont eux les hommes de droit divins : ces paupières mi-closes, ce maintien recueilli témoignent d'une présence écrasante dont il est le seul à ne pas sentir le poids. [...] la foi reste en lui cette inconsistance, une mayonnaise toujours à l'instant de prendre et qui ne prend jamais »[82]. Madame Flaubert, elle, a « porté cet ange écrasant »[83], le Père. Quant à l'image de la mayonnaise qui prend ou ne prend pas, ses connotations dans *Saint Genet* ne laissent aucun doute sur son origine : « penché sur ces âmes qui s'épaississent et se

75. Voir *Les Jeux sont faits*, Nagel, 1966, p. 44-45.
76. I.F., tome I, p. 562.
77. MT., p. 109.
78. MT., p. 89.
79. I.F., tome II, p. 1386.
80. I.F., tome I, p. 518.
81. I.F., tome I, p. 538.
82. I.F., tome I, p. 538-539.
83. I.F., tome I, p. 89.

« prennent » sous ses yeux à la façon d'une mayonnaise, Genet se découvre comme le ferment secret qui provoque cette solidification. [...] Il nous baise »[84].

Le vampire familier des textes sartriens reparaît dans le commentaire du passage d'*Un cœur simple* où Félicité assiste à la communion de Virginie : Sartre lit l'émotion de Flaubert dans celle de Félicité et voit en Virginie sa nièce Caroline. Il écrit : « pour une fois, la dévote qui le frustre de Dieu, il ne la hait point : c'est une enfant qu'il aime. Aussitôt, libre de toute envie, il opère — presque jusqu'à s'évanouir — une incroyable identification à la petite-fille. Qu'on imagine ce grand gaillard, à près de quarante ans, tentant de *devenir* un moment cette communiante de dix ans [...] pour lui vampiriser son émotion sacrée »[85]. Nous ne nous étonnerons pas que Flaubert ait pu donner libre cours à son vertige de possession justement parce qu'il s'identifiait à une petite-fille[86] : le vampire de la communiante est absout par Sartre car la frustration quotidienne est son lot, mais « les boutiquiers » à « l'âme bien épaisse [...] qui vont, le dimanche, faire leur plein de bon Dieu à la messe comme, un siècle plus tard, ils feront, à la même heure des mêmes dimanches, leur plein d'essence »[87], Sartre ne les hait pas moins que « le gros plein d'Etre »[88] de Claudel dont pourtant certains schèmes fondamentaux le hantent. Peut-être vaut-il la peine de s'arrêter un instant pour essayer de saisir cette étrange relation de Sartre avec Claudel, faite d'autant d'attirance que d'agressivité.

Claudel « travaille » Sartre, c'est certain. Deux phrases ont passé de l'un à l'autre et reviennent tout au long de *Saint Genet* et de *L'Idiot de la famille* : « Le Mal ne compose pas » et « Le pire n'est pas toujours sûr ». Sartre commence par s'en moquer dans *Saint Genet*. Il imagine une scène pour illustrer la première phrase : un passant voyeur et bourgeois regarde un voleur, les vêtements en désordre : il s'enfuyait, on vient de l'arrêter. Décidément, se dit l'homme de bien, « le Mal ne compose pas »[89]. Dérision, et pourtant Sartre est obligé de reconnaître une certaine vérité à la formule : Genet n'arrive pas à être un vrai méchant dans son œuvre, car toute œuvre compose. Quant au pire qui n'est pas toujours sûr, on sent que Sartre déteste la formule : elle met au jour le truquage du « Qui perd gagne ». Or, il faut être sûr de perdre, sûr du pire, pour gagner. Et Sartre, au moment où il écrit *Saint Genet*, n'a pas encore démystifié le « Qui perd gagne ». « Le Pire n'est pas toujours sûr » dit Clau-

84. S.G., p. 508.
85. I.F., tome I, p. 539.
86. Châtrée, comme Madame Flaubert, la petite fille est capable du Tout ; ce que Sartre ne saurait tolérer chez Achille (*cf. supra*, 3e partie, chap. II, p. 349), chez les boutiquiers ou chez Claudel.
87. I.F., tome I, p. 563.
88. S.G., p. 161.
89. S.G., p. 44.

del. En effet, pour Genet, il n'est pas sûr. Mais pour celui qui proclame qu'il n'est pas sûr, pour le gros plein d'Etre qui tourne tout à la gloire du Bien, pour celui-là le pire est toujours sûr : le Mal que Genet cherche en gémissant, il est tranquillement installé dans le cœur de Claudel »[90]. Autrement dit Claudel ne sait pas jouer à « Qui perd gagne ». Ce gros balourd montre le dessous du jeu. Le pire n'est pas toujours sûr, mais il ne faut pas le dire, il faut même s'arranger pour ne pas le savoir. Dans *L'Idiot de la famille,* Sartre s'est approprié les deux formules, il ne les cite même plus, elles font partie de ses schèmes personnels : c'est la peur que le pire ne soit réellement sûr qui provoque la « Chute » de Gustave[91]. Quant au mal qui ne compose pas, il est certainement sous-jacent à des lignes comme celles-ci : « si, dans un premier moment, le Néant vampirise l'Etre, on peut, à la réflexion, se demander si ce n'est pas l'Etre qui vampirise le Néant. Ainsi, [...] le Beau apparaîtrait comme le chiffre de l'Etre véritable, qui ne coïncidant ni avec l'imaginaire ni avec la réalité, nécessiterait et produirait d'abord l'Illusion pour s'y annoncer à la fois comme une absence et par un *don* (la cohésion interne *donnée* au Mal) »[92]. Nous reviendrons sur cette question[93]. Il nous suffit, pour le moment, d'essayer de comprendre l'agressivité à l'égard du « gros plein d'Etre ».

Sans doute ce gros plein d'Etre est-il le reflet inversé d'un petit plein de Néant dont il démasque la positivité secrète. Peut-être la lecture de Claudel réveille-t-elle en Sartre ce « complexe de Jonas » qu'il décrit ainsi dans *L'Etre et le Néant* : « On remarquera l'importance dans les imaginations naïves du symbole du « digéré indigeste », le caillou dans l'estomac de l'autruche, Jonas dans l'estomac de la baleine. Il marque un rêve d'assimilation non destructrice »[94]. Notons que ce qui rassure, c'est que l'incorporé reste entier. On pourrait ajouter à la liste des exemples la momie au sépulcre, l'enfant au sein de sa mère, le phallus paternel dans le fantasme de possession anale. Mais il serait plus juste d'attribuer le complexe de Jonas à la baleine. Cette baleine qui nage dans les eaux du *Soulier de satin* devient, dans *L'Idiot de la famille,* la cible de Sartre lorsqu'il décrit les deux rires du Garçon : il y a « celui du Géant, du commis voyageur qui manifeste l'énorme fatuité de l'Etre, ce qu'on pourrait appeler l'*idéologie ontique* : Vive la force, emblème de Dieu ! rien n'est beau que ce qui est gros, gras et grand ! [...] Mais ce rire cosmique est traversé par une hilarité glacée, hypercosmique : celle du Néant moquant l'Etre, ce gros balèze »[95], « cette grasse *réalité* qui a commis la faute impardonnable de s'extraire par ses propres forces de l'infini

90. S.G., p. 161.
91. Voir I.F., tome II, p. 2083.
92. I.F., tome II, p. 2088.
93. *Infra,* dans ce chapitre, p. 406.
94. E.N., p. 667-668.
95. I.F., tome II, p. 1302.

non-être et de se ramasser en l'absurde plénitude d'un *cosmos, par vanité,* pour « qu'il y ait quelque chose plutôt que rien » et qui en est bien punie, cette lourde baleine »[96].

« Gros plein d'Etre », « plein de bon Dieu », « gros balèze », « lourde baleine », l'irritation sensible sous ces expressions a sans doute des sources lointaines. Laissons de côté l'agacement du « gringalet »[97] à l'égard de ce qui est « gros, gras et grand ». On peut se demander si les « imaginations naïves » dont parle le texte de *L'Etre et le Néant,* qui attachent une grande importance au symbole du « digéré indigeste », ne comptent pas d'abord parmi elles celle de Sartre enfant. Pourquoi autrement ironiserait-il aussi souvent dans *L'Idiot de la famille* sur Jonas et sa baleine ? : « [...] si Jonas n'a pas été englouti par une baleine »[98] ; « en riant de Jonas, l'aîné des Flaubert s'identifiait à son Géniteur adorable »[99] ; « si vous prétendez avoir une âme, on vous refile aussitôt la baleine de Jonas et l'ânesse de Balaam [...] mais du coup l'âme [...] se change en ânesse, en baleine »[100] ; « fables de *nursery* »[101], écrit Sartre. Cette énorme crypte glissant sur les mers et renfermant en elle « tout un homme » endormi, a dû fasciner, par la parenté de structure qu'elle présente avec ses fantasmes familiers, l'imagination de l'enfant.

Variations sur un bénitier.

Les variations de Sartre, tout au long du livre, sur l'image du bénitier, nous paraissent aller dans le même sens. On part de la vacuité pour piéger l'infini et les connotations homosexuelles et anales apparaissent, peu à peu, au fil des textes. Dans le premier, Sartre commente, admirablement, ce que Gustave appelle « simplicité ». Citant un passage inédit de *Madame Bovary* :

> « Temps heureux de sa jeunesse où son cœur était pur comme l'eau des bénitiers et ne reflétait comme eux que les arabesques des vitraux avec la tranquille élévation des espérances célestes »[102],

il reprend :

> « Un cœur simple », « un cœur pur » ne se contrarie pas luimême, il n'est pas déchiré par le conflit de la Raison et de la Foi : son mouvement naturel le porte vers le haut ; il s'élève en adorant. Qui ? Dieu, un Seigneur, un Père, une Patronne : peu importe ; c'est l'élévation qui compte, quel qu'en soit l'ob-

96. I.F., tome II, p. 1302.
97. MT., p. 110.
98. I.F., tome I, p. 509.
99. I.F., tome I, p. 510.
100. I.F., tome I, p. 535.
101. I.F., tome I, p. 535.
102. I.F., tome I, p. 332.

> jet. [...] La « servante au grand cœur » a mis son génie dans sa vie »[103].

Ainsi fait Charles, à qui l'amour souffle « ces mots inattendus : « C'est la Fatalité »[104] :

> « D'un seul coup il s'élève au-dessus de Homais et de Larivière lui-même. A cet instant, le véritable crétin, c'est Rodolphe qui trouve ce mari trompé « un peu vil ». Un texte retranché de la version définitive met les points sur les *i* : « Car (Rodolphe) ne comprenait rien à la passion vide d'orgueil, sans respect humain ni conscience qui plonge tout entière dans l'être aimé, accapare ses sentiments, en palpite et touche aux proportions d'une idée pure à force de largeur et d'impersonnalité. » Nous sommes fort loin de l'individualisme bourgeois : tout au contraire, les seuls sentiments qui trouvent grâce auprès de ce misanthrope, ce sont ceux qui font éclater l'individu. A ce niveau, les « humbles », les « imbéciles » sont « illimités » et l'universalité du sentiment leur donne la profondeur de la pensée »[105].

Et Sartre conclut :

> « Le lien dont Flaubert se souvient, celui qu'il magnifie dans *Un cœur simple* c'est la vassalité. [..] L'image du bénitier le marque clairement : il faut avoir une âme nue, large, vacante, assez calme pour que le Maître s'y reflète [...]. La substance contingente et finie, quand elle est pure, reflète amoureusement et passivement une puissance infinie qui, tout à la fois, fait sauter ses limites et renforce son unité »[106].

Laissons de côté ce qui fait sans doute le charme premier de ces pages : la sentimentalité de Sartre, cette sentimentalité qui lui fait écrire : « l'immense bêtise rêveuse de Charbovary, l'enfant qui, devenu homme, aura la gloire unique de mourir d'amour »[107]. Remarquons en passant que, malgré les apparences, l'amour de la « servante au grand cœur », l'amour de Charles, n'appartiennent pas à « l'ordre du cœur » : Sartre réserve le mot d'amour à un attachement archaïque. Aussi peut-on tenir pour suspecte cette « pureté » qui méconnaît son désir. Il s'agit de « faire sauter ses limites » en reflétant « une puissance infinie ».

Deux cents pages plus loin, Sartre reprend l'image du bénitier et l'applique à Gustave : « Notez le double mouvement si caractéristique chez Flaubert : il y a *visitation* ; c'est la générosité du Supérieur, qui comble son vassal en se mirant dans son cœur ; les arabesques, les vitraux daignent confier leur image à l'eau du bénitier. Et, simul-

---

103. I.F., tome I, p. 332.
104. I.F., tome I, p. 333.
105. I.F., tome I, p. 333.
106. I.F., tome I, p. 333-334.
107. I.F., tome II, p. 1115.

tanément, on nous suggère un élan d'espérance, une « élévation tranquille » de ce métalloïde à la renverse. [...] Cette eau basse et plate, que son récipient doit protéger contre la moindre vibration, c'est Gustave couché sur le dos, visité, emporté par une ascension intemporelle et verticale [...] l'être créé [...] se fait, par son total néant, l'hôte d'une puissance infinie qui, tout à la fois, daigne se contenir dans cette étroite lacune, la sanctifie, la valorise, la déborde, supprime ses limites et la résorbe en soi-même »[108]. Lorsque l'image revient une nouvelle fois, les connotations se modifient. Sartre essaie de dégager les significations d'une des tentations permanentes de Flaubert, se laisser tomber, choir : « rappelons-nous cette eau bénite, couchante, couchée dans son bénitier qui reflète les hautes nervures du ciel. [...] quand on est en bas, couché sur un lit d'ordures, on regarde vers le Haut »[109]. « Couchante », « lit d'ordures »... Que, quelques pages plus loin, l'image reparaisse avec des résonances nettement homosexuelles ne nous étonnera pas : « celui que Dieu a élu et pénétré, c'est un vase sacré et, s'en retirât-Il ensuite, Il l'a désigné pour toujours comme *Son* homme. [...] sur certains Ganymèdes, la grâce fond comme l'aigle de Jupiter, elle vient les chercher à ras de terre et les emporte, mignons divins, dans ses serres »[110]. Cinq cents pages plus loin, le bénitier a disparu ; il est là, pourtant, dans ce vœu que Sartre prête à Gustave : « Une inerte lacune dans un corps de granit, ce ne serait plus vivre, grâce à Dieu, mais *être* »[111].

Du danger de la religion.

Ce désir de posséder l'infini est sans doute ce qui explique que les religions soient perçues comme dangereuses par Flaubert selon Sartre et par Sartre lui-même : « les religions sont des *particularités* [...]. La Religion tue l'instinct religieux. [...] Dieu [...] nous a créés *finis*. Ceux qui ont pris conscience du traquenard, [...] refuseront de croire sans ignorer pour autant qu'ils se privent ainsi de tout accomplissement »[112]. Il faut repousser « la Foi quelle qu'elle soit, c'est-à-dire toute adhésion heureuse à quelque figuration humaine de la Divinité »[113]. « Toutes les confessions sont tentations »[114], « ruse du Créateur qui oblige la créature à choisir définitivement la finitude en croyant se donner à l'Infini »[115]. Nous reviendrons sur ce jeu de cache-cache avec le Créateur qui est à la base du « Qui perd gagne ». Contentons-nous d'attirer l'attention, pour l'instant, sur le côté « cas-

108. I.F., tome I, p. 510-511.
109. I.F., tome I, p. 593.
110. I.F., tome I, p. 606.
111. I.F., tome I, p. 1077.
112. I.F., tome I, p. 583.
113. I.F., tome I, p. 586.
114. I.F., tome I, p. 586.
115. I.F., tome I, p. 586.

trateur » de certaines métaphores sartriennes : Mlle de Chantepie confie à Gustave qu'elle ne peut se confesser sans éprouver le besoin d'avouer de monstrueux péchés qu'elle n'a évidemment pas commis : « Gustave [...] juge qu'elle a perdu la foi, n'ose se l'avouer et que les parties basses de l'âme, croyant bien faire, tentent de l'écarter des sacrements en laissant filtrer quelques-uns de ses affreux désirs [...] il juge le moment opportun pour l'opération chirurgicale ; cette femme *voudrait* croire mais ne le *veut pas* : il faut donc l'opérer de la foi. [...] il ne dit point : ne croyez plus mais : soyez catholique entièrement, aveuglément ou soyez tout à fait philosophe »[116].

Avec le fils aîné des Flaubert, athée comme son père, le type d'opération se précise : « Le coup fumant qu'elle a manqué avec Gustave, la Science, avec Achille, l'aurait réussi : tuer la Foi dans l'œuf sans espoir de résurrection, opérer un curetage du cœur »[117]. Il s'agit toujours, dans ces images, de tuer quelque chose qui est vivant, qui peut donc croître, se développer et mourir. Il ne faut pas laisser vivre en soi quelque chose qui n'est pas « déjà mort ». L'arbre vert doit perdre ses feuilles pour se couronner de flammes. Ce n'est pas l'instinct religieux, nous le verrons, que la Foi menace mais le désir de l'œuvre, sacralisé. C'est pourquoi elle est dangereuse. Aussi, lorsque Sartre, décrivant les années de collège de Gustave, qualifie l'Eglise de « voleuse d'enfants »[118], l'expression n'est pas un simple cliché anticlérical : l'Eglise fait peur, comme la vieille folle rencontrée par le petit Jean-Paul sur les quais et qui marmonne : « Cet enfant, je le mettrai dans ma poche »[119] ; elle vole des énergies que Flaubert et Sartre entendent réserver à l'écriture. Aussi faut-il s'en protéger[120]. Dans *Les Mots,* « la Foi des autres » apparaît comme « une énorme puissance » qui « guette » et « enserre dans ses griffes »[121]. Mais le texte est trompeur, car il assimile religion chrétienne et religion de la littérature. Sartre méconnaît son propre désir lorsqu'il attribue à la Foi *des autres* et non à sa névrose personnelle cette « énorme puissance ». Il est plus lucide, dans *L'Idiot de la famille,* quand il oppose les confessions particulières au désir de l'œuvre. Dans son autobiographie, il confond, sciemment ou non, ces deux ordres de réalité : « Ecrire, ce fut longtemps demander à la Mort, à la Religion sous un masque d'arracher ma vie au hasard. Je fus d'Eglise. Militant, je voulus me sauver par les œuvres ; mystique, je tentai de dévoiler le silence de l'être »[122]. Il n'est pas sûr, nous le ver-

---

116. I.F., tome I, p. 584.
117. I.F., tome I, p. 381.
118. I.F., tome II, p. 1332 (Sartre fait parler les « pères de famille, anciens jacobins »).
119. MT., p. 76.
120. *Cf.* : « Achille est protégé contre le christianisme par un culte plus ancien et plus méticuleux : c'est le plus fidèle adepte de la religion domestique » I.F., tome I, p. 114.
121. MT., p. 208.
122. MT., p. 209.

rons, que le mystique ait disparu de *L'Idiot de la famille.* Mais à parler, pour l'écrivain, du militant qui se sauve par les œuvres, on commet un abus de termes. Cet homme-là, dans le christianisme comme ailleurs, est un « homme de la praxis ». Il y a œuvre et œuvre. Sartre écrit dans le *Flaubert* : « l'œuvre, détachée de l'auteur, [...] reproduit imaginairement [son insertion dans le monde] comme libre incarnation du tout — à la manière dont le Dieu chrétien se fit homme volontairement. Flaubert nous fait comprendre, à sa façon, que l'œuvre dans son impersonnalité même doit être un « universel singulier »[123]. Cette œuvre-là, métaphore et rivale de l'Homme-Dieu, « mini-praxis »[124] et maxi-fantasme, a peu de rapport avec l'action du militant ou avec la charité du saint.

En fait, la religion de l'écriture, le « sacré [déposé] dans les Belles-Lettres »[125], est bien autre chose que « la Religion sous un masque »[126]. Etre chrétien suppose que l'on accepte la finitude, que l'on renonce à la toute-puissance. Aussi la religion de l'écriture ne peut-elle ressentir le Christ des Evangiles que comme une menace pour ses christs travestis. Car l'écrivain, christ masochiste, est piège à Dieu et le fruit de cet étrange accouplement est encore un avatar du Christ : le livre Homme-Dieu, « grand fétiche maniable et terrible »[127].

La Nuit de Pont-l'Evêque.

Peut-être pouvons-nous aborder à nouveau maintenant le jeu de « Qui perd gagne » auquel Sartre prête finalement, dans *L'Idiot de la famille*, un sens religieux. De *Bariona* aux *Séquestrés d'Altona*, ce schème fondamental structure le drame sartrien ; il ordonne aussi, implicitement, l'univers romanesque. Il organise ou plutôt il *est* la névrose de l'écrivain que celui-ci se nomme Jean-Paul Sartre, Jean Genet ou Gustave Flaubert. C'est la description du « Qui perd gagne » flaubertien qui oriente les deux mille pages des premiers tomes de *L'Idiot de la famille.* A la page 545, Sartre écrit : « Après l'« attaque nerveuse », [Gustave] aura trouvé la règle du Jeu, de *son* jeu : qui perd gagne. Nous y reviendrons longuement dans le second volume de cet ouvrage. Mais, pour l'instant, c'est le jeune enragé des années 30 qui nous intéresse ; or ce Gustave-là ne se fait pas de cadeau : celui qui perd, il perd sur toute la ligne. [...] A quinze ans, à vingt ans, Flaubert a son opinion faite : il sera impitoyablement damné », et quelques pages plus loin : « nous verrons que la route de Deauville à Rouen [lieu de l' « attaque », de la « chute »] a été, d'une

123. I.F., tome II, p. 2003, note 1.
124. I.F., tome I, p. 1014.
125. MT., p. 207.
126. MT., p. 209.
127. MT., p. 162.

certaine manière, son chemin de Damas : il pense qu'il a été choisi pour perdre Dieu sans recours et, tout au fond de lui, que cette perte suprême, à la condition de s'en désespérer, peut-être une façon de le gagner. Cette métamorphose ne nous retiendra pas, présentement : Gustave ne l'avouera jamais et pour la mettre au jour nous serons contraints de faire un long travail »[128].

Ce long travail, dont on peut se demander s'il n'est pas travail du deuil (Sartre, comme Flaubert écrivant *La légende,* « perd son talisman »[129] en décryptant le « Qui perd gagne »), culmine dans la célébration sans cesse reprise de la fameuse nuit de Pont-l'Evêque. Nuit de la Chute qui ramasse et condense en elle l'obscure clarté d'autres nuits du Destin. Envers de la nuit de feu pascalienne, elle est cependant « conversion au sens religieux du terme »[130]. Point de *Mémorial,* mais le *Mystère de Jésus :* « il faut que Flaubert soit à la fois celui qui cherche en gémissant, sachant qu'il n'y a rien à chercher et celui qu'une voix inaudible, muette, interpelle parfois : « Tu ne me chercherais pas si tu ne m'avais pas trouvé »[131]. Les nuits évangéliques où le Maître revient prêtent leurs images au récit : avec l'apparition du roulier, « matérialisation [...] de l'hostilité nocturne »[132], l'événement « saute sur lui comme un voleur »[133]. La relation de la Chute emprunte, tout au long, au Nouveau Testament ; Gustave est allé voir, à Deauville, ce terrain au bord de la mer qui le désigne comme héritier : « avant d'en arriver là, il passera par le chas d'une aiguille. Paris l'attend et le droit. [...] Rouen n'est qu'une étape sur le chemin qui le ramène à la capitale [...]. Donc, [...] le retour à Rouen sera vécu comme un calvaire »[134]. « S'il prêtait attention aux troubles physiques qui annoncent en lui la débâcle, peut-être ne serait-il pas trop tard pour les calmer. Peut-être suffirait-il simplement de passer les rênes à son frère [...]. Justement c'est ce qu'il ne fera pas : s'il doit être terrassé en pleine obéissance, il faut que sa main droite ignore sa main gauche »[135]. Il s'absorbe dans « cette action réelle et symbolique [...] qui réclame toute son attention : conduire dans le noir. Les lanternes éclairent à peine : il faut regarder devant soi ; [...] scruter sans cesse dans les ténèbres extérieures pendant que, dans les ténèbres intérieures, *quelque chose* se passe »[136].

La nuit de l'événement attire à elle d'autres nuits symboliques, « nuit obscure » de saint Jean de la Croix, nuit de Phèdre : Gusta-

128. I.F., tome I, p. 576.
129. I.F., tome II, p. 2133. Est-ce un deuil véritable ou un dernier tour de « Qui perd gagne » ? Souvenons-nous qu'il faut afficher la perte pour gagner.
130. I.F., tome II, p. 2074-2075.
131. I.F., tome II, p. 2106.
132. I.F., tome II, p. 1838.
133. I.F., tome II, p. 1838.
134. I.F., tome II, p. 1821.
135. I.F., tome II, p. 1824.
136. I.F., tome II, p. 1824.

ve « moyen choisi [...] par la nuit pour retrouver sa pureté par l'élimination du gêneur »[137] est tout près de celle qui agonise en chuchotant :

> « Et la mort, à mes yeux dérobant la clarté,
> Rend au jour, qu'ils souillaient, toute sa pureté. »

Comme Marguerite, l'une des héroïnes de ses œuvres de jeunesse, il pourrait reprendre, en cette nuit mémorable, les pensées que Sartre prête à la jeune laide en train de se détruire : « *c'est moi-même* ; faille consciente dans la plénitude qui exige, pour se reformer totale, ma disparition »[138].

Une conversion selon le cœur de Sartre.

Mais il ne faudrait pas que ce vœu d'effacement mystique nous égare : la nuit de Pont-l'Evêque est aussi la « bataille de Pont-l'Evêque »[139]. Dure nuit où le combat n'est peut-être pas spirituel. Les titres de la troisième partie du livre le disent bien : « La « Chute » envisagée comme réponse immédiate, négative et tactique à une urgence »[140] ; « La crise envisagée comme stratégie positive [...] »[141]. Et dès le début du livre : « c'est une guerre *tragique* : le hasard n'y entre pas; [...] la bataille de Pont-l'Evêque *devait avoir lieu*; elle a été réglée jusqu'au moindre détail »[142]. Sartre retrouve la tête épique de Jean-Paul enfant pour célébrer la « longue marche »[143] de Flaubert et cette « témérité sombre, [...] qu'il [...] aura une fois, dans la nuit la plus noire et la plus longue de sa vie, en cet instant extraordinaire où la liberté naîtra enfin pour se choisir névrose et où la névrose, en le foudroyant, deviendra sa liberté »[144]. D'où vient que cette nuit noire rayonne et que Sartre en l'évoquant trouve des accents de jubilation ? L'analyse des scénarios de la Passion du Père et de la Passion du Fils, le relevé des images qui sous-tendent l'activité de l'écriture nous ont déjà mis sur la voie. Si le drame de la chute est préparé tout au long de l'œuvre pour éclater à la fin en une orchestration à la fois épique et lyrique, c'est que la fantasmatique sartrienne y a trouvé un matériau de choix. Le « Qui perd gagne » (castration apparente, phallus caché) s'y manifeste dans sa pureté. Sartre va pouvoir enfin se donner le plaisir d'écrire une conversion selon son cœur : « la plupart des convertis prétendent passer du moindre être à l'être »[145], comme ce pauvre Daniel des *Chemins de la*

---

137. I.F., tome II, p. 1833.
138. I.F., tome I, p. 318.
139. I.F., tome I, p. 191.
140. I.F., tome II, p. 1769.
141. I.F., tome II, p. 1921.
142. I.F., tome I, p. 191.
143. I.F., tome II, p. 1464.
144. I.F., tome II, p. 1142, note 1.
145. I.F., tome II, p. 1418.

Liberté. Gustave, plus retors, a compris « qu'on ne gagne rien si l'on ne perd pas d'abord cela même qu'on veut gagner »[146]. Il ne s'agit pas de passer du moins au plus, mais de cacher le plus sous le moins : « il faut désespérer pour entreprendre et prévoir l'échec pour persévérer »[147]. De la formule du Taciturne Gustave n'adopte que « le reflet diabolique et retourné »[148]. La conversion sartrienne est changement de signe. Les conversions à l'Etre l'irritent, comme s'irrite d'un novice un joueur confirmé. Le converti est un naïf qui croit qu'il est parce qu'il a, alors que les convertis selon le cœur de Sartre, Genet, Flaubert, justement parce qu'ils n'ont pas (ou ne veulent pas avoir quelque chose qui n'est pas tout), espèrent *être* subrepticement. Aussi l'exaspèrent-ils, ceux qui osent afficher leur tranquille possession de l'Etre (du moins Sartre voit-il les choses ainsi et cela nous renvoie au désir de châtrer l'autre qui est supposé avoir : qui gagne perd). On comprend, dès lors, que les conversions le fascinent, il est pris d'une sorte de jalousie à leur égard, il veut « démystifier l'expérience-révélation »[149]; « nul n'ignore, écrit-il, que le feu d'artifice termine, chez le converti, un sourd et lent travail qui s'étend sur des années. [...] Avant de se convertir, il faut qu'il se soit fait convertible »[150]. Bien sûr, mais il n'empêche qu'après avoir décrit longuement le travail de la conversion chez Flaubert, Sartre donne au feu d'artifice final le coup de pouce littéraire qui le fait accéder au mythe.

Nous verrons, dans un premier temps, qu'on se « convertit à ce qu'on *est*, en privilégiant et en radicalisant quelque tendance essentielle »[151] et que cette tendance essentielle recouvre chez Flaubert et chez Sartre les mêmes schèmes fondamentaux. Mais nous serons amenée, dans un second temps, à discuter l'interprétation sartrienne du « Qui perd gagne » primitif, informulé. S'appuyant sur *La Légende de saint Julien l'Hospitalier* et sur une courte prière écrite par Flaubert avant de commencer *Salammbô,* Sartre convertit le « Qui perd gagne » en un « Abba, Père » qui aurait pour Flaubert une valeur religieuse et que Sartre traduit en terme de besoin affectif. Nous nous demanderons si Sartre ne prête pas au « Qui perd gagne » profond un cri qui est le sien, et si les deux « Qui perd gagne » ne sont pas, malgré les apparences, identiques.

---

146. I.F., tome II, p. 2057.
147. I.F., tome II, p. 2047, note 2.
148. I.F., tome II, p. 2047, note 2.
149. I.F., tome I, p. 482. On comprend aussi que c'est parce qu'il ne peut envisager la conversion autrement que comme une captation, qu'il se méprend sur le sens du mot dans l'expression « hystérie de conversion ». Il lui donne une signification religieuse (*cf.* I.F., tome I, p. 176, tome II, p. 1929), alors que le mot désigne, en psychanalyse, la transposition d'un conflit psychique dans des symptômes somatiques.
Claude Mouchard a signalé ce glissement (voir « Un roman vrai ? », *Critique,* décembre 1971, n° 295, p. 1046, note 14).
150. I.F., tome I, p. 177.
151. I.F., tome II, p. 1932, note 1.

Chute et homosexualité.

L'« attaque » de Pont-l'Evêque rassemble en elle un grand nombre de significations qui, pour nous, se ramènent au schéma fondamental de la captation du phallus paternel. L'homosexualité latente est facilement repérable : Gustave « tombe »[152], fait un « plongeon »[153], fait la « culbute »[154], « s'abat »[155] aux pieds de son frère. Sartre souligne que ce dernier est ici le substitut du *pater familias*. Mais s'il indique, en passant, une « pulsion masochiste »[156], il ignore le contenu homosexuel de la chute. Comme toutes les fois qu'il s'agit d'une relation à la figure paternelle, la vassalité reparaît : « mon frère, sauve-moi de la mort ou de l'imbécillité, tu seras mon Seigneur »[157]. Cependant la description littéraire en dit plus que les analyses abstraites qui l'accompagnent : « en cette nuit obscure »[158], « la tentation se confond avec la grande masse paisible de l'aîné »[159]. Le cadet conduit, « l'autre se prélasse dans un char »[160], figure néronienne du Bel Indifférent.

Le fantasme de possession anale se lit encore dans la verticalité qui structure la chute : « Embroché sur la verticale négative »[161], écrit Sartre. C'est le supplice du pal, présent dès *L'Enfance d'un chef* et que l'on retrouve, curieusement, à propos du système de symboles dans lequel le croyant se meut : « la verticale l'empale et la traverse »[162], déclare Sartre qui poursuit : « Sur un livre d'or, dans un hôtel bâti sur un des plus hauts sommets de France, j'ai lu cette niaiserie significative, écrite et paraphée par un couple catholique en voyage de noces : « Plus près de toi, mon Dieu ! » On a de la répugnance à imaginer ces jeunes mariés et leurs nuits : d'accord. Et d'autant plus, j'imagine, qu'on est soi-même croyant. N'importe : cette bourde marque clairement que la Foi structurait ce que les gestaltistes appelaient leur « espace hodologique »[163]. Il est aussi, parmi les athées, note Sartre, des gens qui — par orgueil ou pour toute autre raison — se sentent écrasés par ce qui surplombe : la verticalité se structure en *chute*, en éboulis ; ils n'ont de cesse que d'être au plus haut »[164]. Ces lignes de force, conclut-il, « reflètent notre *imago* »[165]. Ainsi, bien avant la « chute », Gustave enfant, « tantôt ludion, tantôt

152. I.F., tome I, p. 593.
153. I.F., tome II, p. 1142.
154. I.F., tome II, p. 2001.
155. I.F., tome II, p. 1935.
156. I.F., tome II, p. 1831.
157. I.F., tome II, p. 1832.
158. I.F., tome II, p. 1830.
159. I.F., tome II, p. 1830.
160. I.F., tome II, p. 1830.
161. I.F., tome II, p. 1926.
162. I.F., tome I, p. 591.
163. I.F., tome I, p. 591.
164. I.F., tome I, p. 592.
165. I.F., tome I, p. 592.

scaphandrier »[166], comme l'auteur des *Mots*, s'évanouissait-il au plafond pour échapper au classement, quand le professeur rendait les copies : « il lui a suffi d'intérioriser la verticalité chrétienne pour donner l'orientation « Bas-Haut » à ses disparitions intermittentes »[167], commentait Sartre. Soit, mais est-ce bien la verticalité « chrétienne » qui « empale » ? Est-ce elle qui fait écrire à Sartre : « son Destin l'enfile »[168]. L'imagerie chrétienne ne masque-t-elle pas ici ce qui est apparent dans *Saint Genet* lorsqu'il s'agit de chute : « cet univers de donjons, de minarets, de campaniles, ce hérissement phallique de la nature, c'est la vision d'un homme en train de choir »[169] ?

Etre la matière.

Autre intention de la chute, qui, pour nous, renvoie encore au refus d'accepter la finitude et au désir de toute-puissance, le rêve « de se rejoindre à la terre ou à l'eau, à la passivité originelle de la matière, à la minéralité »[170]. Gustave constitue la chute comme la « révélation de sa vraie nature qui est, selon lui, l'inertie absolue »[171]. C'est le rêve de saint Antoine, « vœu de toutes les lassitudes »[172], écrit Sartre. Mais il suffit de relire la page finale de la dernière *Tentation* pour voir que l'interprétation du cri de saint Antoine par la lassitude est une distraction de Sartre ou une projection de sa propre fatigue :

> « O bonheur ! bonheur ! J'ai vu naître la vie, j'ai vu le mouvement commencer. [...] Je voudrais avoir des ailes, une carapace, une écorce, souffler de la fumée, porter une trompe, tordre mon corps, me diviser partout, être en tout, m'émaner avec les odeurs, me développer comme les plantes, couler comme l'eau, vibrer comme le son, briller comme la lumière, me blottir sur toutes les formes, pénétrer chaque atome, descendre jusqu'au fond de la matière, — être la matière ! »[173].

Sartre est mieux inspiré lorsqu'il rapproche, mais pour souligner aussitôt la différence, les paroles d'Antoine du désir de Thompson gravant son nom sur la colonne de Pompée[174]. « L'anachorète condamne en l'homme ses limites, son inquiétude, sa conscience et jusqu'à sa vie »[175]. Il réclame « l'abolition radicale de la détermination humaine au profit de la totalité »[176]. Sartre voit dans l'attitude du

---

166. MT., p. 48. *Cf.* Gustave selon Sartre, passant « sa vie à monter et à descendre », tantôt « aigle » tantôt « taupe » (I.F., tome I, p. 591).
167. I.F., tome II, p. 1179.
168. I.F., tome I, p. 955.
169. S.G., p. 106.
170. I.F., tome II, p. 1857.
171. I.F., tome II, p. 1858.
172. I.F., tome I, p. 242.
173. Flaubert, *Œuvres*, Gallimard, Pléiade, 1951, tome I, p. 164.
174. Voir *supra*, 3e partie, chap. II, p. 368.
175. I.F., tome I, p. 629.
176. I.F., tome I, p. 629.

voyageur anglais et dans celle du moine, « deux souhaits opposés — une victoire matérielle de la matière en sa matérialité [Thompson], la matière réalisant sa plénitude par l'abolition de la vie et de la pensée [Antoine] »[177]. Il va sans dire que, pour nous, les intentions ne sont pas si différentes : l'une donne de l'autre une traduction naïve et nous lisons le refus d'accepter la castration dans « l'abolition radicale de la détermination humaine au profit de la totalité ».

Un autre passage de *L'Idiot de la famille* éclaire ce vœu de rejoindre la matière, où Sartre voit l'un des schèmes fondamentaux de la sensibilité flaubertienne ; il s'agit du premier adultère d'Emma. Sartre commente :

> « la Nature est là, muette, qui l'enveloppe et la pénètre. On dirait que Rodolphe est le moyen choisi par le *cosmos* pour entrer en cette femme comme le Tout se manifeste dans la partie au risque de la faire éclater. Le sexe érigé du beau cavalier, le plaisir émoussé [...] qu'il se ménage, c'est l'inessentiel : ce trompeur est la dupe du monde »[178].
>
> « Emma, à la renverse, le corps fouillé par un sexe d'homme, les yeux brûlés par le feu d'un astre, est bien près de réaliser le vœu du dernier Saint Antoine : « être la matière ». Ce qui est sûr, en tout cas, c'est qu'elle ne jouit pas [...]. Emma ne s'aperçoit même pas qu'elle n'a pas eu de plaisir : elle est devenue le monde »[179].

Nous sommes beaucoup plus près de saisir là ce qui se cache sous le « rêve de démission » que réalise la chute et sous cette « inertie absolue » qui est, selon Flaubert, sa « vraie nature ». Emma possédée, figure de l'androgyne, échappe à la détermination. Elle ne jouit pas, car elle n'est plus une femme en face d'un homme, sexuée donc limitée. « Qui perd gagne ». Gustave renonce aux désirs, à la jouissance, pour devenir le monde. Le sous-homme produira des chefs d'œuvre : « *Salammbô* sera, comme *Le Roi Lear*, un morceau de nature ; tous les éléments s'uniront pour la produire : elle sera ciel, mer, désert fauve, sables tourbillonnant au vent »[180]. Peut-être pouvons-nous mieux entendre, maintenant, les résonances de la phrase des *Mots*, dans le passage qui évoque la métamorphose de Sartre en livre : « Je renais, je deviens enfin tout un homme, pensant, parlant, chantant, tonitruant, qui s'affirme avec l'*inertie péremptoire de la matière* »[181].

---

177. I.F., tome I, p. 629.
178. I.F., tome II, p. 1282-1283.
179. I.F., tome II, p. 1283-1284.
180. I.F., tome II, p. 2101.
181. MT., p. 161 ; souligné par nous.

Felix culpa.

Sans doute l'orchestration de la chute, dans *L'Idiot de la famille,* permet-elle de mesurer aussi à quel point le débat existentialiste des années quarante sur la priorité de l'essence ou de l'existence, s'enracine dans l'idiosyncrasie sartrienne. Il est vital pour la névrose de Sartre que l'homme échappe à la détermination, qu'il soit indéfinissable : « ce qui lui inspire l'horreur la plus concrète, écrit-il de Flaubert, c'est la nécessité pour l'homme d'être fils de l'homme, de naître avec un passé déjà constitué, avec un futur hypothéqué, d'apparaître dans le monde comme un ensemble de moyens agencés d'avance pour atteindre une certaine fin qu'il intériorise et qui est, en lui, celle de l'Autre »[182]. Dans cette lutte pour laisser à l'indéfini[183] sa chance, Pascal, lu d'une certaine manière, peut être d'un grand secours. Analysant *Quidquid volueris* où Gustave adolescent met en scène un pauvre monstre né d'un singe et d'une femme, Sartre écrit :

> « l'anthropopithèque, [...] ressemble à l'homme de Pascal après la Chute : [...] Adam n'est point *définissable* [...]. Avant la Chute, notre espèce n'existait pas : c'est Adam qui s'est fait homme par le péché et en attirant sur lui [...] la malédiction divine. A quinze ans, Gustave assigne à la naissance de Djalioh la fonction que Pascal assigne à la Chute : celle d'un commencement absolu. Ni ange ni bête, dit l'un : l'ange et la bête correspondent à des concepts puisque ni l'un ni l'autre n'ont fauté. Et Flaubert : ni bête ni homme »[184].
>
> « Ce rapprochement de Flaubert et de Pascal est d'autant plus justifié que Gustave aime à répéter : « Je crois à la malédiction d'Adam. » Qu'est-ce que cela veut dire sinon que, chez l'homme, l'existence précède l'essence ? [...] toutefois [...] pour Pascal, la malédiction vient après la faute : le Seigneur avait créé l'homme à son image, il le destinait à faire le Bien et à changer (*sic*) Sa gloire ; la faute est venue d'Adam lui-même, c'est-à-dire de cette partie d'ombre et de néant qui existe en toute créature et sur laquelle le Tout-Puissant ne peut rien, étant la plénitude de l'Etre[185]. Pour Gustave, la malédiction d'Adam est un levain qu'on met dans la pâte même, dont on le pétrit » [186].

Sartre chante à sa manière *Felix culpa.* C'est cette heureuse faute qui lui permet de « changer » la gloire de Dieu. On mesure, avec un texte comme celui-ci, choisi parmi beaucoup d'autres, le retentissement en Sartre de Pascal et de Flaubert. Le versant volontariste et militant de l'œuvre, celui des déclarations, des manifestes et de la *praxis,* c'est le côté « pascalien » (travesti) de Sartre. Du côté de

182. I.F., tome I, p. 284.
183. *Cf.* MT., p. 29 : « j'étais l'indéfini en chair et en os ».
184. I.F., tome I, p. 209.
185. Voir là-dessus, *supra,* 2e partie, chap. II, p. 239-240.
186. I.F., tome I, p. 210.

chez Flaubert, il y a l'enfant des *Mots* avec ses commandements cousus sous la peau, le séquestré marqué par la voix de son père et qui enregistre la sienne pour les crabes. Semblable à Djalioh, s'il n'a pas réussi à être un homme, c'est qu'il n'a pas pu supporter en lui la bête[187]. Comme la Chute pour Pascal, la chute de Flaubert en janvier 1844 prend, pour Sartre, la valeur d'un commencement absolu. Mais de l'une à l'autre, il y a toute la différence qui sépare un drame cosmique d'un « système fait pour un seul »[188]. En tombant, Flaubert congédie l'homme et cache derrière l'idiot le grand homme futur. Il fait de lui enfin Gustave Flaubert.

Flaubert et la théologie négative.

C'est la traduction religieuse de ce calcul et la place que lui donne Sartre dans *L'Idiot de la famille,* qui nous retiendront maintenant. Sartre, dans la dernière partie du second tome, explore toutes les signification possibles de la chute : affolement de Flaubert devant les exigences de son père (faire son droit, réussir, choisir un état). Qui peut le plus (Gustave rêve de gloire future) ne peut pas le moins (être un notable) ; la chute, c'est la fuite dans la maladie, la mutilation du paysan qui se coupe un doigt pour ne pas être enrôlé[189]. C'est aussi la réalisation auto-punitive et vengeresse des jugements paternels : tu me prends pour un « Flaubert loupé »[190], je le serai. C'est pouvoir dire comme Frantz dans *Les Séquestrés d'Altona* : « je suis *un* malade »[191], donc obtenir le droit d'être entretenu, de voir ses besoins satisfaits et de renoncer aux désirs ; droit d'être célibataire, moine : « Un amour normal, régulier, nourri et solide me sortirait trop hors de moi »[192] ; tout cela pour préserver, obscurément, les chances de l'œuvre à naître. Une page de *L'Idiot de la famille* donne à sentir ce foisonnement de sens. Sartre y compare la chute de 44 et la transformation de Grégoire Samsa en vermine : « L'intention de Gustave, nous la devinons quand nous relisons *La Métamorphose* : cette bête horrible qui meurt de honte et qui plonge sa famille dans l'opprobre, coupable punie, innocente victime des siens et, de toute manière, répugnante, c'est un excellent symbole de l'affreux inconnu qu'il s'apprête à devenir *par la crise.* [...] L'insupportable vérité, la

---

187. Voir le monologue de Frantz dans *Les Séquestrés d'Altona,* Gallimard, 1960, p. 222.
188. I.F., tome II, p. 2056. La phrase de Flaubert tirée d'une lettre à Louise Colet (8-9 août 1846) est citée exactement au tome I, p. 187 : « je marchais avec la rectitude d'un système particulier fait pour un cas spécial ».
189. Voir I.F., tome II, p. 1646.
190. I.F., tome II, p. 1142.
191. « Pour venir à bout de l'entêtement paternel, il faudrait [...] qu'il pense non plus : je suis malade — mais je suis *un* malade », I.F., tome II, p. 1670 ; *cf. Les Séquestrés d'Altona,* Gallimard, 1960, p. 101 et 157 : « je suis un malade ».
192. Cité dans I.F., tome II, p. 2053. Lettre à Alfred Le Poittevin, 17 juin 1845 ; la phrase exacte est : « Un coït normal [...] », voir *Correspondance,* Gallimard, Pléiade, 1973, p. 241.

voici : le jeune homme n'échappera pas aux exigences de sa famille sans se rendre pour toujours incapable de les remplir »[193]. Ce jeune homme, c'est Gustave Flaubert et Franz Kafka et aussi cet autre Frantz, le séquestré d'Altona.

Discours au père, la chute est aussi, selon Sartre, une parole adressée au Créateur. Les ruminations de Flaubert à propos de Dieu, que Sartre analyse longuement, il les résume ainsi à la page 587 : « dans le premier cercle, les prêtres détournent de croire ; dans le second, Gustave, seul damné, se fait privation infinie en refusant ce qui se refuse ; dans le troisième, le monde est l'Enfer et Dieu est seul coupable car Il ne pouvait produire les Créatures sans, du même coup, les priver de Lui. Leur finitude les rend folles d'un insaisissable Infini. » Autrement dit : « Dieu existe et m'a élu en me donnant le désespoir, si je veux gagner, il faut que je pousse à l'extrême l'incrédulité et la désolation qui en résulte. Voilà le tourniquet dans son intégralité »[194]. On aura reconnu, en cet élu du désespoir, un frère de « l'élu du doute », de celui qui dit de lui-même écrivant *L'Etre et le Néant* : « Plus tard j'exposai gaîment que l'homme est impossible ; impossible moi-même je ne différais des autres que par le seul mandat de manifester cette impossibilité [...]. Dogmatique, je doutais de tout sauf d'être l'élu du doute ; je rétablissais d'une main ce que je détruisais de l'autre et je tenais l'inquiétude pour la garantie de ma sécurité ; j'étais heureux »[195].

Aussi a-t-on l'impression que Sartre écrit pour lui autant que pour Flaubert lorsqu'il note : « Ainsi Gustave se trouve engagé par toute son histoire dans un processus contradictoire qui consiste à mériter par son agnosticisme douloureux que le Tout-Puissant lui donne les clés du Non-Etre, que le Très-Bon lui accorde le droit au Mal, que le Père des hommes l'autorise à démoraliser le genre humain. S'en est-il aperçu ? »[196]. Pour Sartre, Gustave a « esquissé, ici et là, ce qu'on pourrait appeler une théodicée de l'échec »[197] : « comme si Dieu disait à l'Artiste : « Tu naîtras et mourras désespéré, maudit, [...] tu n'auras Mon Assistance invisible que pour produire les œuvres qui décourageront le mieux ton espèce [...]. Ainsi le veut l'amour infini que Je te porte. » Ce serait donc le Père éternel qui, pour mieux nous dérober l'être et pour augmenter nos mérites en nous accablant davantage, favoriserait les [...] Seigneurs du Trompe-l'œil ; et ceux-ci, croyant vendre leur âme au Diable, se feraient les auxiliaires de la Providence »[198]. Mais la règle du « Qui perd gagne » exige que cette théodicée ne soit nulle part explicitée : « l'Absolu est

193. I.F., tome II, p. 1753.
194. I.F., tome I, p. 587.
195. MT., p. 210.
196. I.F., tome II, p. 2085.
197. I.F., tome II, p. 2086.
198. I.F., tome II, p. 2087.

ailleurs ; jamais révélé, [...] sinon par la souffrance infinie de l'âme infiniment frustrée et, par là même, élue — sans qu'elle s'en doute bien sûr mais, c'est l'hypocrisie fondamentale, sans qu'elle puisse, au milieu de son désespoir, s'empêcher de le pressentir »[199]. Flaubert, souligne Sartre, est au bord de la Théologie négative dont il sera le « promoteur laïc »[200]. Personne dans l'Eglise d'alors ne pouvant l'y autoriser, il l'inventera seul et dans les « transes »[201] ; « puisqu'elle n'est pas cautionnée par une Institution, cette théologie négative qui n'osera jamais dire son nom, qu'il créera par « vol à voile » et comme à son insu sera tout à la fois son calvaire, sa névrose et son génie »[202] ; « il s'est fait — contre les petits bons Dieux à barbe blanche et les Christs jolis garçons qu'on vend autour des églises — le témoin du terrible Dieu caché dont l'absence lui dévore le foie »[203].

Sartre a, c'est l'évidence même, un vieux compte à régler avec la théologie négative, cette « sophistique du Non »[204], comme il l'appelle dans *Saint Genet*. Invention de Flaubert, elle est prouesse, Gustave est Prométhée. Invention des clercs à la fin du siècle dernier, Sartre la tourne en dérision, témoin, entre autres, ce bel exercice de style :

> « S'il se fût trouvé, entre 1835 et 1840, une jeune prêtre rouennais pour prouver l'existence du Créateur par le silence éternel des mondes créés, Son ubiquité par Son universelle absence, Sa Toute-Puissance par Son impuissance radicale et consentie, [...] Sa Justice inexorable par les infortunes de la Vertu [...] [S'il] eût dit à Gustave : « [...] non, tu ne chercherais pas Dieu si tu ne L'avais trouvé ; et, précisément pour cela, n'espère jamais Le voir ni Le toucher : Il est trouvé, te dis-je, donc tu Le chercheras jusqu'au bout, dans l'ignorance, en gémissant », bref si ce précurseur eût inventé [...] cette dialectique religieuse du Non, aujourd'hui mise au point et pratiquée en tout lieu par des spécialistes, il eût converti pour toujours le fils du philosophe voltairien »[205].

La rhétorique est vraiment, ici, malin plaisir : le marquis de Sade sert à prouver Dieu, la phrase pascalienne est retournée comme un gant ; au-delà du jeu taquin avec les grands hommes (et l'on sait que la taquinerie appartient à la structure caractérielle anale), ces lignes disent à la fois : je n'y crois pas, parce que c'est révoltant et je n'y crois pas parce que ce serait trop beau. Le ressentiment contre les prêtres, que Sartre suppose chez Flaubert, peut avoir été le sien : « le mysticisme convient aux personnes déplacées, écrit-il dans *Les Mots*,

---

199. I.F., tome I, p. 533.
200. I.F., tome I, p. 534.
201. I.F., tome I, p. 534.
202. I.F., tome I, p. 534.
203. I.F., tome I, p. 564.
204. S.G., p. 191, note 1.
205. I.F., tome I, p. 532.

aux enfants surnuméraires : pour m'y précipiter il aurait suffi de me présenter l'affaire par l'autre bout »[206], de transformer le Oui en Non, le « Grand Patron »[207] en Absent. Mais on ne peut pas penser sérieusement que Sartre aujourd'hui regrette cette « méprise » qui l'empêchera d'être « moine »[208]. En fait, il semble bien que l'irritation perceptible dans les textes sur la théologie négative soit dirigée par Sartre contre lui-même ; elle vise en lui le virtuose du « Qui perd gagne », celui qui faisait du discours sur la contingence sa nécessité la plus intime et qui, ayant vidé le ciel, cacha longtemps le Saint-Esprit « dans les caves »[209].

C'est la nuit de la chute que Flaubert, quant à lui, invente la théologie négative. En tombant, « il se jette à jouer pour Dieu le rôle du Sans-espoir »[210]. Mais « si c'était du désespoir *pour de bon* ? S'il était ainsi fait qu'il ne puisse jamais sortir de la nuit ? A ces questions je ne donnerai qu'une réponse, écrit Sartre. Elle est de Flaubert lui-même »[211]. Et Sartre analyse les quelques lignes que Flaubert a manifestement écrites pour lui seul, au retour de son voyage en Tunisie, avant de se mettre à Salammbô : « Que toutes les énergies de la nature que j'ai aspirées me pénètrent et qu'elles s'exhalent dans mon livre ! A moi, puissance de l'émotion plastique ! Résurrection du passé, à moi ! à moi ! Il faut faire à travers le Beau, vivant et vrai quand même. Pitié pour ma volonté, Dieu des âmes ! Donne moi la force et l'espoir ! (Nuit du samedi 12 au dimanche 13 juin, minuit) »[212]. Sartre commente : « René Dumesnil n'a certainement pas tort d'appeler ce court morceau d'éloquence une invocation. Je crois pourtant qu'il serait plus juste d'y voir une invocation suivie d'une prière »[213]. Avec la prière apparaît, pour Sartre, le « Qui perd gagne » profond, « l'humble pari de la foi »[214]. L'invocation proprement dite, « sorcellerie »[215], « conjuration magique »[216], c'est le « Qui perd gagne » que nous connaissons bien, le schéma : x se meurt pour que y naisse[217], que Sartre appelle ici « dialectique »[218] et où il voit la « rationalisation du « Qui perd gagne » originel »[219]. Nous essaierons de montrer que ces deux « Qui perd gagne » n'en font qu'un, qu'ils sont tous deux des entreprises de captation, que le « Je souffre trop, donc Tu exis-

---

206. MT., p. 81.
207. MT., p. 79.
208. MT., p. 79.
209. MT., p. 210.
210. I.F., tome II, p. 2127.
211. I.F., tome II, p. 2098.
212. I.F., tome II, p. 2099.
213. I.F., tome II, p. 2099.
214. I.F., tome II, p. 2103.
215. I.F., tome II, p. 2103.
216. I.F., tome II, p. 2099.
217. Voir *supra*, 2e partie, chap. II, p. 237 et suivantes.
218. I.F., tome II, p. 2103.
219. I.F., tome II, p. 2103.

tes » de la prière peut se traduire par le : « A moi la Toute-Puissance ! » de l'invocation.

Les deux « Qui perd gagne ».

Le côté conquérant de l'invocation, Sartre le souligne de toutes les métaphores militaires qui viennent sous sa plume : « sûr de lui, il lance un appel à des troupes qu'il a bien en main et les invite à se sacrifier [...] : souvenirs de ma grande effusion cosmique, à moi. Venez docilement périr entre mes mains pour que naisse de vous la vérité suprême, ma création continuée, l'Illusion. [...] Pour *penser antique* [...] il faut s'être fait soi-même l'*antiquité tout entière*. Et comment y parvenir, en l'absence de tout monument ? [...] en s'incorporant à la Nature africaine [...] il a réalisé son rêve d'être la matière. A présent, cette minéralisation de son âme [...] va lui servir de schème opérationnel pour la création de personnages antiques [...] Bref ce capitaine mobilise ses forces — « Résurrection du passé, à moi ! » — pour une bataille qu'il est sûr de gagner »[220]. Nous retrouvons ces figures du phallus qui nous sont maintenant familières : le rêve d'être la matière, la minéralisation de l'âme, le désir d'être statue : « il demande à son voyage de réaliser en lui l'inhumanité plénière[...] l'homme « ressuscité » comme antique c'est la statue, matière superbement inorganique et hantée par l'illusion de vivre [...] La Beauté suprême est l'Illusion absolue et l'Art le point de vue de la mort »[221]. « Ainsi, pour Flaubert, « ressusciter le passé » est œuvre maligne et « vie et vérité » deviennent entre ses mains des instruments démoniaques »[222].

Brusquement Flaubert passe à la prière : « Dieu des âmes... » ; on pourrait déjà trouver suspecte une prière qui s'appuie sur des intentions aussi diaboliques. Mais nous savons que, pour Sartre, Flaubert a esquissé une théodicée de l'échec et que Dieu lui donne le droit de démoraliser le genre humain. Revenons au commentaire sartrien : « Dieu des âmes, cela veut dire très exactement : Dieu d'amour dont l'existence est prouvée par Ton intolérable absence, Dieu que je dois posséder pour avoir tant souffert de ne T'avoir jamais trouvé. La négation de négation se change en affirmation : la révolte de l'instinct contre l'agnosticisme est ici présentée comme l'équivalent d'une affirmation impossible. Dieu *est* parce qu'il n'existe pas »[223]. Et Sartre ajoute : « Au nom du mérite accumulé, il demande aussi l'espérance. [...] A présent il connaît au moins son Ariane : c'est Dieu. S'il *espère*, l'œuvre se tissera d'elle-même [...] : L'espoir [...], c'est la grâce qui viendra le visiter, peut-être, s'il s'est

220. I.F., tome II, p. 2100.
221. I.F., tome II, p. 2102.
222. I.F., tome II, p. 2103.
223. I.F., tome II, p. 2104.

bien appliqué à réaliser en lui-même la misère de l'homme sans Dieu »[224].

De quelle grâce s'agit-il sinon d'une « grâce efficace »[225] ? On retrouve les « notions trafiquées »[226] dont parlait Sartre à la fin des *Mots*. La grâce « efficace » ici, ce n'est pas celle qui fait faire le Bien c'est celle qui fait faire un livre. Relisons une des nombreuses variations sur la nuit de Pont-l'Evêque :

> « Dans l'obstination folle de Gustave courant à sa perte, il y a la sombre conviction que le Diable ne fait pas de cadeau, que son atroce et définitif avilissement ne lui donnera pas même la chance d'écrire. Du coup, pris par la terreur fulgurante que la vérité de ce monde soit réellement atroce (il le *croyait* jusqu'ici, c'est-à-dire qu'il jouait à le croire), il ressuscite son Dieu mort et se remet entre Ses mains »[227].

Mais Sartre précise :

> « il va de soi que le Don attendu ne peut être *quelconque* : Dieu le Père est sollicité par un fidèle de vingt-deux ans, qui a vécu, qu'une pénible enfance a fait, qui s'est fait à partir d'elle ; quand il demande que ses souffrances soient récompensées, il y a beau temps qu'il a décidé de l'unique récompense qui leur soit appropriée : le génie »[228].

Ce Dieu-là, garant des chefs-d'œuvre, c'est le Saint-Esprit de Charles Schweitzer. Ce qui importe, ce n'est pas que Dieu soit, c'est qu'il rende le génie possible.

La légende de saint Julien l'Hospitalier est, avec la prière de Flaubert avant de commencer *Salammbô,* le signe qui permet à Sartre de détecter le « Qui perd gagne » profond. Mais là encore, malgré le lyrisme des pages de Sartre sur l'abandon de Gustave, à travers son héros, entre les mains du Père, nous ne saurions voir autre chose dans le second « Qui perd gagne » que ce qui est déjà dans le premier. Julien, tel que le décrit Sartre, perd pour gagner, se détruit pour posséder pleinement. *La légende* montre que celui qui damnait Madame Bovary s'exceptait lui-même de la damnation : « Julien est élu parce qu'il a l'obscure intuition que l'homme *est* sa propre impossibilité, puisque cette créature refuse sa détermination finie au nom d'un infini qu'il ne peut même concevoir »[229]. Autrement dit, Gustave rêve d'être Dieu et non que Dieu soit. Et il fait garantir par le Tout-Puissant son rêve de Toute-Puissance, travesti en rage de se détruire. Il s'agit, comme le dit Sartre ailleurs, dans *L'Idiot de*

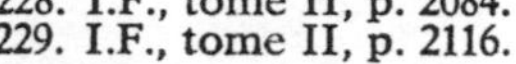

224. I.F., tome II, p. 2105.
225. I.F., tome II, p. 2104.
226. MT., p. 209.
227. I.F., tome II, p. 2083.
228. I.F., tome II, p. 2084.
229. I.F., tome II, p. 2116.

la famille, d'« endurer [...] sa Toute-impuissance »[230] pour égaler le Créateur. « En 45, ce que Gustave a découvert, dans le clair-obscur de la cathédrale, à la lumière dorée qui tombe d'un vitrail, c'est ce qu'on pourrait appeler la technique du récit en partie double »[231]. Il suffit du titre de l'œuvre pour que, sachant que Julien est un saint, nous soyons « attentifs à le chérir du divin amour que Notre-Seigneur lui porte et dont Flaubert nous a secrètement affectés. En bas il n'y a qu'un méchant qui a tourné sa méchanceté contre lui-même [...] d'en haut on contemple un martyr »[232] qui méconnaît « dans cette divine insatisfaction qui le travaille »[233] le meilleur de lui-même.

Deux convertis : Daniel et Gustave.

Ce que la *Légende* dit à Gustave, avec la « sollicitude muette de l'impératif esthétique »[234] (qui est, pour nous, rencontre fantasmatique), pendant les longues années où il s'en enchante et la caresse comme une tâche future, c'est que le mal-aimé est aimé infiniment : « cet antique produit de l'imagination sociale garantit, comme universel singulier, la singularité presque gênante du « Qui perd gagne » névrotique »[235]. « Abandonnant un triste *Cogito* qui ne le protège guère, écrit Sartre, il accepte d'être illusoire sous le regard éternel du savoir absolu : il se sent « vu » et « su »[236] ; « lorsqu'il tombe, à bout de souffle, dans la nuit de janvier 44, cette chute est un abandon à Dieu, son intention profonde est d'inventer l'amour invisible que son Créateur lui porte : il vivra désormais *sous un Regard* »[237]. Si l'on est tant soit peu familiarisé avec l'univers sartrien, on saisit immédiatement, à lire ces lignes, ce que peut avoir de « gênant » le « Qui perd gagne » « névrotique ». Etre aimé, c'est être vu, et l'on connaît les implications du « Regard » dans l'œuvre de Sartre : être pris par derrière, être transpercé, être solidifié, pétrifié, minéralisé. Relisons, dans *Le Sursis,* la longue lettre que Daniel adresse à Mathieu, au lendemain de sa conversion :

> « [...] Depuis quelques jours, je connais une légèreté de plomb[238] [...] je n'ai jamais su ce que je suis [...] j'ai je ne sais quel sentiment d'être une matière molle [...]. J'ai souvent souhaité me haïr [...]. Je ne pouvais pas m'aimer non plus [...] j'étais mon propre fardeau. Pas assez lourd, Mathieu, jamais assez lourd[239].

230. I.F., tome I, p. 566.
231. I.F., tome II, p. 2122.
232. I.F., tome II, p. 2123-2124.
233. I.F., tome II, p. 2124.
234. I.F., tome II, p. 2128.
235. I.F., tome II, p. 2127.
236. I.F., tome II, p. 2125.
237. I.F., tome II, p. 2126.
238. C.L., tome II, p. 327.
239. *Ibid.,* p. 329.

> [...] Dieu me voit, Mathieu[240]; [...] tu le sens à un léger fourmillement de tout ton dos, comparable à un resserrement violent et rapide de tous tes tissus. Eh bien, voilà ce que j'ai ressenti pour la première fois, le 26 septembre, à trois heures de l'après-midi, dans le parc de l'hôtel. Et il n'y avait personne [...] le regard était là [...] j'étais à la fois transpercé et opaque [...] la conscience d'être traversé par ce glaive [...] me réveillait en sursaut. [...] un invisible acier [...] imagine la nuit la plus obscure. C'est la nuit qui te regarde. [...] Quelle angoisse [...] quel repos, aussi [...] Je transforme à mon usage et pour ta plus grande indignation le mot imbécile et criminel de votre prophète, ce « je pense donc je suis » qui m'a tant fait souffrir — car plus je pensais, moins il me semblait être — et je dis : on me voit, donc je suis. Je n'ai plus à supporter la responsabilité de mon écoulement pâteux [...]. Je suis infini et infiniment coupable. Mais je suis, Mathieu, je suis. Devant Dieu et devant les hommes, je suis. *Ecce homo* »[241].

Nuit obscure où le *Cogito* protecteur est abandonné ; le ludion se leste, la mayonnaise prend, l'acier fige la pâte molle, la possession par l'infini est possession de l'infini. Dans le roman, Mathieu agacé n'achève pas la lettre : il la roule en boule et la jette par la fenêtre. Trente ans après, à la fin du *Flaubert,* Sartre choisit l'attendrissement.

On voit mieux, aujourd'hui, que ce n'est pas par simple goût de la provocation que Sartre a fait, de l'homosexuel de son roman, un converti. Il y avait là, chez lui, compréhension et travestissement de sa propre structure inconsciente. Convertir Daniel, c'était traduire en langage religieux le refus d'accepter la castration et « maquiller » le désir du phallus en consentement à l'inversion. Froissant la lettre, Mathieu rejetait cette « occupation » proclamée par le « Seigneur noir » qui « pétrifie » et poursuivait secrètement sa quête d'un vide assez vaste pour que la plénitude puisse un jour s'y refléter. Rappellerons-nous ce que Sartre avait fait inscrire en 1945, sur la bande publicitaire qui entourait *L'Etre et le Néant* : « Ce qui compte dans un vase, c'est le vide du milieu »[242]...

Le Salut par l'Art : « Je sais bien, mais quand même... ».

Les biographies sartriennes ont mené leur auteur, à travers les cercles de la rumination, à une ultime traduction du « Qui perd gagne » qui juxtapose un « je suis tout » (Gustave, comme l'enfant des *Mots,* est « transformateur d'énergie »[243] cosmique) et un « je

240. *Ibid.*, p. 330.
241. *Ibid.*, p. 331-332.
242. M. Contat et M. Rybalka, *Les Ecrits de Sartre,* Gallimard, 1970, p. 85.
243. MT., p. 181 ; I.F., tome II, p. 2101.

n'ai rien, le Père me manque », lui-même à nouveau transformable en un « je suis tout, puisque je possède le Tout-Puissant ». L'athéisme sartrien, « entreprise cruelle et de longue haleine »[244], travail de dé-possession, de dés-envoûtement n'est cependant pas l'équivalent d'une castration acceptée. Le « Qui perd gagne » est un jeu sans fin : Flaubert a perdu puisqu'il a gagné Dieu, mais celui qui s'est ôté le filet[245]... A la fin des deux premiers tomes de *L'Idiot de la famille,* Sartre ne se trouve qu'en apparence rapproché du « comme tout le monde » sur lequel *Les Mots* prétendaient finir. Disons que le « comme tout le monde » est le terme d'une oscillation sans cesse recommencée, dont l'autre terme reste un « comme personne » caché sous un « qu'est-ce que je vaux ? ». Relisons le finale du second tome de *L'Idiot de la famille,* où Sartre, *mutatis mutandis,* met beaucoup de lui-même : « Saint Polycarpe n'est qu'un vieux célibataire [...]. Sa gloire ne l'enchante guère : on l'a souillée puis sans cesse contestée ; « Je suis gênant... » dit-il. [...] le jeu languit parce qu'il n'y a plus d'enjeu [...]. A présent, Flaubert vaut *ce qu'il vaut* : il sent tout à la fois que cette valeur, détotalisée par l'éparpillement des consciences, n'est pas *réalisable* et que, pourtant, elle lui assigne une place définie dans l'histoire et le réduit à n'être jamais plus que cet inconnu qu'il est pour lui-même. En ces toutes dernières années, il sait qu'il faut tirer le trait ; il se plonge dans le passé, tentant de ramasser et de retenir dans ses mains cette vie d'austérités malgré tout *payantes,* qui n'est ni réussie ni gâchée. Il travaille, il s'échine sur de gros livres assommants [...], la sécheresse de son entreprise le rebute »[246]. La tautologie modeste du « je vaux ce que je vaux » renvoie à son tour à un naïf « je suis inestimable », qui renvoie lui-même à un « j'ignore qui je suis ». Nous voilà au rouet[247].

Finalement, c'est le « Je sais bien, mais quand même... » de l'article d'O. Mannoni[248] qui peut le mieux rendre compte des hésitations de Sartre à propos du « Qui perd gagne » et de la réponse à la question « Qui suis-je ? ». Ainsi le « Qui perd gagne » se trouve-t-il à la fois démystifié et remythifié dans *L'Idiot de la famille* : il est maladie et jeu d'enfer, névrose et liberté. Tantôt Sartre use du discours neutre du chercheur qui met à jour une structure profonde, tantôt il condamne (Gustave truque, triche), tantôt il exalte (Gustave a inventé « seul » : c'est le « rien dans les mains, rien dans les poches »[249] de la fin des *Mots,* et la célébration de la « longue marche »[250] qui change l'homme sans visage en Gustave Flaubert). Par-

---

244. MT., p. 210.
245. Voir *supra,* 2e partie, chap. II, p. 249, et « Dieu, c'était le filet », S.G., p. 218.
246. I.F., tome II, p. 2134.
247. Sur la « valeur » de Sartre à la fin des *Mots,* voir *supra,* 1re partie, chap. II, p. 92.
248. Voir *supra,* 2e partie, chap. II, p. 228, note 131 et 3e partie, chap. I, p. 333.
249. MT., p. 212.
250. I.F., tome II, p. 1464.

fois, Sartre se livre plus naïvement encore. Commentant l'image de l'arbre mort couronné de flammes[251], il fait parler Flaubert : « j'avais une « jeunesse *fort belle* » et je me suis massacré ; reste, à trente-six ans, un vieux garçon flétri. [...] Bref : Jules était un rêve de fou, [...] *il fallait choisir la vie,* les passions, l'amour, la spontanéité et la fécondité littéraire »[252]. Mais Sartre se reprend vite : « Est-ce vraiment Flaubert qui pousse l'humilité jusqu'à penser *cela* ? »[253]. Aux autres la vie et ses limites, Gustave ne daigne ; Sartre non plus.

Le « Je sais bien, mais quand même... » joue aussi dans le domaine religieux. Nous n'entendons évidemment pas convertir, une fois de plus, cet athée déclaré en un chrétien qui s'ignore, mais souligner la difficulté de l'athéisme pour qui n'a pas fait son deuil de l'absolu. D'où la juxtaposition, dans *L'Idiot de la famille,* du détachement, fruit de l'adhésion impossible, et de la rage envers une religion « si bien inventée »[254] et qui semble exactement fabriquée pour que nous soyons la dupe du désir ; témoin des textes comme ceux-ci : « un Créateur tout-puissant qui les aime, un monde fait pour eux, la bonté de la nature humaine et, si elle ne suffit pas, la Grâce, une aide discrète de la Providence, qui respecte leur libre arbitre, que ne vont-ils pas chercher pour se cacher qu'ils s'entre-tuent, qu'ils sont mis au monde pour souffrir, s'avilir et mourir ! »[255] ; « Est-ce bien le *bon* Dieu que Gustave invoque et cherche à tenter par ses souffrances stoïquement supportées ? [...] Qu'Il ait plaisir à torturer ses créatures, passe encore. Après tout, c'est assez dans les habitudes du Dieu des chrétiens. Et ce n'est pas Gustave qui a inventé les épreuves salutaires ou prêché le bon usage de la douleur »[256] ; « Dieu sert au Mal comme au Bien, depuis que l'homme l'a créé »[257] ; ou encore : « le concile de Trente a depuis longtemps décidé que l'homme était faible mais non point naturellement porté à mal faire. Flaubert bouscule le concile et radicalise tout : l'homme est pourri, perdu, c'est Dieu qui L'a voulu ; il n'existe pas, le gentil chapelet d'épreuves qu'égrène une existence chrétienne : il y a la vie, cette nauséabonde infâmie qu'il faut bien que le monstre humain vive de bout en bout »[258].

Ainsi donc, lorsqu'il s'agit de la religion chrétienne en tant qu'elle est une « certaine version occidentale du monothéisme »[259], il ne fait pas de doute que le « Je sais bien » fonctionne parfaitement : je sais bien que la religion c'est l'enfance, que « la croyance est le re-

---

251. Voir *supra*, 3ᵉ partie, chap. II, p. 372.
252. I.F., tome II, p. 2097.
253. I.F., tome II, p. 2097.
254. I.F., tome I, p. 610.
255. I.F., tome II, p. 1264.
256. I.F., tome II, p. 2081-2082.
257. I.F., tome II, p. 2082-2083.
258. I.F., tome II, p. 2116.
259. I.F., tome I, p. 585.

tournement sur soi d'un désir »[260]. Au reste, alors que la réduction de type psychanalytique l'emporte à présent chez Sartre, on trouve encore la trace, dans *L'Idiot de la famille*, du vieil anticléricalisme qui fait de la persistance de l'« illusion » religieuse, une œuvre, sinon de la fourberie des clercs, du moins de leur goût du pouvoir : ainsi, à propos de la théologie négative : elle ne sera admise « qu'à la fin du siècle, dans une Eglise elle-même vaincue et embourgeoisée, quand les clercs, comprenant que le pouvoir restera aux mains des bourgeois, auront décidé de les servir, c'est-à-dire d'inventer une issue religieuse qui soit compatible avec l'idéologie de la classe dominante : ils accepteront tout, même Darwin ; il s'agit seulement de pratiquer un trou d'ignorance dans le scientisme, la foi sera une fuite de gaz »[261].

Si le « je sais bien » est donc fermement assuré, quand il s'agit du christianisme, par la double réduction de l'analyse freudienne et de l'analyse marxiste, il semble que l'on voit ressurgir le « mais quand même... » au niveau de ce qu'il faut bien appeler une certaine religion de l'art. Certes, dans tous les textes que nous allons citer, Sartre parle à la place de Flaubert. Est-ce à dire qu'il *ne* soit *que* son interprète et que celui qui pensait faire, d'un commentaire de *Madame Bovary*, son dernier livre, donc son chef-d'œuvre[262], ne soit plus qu'au passé un mystique de l'œuvre d'art ? « L'imagination, écrit-il, propose à la Science de l'Etre une énigme que celui-ci ne peut résoudre : l'Etre ne peut produire le Néant. Or *il y a* du Néant, l'Art en témoigne. A ce niveau l'Artiste lui-même est un chiffre : pourquoi cet être est-il rongé par les images ? »[263] ; ou encore : « cette inutile passion — où l'on se fait créateur-bidon faute d'être créature réelle — est elle-même inexplicable sans l'étrange sollicitation de ce qui est par ce qui n'est pas. [...] L'Artiste est l'homme qui abandonne le siècle pour témoigner que Dieu *devrait être* »[264] ; « l'image, par son néant même, est la seule voie de communication avec Dieu qui, en elle, se donne comme celui qui doit se dérober pour toujours en cette vie et dans ce monde »[265]. L'imaginaire est le « chiffre ambigu de Dieu »[266].

Remarquons qu'il s'agit toujours de « capter la Beauté par un désespoir piégé »[267], comme le disait Sartre dans *Les Mots* en parlant

---

260. I.F., tome II, p. 1817.
261. I.F., tome I, p. 533-534.
262. *Cf.* MT., p. 200-201 : « si pauvre et si nul qu'ils [les critiques] jugent cet ouvrage [le dernier paru], je veux qu'ils le mettent au-dessus de tout ce que j'ai fait avant lui ; je consens que le lot soit déprécié en entier pourvu qu'on maintienne la hiérarchie chronologique, la seule qui me conserve la chance de faire mieux demain, après-demain mieux encore et de finir par un chef-d'œuvre. »
263. I.F., tome II, p. 1590.
264. I.F., tome II, p. 1591.
265. I.F., tome II, p. 2088.
266. I.F., tome II, p. 2116.
267. MT., p. 154.

de sa propre entreprise. L'inconsolable rêve d'être Dieu (« c'est en nous faisant imaginaires que nous nous rendons le plus semblables à lui »[268]) et non que Dieu soit. L'homme imaginaire est un ersatz de l'absolu. L'équivoque atteint son plus haut point dans les lignes qui concluent le commentaire de *La légende* : l'œuvre d'art, constate Sartre, existe avec ses lois propres : « en conséquence, ce qu'elle dit *s'impose* et, d'une certaine manière, est une détermination de l'être ; et d'un autre côté, elle est tout irréelle et son projet fondamental est d'irréaliser le lecteur. Mais qui sait, pense Gustave, si cette irréalisation n'est pas le seul signal que nous fait l'Etre dans l'Univers clos des réalités. Ainsi, écrivant *Saint Julien*, il lui semble à la fois éterniser un beau rêve et livrer, par sa négation des « étants », la grande loi ontologique, la loi d'amour qui nous régit tous. A dieu vat : *Saint Julien* c'est le secret le plus intime d'une âme imaginaire qui l'arrache d'elle tout à coup pour le jeter au hasard dans le cours des choses, comme une bouteille à la mer »[269].

Nous retrouvons le Livre-Christ : cette fois-ci, il annonce inopinément la Bonne Nouvelle de l'amour du Père. Pour signifier l'Amour divin, la démoralisation par l'écriture est l'équivalent de la charité. Le moins que l'on puisse dire, c'est que Flaubert vu par Sartre, ou Sartre avant la démystification de l'écriture, pascaliens tous deux à leur manière, ignorent candidement le centre même des *Pensées* : la distinction des trois ordres. Le livre comme foyer d'irréalisation est du côté de la *libido dominandi*, l'ordre du cœur lui est étranger. C'est pourquoi l'on voit reparaître, dans cette ultime tentative de dépouillement, le désir du phallus lié à la castration : l'œuvre est « talisman »[270] qu'on « arrache »[271] de soi. Nous retrouvons à la fin du *Flaubert* le Philoctète de la dernière page des *Mots* : « magnifique et puant, cet infirme a donné jusqu'à son arc sans condition : mais, souterrainement, on peut être sûr qu'il attend sa récompense »[272].

L'autre face de Philoctète, c'est « ce vieil enfant, aveugle archer, et nu »[273], qui resurgit à la fin des deux biographies : « depuis à peu près dix ans je suis un homme qui s'éveille, guéri d'une longue, amère et douce folie et qui n'en revient pas et qui ne peut se rappeler sans rire ses anciens errements et qui ne sait plus que faire de sa vie. Je suis redevenu le voyageur sans billet que j'étais à sept ans »[274] ; « Il est guéri de la névrose qui le tint en haleine plus de trente années [...] et retrouve, après toute une vie truquée, les estrangements

268. I.F., tome II, p. 1592.
269. I.F., tome II, p. 2133.
270. I.F., tome II, p. 2133.
271. I.F., tome II, p. 2133.
272. MT., p. 212.
273. On nous permettra de détourner de son sens ce vers de Du Bellay.
274. MT., p. 211.

douloureux et désarmés de son enfance »[275]. Captifs l'un et l'autre de l'imaginaire, Flaubert a tenté de s'aimer à travers Julien et Sartre à travers Gustave.

275. I.F., tome II, p. 2135.

Chapitre IV

LA NEVROSE GENERALISEE

Le troisième tome de *L'Idiot de la famille,* paru un an après les deux premiers, en 1972, ne semble pas tout d'abord de notre gibier. Dans les deux tomes qui précèdent, Sartre se plaçait à un point de vue qu'il qualifiait lui-même de subjectif, c'est-à-dire qu'il essayait de comprendre la névrose de Flaubert « par l'intérieur »[1]. Pour le troisième tome, il adopte le « point de vue *objectif* »[2], extérieur, et interroge les rapports de Flaubert avec son époque. La première partie de ce dernier tome, qui définit comment se présente pour « l'apprenti-auteur post-romantique »[3], la « littérature-à-faire »[4], reprend et développe les thèmes déjà abordés vingt-cinq ans auparavant dans *Qu'est-ce que la littérature ?* La deuxième partie montre comment la névrose de Flaubert, décrite tout au long des deux premiers tomes, trouve, dans le Second Empire, le régime qui lui convient. L'ouvrage s'adresse donc avant tout aux historiens. Les questions soulevées ne sont plus celles de la genèse d'un homme, mais celles que pose, à un homme « fait », son époque. Apparemment excentriques à notre propos, elles nous sont peu à peu apparues comme centrales non seulement, nous le verrons, parce que, posées à propos de Flaubert, ce sont les questions de Sartre (Qu'est-ce que se survivre ? Quel doit-être le « programme » d'un homme pour qu'il reste vivant jusqu'à l'heure de mourir ? Qu'est-ce que l'on veut dire lorsqu'on dit d'une œuvre qu'elle exprime son temps ? Comment peut-on être l'écrivain de son temps et rater les rendez-vous historiques de son époque ?) mais parce que ces questions d'un Sartre désenchanté, « désabusé »[5], semblent trahir, simplement inversées en leur contraire, les mêmes contraintes névrotiques qui assujettissaient l'écrivain avant sa guérison : mourir au monde, vivre inconnu, ne pas participer aux conflits de son temps.

---

1. I.F., tome III, p. 9.
2. I.F., tome III, p. 10.
3. I.F., tome III, p. 66.
4. I.F., tome III, p. 67.
5. MT., p. 211.

Autant que la nature des questions posées, la récurrence des scènes (la Chute, la Passion) et des schèmes (mourir pour renaître En-Soi devient une clé universelle) nous a retenue d'écarter de notre corpus cet étrange panneau historique, où l'histoire est constamment débordée par le fantasme et où celui-ci est à son tour perpétuellement réduit, par l'analyse, à exprimer un conflit de classe[6].

Le programme de vie.

La notion de programme de vie est au centre de ce troisième tome : « des facteurs biologiques, sociaux, métapsychologiques — universaux qui se font vivre par nous dans leur réalité singulière — sont pour chacun, écrit Sartre, à l'origine d'un *programme de vie* qui naît des contradictions intériorisées et que freine ou accélère le mouvement général de la Société »[7]. Gustave est programmé par sa névrose initiale, par sa protohistoire, pour le Second Empire : ce régime est *son temps.* C'est pourquoi le 4 septembre 1870 tue Flaubert[8]. Il se survit, il est de trop, c'est un fossile. Vivant, il est déjà mort. Au contraire, quelques années après la chute de Pont-l'Evêque en 44, où il s'était tué symboliquement, ce cadavre avait trouvé dans l'Empire un milieu où « survivre *vif* »[9].

Notre propos n'est pas de suivre Sartre dans le détail de ses analyses, lorsqu'il essaie de décrire les relations complexes qui unissent un homme à son époque, mais de chercher quelles inquiétudes, quels désirs, sous-tendent sa façon de voir l'histoire. Ainsi, les considérations de Sartre sur la programmation nous paraissent-elles trahir d'abord son narcissisme et son refus des limites de la condition humaine : « il est évident, écrit-il, qu'on meurt toujours trop tôt ou trop tard mais si le « trop tôt » peut avoir pour cause un hasard [...] le « trop tard » se détermine en fonction de la « programmation » : entendons que ce qu'on fait, par son efficacité même, marque la finitude de l'entreprise, [...] le moment où l'époque cessera de la soutenir nir [...], ce qui la voue nécessairement à la sclérose »[10].

Il semble que Sartre vive et conjure, à travers Flaubert, sa propre hantise du déclin. Qu'il choisisse, dans la première partie de sa vie, la mort sociale, ou qu'il s'efforce, durant la seconde, de prolonger la période pendant laquelle on est dit *vivant*[11], il s'agit, dans les deux

---

6. Précisons cependant que nous souscrivons entièrement à cette remarque de Freud : « La détermination psychologique d'une doctrine n'exclut nullement sa rectitude scientifique » (cité dans Jean Laplanche, *Vie et Mort en psychanalyse,* Flammarion, 1970, p. 188-189). Les descriptions de Sartre peuvent être parfaitement justifiées dans leur ordre ; ce n'est pas à nous d'en décider, mais au spécialiste, ici, l'historien du XIXe siècle.
7. I.F., tome III, p. 441.
8. I.F., tome III, p. 661.
9. I.F., tome III, p. 493.
10. I.F., tome III, p. 434-435.
11. *Cf.*, I.F., tome III, p. 435.

cas, de ne pas sentir passer la vie, d'éviter de vivre son déclin, après avoir évité de vivre sa jeunesse. Roquentin « à l'abri »[12], « déjà mort », riait des ruses du Docteur Rogé pour se masquer son vieillissement. Vingt ans après, commentant la scène de *Notre-Dame des Fleurs* où Divine, ayant cassé le « tortil de baronne » qu'elle avait posé dans ses cheveux, se couronne de son râtelier, Sartre écrivait : « la *vraie* Divine, ce n'est ni la Reine des fées ni ce vieil eunuque : c'est un homme qui lutte pied à pied contre la vieillesse, qui se sangle dans un corset, qui, le matin, par une pudeur qu'il garde vis-à-vis de lui-même, place son râtelier dans sa bouche avant même de se regarder dans une glace. Nous ne sommes point des êtres naturels, nos défenses modestes et tenaces contre la mort nous définissent tout autant que les progrès de la mort dans nos organes »[13].

On peut entrevoir, à la lecture de certains textes, que les défenses de Sartre, pour être d'un autre ordre et bien moins modestes, sont cependant, elles aussi, lutte pied à pied. Relisons ce qu'il écrivait à Camus en 1952 : « Votre personnalité qui fut réelle et vivante tant que l'événement la nourrissait devient un mirage ; en 1944 elle était l'avenir, en 1952 elle est le passé [...] ; vous ne vivez plus qu'à moitié parmi nous [...]. Ce qui vous arrive est parfaitement injuste, en un sens. Mais, en un autre, c'est pure justice : il fallait changer si vous vouliez rester vous-même »[14]. Veiller sans cesse à être « nourri » par l'histoire pour être soutenu et porté par elle afin d'éviter l'atrophie exige sans doute un travail incessant. Est-il, dans son principe, différent de celui de la coquette qui s'essouffle à rester jeune ? Les biographes de Sartre auront sans doute beaucoup à dire sur son refus de vieillir, sur la fascination qu'exerce sur lui la jeunesse[15].

Ces réflexions sur le mourir trop tôt ou trop tard, nous paraissent trahir un interminable travail, perpétuellement voué à l'échec, pour se résigner à la finitude. Elles sont l'envers d'une hantise : être oublié vivant, et le deuil d'un rêve : entrer vivant dans la gloire[16], être à la fois stratège et l'auteur d'Œdipe Roi[17], coïncider avec son siècle et terminer sa vie comme finit une mélodie, par un « accord de résolution »[18]. Car il semble bien qu'une vie, pour intéresser Sar-

---

12. Sur cette expression, voir *supra*, 2e partie, chap. II, p. 257.
13. S.G., p. 355.
14. « Réponse à Albert Camus », S. IV, p. 121-122.
15. Déjà, à propos de la préface à *Aden Arabie*, Merleau-Ponty remarquait que Sartre a toujours parlé le langage de la dernière génération des fils (voir *Signes*, Gallimard, 1960, p. 46). Notons que c'est la peur de voir s'éloigner la « nouvelle équipe » des *Temps Modernes* qui entraînera la rupture de Sartre avec Merleau-Ponty (voir S., IV, p. 251). Il n'y a plus aujourd'hui parmi ses familiers un seul homme de sa génération (l'exception est une femme) et ses derniers entretiens disent son horreur des vieillards (voir S., X, p. 162-163).
16. Rêve magiquement inversé dans *Les Mots* pour en conjurer la démesure : « Une chose me frappe dans ce récit mille fois répété : du jour où je vois mon nom dans un journal, [...] je suis fini » (p. 158).
17. E.N., p. 620.
18. E.N., p. 620.

tre, doive incarner, ne serait-ce qu'un moment, cet ersatz du Tout qu'est la Totalisation en marche. Autrement dit, il faut être un homme public, avoir quelque temps la vedette, pour exister vraiment. Dans son article nécrologique sur Merleau-Ponty, Sartre écrivait : « [L'Histoire] use les hommes qu'elle emploie et les tue sous elle comme des chevaux »[19], et quelques pages plus loin : « Mais, à peine le hasard a-t-il mis dans leurs mains le plus infime moyen d'influencer ou d'exprimer le mouvement historique, les forces qui nous mènent, aussitôt dénudées, se laissent voir et nous font découvrir « notre ombre portée » sur le mur éblouissant de l'objectivité. La revue, ce n'était rien : un signe des temps, comme cent mille autres ; n'importe : elle appartenait à l'Histoire ; par elle, nous avons éprouvé tous les deux notre consistance d'objets historiques »[20]. Etre chevauché par l'Histoire qui vous projette un instant sur l'écran du monde, c'est vivre. Achille, fils aîné du docteur Flaubert, médecin en province, est une « montre morte »[21]. Ni Gustave qui survit biologiquement à Sedan ni Frantz ce mort vivant, dans son grenier, n'ont droit à cette image infamante : l'un a exprimé son époque avec *Madame Bovary* ; avoir été chevauché par Hitler autorise l'autre à représenter son siècle.

Aussi ne nous étonnerons-nous pas que Sartre emploie l'image de l'acteur[22], lorsqu'il veut faire comprendre ce qu'est la programmation :

> « On dit parfois d'un comédien qu'il « a un acte ou deux actes, etc., dans le ventre », par quoi l'on entend qu'il peut *tenir* l'épuisante tension d'un rôle pendant vingt minutes ou quarante et que, passé cette limite, il s'effondre. Il faut pareillement reconnaître qu'un individu, [...] a vingt, quarante ou soixante ans « dans le ventre »[23].

Et il conclut :

> « Il y a des vies qui brûlent comme du nylon, d'autres comme des bougies, d'autres comme un charbon qui s'éteint doucement sous la cendre. Ce qui compte, en tout cas, pour celles qui sont diachroniquement significatives en tant que retotalisantes, c'est que, courtes ou longues, rapides ou lentes, elles sont l'époque elle-même, d'un bout à l'autre, ramassée dans un programme »[24].

On comprend que le converti au « comme tout le monde », au « n'importe qui » ait éprouvé le besoin d'ajouter en note, sans doute un

---

19. S., IV, p. 242.
20. S., IV, p. 260-261.
21. I.F., tome I, p. 129.
22. N'oublions pas les pages du premier tome de *L'Idiot de la famille*, qui nous le montrent comme une victime du « pour autrui », réussissant à socialiser son impuissance à être (p. 790).
23. I.F., tome III, p. 442.
24. I.F., tome III, p. 442-443.

peu gêné et à titre de consolation pour l'homme quelconque : « Toute vie réelle — quelle que soit son *in-signifiance* — est significative en tant que totalisée. Autrement dit l'historien la trouvera signifiante dans la mesure même où, de son temps, elle se rapprochait du pur signifié »[25]. Cela fait, il peut s'en retourner à ses vies des hommes illustres.

Une identification reniée.

Le séquestré de Croisset est un de ces hommes qui sont l'époque, comme le montre le succès de *Madame Bovary*. Tout au long du troisième tome de *L'Idiot de la famille*, Sartre travaille à nier qu'on puisse être « élu » du public « *par malentendu* », en essayant de « fonder la liaison organique d'intériorité qu'on tient pour indispensable quand on dit qu'un écrivain *exprime son temps* »[26]. Il ne semble pas douteux que, sous le couvert de Flaubert, on se trouve en présence d'une question propre à Sartre. Des traces d'une identification de Sartre à Flaubert sont d'ailleurs lisibles çà et là. Nous ne retiendrons pas le trop beau lapsus de la page 465, car il pourrait n'être qu'une coquille : pour décider si Flaubert regrette le Second Empire, « il ne faut rien de moins, écrit Sartre, qu'examiner, d'après la Correspondance et quelques témoignages, l'ensemble de mes réactions aux malheurs publics depuis juillet 70 jusqu'à la fin de juin 71 » !

Quoi qu'il en soit, les réactions des deux écrivains aux malheurs publics en 1870 et en 1940, se ressemblent étrangement. Dans l'un et l'autre cas, c'est le douloureux réveil d'un somnambule : « comme si les hommes étaient tous semblables à Charles Bovary qui, découvrant après la mort de sa femme les lettres qu'elle recevait de ses amants, vit s'écrouler derrière lui, d'un seul coup, vingt années *déjà vécues* de bonheur conjugal »[27], écrit Sartre dans *Qu'est-ce que la littérature ?*, à propos des hommes de sa génération. Et dans *L'Idiot de la famille*, à propos de Flaubert après Sedan : « comme Charles Bovary lisant les lettres d'Emma, Gustave découvre que vingt années de sa vie n'ont été qu'un « long mensonge »[28].

De même, lorsque Sartre essaie d'expliquer pourquoi Flaubert a manqué le rendez-vous de 48, on peut difficilement ne pas penser à la distraction de Sartre en 1936. La relation de Sartre à Flaubert, dans ce livre où il envisage les rapports de l'écrivain avec son temps, est extrêmement ambivalente. C'est, en profondeur, une relation d'identification ; toute la deuxième partie du livre, qui veut prouver que Flaubert était l'homme de l'Empire, prend, pour nous, la valeur

---

25. I.F., tome III, p. 443, note 1.
26. I.F., tome III, p. 423.
27. S., II, p. 241-242.
28. I.F., tome III, p. 512.

d'une dénégation ; elle dit : « Je ne suis manifestement pas Gustave ». Or Flaubert n'est pas présenté comme différent de Sartre, il est son image négative : il est subjugué par Napoléon III et Napoléon III, c'est Charles de Gaulle ; le XXe siècle est constamment présent sous le XIXe siècle sartrien : à propos d'une lettre de Flaubert à sa nièce, sur les divisions de l'opposition, Sartre note : « Argument bien connu des gaullistes »[29]. Dans l'entretien filmé par Alexandre Astruc, peu de temps après la parution de *L'Idiot de la famille,* on sent à quel point Sartre assimile XIXe et XXe siècle : la bourgeoisie qui prépare le « coup » du 2 décembre et celle qui fait arrêter Jacques Duclos en 1952 ont le même esprit[30]. De Gaulle, comme Napoléon III, « prend le pouvoir à la suite d'une conspiration »[31] et ses référendums sont des plébiscites[32]. Dans le troisième tome de *L'Idiot de la famille,* Sartre accuse comme à plaisir la distance qui le sépare de Flaubert, mais le courtisan et l'opposant systématique ne sont-ils pas l'un et l'autre fascinés par le pouvoir ? Nous reviendrons sur le bonheur manifeste que Sartre éprouve à peindre les relations de Flaubert avec Isidore le Batard[33].

La seconde mort de Flaubert.

Programmer Flaubert pour l'Empire oblige à le tuer le 4 septembre 1870. Cette seconde mort de Flaubert a, en Sartre, des raisons idiosyncrasiques ; objectivement, elle ne s'impose pas : en effet, si Gustave perd, avec la République, ces brillantes vacances à Paris où le « tâcheron de Normandie »[34] trouvait chaque hiver un « *allégement* »[35], on ne voit pas que son programme de vie ait réellement changé. Il reprend *La tentation de saint Antoine,* fait paraître les *Trois contes,* commence *Bouvard et Pécuchet* ; bref, ce mort vivant déborde de projets ; il se surmène, fait travailler ses amis, court la campagne pour savoir où loger ses « deux cloportes », gémit sur son travail et sur l'époque, comme il l'a toujours fait, et ses plaintes conjuratoires sur l'œuvre en train ne l'empêchent pas d'avouer, de temps à autre, une fois de plus, qu'il espère produire son chef-d'œuvre. Le changement de régime n'a donc rien changé à son style de vie. Il écrit en 1857 à Mlle Leroyer de Chantepie : « La vie est une chose tellement hideuse que le seul moyen de la supporter, c'est de l'évi-

---

29. I.F., tome III, p. 466.
30. Sartre explique qu'il lisait alors en même temps *Le Coup du 2 décembre,* de Henri Guillemain (Gallimard, 1951) et les aventures de Duclos, que les deux événements lui paraissaient identiques à cent ans de distance et qu'on y voyait « ce que pouvait contenir de merde un cœur bourgeois », (*Sartre,* Gallimard, 1977, p. 91).
31. *Ibid.*, p. 107.
32. *Ibid.*, p. 107.
33. Voir *infra,* dans ce chapitre, p. 422.
34. I.F., tome III, p. 521.
35. I.F., tome III, p. 521.

ter »[36], en 1858 à la même correspondante : « *pour ne pas vivre,* je me plonge dans l'Art [...]. — Si je vais si lentement, c'est qu'un livre est pour moi une manière spéciale de vivre »[37] et en 1873 à George Sand : « Dès que je ne tiens plus un livre ou que je ne rêve pas d'en écrire un, il me prend un ennui *à crier*[38]. La vie ne me semble tolérable que si on l'escamote »[39].

Nulla dies sine linea[40]. Ni la chute de l'Empire pour Flaubert, ni la décision volontariste d'entrer dans le siècle, chez Sartre, après la défaite de 40, ne peuvent quelque chose contre ce programme-là. Sartre le définit admirablement en commentant une lettre où Flaubert conseille à Louise Colet de ne pas se disperser :

> « Le succès de Badinguet s'explique par là, écrit Flaubert. Il s'est résumé celui-là. Il n'a pas perdu ses forces en petites actions divergentes de son but. Il a été comme un boulet de canon pesant et roulé en boule. Puis il a éclaté tout d'un coup et l'on a tremblé. Si le père Hugo l'eût imité il eût pu faire en poésie ce que l'autre avait fait en politique, une chose des plus originales »[41].

Sartre développe :

> « le génie, c'est l'idée fixe. Qu'elle vous occupe sans cesse, qu'elle vous délivre de vos pluralismes internes, [...] qu'elle vous ramasse en vous-même et vous définisse comme un *programme de vie* [...]. Flaubert sait qu'il se définit par elle. C'est pour cela, peut-être, que les Goncourt ont pressenti chez lui, à plusieurs reprises, le rêve obscur d'une grenouille qui voudrait se faire aussi grosse que Hugo »[42].

A chacun son grand homme. On ne voit pas, en tout cas, que ce programme puisse être menacé par la République. Tuer Flaubert en 1870 n'est donc pas indispensable, objectivement.

Subjectivement, cette décision nous semble se justifier pleinement ; on peut y lire un « tourniquet »[43] ; à un certain niveau, elle sert à soutenir la dénégation : je ne suis pas Flaubert, je ne suis pas l'homme d'un régime, dénégation nécessaire à la fois au moi idéal du révolutionnaire (je ne suis pas un bourgeois « vivant de ses rentes et s'occupant de littérature »[44]) et au « Qui perd gagne » (je ne suis pas

---

36. *Préface à la vie d'écrivain,* extraits de la correspondance de Flaubert, présentés par Geneviève Bollème, Seuil, 1963, p. 191.
37. *Ibid.*, p. 210.
38. C'est le sentiment de Roquentin après la mort de Rollebon.
39. *Préface à la vie d'écrivain,* p. 258.
40. MT., p. 211.
41. Cité dans I.F., tome III, p. 457.
42. I.F., tome III, p. 458.
43. Le « tourniquet » sartrien peut se traduire en terme freudien de « surdétermination ».
44. Cité dans I.F., tome III, p. 581. La phrase exacte est : « Je suis tout bonnement un bourgeois qui vit retiré à la campagne, m'occupant de littérature », Lettre à Maxime du Camp, début juillet 1852. *Correspondance,* Edition du Centenaire, tome I, p. 458-459.

Flaubert, j'ai renoncé, pour le préserver, à mon rêve enfantin d'être le grand écrivain). A un niveau plus profond, la négation s'évanouit, l'identité se retrouve : Flaubert, comme moi, a connu le succès, puis un oubli relatif, il fut, pour un temps seulement, celui de l'Empire, « dans toutes les bouches »[45], puis il s'est survécu. Il a cependant rejoint aujourd'hui Hugo, Balzac, Kafka. Enfin, tuer Flaubert à Sedan, c'est réveiller une fois encore, nous le verrons, le scénario passionnel de la double mort du père et du fils.

La réhabilitation de l'alter ego.

Aussi, malgré les apparences, le troisième tome de *L'Idiot de la famille* est-il une réhabilitation de l'alter ego. Si l'on suit les analyses de Sartre on voit qu'elles infirment ses déclarations du lendemain de la guerre : « Je tiens Flaubert et Goncourt pour responsables de la répression qui suivit la Commune parce qu'ils n'ont pas écrit une ligne pour l'empêcher »[46]. Dans *L'Idiot de la famille* le massacreur a expié ; il s'est massacré, tuant en lui le bourgeois son père. D'autre part, nous l'avons dit, le succès de *Madame Bovary* ne saurait s'expliquer par un malentendu :

> « si l'écrivain doit *exprimer* le point de vue du lecteur *organiquement* et non par une rencontre fortuite, il faut que la névrose subjective de celui-là [...] soit une anticipation *réelle* de la temporalisation sociale de celui-ci. Ainsi la crise de Pont-l'Evêque, avec ses suites jusqu'à la mort d'Achille-Cléophas, serait, en Gustave, *ses* journées de Février et de Juin, *son* coup du 2-Décembre et *son* plébiscite, il aurait vécu non pas symboliquement mais pour de bon et par avance la défaite et le lâche soulagement d'une classe qui, pour accomplir son destin et réaliser sa primauté secrète, accepte de renoncer à sa *praxis* visible (c'est-à-dire à l'action politique) et d'entrer en hibernation apparente pour retrouver sa « couverture » c'est-à-dire son irresponsabilité d'éternelle mineure »[47].

Nous étions habitués au suicide à la Gribouille, il nous faut maintenant accepter l'histoire à la Gribouille et « pour de bon ». En effet, si toutes les aliénations d'une époque symbolisent entre elles, en certains élus, la symbolisation est *réelle* ; « dans le *raccourci* d'époque »[48] qu'est leur vie, l'histoire s'est « *en effet condensée* »[49]. Le microcosme contient le macrocosme. D'autres vies, moins chanceuses, ne sont que

45. MT., p. 162.
46. S., II, p. 13.
47. I.F., tome III, p. 430-431. Notons que la bourgeoisie du Second Empire ressemble à Anne-Marie Schweitzer et à Caroline Flaubert, elle se remet entre les mains du père. Mais ce père lui-même est une lorette entretenue par les bourgeois (voir *infra*, dans ce chapitre, p. 423) !
48. I.F., tome III, p. 431.
49. I.F., tome III, p. 431.

l'« illustration *rhétorique* du macrocosme par le microcosme »[50]. Ainsi Leconte de Lisle a beau se trouver sur les barricades en juin 1848 et du côté des ouvriers, c'est peine perdue. La *synchronie*[51] ne paie pas. Gustave, dans sa chambre, en proie aux affres de la littérature, exprimera son temps, car l'histoire s'est incarnée en lui d'avance, *diachroniquement*[52]. Comment cela est-il possible ? Comment se fait-il que le public rejette celui qui a vécu la même chose que lui, celui dont l'œuvre se donne explicitement pour la conséquence de sa désillusion politique, alors que ce même public fait un triomphe à *Madame Bovary* ?

Nous sommes, à notre grande surprise, renvoyés à l'Œdipe. Précisons tout de suite qu'il s'agit d'un Œdipe selon Sartre, nous y reviendrons. Si Leconte de Lisle manque son œuvre, c'est qu'il intériorise « en pleine santé »[53] les impératifs de l'Art-Névrose : en effet, ce « bourgeois-gentilhomme »[54] est d'une « navrante normalité »[55]. Ce « faux Vigny »[56] « se pare d'une misanthropie-bidon »[57]. « De son enfance il a gardé un Œdipe magistral heureusement sublimé en une ardeur généreuse contre l'esclavage et des souvenirs délicieux »[58] ; « l'esclavagisme qu'il a si violemment contesté fut son bonheur de berceau ; pour l'accepter, il ne lui a manqué que d'être *assez aimé* »[59]. D'ailleurs, s'il veut l'abolition de l'esclavage, c'est pour rendre l'innocence à son père. Et puis, il y gagnera : « L'esclavage aboli, c'est la propriété sans larmes, sans crimes, sans peur »[60] ; « les créoles sont venus en France en 48 pour y faire la Révolution de 89 »[61]. Ils réclament la liberté du travail. « Charles » sentira bientôt qu'on ne peut assimiler l'ouvrier à l'esclave. En France, ce fils de planteur est réduit à l'état de petit-bourgeois : « Voilà donc son malheur : Paris manque de nègres. C'est ce qui le conduit vite à détester, lui rural, tous ces produits trop blanchis de l'industrie, ces gens qui ont l'audace de ne pas se prendre pour des esclaves, ces Noirs qui s'ignorent »[62]. Aussi les événements de juin le tirent-ils d'embarras :

> « Quelques heures de prison le délivrent pour toujours de ces alliances compromettantes : il a payé ; c'est fini [...]. Ce n'est point Leconte de Lisle [...] qui a trahi le prolétariat : il est hors

50. I.F., tome III, p. 431.
51. I.F., tome III, p. 431.
52. I.F., tome III, p. 433.
53. I.F., tome III, p. 425.
54. I.F., tome III, p. 402.
55. I.F., tome III, p. 405.
56. I.F., tome III, p. 402.
57. I.F., tome III, p. 402.
58. I.F., tome III, p. 397.
59. I.F., tome III, p. 399.
60. I.F., tome III, p. 391.
61. I.F., tome III, p. 390.
62. I.F., tome III, p. 390.

> de doute, après le coup du 2-Décembre, que le prolétariat, dans son ensemble a trahi Leconte de Lisle.
>
> La conclusion de cette analyse, c'est que, chez ce poète, la conduite d'échec est *jouée*. Comment nommer échec, en effet, cette aventure où il ne perd rien, où il gagne la liberté d'adopter l'ordre bourgeois ? »[63].

Bref, « deux nuits de taule lui ont donné le *quitus* »[64] :

> « Qu'a-t-il fait en Juin sinon, en prenant le parti d'une populace méprisée, *accepter la chute* [...]. Ainsi a fait Gustave, à Pont-l'Evêque, à cette différence près que la société n'était pas directement impliquée par son « attaque » : reste que Flaubert a voulu s'abandonner au corps et tomber au-dessous de l'humain pour renaître artiste. Ainsi de Leconte de Lisle : en se rangeant aux côtés des massacrés, il [...] se fait trop humain, en meurt et ressuscite dans l'inhumanité : chez Flaubert et chez lui le thème paraît identique »[65].

Histoire et scène primitive.

Toute la différence vient de la façon dont ils ont l'un et l'autre vécu « la *scène primitive* ». Nous sommes de nouveau renvoyés à des concepts psychanalytiques déjetés. La scène primitive n'a plus rien à voir avec la quête de l'enfant à propos de la différence des sexes et de l'origine de la vie. La femme n'y figure pas. C'est une relation duelle avec le père où n'intervient que la situation de classe de ce dernier : Flaubert,

> « s'il s'impose d'un coup, c'est que sa névrose prophétisait de longue date les événements de Février et de Juin, ainsi que le coup du 2-Décembre. C'est ce qui donne à sa première œuvre publiée, soudain, l'ampleur et l'obscurité d'un mythe. Inversement nous remarquerons que si, pour [lui], l'œuvre misanthropique n'est que la restitution de la *scène primitive* dans la mesure où celle-ci, conditionnée par les mêmes facteurs, était dès l'origine une préfiguration de la guerre civile de 1848-1851, les ouvrages [de Leconte de Lisle], bien que se donnant explicitement — et très véridiquement — pour des conséquences d'une désillusion politique, ne pourraient ni se comprendre ni conserver le peu de valeur qu'ils ont s'ils n'étaient, eux aussi, mais plus faiblement la projection d'une scène primitive dans l'imaginaire »[66].

---

63. I.F., tome III, p. 394.
64. I.F., tome III, p. 357. On sent l'envie de Sartre à l'égard de ceux qui ont obtenu ou se sont accordé le « quitus » et ont pu s'en retourner tranquillement à leur table de travail, que ce « quitus » soit un « J'accuse » à cinquante ans, ou une carte du P.C. (voir *Sartre*, texte du film réalisé par Alexandre Astruc et Michel Contat, Gallimard, 1977, p. 64 et 83).
65. I.F., tome III, p. 358.
66. I.F., tome III, p. 344-345.

On remarque que « *la scène primitive* » de Gustave devient pour Leconte de Lisle « une scène primitive ». Et si, pour expliquer le succès de *Madame Bovary,* on se demande avec Sartre « comment la folie d'un seul a [...] pu devenir folie collective et, mieux encore, *raison esthétique* de son époque »[67], on est obligé de conclure que cette folie était déjà folie collective. On a peu d'éléments dans le troisième tome du *Flaubert* pour comprendre ce qui apparaît finalement comme un tour de passe-passe. L'identité réelle du social et du psychologique est en effet plus affirmée que montrée. En dehors du texte que nous venons de citer, la « scène primitive » n'est mentionnée qu'une fois : « Depuis trente ans, Gustave est entré en littérature *contre la science* : [...] il a cru gagner : [..] Sedan a suffi pour renverser la situation, c'est-à-dire pour restituer la scène primitive : le chirurgien-chef ressuscité s'appuie au bras de son fils aîné et considère avec un mépris glacé l'enfant mal équipé qu'il avait condamné d'avance à naître cadet ; la Science gagne »[68] ; le chirurgien-chef, c'est maintenant Bismarck.

A travers Sedan, nous sommes donc renvoyés à la « disgrâce » que la chute de 44 tentait d'effacer et à nos souvenirs de lectures des deux premiers tomes. Il nous faudrait les « retotaliser » pour nous faire une idée de la façon dont les grandes scènes de la vie de Flaubert *ne font qu'*intérioriser les conflits de son époque. Exercice au demeurant assez vain, puisque la manière dont l'enfant « intériorise » le salaire de son père[69] profite du flou et de l'obscurité qui caractérisent, après coup, le vécu de l'enfant en ce temps-là. Rappelons la fable sartrienne : la « disgrâce » est le fruit des contradictions de classe du père. Ce *pater familias,* d'allure encore paysanne, a créé un petit féal dont il exige, parce qu'il est lui-même un mutant, qu'il entre dans le monde des capacités. La chute de 44 met fin à ces contradictions en tuant père et fils[70]. Flaubert « est l'homme de la coupure ; un *instant fatal* — la fusillade des Capucines —, des réactions en chaîne, fulgurantes et brèves, et puis plus rien : la survie »[71].

Pour arriver à faire coïncider la bataille de Pont-l'Evêque et la fusillade du boulevard des Capucines, il faudra que le lecteur se contente de généralités et accepte ce miracle d'harmonie post-établie :

> « L'Artiste, à cette époque, en reniant en lui l'*ancien bourgeois* (son père, son frère aîné — capables ou de la classe dominante) rejoint le bourgeois qui veut tyranniser en lui-même l'*ouvrier*

---

67. I.F., tome III, p. 32.
68. I.F., tome III, p. 596-597.
69. Sur la façon dont Sartre vide la psychanalyse de son contenu propre, voir *supra,* 1re partie, chap. I, p. 50.
70. Voir *supra,* 3e partie, chap. III, p. 396.
71. I.F., tome III, p. 448. *L'instant fatal* fait partie des schèmes mythiques de Sartre. Ainsi la scène (reconstruite) où Genet est surpris à voler est aussi « *instant fatal* » (S.G., p. 9).

> de 48 — l'être du besoin, de la faim, de la fatigue, du sommeil, etc. — ou, si l'on préfère, cette nature qu'il a en commun avec celui-ci [...] de sorte que le lecteur ne se sent pas visé comme individu de classe mais d'abord comme individu d'espèce et qu'il saisit la Beauté comme l'équivalent artistique de la distinction, mieux encore : comme sa justification »[72].

On comprend dès lors que « l'auteur et le lecteur s'entendent comme larrons en foire ; et c'est qu'ils ont l'un et l'autre le même souci : chacun veut oublier et faire oublier une *histoire* en détruisant l'historicité des sociétés humaines »[73]. Bref il y a entre eux les mêmes « *cadavres* »[74]. Aux classes « *noircies* par l'histoire »[75] convient une littérature *noire*.

Le *non-dit* de *Madame Bovary,* qui hante Gustave et ses lecteurs, c'est donc juin 1848. Plus que jamais dans l'œuvre de Sartre, il nous semble avoir affaire ici à une rationalisation. La projection de tout le vécu d'une époque sur la scène historique nous paraît destinée à masquer une autre scène et une historicité primordiale dont la nature et les effets ne sont pas d'abord politiques, économiques et sociaux. La scène publique où le Père coupable massacre son fils pourrait être le substitut inversé, dans le réel, d'une scène privée à jamais forclose parce que le père manque et que prendre sa place, c'est prendre la place du mort. En refusant, dans sa théorie, la moindre place au désir et à l'inconscient Sartre se condamne à faire proliférer les fantasmes sous couleur de descriptions historiques.

Un des signes les plus évidents de cette soumission généralisée du réel aux schèmes personnels de l'écrivain apparaît avec le dernier avatar de l'En-soi pour-soi. Le rêve d'être Dieu, le tourment de l'impossible, c'était, dans *L'Etre et le Néant,* le vœu de tout homme, l'un des traits fondamentaux de la condition humaine. Ce fut ensuite la tentation inavouable de quelques élus, Baudelaire, le Tintoret, Genet. C'est, finalement, sous le nom d'« éthique de l'aliénation »[76], l'*Idéal* du bourgeois sous le Second Empire. Ce dernier se manifeste « comme un appel coercitif adressé par l'*en-soi pour-soi,* ce néant spirituel, aux hommes concrets de la société bourgeoise pour qu'ils réalisent en eux la minéralisation de l'homme à seule fin de produire, au-dehors, l'humanisation du minéral, bref pour qu'ils fassent ce qu'ils sont en train de faire »[77]. Jusque-là, « l'aliénation suprême était *personnalisée.* [...] En 1850 l'humanisme est *noir* : la Chose humaine — matière ouvrée, matière ouvrable — a remplacé Dieu »[78]. L'*homme de*

72. I.F., tome III, p. 306-307.
73. I.F., tome III, p. 429.
74. I.F., tome III, p. 322.
75. I.F., tome III, p. 334.
76. I.F., tome III, p. 286.
77. I.F., tome III, p. 288.
78. I.F., tome III, p. 292.

devoir[79], « malgré les protestations confuses de sa vie, cette oubliée, [...] n'a d'autre récompense, à sa mort, que de devenir chose à son tour : il passe tout entier dans l'inorganique, [...] il sera dalle parmi des dalles au pire ; au mieux, il se dressera aux carrefours, bronze ou pierre taillée, *produit manufacturé,* exigence pratico-inerte, symbole passif d'une société dont les membres sont des marchandises et qui est fondée sur le sacrifice humain »[80].

Il rejoint donc la matière comme Thompson et comme Lord Byron, comme saint Antoine et comme Emma, comme Impétraz et comme M. Simonnot. Une persévérance si opiniâtre et si répandue dans l'aberration ôte beaucoup de sa crédibilité à l'explication par l'économique et le social. Dans *L'Etre et le Néant,* Sartre semblait plus ouvert à l'ordre du désir ; aussi subsistait-il, à côté des maniaques et des assoiffés d'absolu, une humble place pour ceux qui avaient pu faire « le choix de la finitude »[81] : on voyait apparaître, à côté du grand artiste et de l'artiste raté, le « modeste artisan »[82]. Bref, on y trouvait des princes et des cordonniers[83]. Il n'y a plus, dans la dernière œuvre de Sartre, que des bourreaux de soi-même en mal de pétrification.

Second Empire et onirisme.

Si le tableau de la classe bourgeoise sous le Second Empire paraît provenir des fantasmes de Sartre, celui de la cour semble tiré des songes de Flaubert vus par son biographe : Napoléon III est à la fois l'Antéchrist[84], Néron[85] et le Garçon au pouvoir ; donc, finalement, Gustave lui-même sur le trône[86]. Comme l'Artiste, il règne pour démoraliser[87]. Flaubert se plaît à l'imaginer exerçant contre la bourgeoisie les pouvoirs qu'elle lui a confiés. D'ailleurs il aime l'Empire pour sa fausseté, pour l'onirisme de sa politique extérieure[88]. Dans cette société en « toc »[89], qui n'est elle-même qu'une brillante survie, ce survivant s'épanouit, il retrouve l'hommage et oublie le bourgeois[90]. Féal, il est fasciné par l'armée ; quand on le décore, il veut croire qu'on l'élève à la dignité de soldat :

---

79. Cet homme de devoir, travailleur acharné, semble emprunter beaucoup de ses traits à M. Mancy, le beau-père de Sartre (*cf.* le texte sur Paul Nizan, S., IV, p. 161 et Simone de Beauvoir, *Tout compte fait,* Gallimard, 1972, p. 104).
80. I.F., tome III, p. 294.
81. E.N., p. 551.
82. E.N., p. 551.
83. MT., p. 173.
84. I.F., tome III, p. 460.
85. I.F., tome III, p. 456.
86. I.F., tome III, p. 501.
87. I.F., tome III, p. 456.
88. I.F., tome III, p. 471.
89. I.F., tome III, p. 519.
90. I.F., tome III, p. 494.

> « l'insolence funèbre des beaux officiers d'Empire [...] n'est pas sans ressemblance avec l'orgueilleuse *survie à soi* qui constitue l'Artiste : les uns comme l'autre se tiennent pour *déjà défunts.* [...] Gustave voyait magnifier sa nécrose : si ces rudes guerriers — qui disaient à l'Empereur : « *Morituri te salutant* » — l'acceptaient dans leurs rangs et le traitaient en égal, c'était donc que ce trépas indéfiniment joué, qui fondait son art, avait la même grandeur sinistre que leur très réel sacrifice »[91].

> « le ruban rouge lui apprend que ses œuvres [...] servent [...] la personne de l'Empereur au même titre que les tueurs galonnés qu'il déteste mais dont il respecte le vide, cette sinistre lacune, cette *absence à tout* fondant leur *droit sur tout* que, cent ans plus tard, les tantes-filles de Genet admireront chez les macs »[92].

Une fois de plus, les figures imaginaires des biographies sartriennes se rejoignent et se superposent. Sartre reconstitue un objet qui lui permet de faire fonctionner ses couples d'opposés favoris. L'Empire est le « régime *optimum* »[93] pour Flaubert. Il semble qu'il le soit aussi pour les fantasmes de l'historien. Sedan lui offre l'occasion de ranimer la scène qui hante l'œuvre depuis *L'Enfance d'un chef* : un homme en « possède » un autre ; il y a un vainqueur et un vaincu, mais, très vite, leurs relations s'inversent comme dans les rêves ; les contraires coexistent : la victoire est défaite et la défaite victoire. Le châtré est le Phallus. Relisons les deux versions de cette ultime chute :

> « Achille-Cléophas le uhlan, Achille, le lieutenant, s'approchent, à cheval, le contemplent et l'analysent — comme autrefois ; [...]. Oui, Gustave était bien la première victime de cette déculottée mémorable qui lui apparaissait comme le cataclysme qu'il n'avait cessé d'attendre en secret ; la revanche du Père et la punition de ses audaces de 1844. A Pont-l'Evêque un cycle s'était ouvert ; à Sedan, il s'était refermé. Flaubert, ramené à son enfance humiliée de « littéraire », égaré dans une famille de praticiens, comprend que choisir la littérature, c'était accepter dès le début son infériorité en croyant la compenser par une supériorité imaginée »[94].

> « Qu'était-il arrivé depuis l'holocauste de 44 ? Rien. « Socratisé » par la seringue paternelle ou décoré d'une ombre de ruban dans le royaume des songes, Gustave était resté le fils indigne et féminisé d'une famille où tous les mâles, de père en fils, exerçaient la médecine »[95].

Un père tout puissant, un fils diminué. Un scénario homosexuel où la différence naît de la castration.

---

91. I.F., tome III, p. 564.
92. I.F., tome III, p. 565.
93. I.F., tome III, p. 488.
94. I.F., tome III, p. 600.
95. I.F., tome III, p. 603.

Féminin comme l'artiste, « lorette »[96] entretenue par les bourgeois, Napoléon III est lui aussi déculotté par Bismarck. Mais une fois encore, comme lors de la chute de Pont-l'Evêque, l'humiliation s'inverse en triomphe : Sedan est le prétexte d'une scène-à-faire sur laquelle Flaubert regrette, d'après Du Camp, de n'avoir pu terminer *L'Education sentimentale*. Sartre peut y retrouver ses motifs favoris : « Voici ce tableau, écrit-il : l'Empereur, au fond de sa calèche, arrêtée par une colonne de prisonniers conduits par des uhlans. Quelques-uns le saluent. Mais un zouave sort des rangs, tend le poing : « Misérable ! Tu nous as perdus ! » Dix mille hommes se mettent à hurler des insultes, crachent sur la calèche en passant. Cependant que l'empereur, « immobile, sans un mot, sans un geste » pense : « Et voilà ceux que l'on appelait mes prétoriens »[97].

Martyr, Badinguet retrouve sa grandeur : cette « France stupide » qui le renie « à l'instant même qu'il la représente »[98], « le fait empereur de la même manière qu'une autre foule, à Jérusalem, fit de Jésus, par ses huées, le roi des Juifs »[99]. Figure du Christ, il a aussi, dans son immobilité, le mépris superbe du Don Juan de Baudelaire[100]. Mais en même temps il est Gustave : la calèche devient le « cabriolet de 44 »[101] et toute la scène renvoie « à la Chute qui grandit, à la dégradation anoblissante que Gustave a choisie »[102]. Dernier rapprochement : cette « revue militaire à l'envers »[103], c'est la marche de Mathô « entre les deux rangées de ses bourreaux »[104] :

> « Dans un cas comme dans l'autre, le désastre de l'homme est grandi par la présence impassible d'un idéal hors d'atteinte : Salammbô, lointaine, muette, indéchiffrable, assiste au supplice de Mathô ; et dans l'esprit de Napoléon, la lucidité amère [...] n'empêche pas l'Empire-illusion de rester l'impossible grandeur de l'homme, maintenue par sa douleur même de faux empereur, ou si l'on préfère, le grandissement de l'homme par la reconnaissance stoïque de sa propre impossibilité. [...] rien n'est plus beau que l'imaginaire qui se dénonce comme tel et s'impose dans l'échec, non pas en dépit mais à cause de son irréalité »[105].

Une fois de plus la Toute-impuissance[106] se mue en toute-puissance.

---

96. I.F., tome III, p. 610.
97. I.F., tome III, p. 505-506.
98. I.F., tome III, p. 509.
99. I.F., tome III, p. 509.
100. I.F., tome III, p. 509.
101. I.F., tome III, p. 509.
102. I.F., tome III, p. 509.
103. I.F., tome III, p. 509.
104. I.F., tome III, p. 510.
105. I.F., tome III, p. 510.
106. Voir *supra*, 3e partie, chap. III, p. 402.

L'impossible démythification de l'imaginaire

Malgré les apparences Sartre ne semble pas avoir dépassé, à la fin de *L'Idiot de la famille,* les positions qu'il prête à son héros à propos du choix de l'imaginaire : c'est toujours l'oscillation du tout au rien, la fascination et la dévalorisation conjointes. Ecrire ne peut pas être un choix parmi d'autres. Il faut être inférieur ou supérieur. D'ailleurs l'imaginaire et le réel ne sauraient coexister, l'un exclut l'autre. Dans ce domaine, comme dans celui des relations avec la figure paternelle, prévaut un perpétuel renversement : on résumerait volontiers l'attitude de Sartre en pastichant Malraux : l'imaginaire ne vaut rien, mais rien ne vaut l'imaginaire. Illustrons d'abord la première proposition :

> « l'essence de l'image, c'est la mauvaise foi, le mensonge, le problème insoluble supposé résolu puisque, jusque dans les cas les plus simples, la conscience y recourt pour viser dans sa particularité concrète un objet *qui n'est pas* dans son champ de perception »[107].

> « [...] une œuvre — y compris celle d'Homère ou de Shakespeare — est *toujours* un échec et [...] le mieux qu'elle puisse faire, c'est [...] de suggérer [...] un *ailleurs* que les auteurs n'ont pas même échoué à *rendre* mais d'abord à imaginer. A ce niveau, le réel triomphe de l'image [...] en se manifestant *à l'intérieur d'elle* comme sa limite [...] : cette bulle irisée, tu peux la gonfler encore ; jusque-là, pas plus loin ou bien elle éclate. Voici l'imagination *réalisée* : elle n'est rien d'autre qu'un *pouvoir,* réel et mesuré. [...] les chevaliers du Néant sont des hommes de chair et de sang et leur petit décrochage imaginatif [...] les définit [...] aussi bien que la coupe de leur visage ou la couleur de leurs cheveux : en d'autres termes, l'écrivain *se réalise en s'irréalisant* »[108].

Voilà bien le danger : l'écrivain se voulait homme sans qualités et il découvre que vingt ou trente années de pratique de l'écriture ont fait de lui quelqu'un. Il nous semble qu'il y a là une des raisons de l'adieu de Sartre à la littérature. Il lui faut être sans visage. L'écrivain risque de rejoindre les notables, ces médiocres. Le militant de base, homme quelconque redonne sa chance au Tout.

Non seulement l'imaginaire particularise, mais encore il est réduit par Sartre à n'être qu'une façon de fuir le réel. Nos images « volent bas, comme des poules »[109]. Sartre en vient à méconnaître ce qu'a de spécifique l'activité du poète, du conteur, du créateur de mythes, pour n'y voir plus qu'une activité autodéfensive de déréalisation ; il cherche à saisir le mécanisme de l'irréalisation à sa racine, dans certaines expériences où « l'environnement perd à nos yeux

---

107. I.F., tome III, p. 515.
108. I.F., tome III, p. 516.
109. I.F., tome III, p. 518.

son poids de réalité et devient spectacle »[110]. Dans le premier tome de *L'Idiot de la famille,* Sartre donne deux exemples de ces instants : l'un est emprunté à Gide, l'autre à sa propre vie :

> « Gide, en gondole, la nuit, au milieu de la lagune, menacé par des gondoliers qui méditaient de prendre sa bourse et peut-être sa vie, tomba, sans perdre son sang-froid, dans un sentiment de perplexité amusée : rien n'était réel, tout le monde jouait. Je me rappelle avoir éprouvé la même impression, en juin 40, quand je traversai sous la menace des fusils allemands braqués sur nous, la grande place d'un village, pendant que, du haut de l'église, des Français canardaient indistinctement l'ennemi et nous-mêmes : c'était pour rire, ce n'était pas vrai. En vérité, je l'ai compris alors, *c'était moi* qui devenais imaginaire, faute de trouver une réponse adaptée à un *stimulus* précis et dangereux. Et, du coup, j'entraînais l'environnement dans l'irréalité »[111].

« Gustave, conclut Sartre, pour passer à l'imaginaire, n'a pas besoin de si grands périls : son impuissance est permanente »[112]. Notons que Sartre vide l'imaginaire de tout contenu propre. Il est ce qui surgit « lorsque nous sommes dans l'impossibilité de répondre aux exigences du monde par une action »[113]. Aussi la conversion de Sartre à la *praxis,* qui réduit toute image à n'être que du réel « déréalisé », nous apparaît-elle à son tour comme une activité autodéfensive : elle censure l'espace du désir, du fantasme, le temps du ressenti, du vécu, de la passivité. Au reste, l'imaginaire nié prend sa revanche. Mathieu, du haut de son clocher, vivant son dernier quart d'heure, peut-on dire qu'il agit, même s'il tue vraiment (dans le « mentir vrai » de la fiction, cela s'entend) ? Passant de la vie au roman, la « toute-impuissance » s'est muée en toute-puissance onirique et sa position dominante donne au héros, non pas l'occasion d'accomplir une action, mais la possibilité de *mettre en acte*[114] ses fantasmes[115].

Il reste que, réduit à n'être qu'un mode de défense, l'imaginaire fascine encore. Nous ne saurions nous en étonner. Contraint, par sa structure névrotique, à ne penser qu'en termes de puissance ou d'impuissance (nous avons vu qu'il met le choix de l'imaginaire en question lorsqu'il ne lui apparaît plus comme *le* pouvoir mais comme *un* pouvoir, c'est-à-dire comme « une voie de garage »[116]), il semble que Sartre hésite à lâcher l'ombre pour la proie : choisir l'échec en compagnie d'Homère et de Shakespeare conserve tout de même quel-

---

110. I.F., tome III, p. 517.
111. I.F., tome I, p. 666.
112. I., tome I, p. 667.
113. I.F., tome I, p. 666. Cet imaginaire-là n'est au fond que l'inhibition de l'émotion.
114. Au sens psychanalytique de « acting out » ; voir *supra,* 1re partie, chap. I, p. 29, note 4.
115. Voir *supra,* 1re partie, chap. IV, p. 127-128.
116. I.F., tome III, p. 574.

que grandeur. Rien n'est plus significatif, à cet égard, que ces deux versions de la vie de Flaubert :

> « Cet échec collectif est vécu par lui, dans sa singularité, comme le démenti de toute son existence et l'abolition de l'échec-catharsis qu'il a choisi en 44 : l'enfant imaginaire apprend, un demi-siècle après sa naissance, que le réel est une plénitude qu'on ne peut quitter ; extérieurement c'est son cachot, intérieurement sa constitution même : entre les barreaux de sa cage et son ossature interne, il y a de telles affinités que les structures du dedans et celles du dehors sont pratiquement interchangeables et que toute évasion est impossible sauf la mort. Ce non-être infini, cette étincelante lacune dont il se croyait fait, ce n'était qu'une ruse de l'être, un moyen bien réel de l'amener, vingt-cinq ans après sa conversion de Pont-l'Evêque, à coïncider avec sa finitude, avec sa facticité »[117].

Revenons de la page 581 à la page 201 :

> « il s'agit d'un être-écrivain, figure anonyme et sans auteur, que chacun doit remplir avec sa propre vie : parmi les acteurs, il en est qui seront bons, d'autres mauvais ; certains seront spontanés parce que ces déterminations objectives s'accordent à leur *imago,* lui fournissent une ossature ; et d'autres, même excellents, joueront à froid ou feront une « composition » parce que, comme on dit au théâtre, ils ne « sont pas le personnage » ou même ils ne le « sentent pas ». Le « génie » dépendra, ici, de la coïncidence du subjectif et de la subjectivation proposée par la névrose objective ».

L'image de l'ossature émigre d'un texte à l'autre. Dans le dernier extrait (que nous avons cité en premier) elle devient une cage fantastique, issue d'un moyen âge hugolien, symbole de séquestration pure, réalisée avec la plus totale économie de moyens : coïncidence « rigoureuse » d'un homme avec l'air de son temps. Le résultat de ce supplice immatériel et qui pourtant marque le corps, c'est la finitude, mais c'est aussi le génie, présent à la page 201 et curieusement passé sous silence à la page 581. Aussi ne savons-nous que penser de la démythification du choix de l'imaginaire, à la fin du troisième tome de *L'Idiot de la famille.* Il semble que Sartre joue sur les deux tableaux. Dans l'univers de l'aliénation, une seule issue, la fuite et le génie. Dans l'univers de « *la praxis restituée* »[118], plus de grands hommes, on vivra, on laissera vivre, on acceptera la mort. Sartre prophétise cet âge heureux. Il n'entrera pas dans la terre promise ; pour lui les jeux sont faits. Avec lui, meurt la littérature[119]. Aux autres, la modestie de l'action qui change au jour le jour un monde périssable. Mais les martyrs de l'aliénation, qui pourrait les oublier ? Revenons

---

117. I.F., tome III, p. 581.
118. I.F., tome III, p. 290.
119. *Cf.* S., X., p. 114.

au second tome de *L'Idiot de la famille* et au commentaire de Sartre sur *La légende de saint Julien l'Hospitalier :*

> « Flaubert écrit pour un Occident chrétien. Et nous sommes tous chrétiens, aujourd'hui encore ; la plus radicale incroyance est un athéisme chrétien, c'est-à-dire conserve, en dépit de sa puissance destructrice, des schèmes directeurs [...] dont l'origine est à chercher dans les siècles de christianisme dont nous sommes bon gré mal gré les héritiers. Ainsi [...] lorsqu'un auteur un peu chinois nous montre un saint qui s'ignore et qui meurt dans la désolation, nul doute que nous soyons émus dans notre plus enfantine pénombre : pour un instant, chrétiens dans l'imaginaire, nous marchons. Nous avons marché quand Bernanos a publié son admirable *Curé de campagne* [...]. Car il est bon, il est pur — même aux yeux d'un athée — ce jeune curé. Et, si Dieu est mort, [...] le malheur a le dernier mot. Et nous l'aimons tant, cet enfant qui agonise, que nous ressuscitons Dieu pour le sauver »[120].

Nous « marchons » aussi en lisant *L'Idiot de la famille* et, malgré la mort du vieux monde, nous ressuscitons un public à venir pour le grand écrivain bourgeois, ce méchant qui a tant souffert. *L'Idiot de la famille* montre qu'il ne suffit pas de dénoncer l'illusion pour la dissiper : la religion des Belles-Lettres, avec ses schémas prélevés sur le christianisme, oriente encore le dernier livre de Sartre. Si on ne lit plus Leconte de Lisle, c'est, en effet, qu'il est « innocent du Péché de la bourgeoisie »[121]. Flaubert, au contraire, Christ coupable, porte, comme Frantz dans *Les Séquestrés d'Altona,* le péché du père. Par sa Passion, il sauve ce monde. Il faut qu'il croie que ses livres sont les « songes *datés* d'un parasite nourri par une société-mirage, [...] faux chefs-d'œuvre, qu'une fausse élite a fait semblant d'admirer »[122], pour qu'un autre martyr de l'imaginaire vienne, au siècle suivant, témoigner du contraire. A la phrase que nous venons de citer Sartre ajoute en effet en note : « Ce n'est pas ce que *nous* pensons. C'est ce qu'*il* pense »[123].

Mais quand Sartre dira-t-il ce que lui pense ? Le quatrième tome du *Flaubert* ne paraîtra pas. Faut-il que le dessous du jeu demeure caché ? La question est-elle si embarrassante que l'on doive indéfiniment en remettre la réponse ? « Loin de se considérer — sauf à de rares moments de lucidité désolée — comme des petits-bourgeois qui écrivent [...] [les écrivains de l'Art-Névrose] se prennent pour des aristocrates (ou des surhommes) qui se sont faits petits-bourgeois pour écrire »[124]. Après « petits-bourgeois qui écrivent », Sartre ouvre

120. I.F., tome II, p. 2124.
121. I.F., tome III, p. 402.
122. I.F., tome III, p. 514.
123. I.F., tome III, p. 514, note 2.
124. I.F., tome III, p. 153.

une parenthèse : « (ce qui ne va pas, certes, sans soulever des questions d'une extrême complexité sur lesquelles nous reviendrons dans le prochain tome de cet ouvrage) »[125]. « La suite au prochain numéro »[126] disait déjà l'enfant des *Mots* et il ajoutait : « Je me laisse en suspens »[127]. Laissons à « Mamie » le dernier mot : « Glissez, mortels, n'appuyez pas »[128].

---

125. I.F., tome III, p. 153.
126. MT., p. 94.
127. MT., p. 94.
128. MT., p. 212.

CONCLUSION

Avant de commencer l'étude comparée de ses biographies, il nous a semblé utile d'apprécier la distance qui sépare Sartre de la psychanalyse tout au long de sa vie d'écrivain. Nous l'avons vu passer, en quarante ans, de l'ignorance naïve au rejet et du rejet à l'accueil. Il y a loin, apparemment, de l'innocence de l'essai sur *La Transcendance de l'Ego* où une jeune femme, tentée d'appeler les passants comme une prostituée, craint de céder à « un vertige de la possibilité »[1], à l'utilisation, dans *L'Idiot de la famille*, du vocabulaire psychanalytique. En fait, plus Sartre croit intégrer l'analyse, plus il s'en éloigne : il nie l'inconscient, réduit l'Œdipe à une « mythologie parfaitement inoffensive »[2] et destine sa méthode psychanalytique à une auto-analyse purement intellectuelle où à une analyse *post mortem*. L'idée de la cure est soigneusement tenue à l'écart, et lorsque « l'homme au magnétophone »[3] vient en rappeler la réalité, il provoque un « passage à l'acte » significatif. La publication du « Dialogue psychanalytique »[4] au moment où Sartre termine la rédaction du *Flaubert*, montre qu'il n'a guère changé depuis les années trente où il tournait la psychanalyse en dérision dans *L'Enfance d'un chef*, depuis les années cinquante, où il parlait, dans la préface au *Traître*, de la « flicaille psychiatrique »[5]. En 1969, il prend toujours plaisir à voir « Guignol rosser le commissaire »[6]. On aperçoit alors qu'un inventaire des déclarations de principe qui jalonnent ce que Sartre appelle son compagnonnage critique[7] avec la psychanalyse, n'est d'aucune utilité pour saisir sa relation en profondeur avec elle.

Si, au contraire, on est attentif à l'affabulation romanesque ou aux métaphores touchant à ce domaine, on voit que ses propres con-

1. T.E., p. 81.
2. C.R.D., p. 47.
3. S., IX, p. 329.
4. S., IX, p. 338 à 360.
5. S., IV, p. 74.
6. S., IX, p. 329.
7. S., IX, p. 329.

flits inconscients ne peuvent que lui interdire l'accès à l'intelligence de l'analyse. Dans *L'Enfance d'un chef* et dans *Le Sursis* l'initiation à la psychanalyse et à l'homosexualité vont de pair. Dans *Saint Genet* l'inconscient cache un « Zar »[8] qui possède par derrière, l'analyse est une « *vis a tergo* »[9] ; dans *L'Idiot de la famille*, Freud, identifié au docteur Larivière, désarticule le mensonge et en laisse « tomber les tronçons à vos pieds »[10]. On comprend alors la jubilation de Sartre applaudissant le patient qui ose devenir agent, se lever du divan et « faire face » au lieu de « tourner le dos »[11]. On conçoit aussi qu'il évacue l'essentiel de la psychanalyse en réduisant le désir au besoin et l'Œdipe à l'intériorisation, pendant la petite enfance, des conflits de classe des parents. Dès lors apparaissent les limites d'un chapitre préliminaire consacré aux rapports de Sartre et de la psychanalyse. C'est seulement en abordant l'étude des conflits propres à Sartre que l'on peut progressivement comprendre les distorsions qu'il fait subir au vocabulaire psychanalytique ou ses difficultés à lire le complexe d'Œdipe, dont il confond les configurations positives et négatives et qu'il suppose résolu quand il n'a pas même été affronté.

La lecture psychanalytique que Sartre suggère de son propre « cas » dans *Les Mots* montre qu'il le situe d'emblée au niveau d'une problématique œdipienne. Œdipe simplement « incomplet »[12] à cause de l'absence du père. L'enfant *possède*[13] sa mère sans combat, rêve d'un couple formé d'un frère et d'une sœur platoniquement incestueux. L'aveuglement de Sartre est ici total : il méconnaît l'interdit de l'inceste, que cette « loi » n'est pas un « caprice »[14], mais que par elle le sujet se construit. Il semble ignorer que l'interdit n'est pas forcément lié à la présence réelle du père : le père mort peut être présent dans le discours de la mère et l'instance interdictrice représentée par d'autres figures paternelles : grand-père, oncles, eux-mêmes soumis à la loi. Ce qu'il décrit dans *Les Mots*, ce n'est pas un Œdipe « incomplet », mais une impossibilité radicale d'entrer dans la phase œdipienne phallique. Pris dans les liens du désir maternel, l'enfant des *Mots* n'a pas l'usage de son pénis : il est la petite fille morte en proie à l'angoisse. Il n'a pas accès à la différence des sexes. La mère n'est pas l'objet de son désir : il s'identifie à elle, il *est* Grisélidis servante du patriarche, mais pour *avoir*, quand son heure sera venue, la puissance de ce dernier. La régression au stade anal permet de préserver, dans le fantasme du phallus anal maintenu en soi, l'omnipotence que menacerait la reconnaissance de l'autre sexe. Le rêve d'être *post mortem* « un grand fétiche maniable et terri-

8. S.G., p. 65.
9. S.G., p. 152.
10. I.F., tome I, p. 459.
11. S., IX, p. 332.
12. MT., p. 17.
13. *Cf.* MT., p. 17 : « personne ne m'en contestait la tranquille possession ».
14. MT., p. 17.

ble »[15] trahit très vite son lien à l'analité : les livres sont de petits cercueils qui sentent le cadavre. Les manier, les porter, les traiter en poupées, c'est prendre avec ces « hommes-troncs »[16], ces paralysés[17] qui sont pourtant « tout un homme »[18], l'attitude de la mère. S'imaginer l'un d'eux, c'est être objet pour le grand-père. Sartre peint l'enfant des *Mots* comme « féminisé », « affadi » et « infatué »[19], mais il refuse explicitement de voir là le signe d'une organisation narcissique (un Œdipe, même « incomplet »[20], est plus flatteur) ; il rejette aussi implicitement, cela va sans dire (la question n'est même pas abordée), les liens d'une telle organisation avec l'homosexualité. L'homosexualité latente est cependant lisible dans la violence avec laquelle Sartre s'en défend, lorsqu'il répudie l'image d'Enée portant son père sur son dos. L'affirmation : « je n'ai pas de Sur-moi »[21], qui signifie pour Sartre sa totale liberté, éclaire au contraire pour nous son aliénation. Sans surmoi œdipien, il n'y a pas, en effet, d'identification paternelle, l'interdit de l'inceste n'est pas intériorisé, celui qui peut tout est réduit à l'impuissance. L'accès réel au stade génital lui est interdit. L'image de la machine à faire des livres et du bagnard que l'on tatoue renvoie à un scénario pervers, sado-masochiste, où l'érotisme anal laisse libre cours à ses fantaisies d'emprise et de soumission absolues.

L'analyse de *L'Enfance d'un chef* fait apparaître chez Lucien Fleurier une structure psychique semblable à celle de l'enfant des *Mots* : sexe des anges, impossibilité d'entrer dans le stade phallique, repli sur des positions anales, sado-masochistes. Le romancier imagine juste, lorsqu'il décrit un « caractère anal »[22], et faux, lorsqu'il invente un Œdipe « complet » et supposé résolu. Sartre semble incapable de représenter autre chose que sa propre configuration libidinale pré-œdipienne. Le dénouement du conflit œdipien chez Lucien est polémiquement assimilé à la réussite bourgeoise du « salaud »[23]. Mais nous avons vu que l'identification de Lucien à son père n'est pas une identification œdipienne : celle-ci suppose que l'on puisse accueillir en soi l'image du père symbolique, lui aussi soumis à la mort et à l'interdit de l'inceste. Lucien s'identifie à un Moïse tout-puissant, image narcissique d'un père imaginaire. Le mouvement qui polarise la vie de Lucien — fuir l'existence pour l'être — est le même que celui qui anime, ou plutôt qui dévitalise, la vie de Roquentin et de l'enfant des *Mots* : les droits du chef, avec leur caractère de nécessité, res-

---

15. MT., p. 162.
16. MT., p. 53.
17. *Cf.* MT., p. 53 : « cette misérable survie paralysée ».
18. MT., p. 161.
19. MT., p. 91.
20. MT., p. 17.
21. MT., p. 11.
22. *Cf.* S. Freud, « Caractère et érotisme anal », *Névrose, psychose et perversion,* P.U.F., 1973, p. 143 à 148.
23. N., p. 123.

semblent aux objets mathématiques, tout comme leur ressemble le petit air de jazz de *La Nausée*, modèle de l'œuvre littéraire. Grand fétiche, le chef est *attendu* par ses ouvriers et sa famille, comme l'enfant des *Mots* l'est par ses lecteurs. Cette impossibilité de se supporter sans entretenir en soi des fantasmes narcissiques de maîtrise absolue renvoie au complexe de castration et à la régression au stade anal : Lucien sur le « trône »[24], supplié par son entourage, et faisant du « boudin »[25], tous orifices bouchés, est le digne pendant de Lemordant, ce « Bouddha »[26] de pierre « sans cou »[27], où l'on ne peut « faire rien entrer », « ni par les oreilles », « ni par ses petits yeux »[28], ni par la « bouche minuscule »[29]. On ne s'étonnera donc pas que les expériences « génitales » du personnage soient si décevantes ; homosexuelles ou hétérosexuelles, elles se ressemblent curieusement : même sexualité « rêveuse »[30] et solitaire, où la jouissance vient du fantasme : « une poupée est maniée ». Lorsque Lucien fait de Maud sa maîtresse, il perd la jeune fille pudique, décente et toujours habillée, comme la mère-sœur des *Mots*. L'amour meurt et la sexualité se désintègre, faisant renaître, tenues en lisières par le dégoût, les pulsions partielles orales et anales. Ce qui domine, finalement, comme dans *Les Mots*, c'est le narcissisme : la dernière image que nous ayons de Lucien, c'est celle qu'il cherche dans une glace, sur le boulevard Saint Germain.

La Nausée semble l'illustration anticipée de cette phrase des *Mots :* « l'appétit d'écrire enveloppe un refus de vivre »[31]. L'autobiographie constate mais n'explique pas l'impérieuse nécessité d'être mort au monde pour tenir une plume. Les métaphores liées à l'écriture permettent néanmoins de comprendre cette exigence d'automutilation. Ecrire, nous l'avons vu, c'est pour l'enfant des *Mots* à la fois « rassasier » de « longues dames pensives »[32] et convoiter les « menhirs »[33] de la bibliothèque grand-paternelle. Refuser de reconnaître l'interdit de l'inceste, c'est condamner en soi tout accès à la jouissance ; c'est être contraint de faire le mort pour sauvegarder le désir inconscient. Dans son auto-analyse Sartre peut écrire que la mort de son père lui livre sa mère sans combat, que « l'inceste [lui] plaisait s'il restait platonique »[34], que « jamais le caprice d'un autre ne s'était prétendu [sa] loi »[35], sans se rendre compte que cet aveu

---

24. MR., p. 156.
25. MR., p. 157.
26. MR., p. 214.
27. MR., p. 213.
28. MR., p. 213.
29. MR., p. 214.
30. I.F., tome II, p. 1319.
31. MT., p. 159.
32. MT., p. 142.
33. MT., p. 30.
34. MT., p. 42, en note.
35. MT., p. 17.

facile d'un Œdipe « incomplet »[36] n'est pas le signe que la situation œdipienne a été affrontée et dépassée, mais qu'il trahit au contraire la fixation incestueuse inconsciente qui fait du sujet un interdit de désir. Aussi ne peut-il voir le lien entre cette fixation inconsciente et l'impossibilité de ressentir qu'il constate dans sa vie. Il rattache cette anticipation de la mort à la hantise de la mort, faute de pouvoir prendre conscience qu'il se tue d'avance pour éviter la castration. *La Nausée* dit le prix du passage à l'écriture quand celle-ci est liée à des représentations refoulées. La négation de l'interdit multiplie les interdits, si bien que le journal de Roquentin témoigne d'une véritable désintégration de la sexualité ; les pulsions partielles s'expriment séparément et sont elles-mêmes à leur tour inhibées. Avant la tentation de l'écriture romanesque, Roquentin semble avoir atteint le niveau génital, en apparence seulement, il est vrai, puisqu'il dissocie tendresse et sexualité, Anny et la patronne, et que ses relations avec cette dernière sont sous le signe du « donnant, donnant ». Toujours est-il que l'impuissance apparaît lorsque se pose la question : « qu'est-ce qui m'empêche d'écrire un roman ? »[37]. L'auto-érotisme phallique, sensible dans les nombreux cadrages sur des jeux de mains et de doigts, entraîne l'image menaçante de la main coupée ou de l'araignée. La pulsion anale non intégrée est inhibée dès le début, avec l'impossibilité de toucher le galet boueux et les papiers salis. Enfin l'oralité elle-même est réprimée : le dégoût de la nourriture, l'angoisse de la fusion avec l'autre apparaissent. Ce refus de la vie, qui est défense généralisée contre le désir, culmine dans la scène du jardin public où nous avons lu la dérision de la scène primitive. Toute différence est réduite en « marmelade »[38] et vidangée[39]. Rien ne naît, rien ne meurt. L'angoisse de castration est conjurée par la castration généralisée.

Si nous laissons l'analyse des pulsions pour celle des relations d'objets, nous voyons que, là encore, Roquentin réalise le programme tracé par l'enfant des *Mots :* non seulement ne pas jouir, mais encore être totalement oublié pour pouvoir renaître. Roquentin rompt avec tous ceux qui l'entourent, souhaite ne plus exister pour personne, n'être finalement plus personne. Nous savons quel rêve de démesure se cache sous cette humilité apparente. La relation à un objet narcissique imaginaire, le Marquis de Rollebon, l'emporte sur la relation à autrui. La mort de Rollebon, en tant qu'elle tue le « petit fat »[40] présent dans *Les Mots*, fait disparaître les traits d'une enfance particulière et reniée. Roquentin s'approche de son miroir pour y perdre les contours de son visage : on peut aussi refuser de

---

36. MT., p. 17.
37. N., p. 80.
38. N., p. 170.
39. *Cf.* « Le jardin se vida comme par un grand trou », N., p. 171.
40. N., p. 79.

se voir par narcissisme. En profondeur, la relation impossible avec l'objet maternel entraîne l'introjection de ce dernier. Roquentin devient le petit air de saxophone et le fait parler comme une jeune fille d'autrefois. Mais cette modestie n'est qu'apparence : l'identification féminine affiche la castration pour mieux la nier. Roquentin a perdu l'usage de son pénis mais à travers la musique, métaphore de l'œuvre littéraire, il est le phallus ou la forme vide qui le représente : dans le café, la musique s'élève comme une trombe ; colonne de nuée tourbillonnante, elle écrase contre les murs les petites vies végétatives qui l'entourent ; elle est la Puissance et la Gloire. C'est elle qui, dans le désert, marche devant Moïse. Aussi toutes les figures paternelles, grand-père, beau-père, père, sont-elles châtrées. Comme dans *L'Enfance d'un chef,* le niveau œdipien n'est jamais atteint. Il n'y a, dans *La Nausée,* aucune figure de père symbolique ayant accepté la loi commune. Toutes les « capacités » rassemblées pour un joyeux massacre sont des pères imaginaires crispés sur leurs droits, et, le droit, comme l'objet mathématique ou le petit air, est sacralisé. Parodie d'affrontement avec de fausses images œdipiennes, l'épreuve de force se situe dans *La Nausée,* comme dans les autres œuvres autobiographiques, au niveau pré-œdipien de l'ambivalence anale : l'agressivité, totalement refoulée par l'enfant des *Mots,* se décharge avec Roquentin ; mais la soumission absolue du petit Jean-Paul n'est pas tout à fait absente de *La Nausée* : les pères imaginaires ne sont châtrés qu'en effigie et, devant leurs portraits accrochés à la cimaise, on « [fait] la manœuvre »[41]. Les identifications passagères à tous ceux qui, d'une façon ou d'une autre, portent la marque de la castration — le juif, la négresse, le vieux toqué, Lucie la femme de ménage, l'autodidacte blessé, la petite Lucienne violée — indiquent la mise en place d'un jeu de « Qui perd gagne » informulé dont les biographies ultérieures nous ont permis de mieux saisir l'origine pulsionnelle et la fonction comme système de défense contre l'angoisse de castration. Ce que cette identification aux humiliés masque de convoitise est sensible dans la fascination qu'exercent sur Roquentin la petite fille au « museau de rat »[42], clouée sur place dans son désir de voir ce qui se cache sous la pèlerine de l'exhibitionniste, ou bien encore Lucie, transfigurée par la douleur d'avoir perdu ce qui pour elle était le tout. L'identification aux humiliés est attente du triomphe. Elle châtre le père dans la déchéance du fils et mime par le contraire la toute-puissance à venir. On aura reconnu là le mouvement même de la « Chute » de Flaubert, scénario que Sartre croit œdipien et qui consiste à remplacer un père pré-œdipien idéalisé par une autre figure paternelle plus gratifiante encore pour le narcissisme : au docteur Rogé, laissé pour mort, est substitué Pascal et le grand Corneille aux humanistes de province.

---

41. N., p. 118.
42. N., p. 105.

La première des biographies sartriennes apparaît d'emblée comme marquée par les conflits propres à son auteur. Baudelaire y est à la fois assimilé et rejeté, défendu et condamné. L'organisation psychique que nous avons repérée dans les textes autobiographiques est à l'œuvre dans le travail du biographe, l'éclairant sur certains aspects de la vie et de l'œuvre du poète, l'aveuglant sur d'autres. Ainsi, le souvenir du père mort présent en Baudelaire n'est pas perçu, mais Sartre accuse à plaisir les traits des divers pères fouettards imaginaires et omnipotents que Baudelaire se serait donnés. Cela nous renvoie à l'ambivalence pré-œdipienne du biographe : Sartre rejette comme bouffonne l'hypothèse d'une relation érotisée de Baudelaire à la figure paternelle, mais son argumentation la souligne et lui donne corps. Il isole le fantasme d'être vu dans la honte, dont nous avons remarqué en l'analysant chez Lucien Fleurier ce qu'il comporte justement d'érotisme anal et d'homosexualité latente. La défense de Baudelaire contre l'accusation de sodomie nous vaut un portrait du dandy en femme-prêtre dont l'image sous-jacente est la représentation archaïque de la mère phallique, représentation qui nous éclaire autant sur le complexe de castration du biographe et sur sa difficulté à accepter la différence des sexes que sur l'exhibitionnisme baudelairien.

« Totalité raidie, perverse et insatisfaite »[43], « *homunculus* »[44], « plaie vive aux lèvres largement écartée »[45], Baudelaire semble condenser en sa personne les hantises de l'inconscient sartrien : il est simultanément le phallus et la castration, l'objet partiel érigé en objet total et la blessure insoutenable. Au niveau conscient, Sartre attribue à Baudelaire sa propre idiosyncrasie : humeur fade et vitreuse, conscience babillarde, univers précautionneusement étiqueté, sexualité de nourrisson manié, horreur de l'abandon, impossibilité de ressentir, constitution de survivant, « passion » du pour-soi, identification au Christ, désir contradictoire d'être à la fois libre et consacré. Tant de traits communs non seulement à Baudelaire et à Sartre, mais aussi à Genet et Flaubert, rendent difficilement explicable la condamnation du seul Baudelaire. Nous avons été amenée à y voir le résultat de sentiments ambivalents à l'égard d'un double dont on ne tolère pas narcissiquement qu'il puisse tant soit peu différer de l'image du moi idéal que l'on entretient en soi : Baudelaire, identifié à Moïse, n'a pas eu l'audace de briser les tables de la loi, et comble d'imprudence, il veut jouir *hic et nunc* de sa statue, bref il ne voit pas la nécessité de jouer à « Qui perd gagne ». Les biographies suivantes nous ont permis de mieux comprendre quelles pulsions, quels conflits inconscients, quelles représentations interdites contraignent Sartre et Flaubert à cette épuisante tactique.

43. B., p. 221.
44. B., p. 224.
45. B., p. 91.

Après Baudelaire, c'est Jean Genet qui mobilise la passion sartrienne et sa recherche du double. Cette fois-ci, nous sentons que le débat est plus profond, l'identification plus dangereuse. D'une certaine façon, l'opération est directement profitable : le narcissisme et l'agressivité trouvent une issue, Pardaillan prend la défense de Grisélidis et pourfend au passage puissants et pharisiens. A y regarder de plus près, l'œuvre se présente comme un compromis entre le désir et la défense. Fasciné par Genet, Sartre dans son plaidoyer pour la réintégration de l'exclu fait apparaître, plus manifestement encore que dans les œuvres précédentes, les jeux de la pulsion anale et l'homosexualité latente ; mais il se garde bien de les reprendre à son compte. Son analyse tient à la fois de l'aveu et de la dénégation, elle affirme en même temps : « je n'ai pas de goût pour les jeunes garçons »[46] et il y a des situations « pré-pédérastiques »[47], ceux à qui Genet fait horreur sont des homosexuels qui s'ignorent (donc je ne suis pas homosexuel) et nous sommes tous coupables en même temps qu'innocents. Le schéma imaginé par Sartre pour la compréhension de Genet est le même que celui qui lui servira à s'appréhender dans *Les Mots* : l'un et l'autre ont été faits objets par les grandes personnes. Ce type d'explication s'apparente au mécanisme de la projection : ce sont les gens de bien qui ont projeté en Genet leurs propres désirs coupables. Sartre retourne l'accusation et ne sort pas du prétoire. Ainsi peut-il méconnaître le sujet désirant : ni l'homosexualité, ni le narcissisme ne sont premiers chez Genet, ils découlent de l'objectivation d'un sujet. La défense contre sa propre homosexualité latente se traduit, dans le texte, par le rejet de la passivité : le biographe, aussi dépourvu de « complexes » que de « préjugés », accueille pleinement les expériences particulières de son héros, Genet a droit à tous les « vices », mais la passivité lui est interdite. Presque à chaque page, Sartre éprouve le besoin de souligner la tension de Genet, son activité, son refus de l'abandon à la sensualité. C'est cette « activité » qui permet à Sartre de s'identifier en partie à Genet.

Féminisé comme l'enfant des *Mots* ou Lucien Fleurier, Genet est soumis aux « macs » comme le premier l'est au patriarche et le second à un père omnipotent. Le caractère imaginaire de la figure paternelle est encore accusé dans *Saint Genet* : le *dur* porte le ciel, il fait la loi, il *est* la loi. La régression de la libido et le retour aux pulsions partielles orale et surtout anale sont aussi sensibles que dans *La Nausée* ou *L'Enfance d'un chef*. Sartre, essayant d'intégrer à l'amour la fixation anale de Genet, ne parvient qu'à dénier au couple hétérosexuel l'accès à la génitalité. La hantise du « sac d'excréments »[48] projeté tour à tour sur l'Eglise, le saint ou le bourgeois,

---

46. S.G., p. 537.
47. S.G., p. 81.
48. S.G., p. 491.

nous renvoie aux conflits avec la mère du dressage sphinctérien complaisamment évoqués dans *L'Enfance d'un chef*. Le complexe de castration est aussi lisible que la fixation au stade anal. Il est particulièrement repérable dans un scénario de captation du phallus que l'œuvre répète inlassablement, qu'il s'agisse du coït anal, de l'écriture, de la lecture ou de la représentation perverse de la Passion du Christ. Ce scénario informe deux tics de plume sartriens : *x* meurt pour que *y* naisse et « Qui perd gagne ». Ces formules apparemment stéréotypées sont élevées par Sartre à la dignité de schèmes de compréhension et de maximes de conduite. Ce n'est qu'à partir du moment où il réfléchit sur lui-même en écrivant *Les Mots* que Sartre s'interroge sur la valeur morale du jeu de « Qui perd gagne » jusqu'ici valorisé. Il y verra un trucage qu'il s'empressera de condamner, mais sans s'interroger sur son origine pulsionnelle ni prendre conscience de son caractère symptomatique. L'étude de *Saint Genet* montre que ce schème a pour soubassement un fantasme qui superpose à une scène archaïque d'expulsion du bâton fécal une autre scène de reprise en soi de ce même bâton fécal imaginairement magnifié. Le scénario de la « petite passion d'alcôve »[49] est, de ce point de vue, exemplaire. Il ne s'agit jamais de deux êtres de même sexe et qui s'aiment. L'un est ou a tout, l'autre n'est ou n'a rien. Celui qui n'a rien s'incorpore la toute-puissance de l'autre et le sur-mâle devient à son tour *homunculus* provoquant la tendresse de celui qui l'a châtré. Il *n'a* pas de pénis, il *est* le « petit sexe, poupée d'étoffe »[50], sur lequel l'autre se penche avec une tendresse maternelle et se reconnaît. Autrement dit, sous le scénario de la Passion selon saint Genet, on retrouve les deux pôles du désir sartrien, être à la fois la colonne qui précède Moïse dans le désert et la petite poupée maniée par la mère.

Incapable de faire son deuil du phallus, Sartre ne perçoit pas ce qu'a d'étrange l'identification de ce dernier avec la personne totale. Il ne voit pas non plus que la réaction de Genet à la mort de son ami n'est pas le signe du « travail du deuil »[51] mais son simulacre. L'incorporation de l'aimé est, comme les différents schémas de « Passions », un fantasme de captation du phallus, qui signale son origine anale par toutes les métaphores liées au cadavre. L'image du cadavre avec ses connotations à la fois phalliques et anales tiendra une grande place dans l'essai sur Flaubert.

Saint Genet comme *Baudelaire* nous montrent Sartre encore prisonnier de sa religion de la littérature. Jean Genet est absous de s'être tué d'avance pour devenir légende et applaudi de s'être « déli-

49. S.G., p. 126.
50. S.G., p. 126.
51. Voir S. Freud, « Deuil et mélancolie », dans *Métapsychologie*, collection « Idées », Gallimard, 1968, p. 147 à 174.

vré des insupportables obligations de l'esthétisme »[52]. Il sait faire le mort, ne plus gaspiller son énergie à essayer de surprendre en lui l'essence du criminel ou de la sainte, comme Baudelaire tentait de saisir celle du dandy. Il « se met tout entier dans les mots »[53], il renonce à voir ériger sa statue de son vivant. Il sait jouer à « Qui perd gagne », c'est-à-dire ignorer qu'il cherche à gagner quand il se voue à sa perte. Bref, Sartre peut se pencher sur Genet comme sur un miroir et lui sacrifier son premier double, Baudelaire. Tel nous paraît être le sens de la dédicace du *Baudelaire* à Jean Genet.

C'est la hantise d'avoir perdu en acquérant la notoriété qui semble à l'origine des fragments sur le Tintoret. Nous avons analysé cette ébauche d'une vie de peintre comme un accomplissement de désir. Sartre, identifié au petit teinturier à travers le labeur forcené de ce dernier, sa réputation douteuse, sa sourde appréhension de la mort de Dieu, s'administre la preuve que tout n'est peut-être pas perdu. Il « [adapte] »[54] les vieux rêves de gloire de l'enfant des *Mots*. Ayant gâché ses « chances de mourir inconnu », il « [se] flatte [...] de vivre méconnu »[55]. En s'attachant à ce nouveau double, Sartre nous permet de saisir sur le vif ce « travail »[56] d'adaptation. Les textes autobiographiques nous ont éclairés sur la nécessité pour l'inconscient d'une telle entreprise : jouir de son triomphe avant l'heure, c'est risquer la castration. Il faut être, sa vie durant, la servante effacée d'un Seigneur tout-puissant pour qu'à la mort le renversement puisse s'opérer.

L'étude sur le Tintoret fait apparaître entre les personnages du drame qu'est toute vie selon Sartre un système de relations que nous retrouvons dans *L'Idiot de la famille* : un fils, identifié à sa mère, est soumis à un père omnipotent qui lui préfère un rival. Gustave soumis, comme Caroline, au terrible docteur Flaubert, comme Anne-Marie au grand-père Schweitzer, se voit préférer Achille. Le Tintoret ne se distingue pas de Venise : la ville et son peintre ont « même visage »[57]. Mais la ville-mère ratifie les jugements de l'empereur reflet de Dieu le Père : au petit teinturier, elle préfère le Titien. L'opposition du vassal reçu au vassal repoussé satisfait en secret l'exigence du « Qui perd gagne » : le rival heureux, Achille ou le Titien, ne l'est que pour un temps : il gagne, donc il perd. Celui qui possède de son vivant le pouvoir paternel est châtré *post mortem*. La métamorphose que Sartre fait subir au tombeau du Titien est parlante : son

---

52. S.G., p. 506.
53. S.G., p. 506.
54. MT., p. 212.
55. MT., p. 212.
56. Au sens freudien de « travail » du rêve (*L'Interprétation des rêves*, P.U.F., 1967, chap. VI, p. 241 à 432) et de « travail » du deuil (voir *supra*, p. 437, note 51).
57. S., IV, p. 346.

architecture baroque s'affale en masses de « saindoux »[58] tandis qu'à l'autre bout de Venise, le nom du Tintoret, gravé sur « la pierre nue »[59], étincelle.

Les questions que pose l'essai sur le Tintoret et les oppositions qui le structurent renvoient au narcissisme et au complexe de castration : qu'est-ce que la gloire, la notoriété, la célébrité ? Vaut-il mieux être méconnu qu'être considéré comme un Bien National ? Le peintre est-il un artisan ou un génie ? Le génie est-il reflet des rois, c'est-à-dire illusion, ou angoisse atroce du néant, c'est-à-dire pari sur l'être qui doit s'ignorer ? Une fois de plus, nous retrouvons l'impossibilité de répondre à la question : qui suis-je ? et sa transformation en un : qu'est-ce que je vaux ?, auquel on répond dans la superbe et dans l'affolement : je les vaux tous. Le Tintoret « fait » du Titien, du Pordenone, du Véronèse, et Sartre lui-même, comme en écho, multiplie les pastiches. Comme dans les biographies précédentes, la défense contre l'angoisse de castration est d'ordre anal. Bourreau de soi-même, enfermé dans un lazaret, Tintoret a mauvaise odeur : bulle au fond d'un rio, il est une « vesse »[60] de la Sérénissime; mais par sa peinture il rêvera de « minéraliser [...] la bourbe gélatineuse qui tremble »[61] au fond des canaux. Puisque Venise, corps imaginaire du peintre, sent la mort, l'art de Jacopo donnera au sac d'excréments la rigidité cadavérique. Si la fantasmatique anale est à l'œuvre pour restaurer un phallus tout-puissant, c'est la pulsion urétrale qui est mise en jeu lorsqu'il s'agit de détruire le rival : jusqu'à l'orée de sa vieillesse, le Tintoret est « éclaboussé »[62] par le Titien. Ebloui, « traversé par les feux d'un phare »[63], comme l'enfant Genet sous le regard des honnêtes gens, comme l'enfant des *Mots* lisant Chateaubriand, il rêve à son tour d'éblouir et d'éclabousser par des « jets de lumière corrosifs »[64].

Le commentaire de « Saint Georges et le dragon » corrobore nos interprétations de *Saint Genet*, de *L'Enfance d'un chef* et de *La Nausée* à propos du ressentiment à l'égard de la mère anale. Il peut aussi se lire comme un véritable test projectif où Sartre découvre dans la jubilation un héros actif subrepticement transformé en sujet passif, porté « par toutes les voussures de la toile »[65], pondu par un gigantesque « cul de poule »[66] et « fourré à lui-même »[67]. Le sac d'excréments est ici revécu sans conflit, dans l'auto-satisfaction béate du nourrisson.

---

58. S., IV, p. 337.
59. S., IV, p. 338.
60. S., IV, p. 345.
61. S., IX, p. 214.
62. S., IV, p. 337.
63. MT., p. 152.
64. MT., p. 152.
65. S., IX, p. 222.
66. S., IX, p. 222.
67. S., IX, p. 220.

Nous avons rattaché aux fragments épars d'une étude sur le Tintoret « Venise, de ma fenêtre »[68]. Ce tableau vénitien nous a paru refléter la structure psychique de son auteur et confirmer les hypothèses que nous avions faites à propos du « Séquestré de Venise » et de *La Nausée*. Le paysage vénitien réalise fantasmatiquement le « Qui perd gagne » et celui-ci, imposant la tâche de mourir à ses pulsions, conduit le sujet au sentiment de perdre le contact avec la réalité : l'impression d'« inquiétante étrangeté »[69] apparaît et avec elle la hantise du dédoublement, de la dérive des continents, de la catastrophe cosmique. Ce gel affectif se traduit aussi bien dans la perpétuelle dérobade de l'air, de la terre et de l'eau à Venise, que dans la correspondance d'une des expressions les plus significatives de l'impossibilité de ressentir chez Sartre, « prisonnier d'une transparence »[70], avec la spécialité vénitienne de la peinture sur verre ou du sulfure. Mais que cette mort au monde, dictée par le « programme »[71] névrotique, soit une fausse mort, le simulacre d'enterrement du génie inconnu le fait pressentir, ainsi que les métaphores qui évoquent l'instabilité de l'atmosphère vénitienne : l'évanescente fantasmagorie des palais peut à tout moment s'inverser en érection, en rigidité cadavérique.

S'identifiant à Venise ou à son peintre, Sartre met en scène une fois de plus la dynamique rassurante du « Qui perd gagne ». C'est encore elle qui anime secrètement la préface[72] écrite pour *Le Traître* d'André Gorz. Il s'agit, comme dans *Les Mots* dont la rédaction est contemporaine, de perdre une bonne fois en dénonçant son propre vampire : le mythe du grand homme. Mais le style du texte donne à penser que l'aveu méritoire est raffinement de coquetterie et que la partie de « Qui perd gagne » se poursuit souterrainement, interminable. Dans cette entreprise toujours recommencée parce que se dire équivaut à donner le change, parce que la mesure s'inverse en démesure et que celle-ci appelle à son tour un perpétuel démenti, Gorz fait fonction de double et de précurseur. Son auto-analyse s'applique à réaliser l'évolution de l'universel au singulier, comme celle de Sartre mimera le passage d'un « comme personne » à un « comme tout le monde ». Dans les deux cas, on convie le lecteur à célébrer la naissance d'un unique n'importe qui. Mais ce nouveau quidam qui refuse à la fois d'être « quelqu'un » et cet « individu-là », avec ce corps et ce caractère, semble bien, tant son désir de rester dans l'indétermination est grand, et difficile son acceptation de la particularité chez autrui, ne pas pouvoir faire son deuil du phallus. Aucun texte de Sartre n'insiste autant sur la castration : « lézardé »[73], « dé-

---

68. S., IV, p. 444 à 459.
69. S. Freud, « L'inquiétante étrangeté », *Essais de psychanalyse appliquée*, collection « Idées », Gallimard, 1973, p. 163 à 210.
70. S., IV, p. 309.
71. I.F., tome III, p. 443.
72. « Des rats et des hommes », S., IV, p. 38 à 81.
73. S., IV, p. 57.

cérébellé »[74], « mutilé »[75], Gorz « indifférent »[76], zélé, « appliqué »[77], « affûte »[78] un « outil »[79] intellectuel toujours plus perfectionné pour compenser les effets de son anesthésie. L'être humain, portant la marque du masculin ou du féminin, n'existe pas. Gorz est un « déchet »[80] coiffé d'une intelligence. Si l'homme naît un jour, il se situera entre le rat et l'ange. Pour l'instant, il n'est que le parasite du rat et ne parviendra à exister que si le rat le mange[81].

Cette fable étrange renvoie aux fantasmes de Sartre. Une fois de plus les conflits du stade oral et du stade anal entrent en jeu. Le sac d'excréments reparaît et l'on s'aperçoit qu'il cache le désir de garder en soi le phallus anal sous la forme du cadavre d'un grand homme. C'est la fable hugolienne des *comprachicos*[82], présente dans l'œuvre depuis *Saint Genet,* qui sert de support au fantasme et à ses transformations : on vole un enfant, on le met dans un moule à nain ou on le coud dans la peau d'un mort. Mais bientôt, contenu et contenant s'inversent, l'occupant est pris au piège de l'occupé, le vampire est vampirisé. Ces représentations ont des résonances multiples : au niveau oral, on reconnaît, projeté sur l'ancêtre persécuteur et vampirisant, le mauvais objet imaginé par ce petit vampire qu'est le nourrisson ; au niveau anal, on retrouve un scénario de captation du phallus, que nous avons déjà vu se dessiner sous la petite passion d'alcôve, sous la grande Passion, sous l'homme chevauché par son zar, sous Enée portant Anchise : l'enfant est possédé par un mort, le rat est « en proie à l'Homme »[83] avec une majuscule, il faut qu'il le mange comme Genet s'incorporait le cadavre de Jean, sa puanteur et sa rigidité. La condensation en un même mot du phallus et de la castration n'a jamais été plus frappante que dans le terme de « lézardé »[84] appliqué à Gorz : fendu, mais englobant un Zar.

Au niveau des identifications, le système est le même que dans les biographies précédentes : identification féminine à travers la voix, « filet d'eau tiède »[85], qui s'écoule passivement et soumission à un maître imaginaire, idéalisé, ici « l'Homme », auquel se substitue, au cours du texte, le Grand Homme. Gorz est laissé en route : Sartre reconnaît en lui sa propre impossibilité de ressentir et la contrainte névrotique qui en a fait un mort d'avance. Mais lorsque Gorz

---

74. S., IV, p. 65.
75. S., IV, p. 64.
76. S., IV, p. 58.
77. S., IV, p. 59.
78. S., IV, p. 66.
79. S., IV, p. 66.
80. S., IV, p. 70.
81. S., IV, p. 60.
82. S., IV, p. 56.
83. S., IV, p. 60.
84. S., IV, p. 57.
85. S., IV, p. 42.

« ressuscite en écrivant une Invitation à la vie »[86], Sartre glisse pudiquement sur ce modeste projet et retrouve toute sa verve pour nous peindre deux frères en démesure, Vercors et Koestler, incapables d'exorciser le monstre sacré qui les occupe. Prenant la plume pour préfacer *Le Traître,* Sartre a le ferme propos de saluer l'avènement de l'homme quelconque : ce que cette perspective a de peu réjouissant est sensible dans le fragment autobiographique que contient la préface : un jour à Brooklyn, Sartre aperçoit son ombre à ses pieds[87], et le malaise qu'il ressent de s'éprouver simple particulier en dit long sur son désir d'être tout.

En 1963, Sartre se décide à donner au public l'autobiographie qu'il porte en lui depuis près de dix ans. Dès lors, il se dit guéri de sa névrose et de la littérature. Il peut en toute quiétude, après avoir produit l'œuvre que les critiques situent déjà dans la lignée des *Confessions,* retourner à ses fantasmes et nous livrer de 1971 à 1972 les deux mille huit cents pages des trois premiers tomes de *L'Idiot de la famille.* D'une certaine façon, Sartre est guéri, c'est sûr. L'aveu de sa démesure dans *Les Mots* et l'accueil fait au livre l'ont suffisamment libéré pour qu'il puisse se livrer sans remords à son passe-temps favori. Même les jeunes militants maoïstes qui l'entourent et qui sont sans doute les derniers avatars de son moi idéal n'ont pas réussi à le culpabiliser ni à lui faire écrire un « roman populaire »[88]. Il faut à un homme de plume sa « dose »[89] quotidienne de fiction, le *Flaubert* la lui fournit. Le malade connaît son mal, sait le soigner lui-même, c'est la sagesse. Mais c'est aussi le délire. Jamais sans doute Sartre n'est allé aussi loin dans la séquestration. Avec *Les Mots,* Sartre dit adieu à la littérature. Avec le *Flaubert,* il s'y engloutit. Le dispositif d'enfermement qu'on doit établir autour de soi pour produire une œuvre aussi énorme laisse rêveur. Jamais non plus Sartre ne semble avoir si peu tenu compte de son lecteur. Serge Doubrovsky, pourtant admiratif, s'écrie : « *L'Idiot de la famille,* c'est avant tout le lecteur »[90], Claude Burgelin se sent « exclu d'un statut critique de lecteur »[91], mis « entre parenthèses »[92] par ce discours « paranoïde »[93], par cette « parole étouffante »[94]. Si bien des pages le séduisent, « l'ensemble [l']accable »[95], « on y meurt d'asphyxie »[96]. Nos analyses permettent peut-être de comprendre ce sentiment : il sem-

---

86. S., IV, p. 81.
87. S., IV, p. 66.
88. Ph. Gavi, J.-P. Sartre, P. Victor, *On a raison de se révolter,* Gallimard, 1974, p. 105.
89. S., IX, p. 123.
90. « Une étrange toupie », *Le Monde des livres,* 2 juillet 1971.
91. « *Lire L'Idiot de la famille ?* », Littérature, Larousse, n° 6, mai 1972, p. 119.
92. Ibid., p. 119.
93. Ibid., p. 119.
94. Ibid., p. 119.
95. Ibid., p. 120.
96. Ibid., p. 120.

ble qu'un seuil ait été franchi. A travers les biographies précédentes, on pouvait lire la névrose de l'écrivain. Avec le *Flaubert*, on est à la limite de la psychose. Ce qu'il restait d'ordre symbolique s'effondre, l'imaginaire envahit tout, non seulement la relation de Flaubert à son corps, à l'écriture, ou à Dieu, mais encore, dans le troisième tome, le rapport de Flaubert avec son temps. Dans les structurations proliférantes qui font tourner cette « étrange toupie »[97], nous avons vu les signes d'une destructuration profonde.

Le refus de la castration symbolique est d'emblée lisible dans la façon dont Sartre reconstruit la préhistoire de Flaubert : la passivité de Gustave vient des manipulations froides de Caroline Flaubert. Cette invention trace *a contrario* le portrait de la mère idéale : celle qui ne respecte pas le corps de son enfant[98], celle qui « se [fait] chair » pour « la chair de sa chair »[99], qui aime son fils « contre son mari »[100] ; bref, c'est la mère incestueuse qui séduit son propre fils. « L'inceste me plaisait s'il restait platonique »[101], écrivait Sartre dans *Les Mots*. Il semble que dans le *Flaubert* la barrière tombe. La femme froide qui manipule et que l'on retrouve aussi bien dans la théorie sartrienne sur la petite enfance de Gustave, que dans les fantasmes érotiques de Flaubert selon son biographe, masque et révèle un scénario de séduction par la mère. Ce défaut d'intégration de l'interdit produit ses effets dans la relation à la figure paternelle. A côté du Moïse imaginaire, il y avait, dans *Les Mots*, une timide apparition du père symbolique sous la forme d'une courte méditation sur le père réel : « Il a aimé, pourtant, il a voulu vivre, il s'est vu mourir; cela suffit pour faire tout un homme »[102]. Il est vrai que le « cela suffit » et le « tout un homme » réintroduisaient subrepticement l'insatisfaction. On chercherait en vain dans les trois tomes de *L'Idiot de la famille* la trace d'un homme qui ait accepté la vie et ses limites. Achille-Cléophas, dernier avatar de Moïse, a tous les prestiges de l'imaginaire : « Seigneur noir »[103], seigneur des morts, manipulateur de cadavres « ensorcelés »[104], il est omniprésent. Cet étrange Phénix renaît dans les multiples scénarios fantasmatiques dont les événements de la vie de Flaubert offrent la matière. En 1844, sur la route de Pont-l'Evêque, Gustave a sa première attaque nerveuse ; deux ans plus tard, le père de Flaubert meurt des suites d'un phlegmon à la cuisse, son fils aîné assistait à l'intervention chirurgicale. En 1848 Alfred le Poittevin meurt, Gustave le veille. Dans les trois cas, sous

---

97. S. Doubrovsky, « Une étrange toupie », *Le Monde des livres*, 2 juillet 1971. L'image est de Sartre, à propos de « l'objet littéraire », S., II, p. 91.
98. Voir I.F., tome I, p. 691.
99. I.F., tome I, p. 57.
100. I.F., tome I, p. 95.
101. MT., p. 42, en note.
102. MT., p. 12.
103. I.F., tome II, p. 1910.
104. I.F., tome I, p. 475.

la scène de la vie réelle, le biographe fait surgir une scène imaginaire, stéréotypée, inlassablement reprise. Le père tout-puissant, l'ami révéré sont réduits à l'état de nourrissons maniés, de momies ligotées, que l'on s'incorpore pour en vampiriser la puissance ou la beauté. On voit reparaître sous la grande Passion parée d'oripeaux narcissiques la « petite passion d'alcôve »[105] que décrivait Sartre dans *Saint Genet*. Ici comme là, elle assouvit le sado-masochisme et trahit, par sa mise en scène de captation du phallus, le refus d'accepter la castration. L'objet partiel, trop fragile, est désinvesti. Personne n'a de pénis. Le Maître envié devient le phallus magnifié, que l'on réduit après en avoir fantasmatiquement ingéré les pouvoirs. Gustave, occupé par le « Seigneur noir qui le pétrifie »[106], est déjà mort ; il sent mauvais, il a un cadavre sous la peau, image de rétention en soi du phallus anal qui satisfait à la fois le désir et la défense, désir de châtrer l'autre pour lui prendre l'omnipotence qu'on lui suppose, défense contre les risques de rétorsion : un cadavre, un gisant, une colonne, un arbre mort, ne ressentent pas. Cette anesthésie, nous l'avons rencontrée chez Roquentin et chez l'enfant des *Mots* ; nous la retrouvons chez Emma Bovary : s'abandonnant à Rodolphe, elle ne jouit pas, « elle est devenue le monde »[107], elle rejoint saint Antoine rêvant d'« être la matière »[108], c'est-à-dire d'abolir « la détermination humaine au profit de la totalité »[109]. Refus de la castration, vertige du tout qui se manifeste aussi bien dans les images pleines du phallus — rigidité du cadavre, de la pierre, de l'arbre — que dans sa figuration en creux : nous avons relevé tout au long du premier tome de *L'Idiot de la famille* l'image du bénitier, « inerte lacune dans un corps de granit »[110], et nous avons vu cette surface limpide se charger progressivement de toutes les convoitises. La contrainte névrotique qui exige de maintenir en soi le vide, écrin du phallus à venir, rend intolérables les images de la plénitude supposée : le croyant qui fait son « plein de bon Dieu »[111], Claudel, ce « gros plein d'Etre »[112], Jonas au ventre de la baleine, autre Michel Strogoff, dans son petit livre-cercueil doré sur tranche. Cette thématique du « digéré indigeste »[113], du contenant et du contenu, renvoie à une expression des conflits sur le mode archaïque du vécu oral et anal.

Pas plus que dans les biographies précédentes, il n'y a, en effet, dans le *Flaubert*, d'accès au couple d'opposés masculin-féminin. La virilité c'est l'écriture, la féminité c'est la condition de dépendance

---

105. S.G., p. 126.
106. I.F., tome I, p. 476.
107. I.F., tome II, p. 1284.
108. G. Flaubert, *Œuvres*, Pléiade, tome I, p. 164.
109. I.F., tome I, p. 629.
110. I.F., tome I, p. 1077.
111. I.F., tome I, p. 563.
112. S.G., p. 161.
113. E.N., p. 668.

au sein de la famille. Il semble qu'un obstacle intérieur, où nous voyons les effets du complexe de castration, empêche les perceptions les plus simples : Gustave à sa naissance n'est pas la fille attendue, il est « une vie sexuée, rien de plus »[114]. Il n'y a qu'un sexe pour le biographe de Flaubert, dévalorisé, risible, quand il est de chair, mais éperdument magnifié dès qu'il est métaphore du livre. D'où la difficulté de percevoir le « deuxième sexe » comme en témoigne l'étrange dérive que Sartre fait subir à la théorie freudienne du fétichisme : la femme est plus ou moins phallique suivant qu'elle a plus ou moins de pouvoir au sein de la structure familiale. Le phallus que le névrosé lui suppose ne saurait venir, comme pour Freud[115], de la constatation et du déni de la différence des sexes (il faudrait, pour cela, que le théoricien ait lui-même accepté cette différence). Les effets du complexe de castration se font aussi sentir, à notre avis, dans l'usage constant que Sartre fait, tout au long de *L'Idiot de la famille,* de la notion de passivité : elle permet de méconnaître les identifications féminines et nous apparaît comme l'exact pendant de la notion d'activité dont Sartre use et abuse dans *Saint Genet*. Le narcissisme du biographe exige qu'il insiste sur la tension, sur l'horreur de l'abandon, lorsque son modèle est un homosexuel passif. Au contraire, l'hétérosexualité manifeste de Flaubert, sa liaison avec Louise Colet, autorisent Sartre à mettre l'accent sur sa passivité. Il semble que Sartre ne puisse évoquer cet aspect de la sensibilité de ses héros que lorsque leur « activité » ne peut être mise en doute : d'où sa jubilation à découvrir dans le guerrier chargeant du Tintoret un fainéant porté.

Pour nous cette insistance sur la passivité dénote l'impossibilité pour Sartre d'appeler un chat un chat, dès qu'il s'agit de la composante homosexuelle de l'affectivité. Cet attrait pour le semblable, reste de la situation pré-œdipienne, se désexualise une fois l'Œdipe résolu. Si la situation œdipienne n'est pas affrontée, le lien à la figure paternelle reste sexualisé dans l'inconscient. C'est cette relation inconsciente érotisée qui gouverne selon nous le système de disjonction défensive que nous avons vu à l'œuvre dans *L'Idiot de la famille* : l'homosexualité latente de Flaubert n'est jamais évoquée quand il s'agit des rapports de Gustave avec son père, elle fait partie des gamineries du « Garçon » et celles-ci renvoient exclusivement au malheur d'être né bourgeois. La figure paternelle est soigneusement clivée. Idéalisée, elle est Dieu le Père, le petit vassal s'abîme dans l'adoration ; le biographe abuse du vocabulaire religieux pour nous peindre dans la « Chute » de Gustave une émouvante demande d'amour. Mais, tout au long du texte, s'accumulent les « Passions » douteuses, les scénarios masochistes où la victime jouit doublement

114. I.F., tome I, p. 134.
115. *Cf.* « Le fétichisme », dans *La vie sexuelle,* P.U.F., 1969, p. 133 à 138.

de ses tortures parce qu'elles assouvissent son désir pervers d'être possédée et son besoin d'en être punie. Le ça et le surmoi exaucés, il reste à satisfaire le moi. Il trouve très vite un avantage à cette étrange religion où l'homme indéfinissable[116], « [égalise] »[117] le Créateur et « [change] sa gloire »[118]. L'aboutissement de l'adoration c'est l'idolâtrie du livre, figure de l'Homme-Dieu. La convoitise qui sous-tend la relation à la figure paternelle explique la nécessité du clivage et de l'idéalisation. Dieu ou Moïse, le père est protégé contre l'agressivité anale et le petit vassal contre les risques de rétorsion. Le « sac d'excréments », c'est le bourgeois. Sartre n'établit aucun lien entre le désir de « chier devant le buste de Sa Majesté »[119] et le fait que la génuflexion soit un « symbole [...] coulé dans [le] corps »[120] de Flaubert. Il faudrait pour cela qu'il ait pu intégrer sa propre pulsion anale et dénouer le complexe de castration. Faute de quoi, il ne peut lier ensemble la dérision du pénis chez Flaubert, l'impossibilité de ressentir, le goût pour la scatologie et le fantasme d'être le cadavre en sa rigueur. A ces symptômes qu'il éparpille tout au long de *L'Idiot de la famille,* il invente des genèses disparates : manipulations sèches du nourrisson par la mère, désintérêt du père pour le petit garçon qui grandit, horreur de la bourgeoisie chez un adolescent romantique, fascination par le père anatomiste. Nous y avons vu, comme dans *Les Mots,* l'impossibilité d'investir le stade phallique, le repli sur des positions anales où le phallus est vécu comme retenu en soi.

Nous ne sommes donc pas étonnée que la sexualité de Flaubert ne puisse être que « rêveuse », irréelle, (parce qu'on a irréalisé Flaubert selon le sempiternel schéma du « c'est la faute à... ») ni que la scène du fiacre ait commémoré un fiasco. Comme dans *Saint Genet,* comme dans *La Nausée,* les pulsions partielles non intégrées jouent chacune pour soi : le Garçon raffole d'excréments et d'histoires sales, il dévore, régurgite et saoûle son entourage. En inversant les signes, on peut lire, chez ce vieux garçon qu'est Roquentin, une « fête » de la « vidange »[121] (c'est la scène du jardin public) et la défense contre une avidité dangereuse, dans l'anorexie éprouvée au restaurant. La hantise d'être dévoré se retrouve dans *L'Idiot de la famille* : elle traduit, comme dans *La Nausée,* la terreur archaïque de la fusion avec la mère et à un autre niveau, la défense contre l'homosexualité : Emma goûte Léon, elle le mange, et un lapsus glisse Lucien parmi les personnages de *Madame Bovary.* Finalement, l'oralité et l'analité s'assouvissent dans un cannibalisme nécrophile que le biographe semble se complaire à évoquer : Genet, « veuf funambulesque »[122],

116. I.F., tome I, p. 209.
117. I.F., tome I, p. 119.
118. I.F., tome I, p. 210.
119. I.F., tome II, p. 1221.
120. I.F., tome I, p. 516.
121. I.F., tome II, p. 1316.
122. S.G., p. 498.

digérait son ami Jean. Gustave s'incorpore Alfred. Et l'on peut lire la vacuité de Roquentin comme une viduité suspecte. Nous retrouvons là le scénario de captation du phallus et nous voilà au rouet, non du point de vue logique, mais du point de vue de l'ordre de l'exposé. C'est qu'en effet, dans une production littéraire, comme dans un rêve, de nombreux éléments du contenu manifeste peuvent renvoyer à une même signification inconsciente ; inversement, un même élément du récit manifeste peut condenser en lui plusieurs significations latentes. Donnons un dernier exemple de ce fonctionnement du processus primaire et de ses effets dans l'élaboration secondaire avec le personnage de madame Flaubert.

Caroline porte le même prénom que sa fille : elle est la « sœur aînée »[123], comme Anne-Marie Schweitzer. Ce prénom est également le surnom des « tapettes de Barcelone »[124] qu'évoque Sartre dans *Saint Genet* : la femme phallique apparaît, défense contre le complexe de castration. Caroline, fille de Justine, est la servante du Seigneur tout-puissant ; cette rêverie masochiste satisfait, à travers l'identification féminine, l'homosexualité latente du petit vassal, adorant. Elle « [couche][125] avec son père » : la brutalité de l'expression signifie le rejet de la loi, mais évite d'évoquer un autre aspect de l'interdit : celui qui régit les relations de la mère et du fils. La phrase satisfait donc à la fois l'Œdipe positif entièrement refoulé, qui ne se reconnaît qu'à son rejeton inversé, et l'Œdipe négatif, l'inclination homosexuelle pour le père : il suffit que le metteur en scène du fantasme prenne la place de la fille. Caroline manipule froidement son nourrisson : au niveau de la pensée consciente et des opérations logiques, cette phrase est une hypothèse destinée à rendre compte de la « passivité » de Flaubert. Au niveau du processus primaire, elle condense un certain nombre de significations qui ont chacune leur cohérence propre : l'acte de la masturbation est répété comme à plaisir dans les innombrables occurrences du mot « manier » à travers l'œuvre. En poursuivant la chaîne d'associations dans ce sens, on retrouverait le désir et la défense mêlés dans le glissement de la main qui manie à la main qui gratte, de celle-ci à la main coupée et de cette dernière au crabe, main qui coupe. D'un autre point de vue, le nourrisson manipulé, c'est l'objet partiel devenu objet total : l'image permet de surmonter, au prix de la castration, l'angoisse de castration ; celui qui est le phallus ne saurait l'avoir, il reste l'appendice flatteur d'une mère narcissique qui a voulu se « reproduire »[126] dans une petite fille. Cette femme manipulant son nourrisson est encore une image de la mère phallique, de celle à laquelle il ne manque rien. Ses manipulations sont froides et sèches :

123. MT., p. 13.
124. S.G., p. 99.
125. I.F., tome I, p. 85.
126. I.F., tome I, p. 133.

la notation satisfait à une double exigence : biaiser avec l'interdit de l'inceste (c'est une « possession sans jouissance »[127]) et frayer la voie au scénario pervers du « Bel Indifférent »[128] où la victime jouit de l'insensibilité du bourreau. Veuve, Caroline Flaubert se convertit à l'athéisme, ce qui veut dire qu'elle va reprendre et porter en elle les « fières et dures doctrines »[129] qui ont fait la gloire de son mari et qu'en même temps elle le tue une seconde fois puisqu'elle lui refuse la survie. Le nourrisson s'est changé en cadavre rigide que l'on porte en soi, fantasme dont on retrouve la trace dans l'évocation de Gustave « manipulant » la momie d'Alfred pour incorporer l'impassibilité de l'ami mort. Nous sommes renvoyés au phallus anal, au refus d'accepter la castration et la différence des sexes, au désir d'être en plénitude, à l'en-soi pour-soi. Nous avons retrouvé ces constantes fondamentales dans toutes les biographies de Sartre : le *Flaubert* les rend plus manifestes et en accuse le caractère narcissique.

Le troisième tome de *L'Idiot de la famille* reprend l'enquête de Narcisse sur son insaisissable pour-autrui commencée avec « Le Séquestré de Venise » : qu'est-ce qu'avoir du génie ? Qu'est-ce qu'exprimer son époque ? Que signifie un succès de scandale ? Rarement, sous le couvert du réel le plus historique et le plus vérifiable (il ne s'agit plus d'inventer le premier âge de Gustave ou les états d'âme de Madame Flaubert enceinte), l'imaginaire se donne autant carrière, jamais le fantasme n'a aussi manifestement guidé la théorie. Sartre arrive à faire coïncider par une série d'acrobaties qui laissent le lecteur « pantois »[130] la vie de Flaubert et l'histoire de son temps au point que les dates marquantes de la vie de Flaubert deviennent *réellement* pour son biographe les grands événements du XIXe siècle. Dans ce miracle d'harmonie post-établie, on peut lire, avec le désir infantile d'être le centre du monde, la tentation inconsciente de la régression ultime : l'homme enveloppé par son époque et l'enveloppant, c'est la béatitude de la fusion narcissique, l'illusion de la toute-puissance, dont l'envers est la culpabilité généralisée. Gustave est son siècle comme Frantz le sien[131]. Il prend sur lui, à son insu, les crimes de son père, le bourgeois qui massacre ses frères en Juin 1848 et en Mai 1871. La publication des brouillons du quatrième tome nous éclairera peut-être un jour sur la coexistence en un même homme de la larve coupable — le fils de bourgeois — et du papillon — l'œuvre de génie sacralisée. Il semble que le « Qui perd gagne », toujours agissant, exige que l'excès d'honneur conféré à l'œuvre soit contrebalancé par l'indignité de son auteur, pour que cette

---

127. Sur la nécessité de dissocier possession et jouissance, voir *supra* 1re partie, chap. II, p. 89-90.
128. I.F., tome II, p. 1263.
129. I.F., tome I, p. 88.
130. Jacques Bersani, « *L'Idiot de la famille,* tome III », *Le Monde des livres,* 4 août 1972.
131. *Cf. Les Séquestrés d'Altona,* Gallimard, 1960, p. 222 et 223.

indignité assure magiquement des lendemains triomphaux. Ainsi s'expliquerait cette phrase sybilline de la préface du *Flaubert* : « *Madame Bovary* est défaite et victoire ; l'homme qui se peint dans la défaite n'est pas le même qu'elle requiert dans sa victoire »[132]. Ne serait-ce pas là, toujours vivante, la vieille religion du salut par l'écriture ? Malgré un immense labeur volontariste de désinvestissement, *L'Idiot de la famille* dresse encore, dans son dernier tome, cet indestructible objet de fascination : l'homme-livre-phallus, image ultime de Moïse pétrifié : « [...] ses livres, qu'il rêve puissants et solitaires, simples et parfaits menhirs érigés dans le désert par des morts »[133], écrit Sartre à propos de Flaubert.

> « Chez un tailleur de pierre
> où je l'ai rencontré
> il faisait prendre ses mesures
> pour la postérité. »[134]

Sartre a dit, dans *Les Mots,* son désir de trouver place parmi les grands hommes. Il en a cherché l'origine dans l'absence de son père et dans les idées de son grand-père. Nous aidant des biographies de Sartre, nous avons essayé de déplacer un peu les questions et de les préciser, en montrant quelle configuration particulière, quelles réactions devant la mort et la différence des sexes ont pu rendre ce discours du grand-père et cette lacune paternelle si efficaces. Au terme de notre étude, nous nous risquerons à souligner un ensemble de traits qui nous paraissent caractériser fondamentalement la personnalité de Sartre.

Ce qui frappe sans doute le plus, c'est l'empreinte laissée par le complexe de castration, lié, nous l'avons vu, à l'identification à la mère et à la soumission envers le grand-père. D'où l'énorme décharge d'affectivité que déclenchent les scènes où un père chevauche son fils et l'extrême ambivalence des sentiments à l'égard de toute figure paternelle, à la fois adorée et haïe. D'où la nécessité de faire de l'écrivain, cet être féminin, quelqu'un dont la virilité est au bout de la plume.

Le complexe de castration se lit aussi dans le plaisir pris à viriliser qui ne l'est manifestement pas et à déviriliser qui a les apparences de la virilité : il faut que Genet soit tendu, actif, qu'il ait l'abandon en haine, il faut que Flaubert, s'il se rêve « manié » par un homme, se trompe sur son désir (Sartre n'accepte de son dernier double que la passivité à l'égard de la femme), mais il faut aussi que saint Georges, ce tueur patenté, se laisse mollement porter par tout ce qui l'entoure et qu'inversement Grisélidis se mue en Pardaillan.

132. I.F., tome I, p. 8.
133. I.F., tome III, p. 333.
134. Jacques Prévert, *Paroles,* Gallimard, 1950, « Le grand homme », p. 190.

En deçà du complexe de castration, les biographies nous ont donné accès à des images de soi plus archaïques, où l'on est vampire vampirisé ou sac d'excréments. Ces représentations renvoient aux tout premiers conflits avec la mère. C'est pourquoi la figure maternelle est, comme la figure paternelle, prudemment clivée : il y a la jeune fille des *Mots*, la voix qui chante le petit air de *La Nausée*, mais aussi toutes celles dont le sein étouffe ou qui prétendent contrôler l'intérieur du corps, comme la mère de *L'Enfance d'un chef* ou l'Eglise de *Saint Genet* qui fait suer de l'or. L'agressivité à l'égard de la mère du stade oral et du stade anal, ressentie sans doute comme trop dangereuse pour le sujet, va se déplacer au fil des œuvres sur les figures paternelles : dans *L'Idiot de la famille*, le sac d'excréments, c'est le bourgeois et sa caricature, le Garçon ; mais l'origine féminine de ce dernier se trahit dans l'image de la mère gigogne. Le vampire issu de la relation orale archaïque sera aussi projeté sur l'ancêtre de la tribu ou sur le Père. Ce courant, détourné de sa source première, ira nourrir l'ambivalence des sentiments que suscite l'image paternelle et pourra donner le change, en faisant prendre pour l'effet de la rivalité œdipienne une violence archaïque qui coexiste avec la soumission.

Ce champ de carnage intime où quelques figures idéalisées, la vierge, la sœur aînée, Grisélidis, Moïse, le Seigneur, le *pater familias*, servent d'écran et masquent le déchaînement des pulsions, Sartre passera son temps, faute de le reconnaître, à le projeter au dehors. L'immense travail des biographies peut être vu comme un interminable effort pour déplacer le théâtre des opérations et finir par donner à une « scène primitive », d'où la mère est exclue, les dimensions de la guerre civile. Ainsi la culpabilité que le sujet éprouve normalement pour ses pulsions agressives se change-t-elle en mise en accusation de la société : tout vient du dehors et retourne au dehors : un innocent est traversé par des flux hostiles : « dans mon cœur sans haine, les forces collectives se transformèrent »[135].

Lorsque Sartre imagine la genèse de l'écrivain, il obéit au même mécanisme de projection et retrouve le schème religieux du sacrifice de la victime innocente. En effet, s'il dénonce le mythe romantique de l'écrivain sauveur et bouc émissaire, transmis, dans son cas, par les discours du grand-père, Sartre fait-il autre chose que d'en donner une nouvelle version, quand il montre l'enfant Genet « voué » au mal par les honnêtes gens ou le jeune Flaubert prophétisant, dans l'instant fatal de sa Chute, la fusillade du boulevard des Capucines ? Ces Passions, dont l'œuvre de Sartre multiplie les représentations, allègent le sentiment de culpabilité lié à l'écriture et satisfont le masochisme. Mais surtout, liturgies intimes, elles montrent combien la relation avec l'autre réel est précaire. Ce qui prévaut dans l'univers

135. MT., p. 96.

intérieur de Sartre, c'est la relation de soi à soi. Curieux de sa seule essence, ce Narcisse qui ne s'aime pas, reproduit d'une œuvre à l'autre une scène tenace où le Père humilié coïncide finalement avec le Fils exalté.

Si l'on est attentif à ce courant narcissique profond, un aspect de la personnalité de Sartre apparaît, qui est à l'opposé de l'image que l'on se fait de lui couramment, image d'un homme passionné par le monde extérieur et par ce qui arrive aux autres. Ce surinvestissement de l'« Histoire » semble alors une formation réactionnelle. Nous avons plusieurs fois vu surgir chez Sartre un « Indifférent », pris au gel des miroirs et des reflets. Ce survivant, condamné à ne rien ressentir, s'est fait le captif de son identification au phallus. Petite poupée, livre, stèle, statue ou cadavre, quand ce mort rencontre une ville que l'histoire a momifiée et que la géographie délie de ses attaches terrestres, il peut écrire, en laissant jouer ses fantasmes, des textes qui sont à la fois ses *Tableaux parisiens* et ses *Rêveries d'un promeneur solitaire.*

Aussi y a-t-il sans doute aujourd'hui encore en Sartre un écrivain inconnu que l'on découvrira dans les livres qu'il a égarés — le *Mallarmé* — ou laissés en suspens — le *Tintoret, la Reine Albemarle et le dernier touriste.* Ainsi s'accomplira, grâce à ces « actes manqués » pleinement réussis, le vœu, chez cet homme trop connu, d'être celui que l'on méconnaît ; et nous sommes sûre qu'il ne faudra pas attendre « cent ans »[136] pour que « de jeunes érudits [tentent] de [...] déchiffrer »[137] les manuscrits en souffrance.

Sans doute redécouvrira-t-on aussi l'homme : une biographie de Sartre reste à faire qui tienne compte de la multitude de lettres, de documents, de témoignages qui ne manqueront pas de s'accumuler dans les années qui viennent. Peut-être notre recherche aidera-t-elle, en ce domaine, à mettre en question certaines lectures naïves qui adhèrent immédiatement au sens manifeste des écrits et des actions de Sartre. Nous pensons à Francis Jeanson, par exemple, pour qui Sartre semble avoir longtemps fait fonction d'idéal du moi. Nous ne sommes pas, comme lui, tout à fait convaincue de la conversion réelle du « Bâtard »[138] ni que l'itinéraire sartrien coïncide forcément et uniquement avec la passion de la justice et de la vérité[139]. Au reste, l'origine narcissique de la lutte contre l'oppression n'est-elle pas aussi candidement avouée qu'étonnamment ignorée par celui qui parle et par ceux qui l'écoutent, dans cette déclaration souvent reprise sous d'autres formes : « Moi j'ai travaillé avec la gauche parce que originellement, un écrivain, c'est cela que je suis, ne peut pas ne

---

136. MT., p. 171.
137. MT., p. 171.
138. Voir *Sartre par lui-même,* Seuil, 1955.
139. Voir *Sartre dans sa vie,* Seuil, 1974.

pas essayer d'élargir au maximum son public, c'est-à-dire d'écrire pour tous »[140] ?

Les indications contenues dans notre travail permettront peut-être d'articuler des comportements publics ou privés qui ont, en apparence, peu de rapport les uns avec les autres : la « fraternité »[141] avec le Castor, à la fois sœur, miroir et « jumeau »[142], la recherche de « tant d'objets » féminins dont on est la providence et avec qui on ne saurait échanger une idée, l'adoption d'une fille, la répugnance avouée à l'idée d'avoir un fils, les brouilles avec les amis, l'impossibilité de coexister pacifiquement avec ceux qui ne se laissent réduire ni au statut de double ni à celui de disciple, la méprise prolongée sur Nizan, l'occultation des rivalités avec Merleau-Ponty pour le pouvoir au sein des *Temps Modernes*, l'horreur d'habiter, de posséder, de mûrir, de vieillir.

Enfin, le rapprochement des textes biographiques et autobiographiques, s'il permet d'entrevoir un autre Sartre, confirme cependant que la connaissance purement intellectuelle de la psychanalyse est plus nuisible qu'utile à l'écrivain. Sartre n'est jamais si éloigné du champ psychanalytique que lorsqu'il croit y être. Il n'a pas eu assez de modestie pour se soumettre, dans sa vie, à une méthode élaborée par d'autres, ni assez de force, dans son œuvre, pour ignorer Freud à partir du moment où ce dernier devenait, avec Marx, une des idoles du demi-siècle. A la merci du désir de l'autre, à l'affût de ce que demande l'époque, Sartre s'est précipité dans une interminable psychanalyse « à la Gribouille »[143]. Il est heureux pour les lecteurs qu'il n'ait pas eu à mettre en marche, avant la guerre, sa lourde machine à digérer les pensées prestigieuses. Dans les années trente, Freud n'a pas encore assez de crédit en France pour l'intimider : aussi, cette *Métamorphose* qu'est *La Nausée* permet-elle de saisir, mieux que *L'Idiot de la famille* ou que *Les Mots*, le prix et l'enjeu de la guerre cruelle qu'est pour Sartre, et pour quelques autres, la vie d'écrivain.

Rabat, avril 1977.

---

140. Ph. Gavi, J.-P. Sartre, P. Victor, *On a raison de se révolter*, Gallimard, 1974, p. 184.
141. Simone de Beauvoir, *La Force de l'âge*, Gallimard, 1960, p. 30.
142. *Ibid.*, p. 30.
143. *Cf.* MT., p. 160 : « un suicide à la Gribouille ».

BIBLIOGRAPHIE[1]

I. Œuvres de Sartre

Cette bibliographie est volontairement limitée et en reste pour plus de commodité au classement par genre. Pour un classement chronologique et une liste exhaustive, on se reportera au travail de M. Contat et M. Rybalka, *Les Ecrits de Sartre*, paru chez Gallimard en 1970 (un supplément pour les années 1969-1971 a été publié dans le n° 55-56 du *Magazine Littéraire*). De nombreux ouvrages de Sartre ont été réédités dans la collection du « Livre de Poche ». Ces rééditions étant épuisées, nous nous bornerons à mentionner les rééditions dans la collection Folio et dans la collection Idées, chez Gallimard.

A. Romans et nouvelles

La Nausée, roman, Gallimard, 1938, rééd. Folio, 1972.

Nourritures, fragment d'une nouvelle inédite intitulée « Dépaysement » paru dans *Verve*, n° 4, 1938, p. 115-116 ; reproduit dans *Les Ecrits de Sartre*, p. 553-554.

Le Mur, nouvelles (Le mur, La chambre, Erostrate, Intimité, L'Enfance d'un chef), Gallimard, 1939, rééd. Folio, 1972.

Les Chemins de la liberté, roman :
I, *L'Age de raison*, Gallimard, 1945, rééd. Folio, 1972.
II, *Le Sursis*, Gallimard, 1945, rééd. Folio, 1972.
III, *La Mort dans l'âme*, Gallimard, 1949, rééd. Folio, 1972.
(Un fragment du tome IV, intitulé « Drôle d'amitié » est paru dans *Les Temps Modernes*, n° 49, novembre 1949, p. 769-806, n° 50, décembre 1949, p. 1009-1039).

B. Théâtre

Bariona ou le fils du tonnerre, écrit en 1940 ; édition hors-commerce, Elizabeth Marescot, 1967. Texte reproduit dans *Les Ecrits de Sartre*, p. 565-634.

Les Mouches, Gallimard, 1943, rééd. Folio, 1972.

Huis clos, Gallimard, 1945, rééd. Folio, 1972.

Morts sans sépulture, Marguerat, 1946, rééd. Folio, 1972.

---

1. Pour tous les ouvrages cités, nous n'avons mentionné le lieu de l'édition que lorsqu'il n'est pas Paris.

La Putain respectueuse, Nagel, 1946, rééd. Folio, 1972.

Théâtre I, Gallimard, 1947 (*Les Mouches, Huis clos, Morts sans sépulture, La Putain respectueuse*).

Les Mains sales, Gallimard, 1948, rééd. Folio, 1972.

Le Diable et le bon Dieu, Gallimard, 1951, rééd. Folio, 1972.

Kean, adapté d'Alexandre Dumas, Gallimard, 1954.

Nekrassov, Gallimard, 1956, rééd. Folio, 1973.

Les Séquestrés d'Altona, Gallimard, 1960, rééd. Folio, 1972.

Les Troyennes, adapté d'Euripide. Collection du T.N.P., 1965, Gallimard, 1966.

Théâtre, Gallimard, 1962 (édition de luxe illustrée comprenant toutes les pièces de 1943 à 1960).

C. Cinéma

Les Faux Nez, paru dans *La Revue du Cinéma*, nouvelle série, n° 6, printemps 1947, p. 3-27.

Les Jeux sont faits, Nagel, 1947.

L'Engrenage, Nagel, 1948.

D. « Littérature ».

Baudelaire, Gallimard, 1947 (d'abord paru dans : Baudelaire, *Ecrits intimes*, Ed. du Point du jour, 1946), rééd. Idées, 1963.

Situations, I, Gallimard, 1947 (articles publiés avant 1945 sur Faulkner, Dos Passos, Nizan, Nabokov, Mauriac, Giraudoux, Camus, Ponge, Blanchot, Parain, Bataille, etc.) ; rééd. Idées, 1975.

Situations, II, Gallimard, 1948 (regroupe « Présentation des *Temps Modernes* », « Nationalisation de la littérature » et « Qu'est-ce que la littérature ? » ; ce dernier essai a été réédité séparément en 1964 et en 1970 dans la collection Idées).

Situations, III, Gallimard, 1949 (contient, outre des articles sur l'Occupation, la Résistance et les Etats-Unis, « Orphée noir » étude sur la poésie africaine, « La Recherche de l'Absolu » (sur Giacometti) et « Les Mobiles de Calder »).

Saint Genet, comédien et martyr, Gallimard, 1952 (constitue le tome I des *Œuvres* de Jean Genet).

Les Mots, Gallimard, 1964, rééd. Folio, 1972.

Situations, IV, Portraits, Gallimard, 1964 (rassemble des études sur l'art et la littérature parues entre 1948 et 1963 : préfaces à *Portrait d'un inconnu* de Nathalie Sarraute, à *L'Artiste et sa conscience* de René Leibowitz, au *Traître* d'André Gorz, « Des rats et des hommes », à *Aden Arabie* de Nizan ; réponse à Albert Camus, hommage à Maurice Merleau-Ponty, textes sur Gide, Camus, Giacometti, Lapoujade, André Masson, Wols ; textes sur Venise et le Tintoret : « Le Séquestré de Venise », « Venise, de ma fenêtre »).

L'Idiot de la famille I et II, Bibliothèque des Idées, Gallimard, 1971.

Situations, IX, Mélanges, Gallimard, 1972 (rassemble des textes divers parus entre 1960 et 1970 : entretiens, « Les écrivains en personne » (avec M. Chapsal), « L'écrivain et sa langue » (avec P. Verstraeten), « Sartre par Sartre » (accordé à *New Left*) ; préfaces à *L'Inachevé* d'André Puig, à une exposition de Paul Rebeyrolle ; textes sur Mallarmé, Le Tintoret : « Saint Georges et le dragon » ; sur la relation psychanalytique : « L'homme au magnétophone »).

L'Idiot de la famille III, Bibliothèque des Idées, Gallimard, 1972.

Un théâtre de situations, Idées, Gallimard, 1973 (textes, entretiens, conférences sur le théâtre, choisis et présentés par M. Contat et M. Rybalka).

Situations, X, Politique et autobiographie, Gallimard, 1976 (comprend, outre des textes politiques, trois entretiens : « Sur L'Idiot de la famille » avec M. Contat et M. Rybalka, « Simone de Beauvoir interroge Jean-Paul Sartre », « Autoportrait à soixante-dix ans » avec M. Contat.

Sartre, un film réalisé par A. Astruc et M. Contat, texte intégral, Gallimard, 1977.

Jean-Paul Sartre et les femmes, entretien avec Catherine Chaine, *Nouvel Observateur,* n° 638, du 31 janvier au 6 février 1977, n° 639, du 7 au 13 février 1977.

E. Philosophie

L'Imagination, Alcan, 1936, rééd. P.U.F., 1949.

La Transcendance de l'Ego, dans *Recherches Philosophiques,* n° 6, 1936; édition critique de Sylvie Le Bon, Vrin, 1965.

Esquisse d'une théorie des émotions, Hermann, 1939.

L'Imaginaire, Bibliothèque des Idées, Gallimard, 1940, rééd. coll. Idées, 1970.

L'Etre et le Néant, Bibliothèque des Idées, Gallimard, 1943.

L'Existentialisme est un humanisme, Nagel, 1946.

Critique de la raison dialectique, t. I, Bibliothèque des Idées, 1960. La première section de ce volume : « Questions de méthode » a été rééditée sous ce titre dans la collection Idées en 1967.

Rappelons quelques articles importants : dans *Situation, I :* « Une idée fondamentale de la phénoménologie de Husserl : l'intentionalité », « La liberté cartésienne », dans *Situations, III :* « Matérialisme et révolution », dans *Situations, IX :* « L'universel singulier », texte d'une communication sur Kierkegaard.

F. Politique

Réflexions sur la question juive, Morihien, 1946 ; Gallimard, 1954, rééd. Idées, 1961.

Entretiens sur la politique (avec David Rousset et Gérard Rosenthal), Gallimard, 1949.

Situations, III, Gallimard, 1949 (articles de 1945 à 1948).

L'Affaire Henri Martin (textes commentés par J.-P. Sartre), Gallimard, 1953.

Situations, V, Colonialisme et néo-colonialisme, Gallimard, 1964 (articles ou études de 1954 à 1963).

Situations, VI, Problèmes du marxisme, I. Gallimard, 1964 (textes de 1950 à 1954, en particulier « Les Communistes et la paix »).

Situations, VII, autour de 68, Gallimard, 1972 ; « Plaidoyer pour les intellectuels » en a été détaché et publié dans la collection Idées en 1972.

Signalons dans *Situations, IX* : « Palmiro Togliatti » et « Le socialisme qui venait du froid ».

Situations, X, politique et autobiographie, Gallimard, 1976. La section I rassemble des textes de 1971 à 1973.

II. Ouvrages et articles de psychanalyse

Nous regroupons ici un certain nombre de textes, cités ou non dans notre travail, qui ont soutenu et nourri notre réflexion.

AMADO LEVY-VALENSI (E.), *Le grand désarroi : aux racines de l'énigme homosexuelle,* Ed. Universitaires, 1973.
Les voies et les pièges de la psychanalyse, Ed. Universitaires, 1971.

ANZIEU (D.), *L'auto-analyse de Freud et la découverte de la psychanalyse,* P.U.F., 1959 ; nouvelle édition revue, coll. Bibliothèque de psychanalyse, 1975, 2 vol.

DOLTO (F.), *Le cas Dominique,* coll. Le Champ freudien, Ed. du Seuil, 1971. *Psychanalyse et pédiatrie,* Bonnier-Lespiaut, 3e éd. 1965, 4e éd. Seuil, 1971.

FENICHEL (O.), *La théorie psychanalytique des névroses,* P.U.F., 1953; 2e éd. coll. Bibliothèque de psychanalyse, 1974, 2 vol.

FREUD (S.), *Cinq psychanalyses,* P.U.F., 1954 ; 3e éd., 1967.
Essais de psychanalyse, édition revue, Petite Bibliothèque Payot, 1970.
L'Interprétation des rêves, P.U.F., 1926 ; nouvelle édition revisée, 1967.
Métapsychologie, coll. Idées, Gallimard, 1968.
La naissance de la psychanalyse, P.U.F., 1956 ; 3e éd. revue et corrigée, coll. Bibliothèque de psychanalyse, 1973.
« La négation », *Revue Française de Psychanalyse,* 1934, 7, n° 2, p. 174-177.
Névrose, psychose et perversion, coll. Bibliothèque de psychanalyse, P.U.F., 1973.
Nouvelles conférences sur la psychanalyse, Gallimard, 1936, coll. Idées, 1971.
Psychopathologie de la vie quotidienne, Petite Bibliothèque Payot, 1967.
La technique psychanalytique, P.U.F., 1953 ; 4e éd. coll.. Bibliothèque de psychanalyse, 1972.
Trois essais sur la théorie de la sexualité, coll. Idées, Gallimard, 1962.
La vie sexuelle, P.U.F., 1969 ; 4e éd. coll. Bibliothèque de psychanalyse, 1973.

KLEIN (M.), *Envie et gratitude et autres essais,* coll. Connaissance de l'inconscient, Gallimard, 1973.
Essais de psychanalyse, coll. Science de l'homme, Payot, 1974.
La psychanalyse des enfants, P.U.F., 1959 ; 3e édition revue et remaniée, coll. Bibliothèque de psychanalyse, 1972.

LAPLANCHE (J.) et PONTALIS (J.-B.), *Vocabulaire de la psychanalyse,* P.U.F., 1967 ; deuxième édition revue, 1968.

LECLAIRE (S.), « A propos de l'épisode psychotique que présenta « L'homme aux loups », *La Psychanalyse,* n° 4, p. 83 à 110.
On tue un enfant, coll. Le champ freudien, Ed. du Seuil, 1975.
Psychanalyser, un essai sur l'ordre de l'inconscient et la pratique de la lettre, coll. Le champ freudien, Ed. du Seuil, 1968.

MANNONI (O.), *Clefs pour l'Imaginaire ou l'Autre Scène,* coll. Le Champ freudien, Ed. du Seuil, 1969.
Freud, coll. « Ecrivains de toujours », Ed. du Seuil, 1968.

MENDEL (G.), *Anthropologie différentielle I,* Petite Bibliothèque Payot, 1972.

MILNER (M.), *Les mains du Dieu vivant,* coll. Connaissance de l'inconscient, Gallimard, 1974.

RICŒUR (P.), *De l'Interprétation,* essai sur Freud, Ed. du Seuil, 1965.

ROSOLATO (G.), *Essais sur le symbolique,* coll. Connaissance de l'inconscient, Gallimard, 1969.

SAFOUAN (M.), « De la structure en psychanalyse » dans *Qu'est-ce que le structuralisme ?* Ed. du Seuil, 1968.

STEPHANE (A.), *L'Univers contestationnaire,* Petite Bibliothèque Payot, 1969.

TOROK (M.), « Maladie du deuil et fantasme du cadavre exquis », *Revue Française de Psychanalyse,* n° 4, 1968, p. 715-733.

OUVRAGE COLLECTIF : *La sexualité perverse,* par BARANDE (I. et R.), Mc DOUGALL (J.), DE M'UZAN (M.), DAVID (C.), MAJOR (R.), STEWART (S.), coll Science de l'Homme, Payot, 1972.

III. Ouvrages et articles sur les relations de la psychanalyse avec la création artistique ou littéraire

Là encore, nous n'avons pas cherché à présenter une bibliographie exhaustive mais à reconnaître une dette.

ANZIEU (D.), « Le discours de l'obsessionnel dans les romans de Robbe-Grillet », *Les Temps Modernes,* octobre 1965, n° 233, p. 608-637.

BONAPARTE (M.), *Edgar Poe,* Denoël et Steele, 1933 ; P.U.F., 1958, 3 vol.

CELLIER (L.), « Victor Hugo « lu » par Baudouin et Mauron », *Circé,* n° 1, 1970, p. 81-132.

CHASSEGUET-SMIRGEL (J.), *Pour une psychanalyse de l'art et de la créativité,* coll. Science de l'Homme, Payot, 1971.

CLANCIER (A.), *Psychanalyse et critique littéraire,* Privat, Toulouse, 1973.

CROUZET (M.), « Psychanalyse et culture littéraire », *Revue d'Histoire Littéraire de la France,* septembre-décembre 1970, 70e année, n° 5-6, p. 884-917.

FERNANDEZ (D.), *L'Arbre jusqu'aux racines,* Psychanalyse et création, Grasset, 1972.

FREUD (S.), *Délire et rêves dans la « Gradiva » de Jensen,* Gallimard, 1949; coll. Idées, 1971.
Essais de psychanalyse appliquée, Gallimard, 1933 ; coll. Idées, 1971.
Le mot d'esprit dans ses rapports avec l'inconscient, Gallimard, 1930 ; coll. Idées, 1969.
Un souvenir d'enfance de Léonard de Vinci, Gallimard, 1927.

KOFMAN (S.), *L'Enfance de l'art,* Petite Bibliothèque Payot, 1970.

LAPLANCHE (J.), *Hölderlin et la question du père,* P.U.F., 1961.

MAURON (C.), *Des métaphores obsédantes au mythe personnel,* Corti, 1964.

MEHLMAN (J.), « Entre psychanalyse et psychocritique », *Poétique,* n° 3, 1970, p. 365-383.

PONTALIS (J.-B.), *Après Freud,* Gallimard, 1968.

ROBERT (M.), *Roman des origines et origines du roman,* Grasset, 1972.

SMIRNOFF (V. N.), « L'œuvre lue », *Nouvelle Revue de Psychanalyse,* n° 1 (Incidences de la psychanalyse), printemps 1970, p. 49-57.

STAROBINSKI (J.), *La Relation critique,* Gallimard, 1970 (voir la section III « Psychanalyse et littérature »).

VIDERMAN (S.), « La plaie et le couteau. L'écriture ambiguë de Jean Genet », Revue Française de Psychanalyse, tome XXXVIII, janvier 1974, n° 1, p. 137-141.

OUVRAGES COLLECTIFS : *Critique sociologique et critique psychanalytique,* Université libre de Bruxelles, Bruxelles, 1970, avec la participation de GREEN (A.), ROSOLATO (G.), GIRARD (R.), RICŒUR (P.), DOUBROVSKY (S.).

Entretiens sur l'art et la psychanalyse, sous la direction de BERGE (A.), CLANCIER (A.), RICŒUR (P.) et RUBINSTEIN (L.-H.), Mouton, 1968.

Littérature, n° 3, octobre 1971, consacré à « Littérature et psychanalyse ».

Psychanalyse du génie créateur, coll. Inconscient et culture, Dunot, 1974, par ANZIEU (D.), MATHIEU (M.), BESDINE (M.), JAQUES (E.), GUILLAUMIN (J.).

IV. Ouvrages et articles sur Sartre

Notre bibliographie est nécessairement sélective. Nous n'avons retenu parmi les études auxquelles nous avons pu avoir accès que celles qui nous ont paru importantes ou significatives. Nous n'avons pas mentionné les ouvrages ou articles portant exclusivement sur un aspect de l'œuvre de Sartre qui n'entre pas dans le cadre de notre étude : philosophie, politique, théâtre, débat sur la littérature engagée avec ses prolongements (écriture et politique, mais aussi problème du langage, dichotomie entre la prose et la poésie, usage ou rejet du signe).

A. Livres et articles sur Sartre

ALBERES (R.-M.), *Sartre,* coll. Classiques du XXe siècle, Ed. Universitaires, 1964.

BARNES (H.E.), *The Literature of Possibility, a study in humanistic existentialism,* Lincoln (Nebraska), University of Nebraska Press, 1959.
Sartre, J.B. Lippincott company, Philadelphia and New York, 1973.

BEIGBEDER (M.), *L'Homme Sartre, Essai de dévoilement préexistentiel,* Bordas, 1947.

BOROS (M.-D.), *Un séquestré, l'homme sartrien,* Nizet, 1968.

BROMBERT (V.), « Sartre et la biographie impossible », *Cahiers de l'Association Internationale des Etudes Françaises,* n° 19, mars 1967, p. 155-166.

BRUN (J.), « Un prophète sublimé à la recherche d'un message : Sartre », *Cahiers du Sud,* 52, 1961-1962, p. 287-295.

CAMPBELL (R.), *Jean-Paul Sartre ou une littérature philosophique,* édition revue et augmentée, Pierre Ardent, 1945.

CELINE (L.-F.), *A l'agité du bocal,* P. Lanauve de Tartas, 1958 (repris dans *Les Cahiers de l'Herne : Céline,* n° 5, 1965, p. 22-24).

CHAMPIGNY (R.), *Stages on Sartre's way,* 1938-1952, Bloomington, Indiana University Press, 1959.

COHN (R.G.), « Sartre versus Proust », *Partisan Review,* New York, 28, n°s 5 et 6, 1961, p. 633-645.

CONTAT (M.), RYBALKA (M.), *Les Ecrits de Sartre,* Gallimard, 1970.

CRANSTON (M.), *Sartre,* Oliver and Boyd, Edinburgh and London, 1962.

DEMPSEY (P.J.R.), *The Psychology of Sartre,* Cork University Press, Oxford ; 1950.

GAGNEBIN (L.), *Connaître Sartre,* coll. « Connaissance du présent », Ed. Resma, 1972.

GEORGE (F.), *Sur Sartre,* Christian Bourgois, 1976.

JAMESON (F.), *The Origins of a style,* Yale University Press, New Haven and London, 1961.

JEANSON (F.), *Sartre par lui-même,* coll. Ecrivains de toujours, Ed. du Seuil, 1955.
Sartre, coll. « Les écrivains devant Dieu », Desclée de Brouwer, 1966.
Sartre dans sa vie, Ed. du Seuil, 1974.

JOHN (S.), « Sacrilege and Metamorphosis : two aspects of Sartre's imagery », *Modern Language Quaterly,* Washington, XX, n° 1, march 1959, p. 57-66.

KOEFOED (O.), « L'Œuvre littéraire de Jean-Paul Sartre. Essai d'interprétation », *Orbis Litterarum,* Copenhague, VI, fasc. 3-4 (1948), p. 209-272, et VII, fasc. 1-2 (1949), p. 61-141.

LAURENT (J.), *Paul et Jean-Paul,* Grasset, 1951.

LECARME (J.), *Les critiques de notre temps et Sartre,* Garnier, 1973.

LILAR (S.), *A propos de Sartre et de l'amour,* Grasset. 1967.

Mc MAHON (J.H.), *Humans Being, the World of Jean-Paul Sartre,* The University of Chicago Press, Chicago and London, 1970.

MURDOCH (I.), *Sartre, romantic rationalist,* Bowes and Bowes, Cambridge, 1953 ; New Haven, Yale University Press, 1953.

PATRI (A.), « Les années d'apprentissage de Sartre », *Preuves,* n° 122, avril 1961, p. 70-75.

PEYRE (H.), *Jean-Paul Sartre,* Columbia University Press, New York, 1968.

PRINCE (G.J.), *Métaphysique et technique dans l'œuvre romanesque de Sartre,* Droz, Genève, 1968.

SICARD (M.), *La critique littéraire de Jean-Paul Sartre, objets et thèmes,* Archives des Lettres Modernes, n° 159, Minard, 1976.

STERN (A.), *Sartre : his philosophy and existential psychoanalysis,* Liberal Art Press, 1953 ; 2e éd., Delta Book, New York, 1968.

SUHL (B.), *Sartre, un philosophe critique littéraire,* Ed. Universitaire, 1971.

THODY (P.), *Jean-Paul Sartre, a literary and political study,* H. Hamilton, London, 1960 ; Macmillan, New York, 1961.

B. Livres et articles portant partiellement sur Sartre ou contenant des jugements sur lui

BEAUVOIR (S. de), *La Force de l'âge,* Gallimard, 1960.
La Force des choses, Gallimard, 1963.
Mémoires d'une jeune fille rangée, Gallimard, 1958.
Tout compte fait, Gallimard, 1972.

BLANCHOT (M.), *La part du feu,* Gallimard, 1949 (voir « Les romans de Sartre », p. 195-211).

BOISDEFFRE (P. de), *Métamorphose de la littérature,* Alsatia, 1951 (voir « Jean-Paul Sartre ou l'impuissante liberté », p. 185 à 259, tome II).

BROMBERT (V.), *The Intellectual Hero, Studies in the french novel,* 1880-1955, J.B. Lippincott company, Philadelphia and New York, 1961.
La prison romantique, Corti, 1975 (voir « Sartre et le piège de la liberté », p. 189-201).

DOUBROVSKY (S.), *Pourquoi la nouvelle critique,* Mercure de France, 1968 (voir « La critique comme psychanalyse existentielle », p. 190-257).

GOMBROVICZ (W.), *Journal 1953-1956,* Julliard, 1964. *Journal Paris-Berlin,* Christian Bourgois, 1968.

GRACQ (J.), *Préférences,* Corti, 1961, rééd. 1969 (voir « Pourquoi la littérature respire mal », p. 71-104).

KERN (E.), *Existential thought and fictional technique, Kierkegaard, Sartre, Beckett,* Yale University Press, New Haven and London, 1970.

MAGNY (C.-E.), « Existentialisme et littérature », *Poésie 46*, n° 29, repris dans *Littérature et critique*, Payot, 1971.
Les sandales d'Empédocle, Ed. de La Baconnière, Boudry (Suisse), 1945, réédité sous le titre *Essai sur les limites de la littérature*, Petite Bibliothèque Payot, 1968.

MERLEAU-PONTY (M.), *Signes*, Gallimard, 1960.

ONIMUS (J.), « De la sévérité envers soi-même chez nos contemporains », *Etudes*, n° 303, 1959, p. 3-16.

PEYRE (H.), *The Contemporary French Novel*, New York, Oxford University Press, 1955 (voir « Existentialism and French Literature, Jean-Paul Sartre's Novels », p. 216-239).

PICON (G.), *Panorama de la nouvelle littérature française*, nouvelle édition refondue, Gallimard, 1960.

ROY (C.), *Description critiques*, Gallimard, 1949 (voir « Jean-Paul Sartre », p. 161-189).

SIMON (P.-H.), *L'Homme en procès*, Ed. La Baconnière, Neuchâtel, 1949 (voir « Sartre ou la navigation sans étoiles », p. 53-92), rééd. Payot, 1968.

ZERAFFA (M.), *Personne et personnage*, le romanesque des années 1920 aux années 1950, Klincksieck, 1969.

C. Ouvrages collectifs ou numéros spéciaux

Adam international review, n° 343-345, Rochester, New York.

L'Arc, n° 30, 1966 : « Jean-Paul Sartre », Aix-en-Provence.

Magazine littéraire, n° 55-56, septembre 1971 : « Spécial Sartre ».

Magazine littéraire, n° 103-104, septembre 1975 : « Sartre dans son histoire ».

Sartre, a collection of critical essays, edited by Edith Kern, Prentice Hall, 1962.

Yale French Studies, New Haven, n° 1, 1950 ; n° 10, 1953 ; n° 16, 1955-1956 ; n° 30, 1963.

D. Livres ou articles portant plus particulièrement sur les œuvres étudiées ici

1. — Sur *La Nausée*.

ARLAND (M.), « *La Nausée* de Jean-Paul Sartre », *Nouvelle Revue Française*, 1er juillet 1938.

ARNOLD (A.J.), « La Nausée Revisited », *French Review*, Baltimore, XXXIX, n° 2, november 1965, p. 199-213.

BOLLE (L.), « Sur *La Nausée* », dans *Les lettres et l'absolu*, Genève, 1959, (p. 121-128).

BEDNER (J.), « Quelques aspects psychologiques de *La Nausée* », *Levende Talen* Groningen, 1968 (p. 510-522).

CHAMPIGNY (R.), « Sens de *La Nausée* », *Publications of the Modern Language Association of America*, New York, LXX, march 1955, p. 37-46.

COHN (R.G.), « Sartre's First Novel : *La Nausée* », *Yale French Studies*, New Haven, spring summer 1948, p. 62-65.

FITCH (B.T.), *Le Sentiment d'étrangeté chez Malraux, Sartre, Camus, et Simone de Beauvoir*, Minard, 1964 (voir « Le mirage du moi idéal - *La Nausée* de Jean-Paul Sartre », p. 95-139).

GRUBBS (H.A.), Sartre's Recapturing of Lost Time, *Modern Language Notes*, Baltimore, vol. LXXIII, n° 7, november 1958, p. 515-522.

IDT (G.), *La Nausée de Sartre,* coll. « Profil d'une œuvre », Hatier, 1971.

MINGELGRÜN (A.), « L'air de jazz de *La Nausée.* Un cheminement proustien », *Revue de l'Université de Bruxelles,* 1972, fasc. I, p. 55-68.

MONNEROT (J.), *Inquisitions,* Corti, 1974 (voir *La Nausée* de M. Sartre, p. 165-179).

MORRIS (M.F.), « Faust à Bouville », *Revue de littérature comparée,* n° 42, 1968, p. 534-548.

ONIMUS (J.), *Face au monde actuel,* Desclée de Brouwer, 1962 (voir « Folantin, Salavin, Roquentin, trois étapes de la conscience malheureuse », p. 99-116).

PELLEGRIN (J.), « L'objet à deux faces dans *La Nausée* », *Revue des Sciences Humaines,* Lille, janvier-mars 1964, fasc. 113, p. 87-97.

POULET (G.), *Etudes sur le temps humain,* tome III, *Le point de départ,* Plon, 1964 (voir « *La Nausée* de Sartre », p. 216-236).

RAILLARD (G.), « Actualité de *La Nausée* », *Le Français dans le monde,* n° 39, mars 1966.
La Nausée de J.-P. Sartre, coll. Poche critique, Hachette, 1972.

RYBALKA (M.), « A trente ans, ce beau coup : La Nausée », *Magazine Littéraire,* septembre 1975, n° 103-104, p. 15-18.

SAISSELIN (R.G.), « Bouville ou l'anti-Combray », *French Review,* Baltimore, XXXIII, n° 3, january 1960, p. 232-238.

SEIFERT (S.), « Quelques éléments semblables chez Sartre et chez Proust dans *La Nausée* et dans *A la recherche du temps perdu* », *Bulletin de la Société des amis de Marcel Proust,* n° 22, 1972, p. 1423-1432.

2. — Sur *L'Enfance d'un chef.*

ELMQUIST (C.), « Lucien, Jean-Paul et la mauvaise foi. Une étude sur Sartre », *Orbis Litterarum,* Copenhague, 1971, n° 26, p. 222-231.

IDT (G.), *Le Mur de Jean-Paul Sartre, techniques et contexte d'une provocation,* coll. « Thèmes et textes », Larousse, 1972.

3. — Sur *Baudelaire.*

BATAILLE (G.), « Baudelaire mis à nu », *Critique,* n° 8-9, janvier 1947, repris dans *La littérature et le mal,* coll. Idées, Gallimard, 1967.

BLANCHOT (M.), « L'Echec de Baudelaire », *L'Arche,* février 1947, repris dans *La part du feu,* Gallimard, 1949, p. 137-155.

BLIN (G.), « J.-P. Sartre et Baudelaire », *Fontaine,* n° 59, avril-mai 1947, p. 3-17, repris dans *Le Sadisme de Baudelaire,* Corti, 1948.

BOLLE (L.), « Sartre et Baudelaire », dans *Les Lettres et l'absolu,* Genève, 1959, p. 85-106.

DONEUX (G.), « Regard sur Sartre à travers Baudelaire », *Marginales 25,* Bruxelles, n° 130, février 1970, p. 15-18.

FUMET (S.), « Face à face Baudelaire-Sartre », *La Table Ronde,* n° 232, mai 1967, p. 6-19.

JOURDAIN (L.), « Sartre devant Baudelaire », *Tel quel,* automne 1964, n° 19, p. 70-85 et printemps 1965, n° 21, p. 79-95.

KUSHNER (E.), « Sartre et Baudelaire », *Annales de la Faculté des Lettres de Nice,* n° 4-5, 2e et 3e trimestre 1968, p. 113-124.

LOISY (J.), Baudelaire et Sartre, *Points et contrepoints,* 75, décembre 1965, p. 4-8.

RYBALKA (M.), « Le Baudelaire de Sartre », *Adam, International Review,* Rochester, New York, n° 331-333, 1969, p. 31-32.

4. — Sur *Saint Genet, comédien et martyr.*

BATAILLE (G.), « Jean-Paul Sartre et l'impossible révolte de Jean Genet », *Critique,* n° 65, 1952, p. 819-832, n° 66, 1952, p. 946-961, repris dans *La littérature et le mal,* coll. Idées, Gallimard, 1967.

BOLLE (L.), « *Saint Genet* ou la théologie du voyou », dans *Les lettres et l'absolu,* Genève, 1959, p. 107-119.

CHAMPIGNY (R.), « Comedian and Martyr », in *A Collection of Critical Essays,* ed. by E. Kern, Prentice Hall, 1962, p. 80-92.

COE (R.N.), *The Vision of Jean Genet,* Peter Owen, London, 1968.

ELEVITCH (B.), « Sartre et Genet », *The Massachussetts Review,* 5, 1963-1964, p. 408-413.

LAING (R.D.), *Raison et violence,* Petite Bibliothèque Payot, 1971 (voir la deuxième partie, « A propos de Genet », p. 73-98).

ROYCE (B.C.), « *La Chute* and *Saint Genet :* the question of guilt », *French Review,* Baltimore, 39, 1965-1966, p. 709-716.

5. — Sur *Les Mots.*

ARNOLD (A.J.), PIRIOU (J.-P.), *Genèse et critique d'une autobiographie. Les Mots de Jean-Paul Sartre,* Archives des Lettres Modernes, Minard, 1973.

BENSIMON (M.), « D'un mythe à l'autre : essai sur les « Mots » de J.-P. Sartre », *Revue des Sciences Humaines,* juillet-septembre 1965, p. 415-430.

DUTOURD (J.), « Le petit Jean-Paul », *Nouvelle Revue Française,* mars 1964, p. 563-565.

GIRARD (R.), « L'anti-héros et les salauds », *Mercure de France,* mars 1965, p. 422-449.

IDT (G.), « La parodie dans *Les Mots* de Sartre », *Cahiers du 20e siècle,* n° 6, 1976, p. 53-86.

JEAN (R.), « Les Mots, par Jean-Paul Sartre », *Cahiers du Sud,* mai-juin 1964, 51e année, n° 377, p. 483-484.

LECARME (J.), « Les Mots de Sartre : un cas limite de l'autobiographie ? », *Revue d'histoire littéraire de la France,* 75e année, n° 6, novembre-décembre 1975, p. 1047-1061.

LEJEUNE (P.), *Le pacte autobiographique,* coll. Poétique, Ed. du Seuil, 1975 (voir « L'ordre du récit dans *Les Mots* de Sartre », p. 197-243).

MOROT-SIR (E.), *Les Mots de Jean-Paul Sartre,* coll. « Lire aujourd'hui », Hachette, 1975.

PIATIER (J.), « Jean-Paul Sartre s'explique sur Les Mots », *Le Monde,* 18 avril 1964.

PICON (G.), « Sur *Les Mots* », *Mercure de France,* octobre 1964, p. 313-316.

SENART (P.), « Jean-Paul Sartre ou l'enfant du miracle », *La Table Ronde,* n° 195, avril 1964, p. 7-16.

THODY (P.), « Sartre's autobiography : existential psychoanalysis or self-denial ? », *The Southern Review,* autumn 1969, p. 1030-1044.

6. — Sur *L'Idiot de la famille.*

BARBERIS (P.), « Flaubert pour quoi faire », *Le Monde des livres,* 2 juillet 1971.

BEM (J.), « La production du sens chez Flaubert : la contribution de Sartre », dans *La production du sens chez Flaubert,* colloque de Cerisy, 10/18, Union générale d'éditions, 1975, p. 155-173.

BERSANI (J.), « L'Idiot de la famille, tome III », *Le Monde des livres,* 4 août 1972.

BURGELIN (C.), « Lire L'Idiot de la famille ? », *Littérature*, n° 6, mai 1972, p. 111-120.

COHEN (G.), « De Roquentin à Flaubert », *Revue de Métaphysique et de Morale*, n° 1, janvier-mars 1976, p. 112-141.

DEBRAY-GENETTE (R.), « La découverte de la forme », *Le Monde des livres*, 2 juillet 1971.

DOUBROVSKY (S.), « Une étrange toupie », *Le Monde des livres*, 2 juillet 1971.

FABRE-LUCE (A.), « Sartre par Flaubert », *Revue des Deux Mondes*, octobre-décembre 1972, p. 44-61.

LECARME (J.), « Sartre et son double », *Nouvelle Revue Française*, avril 1972, n° 232, p. 84-88.

MOUCHARD (C.), « Un roman vrai ? », *Critique*, n° 295, décembre 1971, p. 1029-1049.

NADEAU (M.), « Flaubert, écrivain du Second Empire », *Quinzaine Littéraire*, n° 149, 1er octobre 1972, p. 19-20.
« Sartre et *L'Idiot de la famille* », *Quinzaine Littéraire*, n° 119, 1er juin 1971, p. 3-4, n° 120, 16 juin 1971, p. 8-9, n° 121, 1er juillet 1971, p. 11-12.

PINTO (E.), « La « névrose objective » chez Sartre (*L'Idiot de la famille*, t. III). Sartre historien », *Les Temps Modernes*, XXX, 1974-1975, p. 35-76.

ROBERT (M.), « Le Tribunal ou l'analyse », *Le Monde des livres*, 2 juillet 1971.

RYBALKA (M.), « Sartre et Flaubert » dans *Langages de Flaubert*, Actes du colloque de London (Canada), 1973, Minard, Paris, 1976, p. 213-225.

SICARD (M.), « Décrire « l'Oncle Gustave », *Magazine Littéraire*, septembre 1975, n° 103-107, p. 65-70.
« Flaubert avec Sartre », dans *La production du sens chez Flaubert*, colloque de Cerisy, 10/18, Union générale d'éditions, 1975, p. 175-189.
« L'Idiot de la famille », *Les Cahiers du chemin*, 27, 15 avril 1976, p. 138-158.
« Sartre parle de Flaubert » (entretien), *Magazine Littéraire*, novembre 1976, n° 118, p. 94-116.

SIMON (P.-H.), « Flaubert disséqué par Sartre », *Le Monde des livres*, 2 juillet 1971.

STEPHANE (M.), « Comment on devient Flaubert », *Europe*, n° 516, avril 1972, p. 179-183.

THIBAUDEAU (J.), « L'Idiot de la famille », *La Nouvelle Critique*, n° 52, avril 1972, p. 4-8.

Les Nouvelles Littéraires, 2 juillet 1971, « *L'Idiot de la famille* : monstrueux, irritant et génial », p. 16 et 17, par DURRY (M.-J.), DOUCHIN (J.-L.), BANCQUART (M.-C.) et NADEAU (M.).

TABLE DES MATIERES

Achevé d'imprimer en Octobre 1980
sur les presses de l'Imprimerie du Champ-de-Mars - 09700 Saverdun
Dépôt légal 4e Trimestre 1980